ANTHOLOGIE POÉTIQUE FRANÇAISE
XVIIIe SIÈCLE

ANTHOLOGIE POÉTIQUE
FRANÇAISE
XVIIIᵉ SIÈCLE

Choix, introduction et notices

par

Maurice Allem

GARNIER-FLAMMARION

© 1966, GARNIER FRÈRES, Paris.

INTRODUCTION

Le XVIIIᵉ siècle est, sans contredit, la période la moins riche en poésie de toute notre histoire littéraire. Les faiseurs de vers y ont été, cependant, aussi nombreux que jamais. Mais leurs œuvres ne sont, pour la plupart, qu'artifice et convention.

C'est qu'ils sont tous, ou presque tous, des hommes du monde ou des philosophes, souvent même à la fois des philosophes et des hommes du monde, et qu'ils ont trouvé le principal exercice de leur activité intellectuelle dans la conversation mondaine et dans la dissertation philosophique. Sans doute, ils ont abordé tous les genres poétiques : le conte, l'élégie, l'idylle, la satire, l'ode et même le poème épique, mais ils n'ont laissé de modèle dans aucun, sauf toutefois dans deux genres inférieurs comme la poésie badine et l'épigramme.

Peu de poètes nous arrêteront donc; à vrai dire, Voltaire est, de tous, le plus important; si nous ne pouvons pas le placer au rang de Ronsard, de Malherbe ou de La Fontaine, il n'en est pas moins le représentant le plus complet de la poésie de son temps, où son œuvre, par son abondance et sa variété, tient la première place.

Ce n'est qu'à son déclin que ce siècle abandonné des Muses vit, dans André Chénier, naître enfin un grand poète, mais dont, hélas! il n'eut pas la consolation d'entendre les beaux chants. Du moins cette gloire poétique tardive fait-elle un heureux contrepoids à la médiocrité générale du siècle et à l'erreur qui, dans ses premières années, anima contre la poésie quelques-uns de ses écrivains.

Les salons avaient repris leur empire. On peut regarder comme le plus brillant, la sémillante cour de Sceaux dont la vive petite duchesse du Maine, inlassable dans ses plaisirs, fit, dès le commencement du siècle, le lieu d'une perpétuelle fête et où il était nécessaire d'avoir sans cesse et de dépenser sans cesse de l'esprit. Les vieillards même, comme cet aimable marquis de Saint-Aulaire, venu sur ses vieux jours à la poésie, y tournaient de gentils et, à l'occasion, d'assez lestes madrigaux; et le fidèle Malézieu, véritable intendant des Menus-Plaisirs, et qui n'était pas non plus un jeune homme, devait montrer une activité presque sans répit dans l'organisation de divertissements toujours renouvelés, bien qu'il dût éprouver sans doute, à de certains moments, quelque lassitude de ce rôle de rameur sur ce qu'il appelait « les galères du bel esprit ». Sur ces galères, on rencontre, entre autres aimables compagnons, les poètes Chaulieu, La Fare, La Motte et Fontenelle. Les deux premiers, qui sont plutôt de l'époque précédente[1], forment le lien qui assure, d'un siècle à l'autre, la continuité de cette lignée de poètes légers, assez nombreux déjà au XVIIe (les Malleville, les Montreuil, les Montplaisir, les Chapelle, etc.), plus nombreux et plus légers au XVIIIe (les Grécourt, les Voisenon, les Gentil-Bernard, les Bernis, les Boufflers, etc.), pour qui la poésie semble être surtout un agrément de société et à qui nous devons cette profusion de petites pièces parfois tendres jusqu'à la fadeur, parfois galantes jusqu'au libertinage, mais souvent d'un ton discret et d'un tour spirituel et dont certaines sont des bibelots d'une grâce charmante et d'un art achevé. Fontenelle et La Motte avaient de plus hautes ambitions, et si, par la face badine de leur talent, ils devaient plaire à la cour de la duchesse du Maine, ils semblent surtout, par sa face plus sérieuse, avoir été parmi les ornements et parmi les attraits du salon de la marquise de Lambert.

Mme de Lambert avait passé la soixantaine lorsque, en 1710, suivant à un siècle de distance l'exemple de Catherine de Vivonne à l'hôtel de Rambouillet, elle ouvrit un salon où, comme à l'hôtel de Rambouillet, furent admis des gens de lettres et des personnes de qualité; où, comme à l'hôtel de Rambouillet encore, le bel esprit fut recherché et fêté.

Mme de Lambert, a-t-on dit, était *précieuse*, mais de ce précieux qui n'allait pas jusqu'au ridicule. C'est aussi, sans doute, ce que veut faire entendre Raynal, lorsque, dans ses *Nouvelles littéraires*, il écrit qu'elle avait « de l'esprit, de la délicatesse, peut-être un peu d'affectation et de raffinement ». Il n'en pouvait guère, semble-t-il, être autrement. Toutefois, l'esprit n'était pas seul accueilli à ses *mardis*, car son salon ne pouvait pas plus rappeler exactement celui de la marquise de Rambouillet que le XVIIIe ne rappelait exactement le XVIIe, et il est tout naturel que, à côté des poètes, l'on y trouve des savants et des « raisonneurs ». Ses hôtes sont Mairan, Marivaux, Montesquieu, Terrasson, Trublet; d'autres encore, parmi lesquels l'aimable Saint-Aulaire, que nous avons déjà rencontré à Sceaux, et, ainsi que nous l'avons dit, La Motte et Fontenelle.

La Motte et Fontenelle étaient l'un et l'autre poètes, mais aussi pauvres poètes l'un que l'autre. Ce qui nous

1. On trouvera quelques pages de chacun d'eux dans notre *Anthologie poétique française, XVIIe siècle*, t. II, p. 375 et 405.

intéresse davantage en eux, c'est qu'ils étaient, en outre, des esprits critiques, et qu'en poétique ils furent des théoriciens.

Fontenelle était intervenu dans la querelle fameuse entre Boileau et Charles Perrault par une *Digression sur les Anciens et les Modernes* dans laquelle il prenait le parti des Modernes contre les Anciens. Ses idées sur la poésie l'y portaient naturellement. Il les avait, en effet, exprimées déjà dans divers écrits. Tout d'abord, dans une *Description de l'Empire de la Poésie*, parue en janvier 1678 au *Mercure*, et où il imagine une géographie « poétique » qui fait songer par sa puérile ingéniosité à la célèbre *Carte du Tendre*. Cet empire a ceci de commun avec la plupart des contrées que l'on y trouve des différences de niveau. Il y a des élévations et des plaines. Les unes sont les régions de la haute poésie, les autres celles de la basse poésie. Dans le haut pays, qui a pour capitale la grave et peu réjouissante cité du poème épique, se dressent les montagnes de la tragédie d'où s'épanchent, éloignées l'une de l'autre, la rivière de la rime qui sort des monts de la rêverie et la rivière de la raison, à une grande distance de laquelle s'étend la forêt du galimatias. Il semble qu'aucune voie ne soit tracée d'une région à l'autre. Entre elles deux, Fontenelle ne place que des « solitudes qu'on appelle les déserts du bon sens ». Bien que le pays soit étendu, l'on y voit seulement quelques cabanes dispersées. Fontenelle se flattait certainement d'habiter l'une d'elles. Il n'y eût pas été mal pour composer son *Discours sur la nature de l'Eglogue* dans lequel, rejetant de la poésie rustique tous ceux qui : laboureurs, moissonneurs, vignerons ou chasseurs, mènent aux champs une existence laborieuse, il n'y retient que les bergers et les bergères, sans même admettre avec eux leurs troupeaux, ce qui leur permet de s'abandonner tout entiers aux plaisirs d'une vie oisive, et, comme leurs devanciers de *l'Astrée*, de n'avoir d'autres soucis que de faire scintiller les traits piquants ou galants de leur esprit.

Fontenelle n'aspirait pas à la haute poésie. Il avait bien essayé, à diverses reprises, de gravir les hautes cimes de la tragédie, mais il l'avait fait avec peu de bonheur, peut-être même avec peu d'entrain, et seulement par soumission à l'usage. Il se plaisait mieux aux ouvrages menus. Lesage ne lui fait-il pas dire, sous le voile d'un personnage de son roman de *Gil Blas :* « Si ce sonnet n'est pas intelligible, tant mieux, mon ami, les sonnets, les odes et les autres ouvrages qui veulent du sublime ne s'accommodent pas du simple et du naturel; c'est l'obscurité qui en fait tout le mérite; il suffit que le poète croie s'entendre » ? Mais il lui fait ajouter : « Nous sommes cinq ou six novateurs hardis qui avons entrepris de changer la langue du blanc au noir... »

Fontenelle savait très bien, quoi qu'en dise Lesage, que le mérite des œuvres de la haute poésie n'est pas dans l'obscurité, et ce n'est guère que depuis quelques lustres que des poètes, en France, ont fait, semble-t-il, de cette obscurité le fondement même de leur esthétique. Mais Fontenelle, sous le prétexte de rendre la poésie plus claire, aurait voulu — et en ceci il était un novateur d'une hardiesse dangereuse — la dépouiller des parures les plus légitimes et les plus riches de l'imagination. Il a tenté une théorie des images, dans laquelle il range au plus bas degré les images « fabuleuses », empruntées de la mythologie, au-dessus desquelles il place les images « matérielles », empruntées exactement des spectacles de la nature ou de la vie; mais il subordonne celles-ci aux images « spirituelles », c'est-à-dire aux pensées, lesquelles s'adressent non plus à la sensibilité, mais seulement à l'esprit, et, au degré le plus élevé, il met les images « intellectuelles » ou « métaphysiques » qui, étant de l'ordre le plus général, ne s'adressent qu'aux parties supérieures de cet esprit.

La poésie ainsi épurée, ou, pour mieux dire, stérilisée, ne pouvait manquer d'aboutir à des strophes du genre de celle-ci, que M. Hippolyte Rigault, en la citant dans sa belle *Histoire de la Querelle des Anciens et des Modernes*, n'a pas tort de qualifier de « prodigieuse » :

> La nature est mon seul guide;
> Représente-moi le vide
> A l'infini répandu;
> Dans ce qui s'offre à ma vue
> J'imagine l'étendue,
> Et ne vois que l'étendu.

Ces jolis vers sont de La Motte, comme d'ailleurs les suivants qui ne leur cèdent en rien :

> La substance de ce vide
> Entre ce corps supposé
> Se répand comme un fluide :
> Ce n'est qu'un plein déguisé.

Fontenelle ne fut pas seulement le bel esprit dont La Bruyère a tracé le portrait : il a été aussi un philosophe et un savant, et surtout — ainsi que nous le rappelons dans la courte notice que nous lui consacrons dans ce recueil — un excellent vulgarisateur des questions philosophiques et scientifiques. Il l'était déjà dans le temps que La Bruyère dessinait son *Cydias;* et si le critique n'y a rassemblé que des traits exacts, il n'a, en raison des omissions qu'il a commises, donné de son modèle qu'une image incomplète et, au total, injuste.

Au contraire de Fontenelle, La Motte ne fut pas autre chose qu'un écrivain, mais, à ce titre, il fut, comme Fontenelle, à la fois un versificateur et un théoricien.

L'une de ses idées était que les modernes étaient supérieurs aux anciens et que cette loi du progrès se manifestait dans la poésie comme dans tout le reste. Cette opinion ne lui était pas particulière, mais il voulut l'illustrer par un exemple et il ranima cette grande querelle des anciens et des modernes que la réconciliation survenue, au commencement du siècle, entre Perrault et Boileau, avait, pour un temps, apaisée.

En 1699, Mme Dacier avait publié une traduction de *l'Iliade*. Or, dans *l'Iliade*, il y a de l'inutile, du fastidieux et même du barbare, et c'est mal honorer Homère que de traduire son poème tel quel. C'est du moins ainsi qu'en juge La Motte qui en entreprend une traduction nouvelle, en vers s'il vous plaît, mais abrégée et améliorée. Il commence par réduire à douze les vingt-quatre chants du poème grec, et, dans les parties qu'il conserve, il fait d'heureuses modifications : ainsi, ayant reconnu que le bouclier d'Achille est défectueux, il lui substitue un bouclier sans défauts ; mais ce n'est qu'un détail. La mort d'Hector lui paraissant défectueuse aussi, il n'hésite pas à changer les circonstances de cette mort. En un mot, il a tantôt traduit, tantôt résumé, tantôt modifié, tantôt ajouté. Il est fier de son intrépidité, et il se vante d'avoir été original en beaucoup d'endroits, et d'avoir « osé même inventer ».

L'Iliade ainsi accommodée, il la dédia au roi et la présenta comme l'ouvrage qu'Homère eût écrit si son destin l'eût fait vivre en l'an 1713.

Mme Dacier ne pouvait rester insensible à cette mutilation. Elle répliqua, avec cette vivacité injurieuse que les savants les plus graves savent montrer lorsqu'ils sont poussés à la polémique. Cette réponse, publiée en 1714, sous le titre : *Des causes de la corruption du goût*, n'a pas moins de cinq cents pages. La lice est à présent rouverte. De part et d'autre, de nouveaux champions accourent à la rescousse. Il est difficile de ranger dans l'un ou l'autre camp l'aimable, le mesuré et le prudent Fénelon dont la *Lettre sur les occupations de l'Académie* est aussi de 1714. Parmi ceux qui prirent parti, il nous suffira de rappeler, entre autres adversaires de Mme Dacier, l'abbé Terrasson, qui fit paraître, en 1715, sa *Dissertation sur Homère*, et l'abbé d'Aubignac, qui, la même année, publia ses *Conjectures académiques sur l'Iliade* où, en mettant en doute la réalité du personnage d'Homère, il a surtout fourni à la philologie germanique du XIXe siècle son hypothèse sur la formation des poèmes homériques. Dans le camp opposé, nous trouvons des combattants moins redoutables : le méprisable Gacon, auteur d'un

Homère vengé, paru en 1716, et auquel La Motte ne répliqua même pas, et le Père Hardouin, qui, en 1716 aussi, publia une aventureuse *Apologie d'Homère* à laquelle Mme Dacier dut aussitôt répliquer par un ouvrage intitulé *Homère défendu contre l'Apologie du P. Hardouin* ou *Suites des causes de la corruption du goût.* Cet écrit et les *Réflexions sur la critique,* de La Motte, publiées en cette même année 1716, marquèrent pour les deux adversaires les suprêmes hostilités. M. de Valincourt, leur ami commun, réussit à les réconcilier. C'est le 5 avril 1716, dimanche des Rameaux, que la paix fut conclue, dans un souper auquel il les avait conviés.

Comme Boileau l'avait fait pour Perrault, La Motte rendit, par la suite, hommage à Mme Dacier, et en quelques lignes, d'un ton très digne, il plaça l'estime et l'amitié au-dessus des divergences d'opinion. Il n'en admira sans doute pas davantage Homère, car son hostilité était plus profonde et ce n'est point seulement contre les poèmes homériques qu'il s'élevait, mais contre la poésie elle-même.

Il est, en ceci, plus radical que son ami Fontenelle. Se souvenait-il que celui-ci, traçant la carte de *l'Empire de la Poésie,* y avait figuré la rivière de la rime et celle de la raison, comme coulant dans des directions divergentes ? En tout cas, cet écrivain qui a composé d'innombrables vers, qui se dit et qui, certainement, se croit un poète, le voici qui, avec cette hardiesse que nous lui avons vu montrer contre Homère, entreprend, au nom de la raison, de proscrire la rime de la poésie française.

La rime avait, certes, déjà subi quelques critiques. Pascal n'en semblait guère partisan, mais Pascal n'a pas fait de vers. Montesquieu, dans la cent trente-septième de ses *Lettres persanes,* met sous la plume de Rica quelques lignes fort nettes : « ce sont ici les poètes, me dit-il, c'est-à-dire ces auteurs dont le métier est de mettre des entraves au bon sens », etc. Mais Montesquieu n'a jamais prétendu au titre de poète, bien qu'il se soit amusé à rimer quelques menus badinages. Fénelon, dans sa *Lettre à l'Académie,* affirme que nos poètes, même les plus grands, « sont pleins d'épithètes forcées pour attraper la rime »; presque aussitôt après, il ajoute : « notre versification perd plus, si je ne me trompe, qu'elle gagne par les rimes : elle perd beaucoup de variété, de facilité et d'harmonie »; et « la rime ne nous donne que l'uniformité des finales, qui est ennuyeuse, et qu'on évite dans la prose tant elle est loin de flatter l'oreille ». Il écrit encore, dans une lettre datée du 26 janvier 1714 et adressée précisément à La Motte : « La rime gêne plus qu'elle n'orne les vers. Elle les charge d'épithètes; elle rend souvent la diction forcée et pleine d'une parure vaine.

En allongeant les discours, elle les affaiblit. » Mais Fénelon, bien qu'il ait composé quelques vers de plus que
Montesquieu, ne saurait prétendre davantage au titre de
poète ; tandis que La Motte, auteur de fables, d'odes,
d'opéras, de tragédies, etc., en écrivant contre la forme
poétique, écrit, ainsi que Voltaire le lui reprochera,
« contre son art même ».

Il a, sur cet art, abondamment disserté. Que d'ouvrages théoriques ! *Discours sur l'Eglogue, Discours sur
la Fable, Discours sur la Poésie en général et sur l'Ode en
particulier, Discours préliminaire sur la Tragédie*, sans
compter quelques discours supplémentaires à l'occasion
de diverses tragédies de lui, etc. De ses idées dramatiques, nous ne retiendrons qu'une seule, à savoir que
« la versification n'est pas nécessaire à la tragédie ». Opinion qu'il a généralisée ailleurs en laissant entendre à
son tour que la versification n'est nécessaire à aucun
ouvrage de poésie. C'est qu'il se faisait de la poésie une
conception singulière. Il ne pouvait pas la voir autrement
que comme un exercice difficile et, en effet, elle n'était
pas autre chose pour lui. Les vers ne jaillissaient pas
de son âme comme d'une source harmonieuse, il lui fallait vraisemblablement les tourner avec application,
comme un artisan laborieux, bien que çà et là pas trop
maladroit. A ce métier, il lui fallait se soumettre au joug
de la mesure et s'inquiéter, pour chacun de ses vers,
d'une rime, c'est-à-dire subir une double contrainte et
triompher d'une double difficulté dont, certainement, la
deuxième lui paraissait la plus considérable. Et s'il compa-
rait la manière dont il avait dit une chose en vers à la
manière dont il l'eût pu dire en prose, y pouvait-il trouver
d'autres différences que celles précisément de la contrainte imposée à son expression et de la difficulté vaincue ? Dès lors, pourquoi s'embarrasser de ces « entraves » ?
pour parler comme Fénelon. Et ne trouverons-nous pas
tout naturel que le « poète » La Motte ait un jour déclaré :
« La prose peut dire plus exactement tout ce que disent
les vers et les vers ne peuvent pas dire tout ce que dit
la prose » ? Car il ne s'agit ni de beauté, ni d'émotion,
ni de rien qui élève et ravisse l'âme. Il s'agit d'exactitude,
uniquement.

Louis Racine, dans ses intéressantes *Réflexions sur la
poésie*, semble, par endroits, se rapprocher de l'opinion
de La Motte. Après avoir déclaré que, dans toutes les
langues, la caractéristique de la forme poétique est l'inversion, il ajoute que, dans la poésie française, l'inversion « est rarement plus forte que celle que la prose
admet, parce que, dit-il, notre langue, toujours amie de
la clarté, rejette tout ce qui peut causer quelque obscurité ». Dès lors, il prévoit qu'on lui objectera que si nos
poètes ne peuvent pas s'écarter de l'ordre de la syntaxe

« par une inversion qui cause la moindre obscurité », c'est donc qu'ils parlent comme nous et que « nous n'avons pas une véritable poésie ». Mais il n'en est pas d'accord. Il convient bien que, « dans une langue aussi sage que la nôtre, la poésie ne doit point avoir avec la prose une différence si sensible que dans les autres langues », et que « c'est pour cela que cette différence ne nous frappe pas ». Mais, ajoute-t-il, « elle frappe les étrangers ». Il admet que « les hardiesses de notre poésie sont sages, à la vérité », mais il n'ignore pas qu' « elle a aussi ses hardiesses », et que — pour le citer encore — « nous avons une langue poétique qui sait quelquefois s'affranchir des liaisons ordinaires du discours et qui est remarquable surtout par des tours de phrases conformes à sa vivacité, et par une alliance heureuse et nouvelle des mots ordinaires ». Mais, ni la simplicité des moyens, ni les exigences de la discipline prosodique n'ont empêché nos grands poètes d'atteindre, dans la langue du vers, aux effets les plus rares et les plus admirables, et Louis Racine n'avait pas besoin, pour le voir, de regarder au-delà de son propre père.

La condition de cette poésie — et Louis Racine ici s'éloigne de La Motte autant qu'il est possible — réside, selon lui, dans un enthousiasme né des passions humaines, dans une exaltation du cœur telle que le lecteur se sent « échauffé du même feu » qui échauffait le poète.

La Motte, cependant, ne se contente pas de formuler des théories. De même que, trouvant à reprendre à l'*Iliade* d'Homère il voulut montrer la justesse de sa critique en composant une *Iliade* plus belle, de même ici, soucieux de joindre l'exemple au précepte, il compose en prose une tragédie et même des odes. Cette tragédie est un *Œdipe* qu'il fit après l'échec de son *Œdipe* en vers; de ces odes l'une est adressée au cardinal de Fleury et l'on y trouve des élans dans ce genre : « Fleury, respectable ministre, aussi louable par tes intentions que par tes lumières, aussi cher à ton roi qu'à son peuple, et précieux même à tous nos voisins; toi à qui les poètes sont inutiles parce que l'histoire se charge de ton éloge », etc.

Mais La Motte ne se borna pas à mettre en prose ses propres odes ou ses propres tragédies. Poussé par le besoin de démontrer et d'ailleurs estimant « qu'il y a sans comparaison beaucoup plus de poésie dans M. Fléchier que dans M. Racine », il n'hésita pas à faire subir le même sort sans que, selon lui, elle y perdît rien, à la première scène de *Mithridate*, tragédie dudit « M. Racine »; et à une *Ode en faveur des vers*, à lui adressée par son ami La Faye, qui y prenait la défense de la forme poétique, ode que l'on trouvera à la page 75 du présent recueil.

Voltaire a loué cette ode, dont l'intention vaut mieux que l'exécution, mais qui contient une très jolie strophe :

> De la contrainte rigoureuse
> Où l'esprit semble resserré,
> Il acquiert cette force heureuse
> Qui l'élève au plus haut degré;
> Telle, dans les canaux pressée,
> Avec plus de force élancée,
> L'onde s'élève dans les airs;
> Et la règle qui semble austère
> N'est qu'un art plus certain de plaire,
> Inséparable des beaux vers.

Il est évident que La Motte a parlé de la poésie comme d'une chose qui lui était complètement étrangère. Mais ses idées, que l'on n'est pas étonné de trouver exprimées au seuil du moins poétique de nos siècles littéraires, ne lui étaient pas particulières. Dans son temps et dans son milieu, elles trouvaient des approbateurs. Les abbés Trublet et Terrasson furent de ceux-là. Elles eurent des contradicteurs aussi et nous avons déjà nommé La Faye; nous pouvons nommer après lui J.-B. Rousseau (voir p. 65 de ce volume une épigramme de lui contre les *Odes* de La Motte); Nivelle de La Chaussée, qui protesta dans une *Epître à Clio*, très médiocre d'ailleurs, et publiée seulement en 1737, alors que La Motte était mort depuis six années déjà; enfin et surtout Voltaire qui, en 1736, dans la préface de son *Œdipe*, entreprit une réfutation en règle des théories dramatiques de La Motte, et se fit le défenseur de la poésie.

Voltaire écrit : « Le génie de notre langue est la clarté et l'élégance : nous ne permettons nulle licence à notre poésie qui doit marcher, comme notre prose, dans l'ordre précis de nos idées. Nous avons donc un besoin essentiel du retour des mêmes sons pour que notre poésie ne soit pas confondue avec notre prose. »

Et, tout comme La Motte, il veut donner des exemples. Il ajoute donc : « Tout le monde connaît ces vers :

> Où me cacher ? Fuyons dans la nuit infernale.
> Mais que dis-je ? Mon père y tient l'urne fatale.
> Le sort, dit-on, l'a mise en ses sévères mains :
> Minos juge aux enfers tous les pâles humains.

« Mettez à la place :

> Où me cacher ? Fuyons dans la nuit infernale.
> Mais que dis-je ? Mon père y tient l'urne funeste.
> Le sort, dit-on, l'a mise en ses sévères mains :
> Minos juge aux enfers tous les pâles mortels. »

Et ayant ainsi, dans ce quatrain, sans en altérer la mesure, remplacé seulement deux mots, il conclut :

« Quelque poétique que soit ce morceau, fera-t-il le même plaisir, dépouillé de l'agrément de la rime ? »

Mais « la rime seule, dit-il un peu plus loin, ne fait ni le mérite du poète ni le plaisir du lecteur. Ce ne sont point seulement des dactyles et des spondées qui plaisent dans Homère et dans Virgile; ce qui enchante toute la terre, c'est l'harmonie charmante qui naît de cette mesure difficile. Quiconque se borne à vaincre une difficulté pour le seul mérite de la vaincre est un fou; mais celui qui tire, du fond de ces obstacles mêmes, des beautés qui plaisent à tout le monde est un homme très sage et presque unique ».

Il aurait pu trouver d'autres arguments encore, et de plus puissants, mais ceux-ci suffirent alors à gagner, sinon la cause de la poésie, celle du moins de la versification.

En 1730, Voltaire avait trente-cinq ans, et sa renommée était déjà grande. D'une intelligence très éveillée, il avait, dès son entrée au collège Louis-le-Grand, émerveillé, par la vivacité et la précocité de son esprit, les Jésuites qui y furent ses maîtres. Il montrait, étant enfant encore, un grand goût pour la poésie. A l'âge de douze ans, il rimait déjà. On peut dire que, dès lors, il ne s'arrêta plus, et que jusqu'aux derniers jours de sa longue vie il ne cessa pas d'exercer son talent poétique et de se montrer, sinon un grand poète, du moins, comme l'a dit fort gentiment Faguet, un « grand amateur de poésie ».

Lorsqu'il répliqua à La Motte, il était l'auteur d'un assez grand nombre d'ouvrages, et, pour nous borner à la poésie, d'odes, d'épîtres, de satires, de contes, d'épigrammes, de pièces philosophiques, des dix chants de son épopée de *la Henriade*, qui a fait dire à Malézieu que, décidément, « le Français n'a pas la tête épique », de plusieurs tragédies : *Œdipe*, représentée, avec un grand succès, le 18 novembre 1718; *Artémire*, représentée le 15 février 1720 et que l'auteur retira le jour même du théâtre; *Marianne*, représentée le 6 mars 1724 et qui ne réussit pas; enfin, une plaisante comédie, *l'Indiscret*, qui ne réussit guère mieux, et qui, jouée pour la première fois le 1er août 1725, n'eut que six représentations.

Tant de travaux ne l'avaient point empêché de mener une existence singulièrement active et même assez agitée. Il avait commencé, très jeune, de paraître dans le monde où il brilla dans la frivole cour de Sceaux et, à l'hôtel du Temple, dans la joyeuse société de M. de Vendôme. Son père, désireux de le pourvoir d'un emploi, obtint que M. de Châteauneuf, ambassadeur en Hollande, l'agréât comme page, mais, au bout de quelque temps, à la suite d'aventures galantes, M. de Châteauneuf dut le renvoyer à Paris. Placé alors comme clerc chez un procureur, il ne tarda pas à abandonner ce nouvel emploi. Il se souciait bien de la chicane! Il était tout à la poésie et aux plaisirs. Galant, et même libertin, il n'avait pas une très bonne réputation. La malice de son esprit aidant — car son esprit produisait autant d'épines que de fleurs — il lui arriva quelques mésaventures. Bâtonné une fois par les gens du duc de Rohan, deux fois mis à la Bastille, il finit par prendre le parti de s'expatrier, et, en 1726, il s'embarqua pour l'Angleterre. On lui permit de rentrer en France au printemps de 1729. Il rapportait de son exil *l'Histoire de Charles XII* et sa tragédie de *Brutus*, qui, représentée le 11 décembre 1730, reçut un accueil favorable mais qui ne dura pas.

Cependant, il était déjà célèbre. Bientôt, des succès particulièrement éclatants allaient donner plus de lustre encore à cette célébrité. C'est, au théâtre, le 13 août 1732, le triomphe de *Zaïre ;* celui d'*Alzire* le 27 janvier 1736, celui, plus grand encore, de *Mérope* le 20 février 1743. Bien entendu, il continuait d'avoir, de temps en temps, des démêlés avec l'autorité. Ainsi, on informa contre lui après la publication des *Lettres philosophiques*, et il s'éloigna de Paris ; il crut prudent de s'éloigner encore, en 1736, après le scandale produit par sa satire *le Mondain*. A ces ennuis, venaient s'ajouter des déboires académiques qui durent lui être fort sensibles. Candidat en 1736, il ne fut pas élu, malgré le succès de *Zaïre*, et il ne le fut pas davantage en 1743, presque au lendemain du succès de *Mérope*. Mais il eut quelques compensations. Sa grande renommée finit par lui attirer les faveurs de la cour. En 1745, il fut invité à composer, pour le mariage du dauphin, un ballet *(la Princesse de Navarre)* qui fut représenté à Versailles. Peu après, il reçut la charge de gentilhomme ordinaire de la chambre et celle d'historiographe du roi. Et, en 1746, il eut enfin le bonheur d'être admis à l'Académie française.

Sa renommée, qui s'était répandue dans toute l'Europe, lui avait valu d'autres hommages encore et, notamment, celui du prince royal de Prusse, qui avait engagé avec lui une correspondance à la fois littéraire et philosophique et qui le pressait de se rendre à Potsdam. Il différa jusqu'en 1750. Mme du Châtelet, avec qui il avait été longtemps lié, était morte en 1749. Il se trouvait seul. Il était libre. Il finit par céder aux instances de son correspondant qui, en 1740, était devenu roi sous le nom de Frédéric II, et, le 18 juin 1750, il partit pour la Prusse.

Dans cette première partie de sa carrière, « Voltaire, comme l'écrit Lanson, est surtout un poète : sa gloire incontestée est là ». Mais s'il a composé des vers de tous les tons, c'est dans les petites pièces, que l'on a appelées des *pièces fugitives*, où il ne faut que de l'aisance, de la bonne grâce et de l'esprit, et qui sont la meilleure part de la poésie du XVIIIᵉ siècle, qu'il se montre supérieur. En cela, il est bien le représentant de son temps. Il continue, avec plus de bonheur qu'aucun de ses nombreux émules, la tradition des Chaulieu et des La Faye, qu'il connut dans sa jeunesse, mais, au-delà d'eux, celle de Voiture, celle de Passerat, et l'on peut dire, en se souvenant de sa jolie satire sur *la Bastille*, celle même de Marot.

Ces qualités d'aisance, on les retrouve dans ses *Épîtres* et dans ses *Contes;* et l'on prend plaisir, dans ses *Satires*, à la vivacité de son esprit, toujours alerte, quand elle ne s'emporte pas jusqu'à une méchanceté féroce. Ses poèmes philosophiques sont des dissertations, non pas des méditations, et ils n'ont ni cette élévation, ni cette harmonie qui nous enchanteront au XIXᵉ siècle dans les poésies philosophiques d'un Lamartine et d'un Vigny. Quant à ses épopées, il y a *la Henriade*, que dépare un mélange fâcheux du merveilleux avec l'historique, et qui, encombrée de trop et de trop longs discours, n'a ni l'énergie ni la grandeur qui conviennent au poème épique; et il y a aussi *la Pucelle*, commencée en 1730, mais que Voltaire ne publiera qu'en 1762 et dont le premier vers dit très bien :

Je ne suis né pour célébrer les saints.

Cela est incontestable. Cette épopée sur le mode comique, écrite contre Jeanne d'Arc, et qui dans son temps eut, dit-on, du succès, n'est plus à nos yeux qu'une offense au sentiment français et un sacrilège envers la sainte héroïne française.

Voltaire a aussi composé des *Odes* et vraiment aucun des dons que la nature lui avait départis ne l'y prédestinait. Il en fit sans doute parce que les rimeurs de son temps en faisaient. Il n'y réussit pas mieux qu'eux. Il n'a point cette profondeur de sentiment, cet élan, cette sympathie, cette « chaleur que l'âme exhale et communique à l'âme »; et si le lyrisme n'est pas tout à fait absent de la poésie du XVIIIᵉ siècle, ce n'est pas à Voltaire que nous le devons. Il n'est pas un prédécesseur de Hugo ou de Lamartine, il n'est pas le successeur de Ronsard ou de Malherbe; ses odes ne nous transportent pas plus haut que celle que son maître Boileau avait composée *Sur la prise de Namur*, ou même que celles que son adversaire en poétique, Houdart de La Motte, rimait avec une froide application.

Si l'on veut surprendre quelques étincelles de lyrisme

au XVIIIe siècle, il faut les chercher dans la première moitié du siècle chez Jean-Baptiste Rousseau et dans la deuxième chez Ecouchard-Lebrun; l'un et l'autre d'ailleurs sont, comme Voltaire, des disciples de Boileau, de qui Jean-Baptiste Rousseau reçut directement les conseils et dont Lebrun recueillit les leçons par Louis Racine.

Jean-Baptiste Rousseau concevait ce que doit être une ode, il savait quelles qualités elle exige et que l'on attend du poète lyrique de l'harmonie, de l'enthousiasme, du mouvement et, pour parler sa langue, « des transports ». Au fond, il est un rhéteur, habile certes, au verbe sonore, et il a réussi quelques belles strophes, mais son âme n'éprouve guère les agitations qu'il veut peindre et qu'il se flatte d'éprouver. On trouvera cette prétention dans l'ode *à Monsieur le comte du Luc*, qui fait partie de ce recueil. On y lit des déclarations comme celles-ci :

> Tel, aux premiers accès d'une sainte manie,
> Mon esprit alarmé redoute du génie
> L'assaut victorieux...

Et :

> Je n'ai point l'heureux don de ces esprits faciles
> Pour qui les doctes Sœurs, caressantes, dociles,
> Ouvrent tous leurs trésors;
> Et qui, dans la douceur d'un tranquille délire,
> N'éprouvèrent jamais, en maniant la lyre,
> Ni fureurs, ni transports.

Nous pensons, au contraire, que ce « tranquille délire » est la marque de sa poésie, mais, quelle que soit l'abondance de la rhétorique dans ce lyrisme monotone, il donne parfois l'illusion d'un élan que nous chercherions en vain chez Voltaire.

Jean-Baptiste Rousseau mourut en 1741. Ecouchard-Lebrun n'était encore qu'un enfant, étant né en 1729. C'est en 1755 que l'attention fut attirée sur lui par une *Ode* pindarique *sur la ruine de Lisbonne*. Il en composa beaucoup d'autres par la suite, en ayant toujours Pindare pour modèle, et l'admiration de ses contemporains lui ayant décerné, comme un suprême hommage, le nom même de son modèle, il se présente à la postérité sous le nom de Lebrun-Pindare qui, vraiment, nous paraît bien hyperbolique. Il y a, en effet, dans ses odes, bien de la rhétorique — tout comme dans celles de Jean-Baptiste Rousseau, tout comme dans celles d'un autre « lyrique », Lefranc de Pompignan, qui mérite d'être mentionné — et aussi bien de la redondance, bien des tournures bizarres, et de mauvais goût, mais on y rencontre aussi des expressions neuves et hardies, comme celle « d'homme irréparable », appliquée à Montesquieu, et que Sainte-Beuve a remarquée :

> Mais quand la Parque inexorable
> Frappa cet homme irréparable
> Nos regrets en firent un dieu.

S'il y a du fatras dans son œuvre, il y a, par contre, des inspirations heureuses, de belles strophes et, çà et là, de la vraie et parfois même de la grande poésie.

Jean-Baptiste Rousseau était né en 1671. Lebrun mourut en 1807. Nous avons parcouru en deux pas tout le domaine de la poésie lyrique du siècle.

Ce qui manqua à ces deux poètes, ce fut la noblesse du cœur et la sincérité. Ah! leur âme n'est pas un feu qui brûle et purifie! Elle est, au contraire, rancunière, vindicative, méchante même, et, par une rencontre singulière, les deux poètes que le XVIIIe siècle a salués comme ses plus grands lyriques ont été surtout d'excellents faiseurs d'épigrammes, dont ils l'un et l'autre composé un très grand nombre. Ce genre, dans lequel Lebrun a laissé quelques chefs-d'œuvre, était plus florissant encore qu'au siècle précédent. Les épigrammes pleuvent de toutes parts. Aux rivalités entre auteurs, la création des *feuilles* littéraires vient ajouter les représailles des auteurs contre les critiques, et ce sont ces derniers, un Desfontaines, un Fréron, un La Harpe, qui sont surtout lardés. Ceux qui ont été attaqués ripostent. Les traits volent et s'entrecroisent, « l'air en est obscurci ». Ils frappent partout; non seulement ils portent la médisance, mais, plus d'une fois, la calomnie, et ils blessent aux points les plus intimes. La frénésie de cette lutte prend l'aspect d'une sorte de rage, et, sans doute, il est difficile d'aller plus loin que Voltaire lorsque, à propos d'une place que la mort de l'abbé Lacoste, condamné aux galères, laisse vacante au bagne de Toulon, il dit que :

> ... tout Paris vient d'y nommer Fréron.

Cela n'empêchait pas ce même Voltaire d'écrire : « Que gagnent les auteurs en se déchirant mutuellement ? Ils avilissent une profession qu'il ne tient qu'à eux de rendre respectable. » Voltaire, qui n'a pas cessé de poursuivre ses ennemis de la rancune la plus tenace et qui, devant leur tombe même, plus d'une fois, ne désarma pas, était en même temps, en effet, et ce n'est là qu'une des contradictions de sa nature, l'apôtre applaudi de la tolérance. Ne semble-t-il pas que ce soit exprès pour lui que Buffon, à une séance solennelle de l'Académie française, dans sa réponse au discours de réception du duc de Duras, se soit écrié : « Eh! Messieurs, nous demandons la tolérance, accordons-la donc, exerçons-la pour prêcher d'exemple. » Et conseillant à ses collègues de fermer l'oreille « aux aboiements de la critique », en quoi il manquait sans doute de justice envers la critique qui, même au XVIIIᵉ siècle, ne se contentait pas d'aboyer, il ajoutait fort sagement : « Au lieu de défendre ce que nous avons fait, recueillons nos forces pour faire mieux »; et : « ne faisons ni tourbe, ni coterie... ».

Les coteries ne furent pas rares, en effet, au XVIIIᵉ siècle. Elles naquirent naturellement des rapports que de nouvelles manières de vivre firent naître entre les écrivains. Ils ne se rencontraient plus seulement, comme au siècle précédent, dans quelques salons littéraires, ou, ainsi qu'on disait alors, dans quelques bureaux d'esprit : d'abord celui de Mme de Lambert, puis celui de Mme de Tencin et ceux de Mme Geoffrin, de la marquise du Deffand, de Mlle de Lespinasse; ils se réunissaient encore aux cafés qui étaient des lieux de délassement et de conversation d'un caractère bien différent de celui des cabarets du XVIIᵉ siècle. Si le XVIIᵉ siècle avait eu *La Pomme de Pin*, *Le Mouton blanc*, *Le Cormier*, *La Croix de Lorraine*, le XVIIIᵉ siècle eut le café Laurent, où commença l'infortune de J.-B. Rousseau, le café Gradot, qui, au temps de La Motte, fut le lieu de réunion des « modernes », et surtout le café Procope, où presque tous les écrivains fréquentèrent, et dont la gloire se prolongea jusqu'aux dernières années du XIXᵉ siècle où, aux heures de son triste déclin, il s'énorgueillissait encore de montrer, dans ses salles désertées, « la table de Voltaire ». Si au XVIIᵉ siècle les poètes se rendaient au cabaret pour boire et se divertir, au XVIIIᵉ siècle, poètes et critiques s'y rencontraient surtout pour juger et pour discuter, et si l'esprit de coterie s'y développa, le sentiment de la confraternité littéraire, par contre, s'y développa pareillement; il se manifesta par des traits tout à fait louables, et même touchants, dont on trouvera quelques exemples dans l'intéressant ouvrage de M. Maurice Pellisson sur *les Hommes de Lettres au XVIIIᵉ siècle* et qui font un heureux contrepoids à leurs innombrables épigrammes.

Absorbés par la vie de société et par les nécessités de leur profession — car la littérature commence à devenir une carrière — ils n'ont guère le temps d'accorder quelque attention à la nature; aussi le sentiment de la nature est-il absent de l'œuvre des poètes de la première moitié du siècle. On ne peut pas faire état de quelques églogues, comme celles de Fontenelle, par exemple, dont nous avons, d'ailleurs, signalé l'artifice.

C'est le culte de la nature, au contraire, qu'un enchanteur se mit à prêcher tout à coup, avec des accents nouveaux qui étonnèrent, ravirent et troublèrent le siècle.

Jean-Jacques Rousseau, venu une première fois à Paris, en 1741, après l'existence vagabonde et parasitaire que l'on sait, y revint une deuxième fois, en 1744, après un séjour à Venise, où il avait été envoyé comme secrétaire de l'ambassadeur de France, et où, dans la société de quelques confrères et de quelques protecteurs, il menait une existence sans gloire. C'est en 1749 qu'il se fit connaître par le coup d'éclat de son discours sur le point de savoir *Si le progrès des sciences et des arts a contribué à corrompre ou à épurer les mœurs*. Il y vante le charme et la beauté de la vie primitive. Fontenelle avait reproché à Théocrite le réalisme rustique de certaines de ses idylles; ce sont ces mœurs rustiques justement que l'orateur nouveau regrette et qu'il exalte. Il s'écrie : « Avant que l'art eût façonné nos manières et appris à nos passions un langage apprêté, nos mœurs étaient rustiques, mais naturelles. » Et ces humains qui vivaient dans les temps heureux de l'ignorance, il les montre, dès les premières pages de son *Discours sur l'origine de l'inégalité parmi les hommes* (1755), portant leurs regards « sur toute la nature, et mesurant des yeux la vaste étendue du ciel ».

Il avait vécu à la campagne, il y avait connu la douceur de jours paisibles, le charme de l'isolement, les enchantements de la rêverie; il avait aimé la beauté changeante des feuillages, la fraîcheur des cours d'eau, la majesté des montagnes, et ces promenades à pied, par les sentiers et par les routes, dont il a su, avec tant de poésie, rendre les agréments; il s'est complu aussi, par les belles nuits, dans la contemplation des étoiles et de l'immensité du ciel. Son premier contact avec la nature datait des jours de son enfance : on l'avait mis en pension, au village de Bossey, et parmi tant d'autres impressions de cette époque qu'il a rappelées au premier livre de ses *Confessions* et qui toutes ne sont pas aussi innocentes, il ne manque pas de noter celle qu'il reçut de la campagne elle-même. « La campagne, écrit-il, était si nouvelle pour moi que je ne pouvais me lasser d'en jouir. Je pris pour elle un goût si vif qu'il n'a jamais pu s'éteindre. » Et il ajoute : « Le souvenir des jours heureux que j'y ai passés m'a fait regretter son séjour et ses plaisirs dans tous les âges jusqu'à celui qui m'y a ramené. »

Il l'a célébrée dans toute son œuvre, dans sa *Nouvelle Héloïse*, qui parut en 1761; dans son *Émile*, qui, comme le *Contrat social*, parut en 1762; et, au terme de ses jours, dans ses *Rêveries du promeneur solitaire*, dont la dernière, demeurée inachevée, et où il rappelle, une fois encore, son délicieux séjour chez Mme de Warens, contient ces lignes : « Une maison isolée au penchant d'un vallon fut notre asile; et c'est là que, dans l'espace de quatre ou cinq ans, j'ai joui d'un siècle de vie et d'un bonheur pur et plein, qui couvre de son charme tout ce que mon sort présent a d'affreux. J'avais besoin d'une amie selon mon cœur : je la possédais. J'avais désiré la campagne : je l'avais obtenue. » Après quoi, il déclare : « Je ne pouvais souffrir l'assujettissement : j'étais parfaitement libre... »

Dans ces quelques phrases, tracées l'année même de sa mort, ne le retrouve-t-on pas tout entier ? Ne contiennent-elles pas les traits essentiels de sa nature et aussi le sentiment qu'il avait été injustement traité par le destin ?

Il y a d'abord cet amour de la nature, qui mettra à la mode le désir de la vie champêtre; qui, dans le parc même de Versailles, fera surgir un hameau et une bergerie à l'usage des belles dames de la Cour, et qui, sous l'influence combinée, avec celle de Rousseau, de quelques poètes descriptifs d'Angleterre et de quelques poètes idylliques d'Allemagne, fera germer dans notre littérature toute une végétation de maigres et de pâles poèmes didactiques dont la nature sera le thème.

Il y a aussi cette sensibilité, qu'il contribuera plus qu'aucun autre à mettre à la mode, et qui, renforcée par l'influence de certains romans anglais, fera, après *Clarisse Harlowe* et surtout après *la Nouvelle Héloïse*, se multiplier les romans et les poésies du sentimentalisme le plus outré et même le plus extravagant.

N'y a-t-il point aussi cette revendication de la suprématie de l'individu, perturbatrice de l'institution sociale, et qui était déjà manifeste dans les premiers discours de Jean-Jacques ?

Et ne nous laisse-t-il pas apercevoir, dans l'allusion à ce que son sort eut d'affreux, quelle fut la détresse de son âme devant les souffrances qu'il dut endurer et les persécutions qu'il lui fallut subir ? Souffrances surtout d'un amour-propre toujours irrité, persécutions illusoires nées d'un esprit pétri de soupçons et d'orgueil et qui, à la fin, tomba véritablement dans la manie.

Le malheureux en était venu à se défier de tout le monde. Il avait des amis et des protecteurs. Il se brouilla avec ses protecteurs. Il rompit avec ses amis.

Personnage complexe et singulier, qui à la fois repousse et attire, esprit chimérique, mais écrivain admirable, et bien qu'il ait composé peu de vers, et qu'il n'en ait pas composé d'excellents, âme de poète et de très grand poète, source harmonieuse, mais malheureusement trouble, d'où s'échappa ce romantisme qui, après s'être écoulé pendant plus d'un demi-siècle en de menus ruisseaux, devint, en 1830, le large fleuve que l'on sait.

Il est bien certain qu'un homme tel que Rousseau ne pouvait guère s'entendre avec un homme tel que Voltaire. Ils étaient, à peu près en tout, à l'opposé l'un de l'autre. Différents par le talent, différents par les idées, ils eurent aussi des destinées différentes. Tandis que Rousseau s'aigrissait et s'isolait, Voltaire, entouré d'une sorte de cour, jouissait d'une gloire européenne.

Rentré en France en 1753, il s'était peu après installé en Suisse, et, en 1758, il se fixa définitivement dans le pays de Gex où il avait acheté le domaine de Ferney. C'est là que, « patriarche » admiré, il régnera désormais, exerçant, comme on l'a dit, une véritable royauté littéraire. Sa renommée est vraiment sans rivale. Il semble qu'il n'ait plus qu'à jouir en paix des jours qui lui restent à vivre. Il a déjà soixante-quatre ans. Cependant, il vivra vingt années encore, et pendant ces vingt années il ne cessera pas d'écrire. Il serait superflu de dénombrer ici, sans parler de sa prodigieuse correspondance, les nombreux ouvrages historiques, philosophiques ou critiques qu'il composa; il écrivit aussi des romans : *Candide* (1759), *l'Ingénu* (1767), etc.; et, dans divers genres, des ouvrages en vers : des épigrammes, naturellement, aggravées de quelques satires; des contes, des odes, diverses épîtres, dont plusieurs adressées à des souverains : *Au Roi de la Chine* (1770), *Au Roi de Danemark* (1770), *A Catherine II* (1771), *Au Roi de Suède* (1771 et 1772), d'autres adressées à des écrivains contemporains : *A La Harpe* (1769), *A Marmontel* (1773), d'autres enfin dédiées à ses deux maîtres en poésie, une *Epître à Horace*, en 1772, et, en 1769, celle que l'on trouvera dans le présent volume, et qu'il a intitulée : *Epître à Boileau ou Mon Testament;* il composa, en outre, des ouvrages dramatiques, entre autres les tragédies de *Tancrède* (1760), de *Saül* (1763), de *Sophonisbe* (1770), d'*Irène* (1777).

La tragédie d'*Irène*, la dernière qu'il ait écrite, fut représentée au Théâtre-Français le 16 mars 1778. Le 30 du même mois, jour de la sixième représentation, Voltaire, au comble de la gloire, fut solennellement couronné sur la scène, aux acclamations délirantes des spectateurs.

Sa santé était chancelante; bientôt son état s'aggrava, et, le 30 mai, deux mois exactement après la cérémonie de son triomphe, il mourut. Vingt jours auparavant, du refuge d'Ermenonville, où il traînait des jours sombres et tourmentés, le malheureux Jean-Jacques l'avait précédé dans la mort. Ainsi disparurent, à la même heure, les deux représentants les plus éminents du XVIIIe siècle raisonneur et sensible.

La poésie badine avait continué de fleurir autour de Voltaire, et elle lui survécut. Sans doute bien des poètes

qui avaient écrit dans ce genre aimable étaient morts
déjà : La Faye dès 1731, Grécourt en 1743, Fontenelle,
presque au terme de sa centième année, en 1757, et, en
1757 encore, ce joyeux Vadé qui s'était avisé d'un burlesque nouveau ; puis, Desmahis en 1761, l'aimable chansonnier Panard en 1765, Moncrif et le président Hénault
en 1770 ; Piron, qui n'avait pas moins d'esprit que Voltaire,
et dont on se rappelle surtout, avec certaines de ses épigrammes, sa comédie de *la Métromanie*, était mort, à son
tour, en 1773 ; Voisenon et Gentil-Bernard en 1775 ; et en
1777 enfin, Gresset qui, comme Piron, a laissé une comédie,
le Méchant, supérieure à ses œuvres poétiques, y compris
le fameux *Vert-Vert*.

Si d'autres poètes légers survécurent peu de temps à
Voltaire, comme Lattaignant qui mourut en 1779 et Dorat
qui mourut en 1780, l'un des plus spirituels, le chevalier
de Boufflers, dernier représentant d'une veine tarie, et
devenu comme étranger dans un monde littéraire nouveau,
prolongea son existence jusqu'au temps de la première
Restauration.

Mais, ainsi que nous avons eu l'occasion de l'indiquer
en passant, des tendances différentes se manifestèrent
dans la poésie française, principalement pendant la
deuxième moitié de ce siècle stérile, sans parvenir à le
parer d'une gloire poétique véritable ; et, avec l'influence
de Jean-Jacques Rousseau, celle de la poésie anglaise et
celle de la poésie allemande y concoururent.

L'influence anglaise fut d'abord philosophique, surtout
après le séjour de Voltaire en Angleterre. Il en rapporta
bien — outre les célèbres *Lettres* — quelque goût pour
Shakespeare, mais il s'inspira discrètement de ce poète et
lorsque la traduction de La Place d'abord (1745-1749),
puis celle de Letourneur (à partir de 1776) prétendirent
offrir aux lecteurs français les pièces de Shakespeare sans
atténuations et que le public les reçut avec faveur, Voltaire
s'éleva contre cette invasion, dans la littérature française,
d'éléments qui lui parurent attentatoires au génie français,
et qu'il appelait « l'abomination et la désolation ». Cependant les œuvres de Shakespeare avaient été traduites avec
beaucoup de timidité et ce n'est pas Ducis, quand il les
portera sur notre scène, qui montrera plus de hardiesse.

Shakespeare n'exerça pas sur notre théâtre une influence
aussi rapide que le firent d'autres poètes anglais sur notre
poésie, par exemple Pope, Gray et surtout Thomson,
Young et Ossian.

Feutry, poète bien digne de l'obscurité où la postérité
le maintient, traduisit, en 1751, l'*Epître d'Héloïse à Abé-
lard*, de Pope. Cette œuvre, dont Taine, au tome IV de son
Histoire de la Littérature anglaise, a indiqué l'inconvenance,
l'artifice, la longueur et l'ennui, avait été accueillie en

Angleterre « par un cri d'enthousiasme ». La version qu'en
donna Feutry n'eut pas un succès aussi grand, mais,
quelques années plus tard, en 1758, le poète Colardeau
l'ayant imitée à nouveau, en la qualifiant d' « héroïde », le
succès cette fois fut extrême. La Harpe, qui loue cet
ouvrage, dit qu'il « a suffi pour consacrer la mémoire de
Colardeau ». Oui, pour quelque temps. En tout cas, s'il
n'avait pas produit un chef-d'œuvre, Colardeau avait créé
un mot : ce terme d'*héroïde*, pour désigner les lettres versi-
fiées de grands personnages ou de personnages célèbres,
parut heureux. On le trouva joli. Et les héroïdes se multi-
plièrent. Dorat en fit, et La Harpe, et bien d'autres ; mais,
dans la *Correspondance* de Grimm, à la date de 1762, on
trouve déjà que la plupart « ne méritent pas d'être lues ».

Colardeau ne fut pas insensible aux spectacles de la
nature ; on le voit par certaines de ses pièces, ses idylles
notamment, ou encore cette *Epître à M. Duhamel* dont on
trouvera une partie dans ce volume. Il s'est fait, d'ailleurs,
le défenseur de la poésie descriptive. « Ce genre, dit-il, qui
paraît facile parce que le modèle est sous nos yeux et
frappe à la fois tous nos sens, n'en a pas moins ses difficultés et ses écueils. »

On n'allait pas tarder à le voir. Ces lignes sont de 1755.
En 1759, paraissait une traduction, par Mme Bontemps,
des *Saisons* de Thomson.

Dès lors, les poèmes descriptifs se multiplieront. Les
plus célèbres, les seuls que l'histoire littéraire ait retenus,
sont *les Saisons*, de Saint-Lambert, qui parurent en 1769 ;
les Géorgiques, de Delille, publiées en 1770, et son poème
des *Jardins*, publié en 1782 ; *les Mois*, de Roucher, en
1779, et, la même année, *les Fastes*, de Lemierre. Ces
poèmes obtinrent beaucoup de succès ; ils eurent, jusqu'à
la fin du siècle, des éditions nombreuses.

On a dit que Saint-Lambert travailla plus de vingt ans
à son poème des *Saisons*. Il est bien possible. Cet ouvrage
ne laisse pas un moment supposer que son auteur ait été
entraîné par l'inspiration. C'est une œuvre évidemment
exécutée toujours avec soin, sinon toujours avec bonheur,
et qui, si elle est principalement descriptive, ne va pas, bien
entendu, sans galanterie ni sans philosophie. Ainsi l'auteur
est de son temps, et il plaît à son temps. Il imite, à divers
endroits, les Latins : Virgile, Lucrèce, mais aussi l'Anglais
Thomson. Comme il n'ignore pas que la peinture est
affaire de couleur, il prodigue les touches et il lui arrive
d'en poser de trop vives. Il y a, cependant, dans son œuvre,
des passages agréables, soit par leur grâce, soit, précisément, par leur coloris.

Delille, dont *les Géorgiques* parurent à peu près dans le
même temps que le poème des *Saisons*, est vraiment le
maître, si l'on peut dire, du genre descriptif. Tous les
objets, jusqu'aux moindres, lui sont matière à exercer ses

facultés descriptives. Avec quelle application il les dessine! Comme il a le souci d'être exact, et précis, et complet! Il n'omet pas un trait. Et, à défaut d'art, quelle ingéniosité! Chez lui — non pas chez lui seul malheureusement — mais chez lui à un rare degré, la description minutieuse se substitue au mot propre; et, de même que M. Viennet devait un jour exceller dans la fable, il excelle, lui, dans la périphrase; c'est là son fort et il en a réussi de belles et de mystérieuses qui sont proprement des énigmes. D'une manière générale, il est monotone, mais il n'est pas maladroit, et il a un certain tour de main pour gonfler et pour étendre le vers qui donne, par endroits, l'illusion de la véritable poésie. Il a, d'ailleurs, des passages tout à fait heureux, remarquables de grâce et de fraîcheur.

Roucher, lui, dès le début de son poème des *Mois*, déclare que son sujet « embrasse l'univers ». Et, en effet, il le parcourt en parcourant l'année. Dans cette œuvre abondante, et où sont réunis trop d'éléments, il se montre moins égal que Delille, tantôt tombant plus bas, mais tantôt aussi s'élevant plus haut; du moins échappe-t-il à la monotonie.

Nous nous contenterons de nommer Lemierre, dont *les Fastes* ne contiennent guère de tableaux champêtres, mais qui a composé sur les poètes descriptifs un amusant quatrain :

> Ennuyeux formés par Virgile
> Qui nous excédez constamment,
> De grâce, messieurs, un moment,
> Laissez la nature tranquille.

Le plaisant, c'est que Lemierre n'excède pas moins ses lecteurs, et que, formé par Virgile ou non, il n'est pas moins ennuyeux que ses « ennuyeux » confrères.

L'opinion de Buffon a plus de poids. Dans une lettre à Mme Necker, il écrivait : « Je ne suis pas poète, mais j'aime la belle poésie; j'habite la campagne, j'aime les jardins, je connais les saisons et j'ai vécu bien des mois; j'ai donc voulu lire quelques chants de ces poèmes si vantés des *Saisons*, des *Mois* et des *Jardins*. Hé bien, ma discrète amie, ils m'ont ennuyé, même déplu jusqu'au dégoût, et j'ai dit dans ma mauvaise humeur : Saint-Lambert au Parnasse n'est qu'une froide grenouille, Delille un hanneton et Roucher un oiseau de nuit. »

Un défaut commun à ces divers ouvrages, c'est qu'ils ne forment pas des ensembles bien ordonnés et que l'on n'y discerne pas de plan; ce ne sont point, à vrai dire, des poèmes, mais de simples et de prolixes juxtapositions de tableaux.

Le thème de la nature ne fut pas la seule nouveauté de

la poésie. Il y eut aussi celui de la sensibilité. Il y a toujours
eu des âmes sensibles. Déjà, Fénelon l'était, mais personne
ne le fut avec autant d'éclat que J.-J. Rousseau. On se
complut dans l'attendrissement, et, toujours sous l'influence de poètes anglais et de poètes allemands, la « sensibilité » se développa d'une manière véritablement épidé-
mique. Feutry, que nous avons vu traduire l'épître de
Pope, et que le goût de la mélancolie poussait au choix des
sujets les plus sombres, traduisit et répandit en France la
poésie funéraire d'Young. Letourneur donna bientôt après
une traduction complète des *Nuits* de ce macabre et empha-
tique auteur. La *Correspondance* de Grimm (mai 1770) dit
bien que « ce genre ne peut réussir en France »; et que
« on remarque dans Young et dans ses pareils plutôt une
tête échauffée, une imagination effarouchée, qu'un cœur
profondément affecté ». *Les Nuits* d'Young n'en eurent
pas moins un grand succès et n'en inspirèrent pas moins,
au XVIIIe siècle, un certain nombre de poètes, de peu d'importance d'ailleurs et dont Colardeau est sans doute le
moins obscur.

A peu près vers le même temps, Macpherson ayant
inventé Ossian, Letourneur ne manqua pas d'en faire une
traduction — approximative — qui fut publiée en 1777.
Ce qu'apportait le « barde gaëlique » c'était à la fois une
description de la nature dans les régions d'Ecosse et un
sentiment d'une mélancolie faite de douleur et de regret.
Mais l'œuvre d'Ossian eut moins de succès au XVIIIe qu'elle
n'en eut au XIXe, et c'est dès les premières années de l'Empire que nous le trouverons dans les traductions en vers de
Baour-Lormian.

Un poète suisse, de langue allemande, Gessner, à la fois,
lui aussi, peintre de la nature et homme sensible, auteur
d'une *Mort d'Abel* et d'*Idylles* qui furent traduites en français par Haller, en 1762, trouva, chez nous, au contraire,
un succès enthousiaste et d'intéressants imitateurs. Son
traducteur le met au-dessus de Théocrite et le loue d'avoir
évité cette rusticité que Fontenelle — nous l'avons vu —
reprochait déjà au poète grec. Mais les *Idylles* de Gessner
ne sont pas du goût des *Eglogues* de Fontenelle. Il ne peint
point, frivolement, des bergers oisifs, occupés seulement
de galanterie, mais de braves gens, pleins de sensibilité et
de vertu, bons pères, bons fils, bons époux, bons amis, bons
voisins et qui sont comme des urnes où serait déposé et
d'où se répandrait le baume de tous les bons sentiments.

Il est, hélas! aussi éloigné de la réalité que Rousseau,
mais il est de la famille de Rousseau, et, comme Rousseau,
il émut et il charma les cœurs français. On retrouvera son
influence notamment dans les *Idylles* de Berquin et dans
l'œuvre poétique de Léonard.

Ce Léonard est un poète charmant qui a rendu avec une
agréable langueur et dans un rythme harmonieux quelques

thèmes de mélancolie amoureuse. Il fait songer aux poètes romantiques et particulièrement à Lamartine qui certainement l'avait lu. On parcourra avec intérêt, à ce point de vue, sa pièce sur *l'Absence*, que l'on trouvera dans le présent volume.

On pourrait suivre, dans tout le cours du XVIIIe siècle, un courant élégiaque à travers l'œuvre de Mancini-Nivernais, de Voltaire, de Saint-Lambert, de Dorat. Ce genre fleurit particulièrement dans un groupe d'aimables poètes, Bertin, Bonnard, Parny et quelques autres, unis par la communauté de la vocation poétique, par celle de leur état d'officiers et par les liens de l'amitié. C'est chez Parny qu'ils se réunissaient : l'hiver à Paris, l'été dans la « délicieuse vallée de Feuillancourt ». Ils avaient donné à ces deux lieux de leurs réunions le nom de « la Caserne ». Ils y menaient joyeuse vie. « C'est là, raconte Bertin, qu'arrivant et buvant tour à tour, ils mettent en pratique les leçons d'Aristippe à Épicure... »

Ceux-ci du moins ne sont pas en proie à la noire mélancolie dont, alors, tant d'auteurs s'inspirent. Ils ne recherchent point les solitudes sauvages et ne vont point, au clair de lune, répandre des larmes sur la pierre de quelque tombeau. Mais ils ont su être des élégiaques gracieux et touchants, et, à propos de l'un d'eux, Évariste Parny, nous pouvons évoquer, comme à propos de Léonard, le grand nom de l'élégiaque que fut Lamartine.

Nous voici arrivés au terme presque de notre course. Sans ajouter rien aux notices que nous leur avons consacrées, nous nommerons encore cependant : un poète véritable qui fut, dans l'élégie et aussi dans la satire, l'un des poètes remarquables du siècle, l'infortuné Gilbert, et, pour finir, Florian, l'un des imitateurs de Gessner, et le seul, en outre, qui, au XVIIIe siècle, ait maintenu avec quelque éclat le genre de la fable. A côté de lui, et avant lui, quelques autres fabulistes : Le Bailly, Ginguené, Barthélemy Imbert, Boisard, l'abbé Aubert, Pesselier, Richer, et même La Motte, témoignent cependant que la fable n'y fut pas un genre dédaigné.

La Harpe aussi doit être rappelé, non pour ses tragédies, grands dieux! ni même pour quelques pièces de vers d'un tour plus engageant, mais parce que, s'il fut un aussi pauvre poète que bien d'autres, il fut, par compensation, un critique attentif et, peut-on dire, le premier historien véritable de la littérature. Il n'avait pas, à ce point de vue, une petite opinion de lui-même, et il se rend justice dans la préface à son *Cours de littérature*, où il écrit : « Nous avons une foule de livres didactiques et de recueils biographiques dont je contesterai d'autant moins le mérite que plusieurs ne m'ont pas été inutiles, mais tous traitent d'objets particuliers, ou ne sont, dans les choses générales, que des nomenclatures et des dictionnaires. Mais c'est ici,

je crois, la première fois, soit en France, soit même en
Europe, qu'on offre au public une histoire raisonnée de
tous les arts de l'esprit et de l'imagination depuis Homère
jusqu'à nos jours... »

En réalité il a connu superficiellement les Grecs et les
Romains et notre propre littérature avant le jour fameux
de la venue de Malherbe; mais il n'est pas un mauvais
guide pour la connaissance de son temps. Certes, à une
époque où les polémiques littéraires étaient aussi vives
que nous avons eu l'occasion de le dire, et même de le
montrer, il n'a pas la sainteté d'être impartial ni toujours
pondéré. Trop pénétré de la nouveauté et de l'importance
de son rôle, il est volontiers tranchant, et au nom d'une
doctrine d'un classicisme bien étroit. Son *Cours*, malgré
ces défauts, est intéressant encore. Il dut le paraître bien
davantage à ses auditeurs si l'on s'en rapporte à Daunou
qui déclarait : « On ne saurait en lisant aujourd'hui son
cours tel qu'il est imprimé se former une idée parfaite du
charme qui s'attachait à ses leçons originales. »

Après avoir parcouru tout le siècle sans avoir rencontré
la grande poésie, elle nous apparaît enfin, et elle répand sur
lui comme une gloire posthume dans l'œuvre d'André Chénier, qui, à l'exception de quelques pièces, dont deux seulement, et non pas des meilleures, avaient été publiées du
vivant du poète, ne fut révélée au monde littéraire qu'en
1819.

Cette œuvre inégale, mais qui contient des parties
impérissables, nous séduit par sa variété, par son charme
et par son originalité. Non pas qu'elle soit éclose, au milieu
des influences diverses qui ont produit la poésie de la
deuxième moitié du siècle, comme une œuvre d'une
essence différente et nourrie, en quelque sorte, d'une sève
étrangère à son temps. De tels phénomènes ne sont guère
possibles. André Chénier est de son temps, au contraire;
il en est par les idées, il en est par les sentiments, et, s'il
y fait contraste, c'est qu'il est poète et grand poète dans
un monde où presque aucun des rimeurs qu'on y goûte ne
saurait prétendre à ce titre. Le XVIII⁰ siècle a été un siècle
de philosophie et de science, et André Chénier a entrepris
de grands poèmes scientifiques et philosophiques *(la
Superstition, l'Astronomie, l'Amérique, l'Hermès)*; il a
voulu, comme les descriptifs du siècle, peindre la vie de la
nature, et, à l'exemple de Roucher, faire de l'univers le
sujet de sa poésie. Il a chanté, comme Gessner lui-même,
les charmes idylliques de l'existence vertueuse et champêtre; et comme les jeunes élégiaques de « la Caserne », il
a célébré les charmes des plaisirs et l'ivresse de la volupté.
Il a composé des *Odes* comme en faisait son ami Ecouchard-Lebrun, et, de même que Lebrun, il n'a pas échappé
à l'abus de la rhétorique oratoire, mais il y a, dans ces

divers ouvrages, un ton plus élevé et mieux soutenu à la fois, qui montre que ce poète, s'il n'est pas le contraire des autres, leur est manifestement, et de beaucoup, supérieur.

Où sa supériorité éclate surtout, c'est dans la résurrection harmonieuse de la poésie antique. C'est le trait qui donne à son œuvre la grande et l'originale beauté que nous admirons. A vrai dire, le goût des choses et des ouvrages de l'antiquité ne s'était jamais tari en France, bien que la double phase de la querelle des anciens et des modernes eût détourné de son école bien des écrivains, mais on continuait à les lire, les Latins surtout; et les poètes, les poètes descriptifs notamment, ainsi que nous l'avons vu, ne manquaient pas de leur emprunter des thèmes à mettre en vers français. Imitation servile, et qui ne faisait point passer dans nos lettres la substance d'œuvres cependant si riches de poésie.

Mais si les littérateurs ne semblaient plus prendre aux choses de l'antiquité un intérêt véritable et fécond, quelques hommes de goût et de science, épris d'art et d'archéologie, comme le comte de Caylus, des corps savants, comme l'Académie des Inscriptions et Belles-Lettres, maintenaient l'étude non seulement de l'antiquité latine, mais aussi de l'antiquité grecque, et, par leurs recherches de toute nature, accroissaient, dans ces deux domaines, la somme des connaissances acquises.

Ce goût de l'antiquité fut surtout répandu par deux ouvrages, l'un allemand, l'autre français, l'un de vulgarisation historique, l'autre de vulgarisation générale, et qui sont l'*Histoire de l'Art chez les Anciens*, de Winckelmann, dont la première traduction française est de 1766, l'autre le *Voyage du Jeune Anacharsis en Grèce*, de l'abbé Barthélemy, dont la première édition est de 1788.

La littérature subit le contrecoup de ces recherches, et, bien que sans éclat, au théâtre principalement. La poésie d'André Chénier, où l'inspiration antique a tant de part, doit être rattachée à ce mouvement. Chénier était prédestiné, d'ailleurs, à bien sentir et à bien comprendre l'antiquité grecque, car, par sa mère, il était grec d'origine. Dans ses petits poèmes, dans ses élégies, et surtout dans ses épigrammes et dans ses églogues, on sent courir le souffle même de la poésie antique. Ses paysages si lumineux aux lignes si fines, si gracieuses, et en même temps si vraies, ne sont pas d'un artisan qui s'applique à rendre ce que d'autres ont vu, mais d'un poète qui, avec sympathie, a ouvert ses yeux devant la nature. Il a observé, comme l'avaient fait les anciens aux jours fortunés de la jeunesse du monde, les spectacles à la fois éternels et changeants de la terre et du ciel, et il en a traduit avec la plus sincère émotion les aspects mélancoliques ou riants.

Certes, sous le coup des événements de la Révolution, il a su dans ses *Iambes* retrouver des accents d'une force et d'une splendeur qui rappellent la fermeté d'un Archiloque, mais son talent l'apparente surtout aux poètes légers, épicuriens, délicats, de l'âge de la décadence.

On a dit qu'il fut un Alexandrin. N'est-ce point aussi l'opinion de Jean Moréas qui était plus profondément grec que Chénier, lorsque, après lui avoir rendu cet hommage : « il fut passionné et tragique et sut tirer de la lyre les sons les plus beaux », il ajoute : « mais je ne songeais pas à lui l'autre année en écoutant tinter les clochettes des troupeaux, le long de la route d'Eleusis, ni en respirant l'odeur du thym sur les flancs nus du Lycabète droit, ni en contemplant la mer légère du haut de l'Acropole, debout parmi les débris des temples, ni lorsque je marchais solitaire dans la nuit attique, au bord de Céphise, sur la terre de Clone, riche en coursiers... ».

Les romantiques ont revendiqué Chénier. Plus d'un parmi eux lui a demandé des inspirations. Mais Chénier n'a ni leur goût du moyen âge, ni leur mélancolie théâtrale, ni leur ardent individualisme. Il a senti la nature, mais, peut-on dire, avec une âme antique. Il a pu leur faire illusion cependant, et par cet amour de la nature et par le ton attristé de quelques élégies, et aussi par les libertés de sa versification dans laquelle ils ont pu voir l'ébauche de cette dislocation du vers français que Victor Hugo se vantera d'avoir réalisée.

Nous souhaitons que le tableau de la poésie française au XVIIIe siècle que nous avons essayé de donner dans ce volume ne paraisse ni trop incomplet ni trop inexact, bien que, comme dans les volumes précédents de cette anthologie et pour les mêmes raisons, nous ayons dû nous refuser à y admettre un certain nombre de poètes.

Maurice ALLEM.

ANTHOLOGIE POÉTIQUE FRANÇAISE
XVIIIe SIÈCLE

SAINT-AULAIRE

1648-1742

François-Joseph de Beaupoil, marquis de Saint-Aulaire, naquit le 6 septembre 1648, au château de Bary, en Limousin. Après des études imparfaites, il entra dans l'armée, et montra sa bravoure non seulement devant l'ennemi, mais encore dans les nombreux duels de sa jeunesse agitée. C'était un homme de manières fort agréables et qui avait dans l'esprit beaucoup de délicatesse et de vivacité. Fixé par la suite à Paris, il fut accueilli dans les milieux les plus spirituels de cette spirituelle époque et s'y fit une réputation de causeur brillant. Les madrigaux qu'il improvisait avec aisance et qu'il savait agrémenter de quelque trait piquant, les bons mots dont il égayait ses propos, le bonheur surtout de ses reparties, lui avaient valu une véritable gloire mondaine. On le trouve dans la société du Temple, dans le salon de Mme de Lambert, dans la joyeuse petite cour de Sceaux, dont il fut pendant quarante années l'un des ornements, gardant, en dépit de l'âge, une inaltérable jeunesse d'esprit, et, à quatre-vingt-dix ans, rimant encore des vers galants. A la vérité, il écrivit peu. Quelques épîtres, quelques élégies, et des madrigaux, dispersés çà et là, et qui jamais n'ont été réunis en volume, composent toute son œuvre poétique ; il ne devint poète, d'ailleurs, que vers la soixantaine, et quand, en 1706, l'Académie française lui ouvrit ses portes, malgré l'opposition de Boileau, elle accueillit en lui uniquement l'esprit de conversation. Comme Fontenelle, dont il fut l'ami, Saint-Aulaire vécut fort vieux. Il mourut le 17 décembre 1742, ayant plus de quatre-vingt-dix ans.

ÉLÉGIE

Où fuyez-vous, plaisirs ? où fuyez-vous, amours ?
De mon printemps, compagnons si fidèles,
Vous sembliez à mes pas attachés pour toujours.
Commencez-vous à déployer vos ailes
Pour m'enlever votre secours,
Lorsque le reste de mes jours
Est menacé d'ennuis et de langueurs mortelles ?

J'oppose en vain l'abri de mille cheveux blonds
Aux redoutables aquilons :
Du long hiver qui cause nos alarmes,
Je ne saurais vous rassurer,
Et vous me privez des doux charmes
Qui, contre les assauts que l'âge vient livrer,
Pourraient être mes seules armes.
Eh! quoi! le tendre souvenir
De notre liaison constante,
Ne saurait-il vous retenir,
Lui qui, dans sa douceur charmante,
Ne cesse de m'entretenir,
Et que je ne saurais bannir,
Quoique les biens qu'il me présente,
Grossissant les maux à venir,
Redoublent ma peine présente ?
Hélas! Dans cette autre saison,
Où la sagesse et la raison
A vos projets se montrent si contraires,
Dans les temps rigoureux de vos divisions,
Préférai-je jamais leurs avis salutaires
A vos douces illusions ?
Mais de cette vieille querelle
Il faut perdre le souvenir.
Vos intérêts communs doivent vous réunir,
Pour soutenir ensemble une guerre nouvelle.
Plaisirs, amours, ah! daignez revenir!
C'est la raison qui vous appelle.
Lasse déjà de sa tranquillité,
De ses propres Etats bannie,
Elle craint plus sa propre autorité,
Que votre douce tyrannie,
Et consent avec vous de voir la volupté,
Quelquefois même la folie.
Mais rien ne vous réconcilie...
Entr'elle et vous, il n'est point de traité;
Soit que la raison gronde, ou que la raison prie,
Les volages Amours n'ont jamais écouté.
Déjà cette troupe indocile,
Loin de moi commence à voler...
Aidez-nous à la rappeler,
O muse légère et facile,
Qui, sur le coteau d'Hélicon,
Vîntes offrir au vieil Anacréon
Cet art charmant, cet art utile,
Qui sait rendre douce et tranquille
La plus incommode saison!
Vous qui, de mille fleurs sur le Parnasse écloses,
Amusiez près de lui les Grâces et les Ris,
Et qui cachiez ses cheveux gris,
Sous tant de couronnes de roses;

Vous qui, malgré la pesanteur des ans,
        Aux belles danses de la Grèce,
        Donniez à ses pas chancelants,
        Et la cadence et l'allégresse;
Vous qui, pour réparer l'absence des amours,
        Vîntes offrir cette charmante lyre,
            Et gracieusement sourire
            A l'Anacréon de nos jours;
        Qui lui prêtez les couleurs vives,
        Dont il peint les divinités
        De ces délicieuses rives,
    Qui, de Saint-Maur, couronnent les beautés;
        Qui, dans les antres écartés,
        Parmi d'agréables convives,
        Faites asseoir à ses côtés
        Les grâces simples et naïves :
        Qui le conduisez par la main
        Du doux séjour de la paresse,
        Dans le difficile chemin
        De la plus sublime sagesse;
        Qui, sur son air et ses discours,
        Répandez une douce joie,
        Et fournissez l'or et la soie
        Dont la Parque file ses jours.
Ah! si vous preniez soin du reste de ma vie,
        Avec cette même bonté,
        Je la croirais en sûreté;
        Mais, Fille du Ciel, je vous prie,
Ne me livrez jamais à celle de vos sœurs
Qui fait payer si cher ses plus froides douceurs,
        Par qui, comme d'une furie,
        Un malheureux est agité,
    Et qui détruit les douceurs de la vie
Sous le frivole espoir de l'immortalité.
    De ce désir je ne suis point tenté.
    Pour adoucir les maux de la vieillesse,
Je voudrais seulement, avec facilité,
        Savoir mêler quelque délicatesse
        A beaucoup de simplicité.

IMPROMPTU A LA DUCHESSE DU MAINE

EN JOUANT AU JEU DU SECRET

        La divinité qui s'amuse
        A me demander mon secret,
Si j'étais Apollon ne serait point ma muse,
Elle serait Thétis... et le jour finirait.

FONTENELLE

1657-1757

Bernard Le Bovier de Fontenelle naquit le 11 février 1657 à Rouen.
Il était par sa mère neveu des Corneille; Thomas Corneille fut même
son parrain. Il fit ses études chez les jésuites, dans sa ville natale,
et fut destiné au barreau. Mais il se détourna bientôt de cette carrière
pour se consacrer aux belles-lettres, à l'exemple et sur les traces de
ses illustres parents. Il vint donc à Paris et débuta par une pièce de
vers intitulée l'*Amour noyé*, insérée, en 1677, au *Mercure galant*.
En 1680, il fit représenter une tragédie, *Aspar*, à propos de laquelle
Racine a fait une épigramme fort vive, comme il les savait faire [1]. Fontenelle était naturellement, comme neveu de Corneille, parmi les
adversaires de Racine et des amis de celui-ci : Boileau et même
La Fontaine; il devait donc se trouver, et il se trouva, en effet, dans
la querelle des Anciens et des Modernes, au rang des partisans
des Modernes et à côté de Perrault. C'est un trait que La Bruyère
a marqué dans son portrait de *Cydias ou le bel esprit*, dont Fontenelle
lui fournit le modèle. Bel esprit, il l'est en réalité, mais, ainsi que l'a
remarqué M. Brunetière, il est souvent mieux que cela : il est, en
outre, d'abord, un homme d'esprit : clairvoyant, mesuré, indépendant, ayant beaucoup de finesse et donnant de la portée à ses sous-
entendus; il est encore un grand esprit, ayant le goût et la connaissance des sciences, le sentiment surtout de « la solidarité des sciences »
et de « la constance des lois de la nature ». Aussi, son autorité fut-elle
grande et parmi les savants et parmi les gens du monde et parmi les
gens de lettres; il a eu le mérite de répandre parmi les écrivains
et dans la haute société le souci des questions scientifiques et philosophiques; il a vulgarisé ces questions et a contribué à les
rendre objets de littérature. C'est par ses ouvrages de philosophie
et de science surtout qu'il appartient au XVIIIe siècle; ses œuvres
poétiques, les seules qui nous intéressent du point de vue de notre
recueil, sont, en bonne partie, du siècle précédent; ainsi, c'est en 1688
que parut son volume de *Poésies pastorales*, d'où nous avons extrait
l'églogue d'*Ismène*, qui est une sorte d'élégie assez agréable; mais il

1. On trouvera cette épigramme dans la présente anthologie
(*XVIIe siècle.*, t. II, p. 371).

composa des vers bien plus tard encore, et c'est de 1720 qu'est datée
l'épître *A Monsieur de Voltaire*, que nous citons aussi, et à laquelle
ont collaboré en lui l'homme d'esprit et le savant. Nous avons maintenu Fontenelle parmi les écrivains du XVIIIe siècle, selon l'usage,
d'ailleurs, généralement adopté. Cet homme aimable, spirituel,
mais sceptique, assez sec et assez froid, mourut à Paris le 9 janvier 1757. Il s'en fallait d'environ un mois qu'il eût cent ans.

ISMÈNE

ÉGLOGUE

A Mademoiselle ***.

Vous qui, par vos seize ans, à peine encore fournis,
Par un éclat croissant de charmes infinis,
Par la simplicité, compagne de votre âge,
D'un rustique hautbois vous attirez l'hommage;
Vous dont les yeux déjà causeraient dans nos champs
Mille innocents combats et de vers et de chants,
Pour des muses sans art convenable héroïne,
Ecoutez ce qu'ici la mienne vous destine.
Voyez comme son cœur va plus loin qu'il ne croit,
Comment il est mené par un amant adroit,
Quels pièges tend l'amour à ce qui vous ressemble;
Ce n'est pas mon dessein que votre cœur en tremble,
Ni qu'à vos jeunes ans les pièges présentés
Avec un triste soin soient toujours évités;
Ce n'est point mon dessein, non plus, de vous les peindre
Si charmants que jamais vous ne les puissiez craindre;
Ils ont quelque péril, je ne déguise rien.
Et que prétends-je donc ? Je ne le sais pas bien;
Dans des vers sans objet, sous des histoires feintes,
Vous parler de désirs, de tendresse et de plaintes.
Ces mots plaisent toujours, n'eussent-ils que le son.
Du reste point d'avis, moins encor de leçon.
Aimer ou n'aimer pas est une grande affaire.
Que sur ces deux partis votre cœur délibère;
On les peut l'un et l'autre, et louer, et blâmer,
Quand tout est dit pourtant, on prend celui d'aimer.

Sur la fin d'un beau jour, au bord d'une fontaine,
Corilas sans témoin entretenait Ismène.
Elle aimait en secret, et souvent Corilas
Se plaignait de rigueurs qu'on ne lui marquait pas.
« Soyez content de moi, lui disait la bergère,
Tout ce qui vient de vous est en droit de me plaire.
J'entends avec plaisir les airs que vous chantez.
J'aime à garder les fleurs que vous me présentez;
Si vous avez écrit mon nom sur quelque hêtre,

Aux traits de votre main, j'aime à vous reconnaître.
Pourriez-vous bien encor ne vous pas croire heureux ?
Mais n'ayons point d'amour; il est trop dangereux.
Je veux bien vous promettre une amitié plus tendre
Que ne serait l'amour que vous pourriez prétendre.
Nous passerons les jours dans nos doux entretiens;
Vos troupeaux me seront aussi chers que les miens;
Si de vos fruits pour moi vous cueillez les prémices,
Vous aurez de ces fleurs dont je fais mes délices.
Notre amitié peut-être aura l'air amoureux,
Mais n'ayons point d'amour; il est trop dangereux.

    — Dieux! disait le berger, quelle est ma récompense ?
Vous ne me marquerez aucune préférence.
Avec cette amitié dont vous flattez mes maux
Vous vous plaisez encore aux chants de mes rivaux.
Je ne connais que trop votre humeur complaisante,
Vous avez avec moi la douceur qui m'enchante,
Et ces vifs agréments et ces souris flatteurs
Que devraient ignorer tous les autres pasteurs.
Ah! plutôt mille fois... — Non, non, répondit-elle,
Ismène à vos yeux seuls vous va paraître belle,
Ces légers agréments que vous m'avez trouvés,
Ces obligeants souris vous seront réservés;
Je n'écouterai point sans contrainte et sans peine
Les chants de vos rivaux, fussent-ils pleins d'Ismène;
Vous serez satisfait de ces rigueurs pour eux;
Mais n'ayons point d'amour; il est trop dangereux.

    — Eh bien! reprenait-il, ce sera mon partage
D'avoir sur mes rivaux quelque faible avantage;
Vous savez que leurs cœurs vous sont moins assurés,
Moins acquis que le mien et vous me préférez;
Tout autre l'aurait fait; mais enfin dans l'absence
Vous n'aurez de me voir aucune impatience;
Tout vous pourra fournir un assez doux emploi,
Et vous trouverez bien la fin des jours sans moi.
— Vous me connaissez mal, ou vous feignez peut-être,
Dit-elle tendrement, de ne pas me connaître;
Croyez-moi, Corilas, je n'ai pas le bonheur
De regretter si peu ce qui flattait mon cœur.
Vous partîtes d'ici quand la moisson fut faite;
Et qui ne s'aperçut que je fus inquiète ?
La jalouse Doris pour me le reprocher
Parmi trente pasteurs vint exprès me chercher.
Que j'en sentis contre elle une vive colère!
On vous l'a raconté, n'en faites point mystère;
Je sais combien l'absence est un temps douloureux;
Mais n'ayons point d'amour; il est trop dangereux. »

Qu'aurait dit davantage une bergère amante ?
Le mot d'amour manquait, Ismène était contente.
A peine le berger en espérait-il tant ;
Mais, sans le mot d'amour, il n'était pas content.
Enfin, pour obtenir ce mot qu'on lui refuse,
Il songe à se servir d'une innocente ruse.
« Il faut vous obéir, Ismène, et dès ce jour,
Dit-il en soupirant, ne plus parler d'amour.
Puisqu'à votre repos l'amitié ne peut nuire,
A la simple amitié mon cœur va se réduire ;
Mais la jeune Doris, vous n'en sauriez douter,
Si j'étais son amant, voudrait bien m'écouter.
Ses yeux m'ont dit cent fois : Corilas, quitte Ismène,
Viens ici, Corilas, qu'un doux espoir t'amène.
Mais les yeux les plus beaux m'attiraient vainement,
J'aimais Ismène alors comme un fidèle amant ;
Maintenant cet amour que votre cœur rejette,
Ces soins trop empressés, cette ardeur inquiète,
Je les porte à Doris, et je garde pour vous
Tout ce que l'amitié peut avoir de plus doux.
Vous ne me dites rien ? » — Ismène à ce langage
Demeurait interdite et changeait de visage.
Pour cacher sa rougeur elle voulut en vain
Se servir avec art d'un voile ou de sa main ;
Elle n'empêcha pas son trouble de paraître.
Et quels charmes alors le berger vit-il naître ?
« Corilas, lui dit-elle en détournant les yeux,
Nous devions fuir l'amour, et c'eût été le mieux ;
Mais puisque l'amitié vous paraît trop paisible,
Qu'à moins que d'être amant vous êtes insensible,
Que la fidélité n'est chez vous qu'à ce prix,
Je m'expose à l'amour et n'aimez pas Doris. »

A MONSIEUR DE VOLTAIRE [1]

Vous dites donc, gens de village,
Que le soleil à l'horizon
Avait assez mauvais visage.
Hé bien, quelque subtil nuage
Vous avait fait la trahison
De défigurer son image.
Il était là comme en prison,
D'un air malade ; mais je gage
Que le drôle, en son haut étage,

1. Réponse à une lettre de M. de Voltaire, écrite de Villars le
1er septembre 1720, sur ce que le soleil avait paru un jour couleur de
sang, et avait perdu de sa lumière et de sa grandeur, sans que l'air
fût obscurci d'aucun nuage.

Ne craignait pas la pâmoison.
Vous n'en saurez pas davantage,
Et voici ma péroraison :
Adieu; votre jeune saison
A tout autre soin vous engage;
L'ignorance est son apanage,
Avec les plaisirs à foison,
Convenable et doux assemblage.
J'avouerai bien, et j'en enrage,
Que le savoir et la raison
Ne sont aussi qu'un badinage,
Mais badinage de grison;
Il est des hochets pour tout âge.
Que dans son brillant équipage,
Toujours de maison en maison
L'inquiet Phébus déménage,
Laissez-le en paix faire voyage,
Rabattez-vous sur le gazon.
Un gazon, canapé sauvage,
Des soucis de l'humain lignage
Est un puissant contre-poison.
Pour en avoir bien su l'usage,
On chante encore en vieux langage
Martin et l'adroite Alison.
Ce n'est pourtant pas que je doute
Qu'un beau jour qui sera bien noir,
Le pauvre soleil ne s'encroûte,
En nous disant : Messieurs, bonsoir.
Et peut-être en son désespoir
Osera-t-il rimer en oute
Si quelque déesse n'écoute.
Mais sur notre triste manoir,
Combien de maux fera pleuvoir
Cette céleste banqueroute ?
On allumera maint bougeoir,
Mais qui n'aura pas grand pouvoir :
 Tout sera pêle-mêle et toute
Société sera dissoute,
Sans qu'on dise, jusqu'au revoir.
Chacun de l'éternel dortoir
Enfilera bientôt la route,
Sans tester et sans laisser d'hoir;
Et, ce que bien plus je redoute,
Chacun demandera l'absoute,
Et croira ne plus rien valoir.

ÉPIGRAMME [1]

Quand Despréaux fut sifflé sur son ode,
Ses partisans criaient par tout Paris :
« Pardon, Messieurs, le pauvret s'est mépris ;
Plus ne louera, ce n'est pas sa méthode,
Il va draper le sexe féminin ;
A son grand nom vous verrez s'il déroge. »
Il a paru cet ouvrage divin ;
Pis ne serait quand ce serait éloge.

---

1. Cette épigramme contre Boileau contient des allusions à deux ouvrages de cet auteur : l'*Ode sur la prise de Namur* et la *Satire contre les Femmes*.

EPIGRAMMES

BARATON

?-1725 ?

Nous ne savons presque rien de ce poète. Nous ignorons son prénom et s'il s'appelait réellement Baraton ou de Baraton. On ne connaît ni la date de sa naissance, ni celle de sa mort; on présume qu'il mourut en 1725. En tout cas, il vivait encore en 1720, puisque dans le *Recueil d'Epigrammes* de Bruzen de La Martinière, paru à cette date, il figure dans la partie réservée aux auteurs vivants. Etait-il vraiment angevin comme on l'a supposé ? Le fait qu'il y avait des Baraton en Anjou n'autorise pas à l'affirmer, et les deux petits articles consacrés à l'origine de Baraton, en 1823 et en 1824, dans le *Journal de la Librairie*, ne contiennent que des conjectures. Baraton collabora au *Dictionnaire des Rimes*, de Richelet, et composa de nombreuses petites pièces de vers; il a surtout réussi dans l'épigramme.

SOCRATE

Socrate, à qui l'oracle autrefois dans la Grèce
          Donna le prix de la sagesse,
Et qui fut en son temps d'Athènes l'ornement,
Avait, pour ses péchés, une femme diablesse
          Qui le grondait incessamment.
          A son bruit, à sa pétulance,
          Il opposait la patience
          Et jamais ne lui répliquait;
          Dont bien souvent elle enrageait.
Rien ne chagrine tant une femme criarde,
Que quand vous l'écoutez sans vous en émouvoir;
          C'est pour elle un vrai désespoir,
Et si vous lui donniez ou soufflet ou nasarde
          Vous lui feriez moins de dépit
          Qu'en méprisant ce qu'elle dit.
Xantippe — c'est le nom de cette bonne dame —
Un jour que chez Socrate étaient quelques savants,
          Se mit à lui chanter sa gamme,
          Avec mille discours piquants.

Pour lui, toujours tranquille, il ne faisait que rire
De tout ce qu'elle pouvait dire,
Ce qui la mit encore en plus mauvaise humeur.
Lasse enfin de crier, cette maligne bête
Lui verse un pot d'eau sur la tête,
Et, par ce dernier trait, termine sa fureur.
Socrate, en même temps, de son mouchoir s'essuie,
Et vers ces messieurs se tournant :
« Mes amis, dit-il en riant,
Après un grand tonnerre il tombe de la pluie. »

ÉPIGRAMMES

I

LE MAUVAIS POÈTE

Certain poète à la douzaine
Qui, dans sa tête folle et vaine,
Se croyait plus savant qu'aucun de l'Univers,
Au dictateur Sylla vint présenter des vers
Sans génie et sans sel, dignes fruits de sa veine :
Sylla lui-même était confus
De voir un si méchant ouvrage,
Et lui donnant quelques écus,
« C'est pour vos vers, dit-il à ce sot personnage,
Mais à condition que vous n'en ferez plus. »

II

LE BOUCHER

Un boucher moribond, voyant sa femme en pleurs,
Lui dit : « Ma femme, si je meurs,
Comme à notre métier un homme est nécessaire,
Jacques, notre garçon, serait bien ton affaire :
C'est un fort bon enfant, sage, et que tu connais.
Epouse-le, crois-moi; tu ne saurais mieux faire.
— Hélas! dit-elle, j'y songeais! »

III

LE NORMAND

Henry quatre étant à Rouen,
Un président s'en vint lui faire une harangue.

Ce magistrat, fier comme un paon,
Faisait merveilles de sa langue,
Etait savant et grand parleur;
Mais pour cette fois, par malheur,
Il demeura tout court au milieu de son rôle.
Avec honte il fallut chez soi s'en retourner.
« Hé! dit un courtisan, faut-il s'en étonner ?
Les Normands sont sujets à manquer de parole. »

IV

LA RICHE LAIDE

Lorsqu'Eraste épousa la fille de Criton
Fort riche, mais nullement belle :
« Il l'a prise, disait Damon,
Comme on prend la vieille vaisselle,
Pour le poids, et sans la façon. »

V

LE JUGE [1]

« Huissiers, qu'on fasse silence »
Dit, en tenant l'audience,
Un président de Baugé.
« C'est un bruit à tête fendre,
Nous avons déjà jugé
Dix causes sans les entendre. »

1. Cette épigramme est la plus connue de celles de Baraton. Du
fait qu'elle vise un président de Baugé, on a induit que l'auteur
pourrait bien être angevin.

DU CERCEAU

1670-1730

Jean-Antoine Du Cerceau naquit le 12 novembre 1670, à Paris. Il fut mis chez les jésuites, y fit de bonnes études, et entra lui-même dans leur compagnie. Porté vers les belles-lettres, il débuta par des poèmes latins; il composa ensuite plusieurs pièces de théâtre, drames et comédies de peu de valeur et qui ne furent guère jouées en dehors des collèges où leur seul public était formé des révérends pères et de leurs élèves. Il fit aussi des poésies françaises, et, prenant Marot pour modèle, il donna, non sans habileté, à certaines de ses pièces, un tour ingénieusement marotique. Il avait l'esprit satirique, mais on ne saurait dire qu'il savait vraiment écrire, car il ne savait pas se borner. De même certaines de ses pièces plaisantes, du genre que l'on appellerait aujourd'hui le monologue, sont fastidieuses à force de longueur. Nous n'avons pu, pour cette raison, faire une place aux *Contes* de Du Cerceau mais nous donnons une de ses fables (il en a composé une dizaine), et un fragment de la pièce, trop longue naturellement, qu'il a intitulée *la Valise du Poète* et qui est l'une des plus agréables de son recueil. — Du Cerceau est aussi l'auteur de *Réflexions sur la Poésie française*, de peu d'intérêt, et de quelques ouvrages historiques. Ce n'est pas tout encore : historien, critique, auteur dramatique et poète, il fut, en outre, professeur et enseigna les humanités dans plusieurs collèges de son ordre; il devint ensuite précepteur de Louis-François de Bourbon. Il mourut tragiquement de la main de son élève. Celui-ci, maniant un fusil, à Véretz, en présence du père Du Cerceau, le coup partit et le malheureux jésuite fut tué net. C'était le 4 juillet 1730.

LA VALISE DU POÈTE

OU

CAPRICE AU VOYAGE DE LUCIENNE, PROCHE MARLY

FRAGMENT

Lorsque je pars pour la campagne,
Je fais toujours de grands projets;
Poètes sont assez sujets
A bâtir châteaux en Espagne,
Et bâtissent à peu de frais.

Pour moi d'abord je me figure
Que quand je verrai des forêts,
Des collines, de la verdure,
Et que j'entendrai le murmure
Des ruisseaux qui dans les guérets
Vont promener leur onde pure,
Les vers ne tariront jamais.
Pourrai-je voir une fontaine
Entre des cailloux ruisseler,
Sans m'imaginer que ma veine
S'en va tout de même couler ?
Cherchant des routes inconnues,
J'irai me perdre dans les bois;
L'écho doit répondre à ma voix
Et la renvoyer dans les nues;
Sans qu'il soit besoin d'implorer
Apollon ni ses neuf compagnes,
Dans les bois et dans les campagnes,
La moindre fleur va m'inspirer.

Ainsi je garnis ma valise
De plumes, d'encre et de papier;
Fort peu de livres, et de mise,
Que j'ai grand soin de bien trier.
Chacun a son goût, mais Horace,
Par droit et par entêtement,
Tient chez moi la première place.
Peut-être les rangs au Parnasse
Se trouvent réglés autrement;
Mais quoi qu'on dise et quoi qu'on fasse,
Je lui donne, sans compliment,
Le premier lieu dans mon bagage,
Et sur cela point de langage,
Je prétends qu'il ait son étui;

C'est mon compagnon de voyage
Et je ne marche qu'avec lui.
Quand je lui donne compagnie
Térence en date est le premier;

Avec ces deux, sans m'ennuyer,
Je passerais toute ma vie.
Mais à ces mots j'entends crier :
« Hé! quoi donc! l'élégant Catulle,
Le fier et pompeux Juvénal,
Le tendre et délicat Tibulle,
Properce, Ovide et Martial
Sont-ils gens à traiter si mal ?
Si je comprends votre visée,
On laissera pour la prisée
Virgile qui n'eut point d'égal;
Oh! sachez que sur le Permesse,
Votre Horace, avec sa finesse,
N'est tout au plus que son vassal.
Apollon apprendra la chose :
Le crime est grand et capital,
Et je vais sur-le-champ pour cause,
En dresser mon procès-verbal. »

Je crains quiconque verbalise
Et n'aime point les différends;
Le grand Phébus peut, à sa guise
Et sans que je m'en formalise,
Sur l'Hélicon régler les rangs;
Mais à même droit je prétends
Les régler, moi, dans ma valise;
Apollon n'a que voir dedans.
Que s'il fallait entrer en compte
Et plaider à son tribunal,
Peut-être votre Juvénal
N'en sortirait-il qu'à sa honte.
On sait que c'est un vieux bourru
Dont l'âpre et bruyante colère,
Quand une fois il est féru,
Ne ferait pas grâce à son père.
Avec son ton aigre et mordant,
Ses bruyants éclats de paroles,
Son air magistral et pédant,
Ses emphases, ses hyperboles,
Si l'on m'en croit, mon avis est
Qu'on l'envoie établir son siège
Aux Sauromates, s'il lui plaît,
Ou, s'il l'aime mieux, au Collège :
Car, pour parler net sur ce point,
Dans ma valise on n'en veut point.
C'est sa faute aussi; qu'y ferai-je ?

Pour Ovide, autrement Nason,
Qu'on le préconise et le loue,
J'avoûrai que l'on a raison;
Mais il faut aussi qu'on m'avoue
Qu'il cherche un peu trop à briller :
Pour moi j'ai la tête blessée
Lorsque je lui vois tortiller
En cent façons une pensée.
A force de la ressasser
La pointe au bout du temps s'émousse,
Et l'esprit vient à se lasser :
Il ne faut pas toujours qu'on pousse
Jusques où l'on pourrait pousser.
Sa fécondité qu'on admire
Irrite ma mauvaise humeur;
Et j'enrage contre un auteur.
Qui ne me laisse rien à dire.
Horace et lui sont excellents,
Mais je leur trouve des talents
De nature bien différente.
Selon les âges et les temps
Leur crédit tombe ou bien augmente :
J'étais pour Ovide à quinze ans,
Mais je suis pour Horace à trente.

Et Martial est-il un sot ?
Non, ses traits même ont de quoi plaire,
Mais il court après un bon mot.
Horace attend, tout au contraire,
Que le bon mot vienne s'offrir;
Et sans qu'il s'en fasse une affaire,
Il sait l'attraper sans courir.

Quant au grand et fameux Virgile,
Qu'on ne saurait trop ménager,
Quoi qu'il pût m'être fort utile,
Je ne le fais point voyager,
De crainte de quelque danger,
Et je le garde pour la ville.

Enfin, pour finir sur cela,
Catulle, Tibulle et Properce,
Et gens de ce calibre-là,
Sont tous d'un assez bon commerce;
Comme quelquefois je les prends,
Quelquefois aussi je m'en passe;
Mais en tous lieux comme en tous temps,
Je veux toujours avoir Horace.

« Vous mettez longtemps à partir »,
Dira quelque cervelle sage;

Mais, j'oubliais d'en avertir,
Tout ceci se dit en voyage.
Supposons donc, comme certain,
Que déjà je suis en chemin :
Je me vois en campagne rase,
Dominant sur tout l'horizon,
Je pique des deux mon grison,
Et crois voler sur un Pégase,
Comme un autre Bellérophon.
Un berger me semble un satyre ;
Un coteau couvert de gazon
De loin me semble un Hélicon ;
Enfin je vis et je respire
Comme un homme hors de prison...

LES DEUX FOURMIS

FABLE

De prévoyante et sage économie
        La fourmi tient académie ;
        Elle l'enseigne en cent façons ;
Mais peu de gens prennent de ses leçons.
Or, quoique la fourmi rarement se débauche,
Il en est quelquefois telle qui prend à gauche :
        C'est ce que fit dans un certain canton
                Fourmi plus friande que sage ;
                Elle escamota, ce dit-on,
                Allant maintes fois en dommage
                Chez le seigneur de son village,
        Un peu de sucre, un peu de macaron,
        Biscuit, conserve, écorce de citron,
        Ainsi du reste ; et joyeuse et gaillarde,
                De ces bonbons thésaurisa,
                Serra le tout, et s'amusa,
                Comme l'on dit, à la moutarde.
                Toute fière de son butin,
                La bonne dame, un beau matin,
                Court s'en targuer chez sa voisine,
                Qui, plus économe et plus fine,
                De froment et d'autre bon grain
                Avait rempli son magasin.
        « Eh bien ! dit-elle, ma commère,
        En l'abordant d'un certain air,
Comment vont vos greniers pour le quartier d'hiver ?
        — Assez bien, dit l'autre, et j'espère
        Que durant le temps des frimas,
Le grain, s'il plaît à Dieu, ne nous manquera pas.

— Du grain, bon Dieu, du grain ! y pensez-vous, ma chère ?
    Eh fi ! du grain ? qu'on a chez vous
Le goût bourgeois et l'âme roturière !
Il est des mets plus nobles et plus doux :
    Pour moi j'ai force sucrerie,
Et passerai l'hiver très délicatement.
    — Ah ! grand bien fasse à votre Seigneurie,
    Répondit l'autre doucement ;
    Du reste, excusez, je vous prie ;
    Petit mercier, petit panier,
    Plus loin ne va mon industrie ;
Chacun remplit, comme il peut, son grenier. »
L'automne vint, il plut, et le temps trop humide
    Fondit le sucre, et le rendit liquide.
    Adieu conserve ! adieu biscuit !
    Tout fut fricassé, tout fut cuit.
    Bien ébahie et bien embarrassée
Fut la dame aux bonbons, voyant en un moment
    Sa marmite ainsi renversée.
Chez sa voisine elle court promptement,
    La larme à l'œil, baissant l'oreille,
    Et lui conte son accident.
    « J'ai tout perdu, dit-elle en l'abordant ;
    Assistez-moi de grâce, à la pareille ;
    Un peu de grain, pas plus gros que cela...
— A vous du grain ? dit l'autre, et fi ! quelle faiblesse !
Ne rougissez-vous pas de ce goût bourgeois-là ?
Jeûnez, ma bonne amie, et soutenez noblesse. »

        C'est être dupe sottement,
De placer l'agréable avant le nécessaire :
On se passe de l'un tellement quellement ;
    Pour l'autre, c'est une autre affaire.

JEAN-BAPTISTE ROUSSEAU

1671-1741

Jean-Baptiste Rousseau naquit le 6 avril 1671, à Paris. Son père était cordonnier, mais il était dans une situation aisée et il fit donner à son fils une excellente éducation. Jean-Baptiste, placé chez les jésuites, au collège Louis-le-Grand, manifesta d'heureuses dispositions pour les Lettres. Comme poète, il fut formé à l'école de Boileau, qui l'honora de son amitié et le guida de ses conseils. Très aimable, spirituel, prompt en saillies, aimant les plaisirs, un peu libertin même, il était destiné à plaire dans la société de son temps et il plut. Après un séjour en Angleterre, où il avait suivi M. Tallard, ambassadeur de France, on le trouve à Paris fréquentant les cercles littéraires, devenu l'un des familiers du Temple et l'un des habitués du café que la veuve Laurent tenait dans la rue Dauphine, non loin du Théâtre-Français. Il avait débuté dans les lettres par des satires, un peu peut-être entraîné par l'exemple de son maître Boileau, plus encore sans doute parce qu'il avait l'esprit naturellement porté à ce genre de composition, et, naturellement, il s'était fait bien des ennemis. Quelques poésies lyriques, qu'il avait publiées, n'avaient pas eu un très grand succès. Quelques tentatives dramatiques ne réussirent pas beaucoup non plus. Jean-Baptiste Rousseau était ombrageux; ces échecs le remplirent d'amertume; toute la bile de son âme fut soulevée; il commença d'exercer sa verve vindicative sur les écrivains habitués du café Laurent, coupables à ses yeux de tramer de noirs complots contre sa réputation littéraire; ce furent d'abord des épigrammes, des libelles, de petits vers; puis, en 1710, des couplets véritablement odieux où non seulement il attaquait ses adversaires, mais où encore il insultait de hauts personnages, et blasphémait la religion. Il n'est pas absolument certain que ces vers, que l'on a qualifiés d'infâmes, soient son œuvre, mais il est certain qu'après avoir reçu, à cause d'eux, au Palais-Royal, une correction publique de la main de La Faye, capitaine aux gardes et poète, à qui on les avait attribués, Rousseau employa des moyens illégitimes pour faire croire qu'ils étaient de Saurin. Celui-ci fut arrêté, mais il put prouver que son accusateur avait suborné des témoins; on l'acquitta et on condamna Rousseau à des dommages et intérêts et au bannissement. Sa vie, dès lors, fut malheureuse. Il vécut d'abord

en Suisse où le comte du Luc, ambassadeur de France, lui témoigna
la plus active bienveillance; quand celui-ci fut nommé ambassadeur
à Vienne, Rousseau l'y suivit. En 1716, il eût pu rentrer en France :
le baron de Breteuil avait obtenu que les portes en fussent ouvertes
au banni, mais celui-ci, qui demandait justice, n'accepta pas le
terme des lettres de rappel, qui semblaient lui accorder une grâce. Il
voyage par la suite en Belgique, en Angleterre, en Hollande. Enfin, en
1738, il vint à Paris incognito et il y retrouva des amis compatissants
et d'actifs protecteurs. L'hostilité du procureur général ne lui permit
pas d'obtenir alors la faveur d'y séjourner. Il retourna donc à
Bruxelles, dans une grande tristesse. Il se sentait malade; il traîna
quelque temps encore et il mourut, le 17 mars 1741, en pro-
testant qu'il n'était point l'auteur des fameux couplets qui
avaient fait le malheur de sa vie. S'il n'en fut vraiment pas l'auteur,
il passait aux yeux de tous pour capable de l'être. Il n'avait pas
l'âme très noble, et on prétend qu'il renia un jour son père, par dépit
de son humble origine. Comme poète, il a eu, au XVIIIe siècle et
jusqu'au triomphe du romantisme, une grande réputation. Il composa
dans le temps de son exil des odes sacrées dont nous avons parlé dans
notre Introduction; à défaut d'un véritable lyrisme, on y trouve
de l'éloquence, du mouvement. On lira ci-après plusieurs d'entre
elles, suivies de deux de ses *Cantates* et de quelques épigrammes.

SUR L'AVEUGLEMENT DES HOMMES DU SIÈCLE[1]

Qu'aux accents de ma voix la terre se réveille!
Rois, soyez attentifs; peuples, ouvrez l'oreille!
Que l'univers se taise, et m'écoute parler!
Mes chants vont seconder les efforts de ma lyre :
L'Esprit saint me pénètre, il m'échauffe, et m'inspire
Les grandes vérités que je vais révéler.

L'homme en sa propre force a mis sa confiance;
Ivre de ses grandeurs et de son opulence,
L'éclat de sa fortune enfle sa vanité.
Mais, ô moment terrible! ô jour épouvantable
Où la mort saisira ce fortuné coupable
Tout chargé des liens de son iniquité!

Que deviendront alors, répondez, grands du monde,
Que deviendront ces biens où votre espoir se fonde
Et dont vous étalez l'orgueilleuse moisson ?
Sujets, amis, parents, tout deviendra stérile,
Et, dans ce jour fatal, l'homme à l'homme inutile,
Ne paiera point à Dieu le prix de sa rançon.

1. Ode tirée du psaume XLVIII (liv. I, ode III).

Vous avez vu tomber les plus illustres têtes,
Et vous pourriez encore, insensés que vous êtes,
Ignorer le tribut que l'on doit à la mort !
Non, non, tout doit franchir ce terrible passage :
Le riche et l'indigent, l'imprudent et le sage,
Sujets à même loi, subissent même sort.

D'avides étrangers, transportés d'allégresse,
Engloutissent déjà toute cette richesse,
Ces terres, ces palais de vos noms ennoblis.
Et que vous reste-t-il en ces moments suprêmes ?
Un sépulcre funèbre, où vos noms, où vous-mêmes
Dans l'éternelle nuit serez ensevelis.

Les hommes, éblouis de leurs honneurs frivoles,
Et de leurs vains flatteurs écoutant les paroles,
Ont de ces vérités perdu le souvenir.
Pareils aux animaux farouches et stupides,
Les lois de leur instinct sont leurs uniques guides,
Et pour eux le présent paraît sans avenir.

Un précipice affreux devant eux se présente,
Mais toujours leur raison, soumise et complaisante,
Au-devant de leurs yeux met un voile imposteur.
Sous leurs pas cependant s'ouvrent les noirs abîmes,
Où la cruelle mort, les prenant pour victimes,
Frappe ces vils troupeaux dont elle est le pasteur.

Là s'anéantiront ces titres magnifiques,
Ce pouvoir usurpé, ces ressorts politiques,
Dont le juste autrefois sentit le poids fatal.
Ce qui fit leur bonheur deviendra leur torture;
Et Dieu, de sa justice apaisant le murmure,
Livrera ces méchants au pouvoir infernal.

Justes, ne craignez point le vain pouvoir des hommes;
Quelque élevés qu'ils soient, ils sont ce que nous sommes.
Si vous êtes mortels, ils le sont comme vous.
Nous avons beau vanter nos gloires passagères,
Il faut mêler sa cendre aux cendres de ses pères,
Et c'est le même Dieu qui nous jugera tous.

A MONSIEUR LE COMTE DU LUC

ALORS AMBASSADEUR DE FRANCE EN SUISSE
ET PLÉNIPOTENTIAIRE A LA PAIX DE BADE [1]

Tel que le vieux pasteur des troupeaux de Neptune,
Protée, à qui le Ciel, père de la Fortune,
          Ne cache aucuns secrets,
Sous diverse figure : arbre, flamme, fontaine,
S'efforce d'échapper à la vue incertaine
          Des mortels indiscrets;

Ou, tel que d'Apollon le ministre terrible,
Impatient du Dieu dont le souffle invincible
          Agite tous ses sens,
Le regard furieux, la tête échevelée,
Du temple fait mugir la demeure ébranlée
          Par ses cris impuissants;

Tel, aux premiers accès d'une sainte manie,
Mon esprit alarmé redoute du génie
          L'assaut victorieux;
Il s'étonne; il combat l'ardeur qui le possède,
Et voudrait secouer du démon qui l'obsède
          Le joug impérieux.

Mais sitôt que, cédant à la fureur divine,
Il reconnaît enfin du Dieu qui le domine
          Les souveraines lois,
Alors, tout pénétré de sa vertu suprême,
Ce n'est plus un mortel, c'est Apollon lui-même
          Qui parle par ma voix.

Je n'ai point l'heureux don de ces esprits faciles
Pour qui les doctes Sœurs, caressantes, dociles,
          Ouvrent tous leurs trésors;
Et qui, dans la douceur d'un tranquille délire,
N'éprouvèrent jamais, en maniant la lyre,
          Ni fureurs, ni transports.

Des veilles, des travaux, un faible cœur s'étonne;
Apprenons toutefois que le fils de Latone,
          Dont nous suivons la cour,
Ne nous vend qu'à ce prix ces traits de vive flamme,
Et ces ailes de feu qui ravissent une âme
          Au céleste séjour.

1. Livre III, ode 1.

C'est par là qu'autrefois d'un prophète fidèle
L'esprit, s'affranchissant de sa chaîne mortelle
   Par un puissant effort,
S'élançait dans les airs comme un aigle intrépide,
Et jusque chez les dieux allait, d'un vol rapide,
   Interroger le sort.

C'est par là qu'un mortel, forçant les rives sombres,
Au superbe tyran qui règne sur les ombres
   Fit respecter sa voix :
Heureux si, trop épris d'une beauté rendue,
Par un excès d'amour il ne l'eût point perdue
   Une seconde fois!

Telle était de Phébus la vertu souveraine,
Tandis qu'il fréquentait les bords de l'Hippocrène
   Et les sacrés vallons,
Mais ce n'est plus le temps, depuis que l'avarice,
Le mensonge flatteur, l'orgueil et le caprice
   Sont nos seuls Apollons.

Ah! si ce dieu sublime, échauffant mon génie,
Ressuscitait pour moi de l'antique harmonie
   Les magiques accords;
Si je pouvais du ciel franchir les vastes routes,
Ou percer par mes chants les infernales voûtes
   De l'empire des morts;

Je n'irais point, des dieux profanant la retraite,
Dérober au destin, téméraire interprète,
   Ses augustes secrets;
Je n'irais point chercher une amante ravie,
Et, la lyre à la main, redemander sa vie
   Au gendre de Cérès.

Enflammé d'une ardeur plus noble, et moins stérile,
J'irais, j'irais pour vous, ô mon illustre asile,
   O mon fidèle espoir,
Implorer aux Enfers ces trois fières déesses,
Que jamais jusqu'ici nos vœux ni nos promesses
   N'ont su l'art d'émouvoir.

« Puissantes déités qui peuplez cette rive,
Préparez, leur dirais-je, une oreille attentive
   Au bruit de mes concerts;
Puissent-ils amollir vos superbes courages
En faveur d'un héros digne des premiers âges
   Du naissant univers!

« Non! jamais sous les yeux de l'auguste Cybèle
La terre ne fit naître un plus parfait modèle

Entre les dieux mortels;
Et jamais la vertu n'a, dans un siècle avare,
D'un plus riche parfum, ni d'un encens plus rare
Vu fumer ses autels.

« C'est lui, c'est le pouvoir de cet heureux génie
Qui soutient l'équité contre la tyrannie
D'un astre injurieux.
L'aimable Vérité, fugitive, importune,
N'a trouvé qu'en lui seul sa gloire, sa fortune,
Sa patrie et ses dieux.

« Corrigez donc pour lui vos rigoureux usages.
Prenez tous les fuseaux qui pour les plus longs âges
Tournent entre vos mains.
C'est à vous que du Styx les dieux inexorables
Ont confié les jours, hélas! trop peu durables,
Des fragiles humains.

« Si ces dieux, dont un jour tout doit être la proie,
Se montrent trop jaloux de la fatale joie
Que vous leur redevez,
Ne délibérez plus, tranchez mes destinées,
Et renouez leur fil à celui des années
Que vous lui réservez.

« Ainsi, daigne le ciel, toujours pur et tranquille,
Verser sur tous les jours que votre main nous file
Un regard amoureux!
Et puissent les mortels, amis de l'innocence,
Mériter tous les soins que votre vigilance
Daigne prendre pour eux! »

C'est ainsi qu'au-delà de la fatale barque
Mes chants adouciraient de l'orgueilleuse Parque
L'impitoyable loi;
Lachésis apprendrait à devenir sensible,
Et le double ciseau de sa sœur inflexible
Tomberait devant moi.

Une santé dès lors florissante, éternelle,
Vous ferait recueillir d'une automne nouvelle
Les nombreuses moissons;
Le ciel ne serait plus fatigué de nos larmes,
Et je verrais enfin de mes froides alarmes
Fondre tous les glaçons.

Mais une dure loi, des dieux mêmes suivie,
Ordonne que le cours de la plus belle vie
Soit mêlé de travaux :
Un partage inégal ne leur fut jamais libre,

Et leur main tient toujours dans un juste équilibre
    Tous nos biens et nos maux.

  Ils ont sur vous, ces dieux, épuisé leur largesse;
C'est d'eux que vous tenez la raison, la sagesse,
    Les sublimes talents;
Vous tenez d'eux enfin cette magnificence
Qui seule sait donner à la haute naissance
    De solides brillants.

  C'en était trop, hélas! et leur tendresse avare
Vous refusant un bien dont la douceur répare
    Tous les maux amassés,
Prit sur votre santé, par un décret funeste,
Le salaire des dons qu'à votre âme céleste
    Elle avait dispensés.

  Le ciel nous vend toujours les biens qu'il nous prodigue;
Vainement un mortel se plaint et le fatigue
    De ses cris superflus;
L'âme d'un vrai héros, tranquille, courageuse,
Sait comme il faut souffrir d'une vie orageuse
    Le flux et le reflux.

  Il sait, et c'est par là qu'un grand cœur se console,
Que son nom ne craint rien ni des fureurs d'Eole,
    Ni des flots inconstants;
Et que, s'il est mortel, son immortelle gloire
Bravera, dans le sein des filles de Mémoire,
    Et la mort et le temps.

  Tandis qu'entre des mains à la gloire attentives
La France confiera de ses saintes archives
    Le dépôt solennel,
L'avenir y verra le fruit de vos journées,
Et vos heureux destins unis aux destinées
    D'un empire éternel.

  Il saura par quels soins, tandis qu'à force ouverte
L'Europe conjurée armait pour notre perte
    Mille peuples fougueux,
Sur des bords étrangers votre illustre assistance
Sut ménager pour nous les cœurs et la constance
    D'un peuple belliqueux.

  Il saura quel génie, au fort de nos tempêtes,
Arrêta, malgré nous, dans leurs vastes conquêtes
    Nos ennemis hautains,
Et que vos seuls conseils, déconcertant leurs princes,
Guidèrent au secours de deux riches provinces
    Nos guerriers incertains.

Mais quel peintre fameux, par de savantes veilles,
Consacrant aux humains de tant d'autres merveilles
    L'immortel souvenir,
Pourra suivre le fil d'une histoire si belle,
Et laisser un tableau digne des mains d'Apelle
    Aux siècles à venir ?

Que ne puis-je franchir cette noble barrière!
Mais peu propre aux efforts d'une longue carrière,
    Je vais jusqu'où je puis ;
Et, semblable à l'abeille en nos jardins éclose,
De différentes fleurs j'assemble et je compose
    Le miel que je produis.

Sans cesse, en divers lieux errant à l'aventure,
Des spectacles nouveaux que m'offre la nature
    Mes yeux sont égayés ;
Et tantôt dans un bois, tantôt dans les prairies,
Je promène toujours mes douces rêveries
    Loin des chemins frayés.

Celui qui, se livrant à des guides vulgaires,
Ne détourne jamais des routes populaires
    Ses pas infructueux,
Marche plus sûrement dans une humble campagne,
Que ceux qui, plus hardis, percent de la montagne
    Les sentiers tortueux.

Toutefois, c'est ainsi que nos maîtres célèbres
Ont dérobé leurs noms aux épaisses ténèbres
    De leur antiquité ;
Et ce n'est qu'en suivant leur périlleux exemple,
Que nous pouvons, comme eux, arriver jusqu'au temple
    De l'Immortalité.

STANCES

    Que l'homme est bien, durant sa vie,
    Un parfait miroir de douleurs,
    Dès qu'il respire, il pleure, il crie
    Et semble prévoir ses malheurs.

    Dans l'enfance toujours des pleurs,
    Un pédant porteur de tristesse,
    Des livres de toutes couleurs,
    Des châtiments de toute espèce.

    L'ardente et fougueuse jeunesse
    Le met encore en pire état.

Des créanciers, une maîtresse,
Le tourmentent comme un forçat.

Dans l'âge mûr, autre combat.
L'ambition le sollicite.
Richesses, dignités, éclat,
Soins de famille, tout l'agite.

Vieux, on le méprise, on l'évite.
Mauvaise humeur, infirmité.
Toux, gravelle, goutte, pituite,
Assiègent sa caducité.

Pour comble de calamité,
Un directeur s'en rend le maître.
Il meurt enfin, peu regretté.
C'était bien la peine de naître !

AMYMONE [1]

Sur les rives d'Argos, près de ces bords arides
Où la mer vient briser ses flots impérieux,
        La plus jeune des Danaïdes,
Amymone, implorait l'assistance des dieux.
Un faune poursuivait cette belle craintive ;
Et levant ses mains vers les cieux :
« Neptune, disait-elle, entends ma voix plaintive,
Sauve-moi des transports d'un amant furieux.

            « A l'innocence poursuivie,
            Grand dieu, daigne offrir ton secours ;
            Protège ma gloire et ma vie
            Contre de coupables amours.

            « Hélas ! ma prière inutile
            Se perdra-t-elle dans les airs ?
            Ne me reste-t-il plus d'asile
            Que le vaste abîme des mers ?

            « A l'innocence poursuivie,
            Grand dieu, daigne offrir ton secours ;
            Protège ma gloire et ma vie
            Contre de coupables amours. »

La Danaïde, en pleurs, faisait ainsi sa plainte,
Lorsque le dieu des eaux vint dissiper sa crainte ;

1. Cantate V.

Il s'avance, entouré d'une superbe cour :
Tel, jadis, il parut aux regards d'Amphitrite,
     Quand il fit marcher à sa suite
     L'hyménée et le dieu d'amour.
Le faune, à son aspect, s'éloigne du rivage;
     Et Neptune, enchanté, surpris,
L'amour peint dans les yeux, adresse ce langage
     A l'objet dont il est épris :

     « Triomphez, belle princesse,
     Des amants audacieux :
     Ne cédez qu'à la tendresse
     De qui sait aimer le mieux.

     « Heureux le cœur qui vous aime,
     S'il était aimé de vous!
     Dans les bras de Vénus même,
     Mars en deviendrait jaloux.

     « Triomphez, belle princesse,
     Des amants audacieux :
     Ne cédez qu'à la tendresse
     De qui sait aimer le mieux. »

  Qu'il est facile aux dieux de séduire une belle!
Tout parlait en faveur de Neptune amoureux;
     L'éclat d'une cour immortelle,
Le mérite récent d'un secours généreux.
Dieux! quel secours! Amour ce sont là de tes jeux.
Quel satyre eût été plus à craindre pour elle ?
Thétis, en rougissant détourna ses regards;
Doris se replongea dans ses grottes humides,
Et, par cette leçon, apprit aux Néréides
     A fuir de semblables hasards.

     Tous les amants savent feindre;
     Nymphes, craignez leurs appas :
     Le péril le plus à craindre
     Est celui qu'on ne craint pas.

     L'audace d'un téméraire
     Est aisée à surmonter :
     C'est l'amant qui sait nous plaire
     Que nous devons redouter.

     Tous les amants savent feindre;
     Nymphes, craignez leurs appas :
     Le péril le plus à craindre
     Est celui qu'on ne craint pas.

CIRCÉ[1]

Sur un rocher désert, l'effroi de la nature,
Dont l'aride sommet semble toucher les cieux,
Circé, pâle, interdite, et la mort dans les yeux,
          Pleurait sa funeste aventure.
          Là, ses yeux errant sur les flots,
D'Ulysse fugitif semblaient suivre la trace.
Elle croit voir encor son volage héros;
Et, cette illusion soulageant sa disgrâce,
          Elle le rappelle en ces mots,
Qu'interrompent cent fois ses pleurs et ses sanglots :

          « Cruel auteur des troubles de mon âme,
          Que la pitié retarde un peu tes pas!
          Tourne un moment tes yeux sur ces climats;
          Et, si ce n'est pour partager ma flamme,
          Reviens du moins pour hâter mon trépas.

          « Ce triste cœur, devenu ta victime,
          Chérit encor l'amour qui l'a surpris :
          Amour fatal! la haine en est le prix.
          Tant de tendresse, ô dieux! est-elle un crime,
          Pour mériter de si cruels mépris ?

          « Cruel auteur des troubles de mon âme,
          Que la pitié retarde un peu tes pas!
          Tourne un moment tes yeux sur ces climats;
          Et, si ce n'est pour partager ma flamme,
          Reviens du moins pour hâter mon trépas. »

C'est ainsi qu'en regrets sa douleur se déclare;
Mais bientôt, de son art employant le secours
Pour rappeler l'objet de ses tristes amours,
Elle invoque à grands cris tous les dieux du Ténare,
Les Parques, Némésis, Cerbère, Phlégéton,
Et l'inflexible Hécate, et l'horrible Alecton.

Sur un autel sanglant l'affreux bûcher s'allume,
La foudre dévorante aussitôt le consume;
Mille noires vapeurs obscurcissent le jour;
Les astres de la nuit interrompent leur course;
Les fleuves étonnés remontent vers leur source;
Et Pluton même tremble en son obscur séjour.

1. Cantate VII.

Sa voix redoutable
Trouble les enfers;
Un bruit formidable
Gronde dans les airs;
Un voile effroyable
Couvre l'univers;
La terre tremblante
Frémit de terreur;
L'onde turbulente
Mugit de fureur;
La lune sanglante
Recule d'horreur.

Dans le sein de la mort ses noirs enchantements
Vont troubler le repos des ombres :
Les mânes effrayés quittent leurs monuments;
L'air retentit au loin de leurs longs hurlements :
Et les vents, échappés de leurs cavernes sombres,
Mêlent à leurs clameurs d'horribles sifflements.
Inutiles efforts! amante infortunée,
D'un Dieu plus fort que toi dépend ta destinée :
Tu peux faire trembler la terre sous tes pas,
Des enfers déchaînés allumer la colère;
Mais tes fureurs ne feront pas
Ce que tes attraits n'ont pu faire.

Ce n'est point par effort qu'on aime,
L'amour est jaloux de ses droits;
Il ne dépend que de lui-même,
On ne l'obtient que par son choix.
Tout reconnaît sa loi suprême;
Lui seul ne connaît point de lois.
Dans les champs que l'hiver désole
Flore vient rétablir sa cour;
L'Alcyon fuit devant Eole;
Eole le fuit à son tour :
Mais sitôt que l'amour s'envole,
Il ne connaît plus de retour.

ÉPIGRAMMES

I

Certain ivrogne, après maint long repas,
Tomba malade. Un docteur galénique
Fut appelé. « Je trouve ici deux cas,
Fièvre adurante, et soif plus que cynique.
Or, Hippocras tient pour méthode unique,

Qu'il faut guérir la soif premièrement. »
Lors le fiévreux lui dit : « Maître Clément,
Ce premier point n'est le plus nécessaire.
Guérissez-moi ma fièvre seulement;
Et pour ma soif, ce sera mon affaire. »

II

Ce monde-ci n'est qu'une œuvre comique
Où chacun fait des rôles différents.
Là, sur la scène, en habit dramatique,
Brillent prélats, ministres, conquérants.
Par nous, vil peuple, assis aux derniers rangs,
Troupe futile et des grands rebutée,
Par nous, d'en bas, la pièce est écoutée.
Mais nous payons, utiles spectateurs;
Et quand la farce est mal représentée,
Pour notre argent nous sifflons les acteurs.

III

Entre Racine et l'aîné des Corneilles
Les Chrysogons se font modérateurs.
L'un, à leur gré, passe les sept merveilles;
L'autre ne plaît qu'aux versificateurs.
Or, maintenant, veillez, graves auteurs,
Mordez vos doigts, ramez comme corsaires,
Pour mériter de pareils protecteurs
Ou pour trouver de pareils adversaires.

IV [1]

Le vieux Ronsard, ayant pris ses bésicles,
Pour faire fête au Parnasse assemblé,
Lisait tout haut ses odes par articles,
Dont le public vient d'être régalé.
« Ouais! Qu'est-ce ci ? dit tout à l'heure Horace,
En s'adressant au maître du Parnasse;
Ces odes-là frisent bien le Perrault! »
Lors Apollon, bâillant à bouche close :
« Messieurs, dit-il, je n'y vois qu'un défaut,
C'est que l'auteur les devait faire en prose. »

1. Epigramme contre Houdart de La Motte et ses odes.

V [1]

Depuis trente ans, un vieux berger normand
Aux beaux esprits s'est donné pour modèle,
Il leur enseigne à traiter galamment
Les grands sujets en style de ruelle.
Ce n'est le tout : chez l'espèce femelle
Il brille encor, malgré son poil grison,
Et n'est caillette en honnête maison
Qui ne se pâme à sa douce faconde.
En vérité, caillettes ont raison :
C'est le pédant le plus joli du monde.

VI

A son portrait certain rimeur braillard
Dans un logis se faisait reconnaître ;
Car l'ouvrier le fit avec tant d'art
Qu'on bâillait même en le voyant paraître.
« Ha ! le voilà ! c'est lui ! dit un vieux reître ;
Et rien ne manque à ce visage-là
Que la parole. — Ami, lui dit le maître,
Il n'en est pas plus mauvais pour cela. »

1. Contre Fontenelle.

HOUDART DE LA MOTTE

1672-1731

Antoine Houdart de La Motte naquit le 17 janvier 1672 à Paris, où son père exerçait la profession de chapelier. Il fit ses études chez les jésuites, puis il se livra à la littérature. Il tint une place considérable dans l'histoire littéraire de son temps et par ses œuvres et par ses théories. Il a énormément écrit et dans tous les genres : tragédies, dont une seule, *Inès de Castro*, a de l'originalité et de l'intérêt; poésies dans lesquelles on trouve : 1º une imitation abrégée et en vers de *l'Iliade;* non seulement La Motte réduisit les proportions de l'ouvrage, bien trop long selon lui, du vieil Homère, mais encore il l'enjoliva un peu en y faisant briller quelques traits de cet esprit du XVIIIe siècle, si agréable et si fin lorsqu'il est à propos; 2º des odes, d'un lyrisme compassé, dont celle sur *l'Homme* est considérée comme la meilleure; 3º des fables, dont il intitula le recueil : *Fables nouvelles,* voulant marquer par ce titre que les sujets étaient de son invention, et qu'il n'était pas allé, comme un simple La Fontaine, chercher sa matière chez les vieux fabulistes; elles ont, trop souvent, la raideur de véritables démonstrations, et semblent n'avoir pas d'autre raison d'être que de fournir une preuve rigoureuse de la morale qui les accompagne; il y en a cependant dont l'invention est heureuse et le tour agréable; nous en avons cité quelques-unes; 4º des poésies diverses, pièces légères, rimées au gré des circonstances et avec une intention de madrigal, et où il a mis beaucoup de bonne grâce, d'ingéniosité et d'esprit. — Tant de vers et d'une telle variété ne font pas de La Motte un poète; ses idées sur la poésie, dont nous avons parlé dans notre Introduction, montrent que l'essence de la poésie lui échappait. Sa raison était trop sèche et trop géométrique. Il a traité de la plus délicate et de la plus accomplie des œuvres d'art, la poésie, avec un esprit fâcheusement scientifique. On n'apprend point à devenir un poète, et par son exemple La Motte en eût fourni la preuve si une telle preuve était nécessaire. Il fut l'ami et, dans la bataille littéraire, l'allié de Fontenelle. Ils vécurent l'un et l'autre dans la société la plus brillante, et Houdart fut l'un des hôtes les plus fidèles et les plus choyés de la petite cour de Sceaux. Il entra à l'Académie française en 1710. Dans les dernières années de sa vie, il devint aveugle. Il mourut le 26 décembre 1731.

VERS POUR MADAME LA DUCHESSE DE ***

Voici des vers en ce moment,
J'ignore ce qu'ils vont vous dire;
Je ne sens bien distinctement
Que le besoin de les écrire.

A former d'abord un projet
Ne croyez pas que je m'amuse,
Vous êtes toujours mon sujet
Et mon cœur est ma seule muse.

Le cœur dit tout ce qui lui vient,
Jamais le choix ne l'embarrasse,
Et c'est à lui seul qu'appartient
Et l'enthousiasme et la grâce.

L'esprit, toujours dans l'embarras,
Toujours chancelle, toujours doute;
Le pauvre esprit, il ne dit pas
Ce que le moindre mot lui coûte.

Ainsi, pour vous, ingénuement,
J'avouerai mon respect extrême;
Je vous avertis seulement
Que je respecte comme on aime.

Quoi donc! Est-ce ma faute à moi
D'être né si loin de l'Altesse?
Puis-je mais de n'être pas roi,
Et que, vous, vous soyez princesse?

La plus superbe dignité
Défend-elle qu'on vous adore?
Non, non, fussiez-vous Majesté,
Je vous adorerais encore.

Enfin je prends mon droit d'aimer
D'où vous prenez celui de plaire;
S'il vous est permis de charmer,
Il me l'est de vous laisser faire.

Si l'aveu m'en est interdit,
Par l'égard que le rang impose,
Supposez que je n'ai rien dit,
Mais soyez sûre de la chose.

L'HOMME

ODE

A Monsieur de Fieubet.

Mon cœur d'une guerre fatale
Soutiendra-t-il toujours l'effort ?
Remplira-t-elle l'intervalle
De ma naissance et de ma mort ?
Pour trouver ce calme agréable,
Des dieux partage inaltérable,
Tous mes empressements sont vains.
En ont-ils seuls la jouissance ?
Et le désir et l'espérance
Sont-ils tous les biens des humains ?

Oui, d'une vie infortunée
Subissons le joug rigoureux :
C'est l'arrêt de la destinée
Qu'ici l'homme soit malheureux.
L'espoir imposteur qui l'enflamme
Ne sert qu'à mieux fermer son âme
A l'heureuse tranquillité.
C'est pour souffrir qu'il sent, qu'il pense ;
Jamais le ciel ne lui dispense
Ni lumière, ni volupté.

Impatient de tout connaître
Et se flattant d'y parvenir,
L'esprit veut pénétrer son être,
Son principe et son avenir ;
Sans cesse il s'efforce, il s'anime ;
Pour sonder ce profond abîme
Il épuise tout son pouvoir ;
C'est vainement qu'il s'inquiète ;
Il sent qu'une force secrète
Lui défend de se concevoir.

Mais cet obstacle qui nous trouble,
Lui-même ne peut nous guérir :
Plus la nuit jalouse redouble,
Plus nos yeux tâchent de s'ouvrir.
D'une ignorance curieuse
Notre âme, esclave ambitieuse,
Cherche encore à se pénétrer.
Vaincue, elle ne peut se rendre,
Et ne saurait ni se comprendre
Ni consentir à s'ignorer.

Volupté, douce enchanteresse,
Fais enfin cesser ce tourment :
Qu'une délicieuse ivresse
Répare notre aveuglement.
A nos vœux ne sois point rebelle ;
Et, du cœur humain qui t'appelle,
Daigne pour jamais te saisir.
Eloignes-en tout autre maître ;
Que l'ambition de connaître
Cède à la douceur du plaisir !

Mais tu fuis, la voûte azurée
Pour jamais t'enferme en son sein.
Parmi nous ne t'es-tu montrée
Que pour t'y faire aimer en vain ?
Il n'est point de vœux qui t'attirent ;
Tu souffres que nos cœurs expirent,
Lentes victimes de l'ennui :
Ou sous ton masque délectable,
Le crime caché nous accable
Du remords qu'il traîne après lui.

Tel qu'au séjour des Euménides
On nous peint ce fatal tonneau,
Des sanguinaires Danaïdes,
Châtiment à jamais nouveau :
En vain ces sœurs veulent sans cesse
Remplir la tonne vengeresse,
Mégère rit de leurs travaux ;
Rien n'en peut combler la mesure,
Et, par l'une et l'autre ouverture,
L'onde entre et fuit à flots égaux.

Tel est en cherchant ce qu'il aime
Le cœur des mortels impuissants ;
Supplice assidu de lui-même,
Par ses vœux toujours renaissants,
Ce cœur, qu'un vain espoir captive,
Poursuit une paix fugitive,
Dont jamais nous ne jouissons ;
Et, de nouveaux plaisirs avide,
A chaque moment il se vide
De ceux dont nous le remplissons.

Toi, que de la misère humaine
Tes vertus doivent excepter,
Fieubet, plains l'espérance vaine
Dont j'avais osé me flatter.
Mon zèle me faisait attendre
Un plaisir solide à te rendre

Cet hommage que je te dois ;
Mais je n'ai, malgré mon attente,
Qu'une crainte reconnaissante
Qu'il ne soit indigne de toi.

Aussi sévère qu'équitable
Tu veux un sens dans mes écrits,
Elevé, nouveau, véritable,
Dont le tour augmente le prix.
Jaloux d'obtenir ton suffrage,
J'ai tâché d'orner cet ouvrage
De traits dignes de te toucher ;
Mais je crains qu'en mes hardiesses,
Tu ne découvres les faiblesses
Que mon orgueil sait m'y cacher.

FABLES

I

LE FROMAGE

Deux chats avaient pris un fromage,
Et tous deux à l'aubaine avaient un droit égal.
Dispute entre eux pour le partage.
Qui le fera ? Nul n'est assez loyal ;
Beaucoup de gourmandise et peu de conscience.
Témoin leur propre fait ; le fromage est volé ;
Ils veulent donc qu'à l'audience
Dame justice entre eux vide le démêlé.
Un singe, maître clerc du bailli du village,
Et que pour lui-même on prenait
Quand il mettait parfois sa robe et son bonnet,
Parut à nos deux chats tout un aréopage ;
Par devant don Bertrand le fromage est porté ;
Bertrand s'assied, prend la balance,
Tousse, crache, impose silence,
Fait deux parts avec gravité,
En charge les bassins, puis cherchant l'équilibre :
« Pesons, dit-il, d'un esprit libre,
D'une main circonspecte, et vive l'équité ;
Çà, celle-ci me paraît trop pesante. »
Il en mange un morceau. L'autre pèse à son tour ;
Nouveau morceau mangé par raison du plus lourd.
Un des bassins n'a plus qu'une légère pente.
« Bon ! nous voilà contents, donnez, disent les chats.
— Si vous êtes contents, justice ne l'est pas,

Leur dit Bertrand; race ignorante,
Croyez-vous donc qu'on se contente
De passer, comme vous, les choses au gros sas ? »
Et ce disant, monseigneur se tourmente
A manger toujours l'excédent;
Par équité toujours donne son coup de dent;
De scrupule en scrupule avançait le fromage.
Nos plaideurs enfin las des frais,
Veulent le reste sans partage.
« Tout beau, leur dit Bertrand, soyez hors de procès;
Mais le reste, messieurs, m'appartient comme épice.
A nous autres aussi nous nous devons justice.
Allez en paix, et rendez grâce aux dieux. »
Le bailli n'eût pas jugé mieux.

II

LA MONTRE ET LE CADRAN SOLAIRE

Un jour la montre au cadran insultait
Demandant quelle heure il était.
« Je n'en sais rien, dit le cadran solaire.
— Eh! que fais-tu donc là, si tu n'en sais pas plus ?
— J'attends, répondit-il, que le soleil m'éclaire :
Je ne sais rien que par Phébus.
— Attends-le donc, moi, je n'en ai que faire,
Dit la montre; sans lui, je vais toujours mon train.
Tous les huit jours, un tour de main,
C'est autant qu'il m'en faut pour toute ma semaine.
Je chemine sans cesse, et ce n'est point en vain
Que mon aiguille en ce rond se promène.
Ecoute, voilà l'heure; elle sonne à l'instant :
Une, deux, trois, et quatre. Il en est tout autant »,
Dit-elle. Mais tandis que la montre décide,
Phébus, de ses ardents regards
Chassant nuages et brouillards,
Regarde le cadran, qui, fidèle à son guide,
Marque quatre heures et trois quarts.
« Mon enfant, dit-il à l'horloge,
Va-t'en te faire remonter.
Tu te vantes sans hésiter,
De répondre à qui t'interroge;
Mais qui t'en croit peut bien se mécompter.
Je te conseillerais de suivre mon usage;
Si je ne vois bien clair, je dis : Je n'en sais rien.
Je parle peu, mais je dis bien :
C'est le caractère du sage. »

III

LES AMIS TROP D'ACCORD

Il était quatre amis, qu'assortit la fortune;
  Gens de goût et d'esprit divers.
L'un était pour la blonde, et l'autre pour la brune;
Un autre aimait la prose et celui-là les vers.
L'un prenait-il l'endroit ? l'autre prenait l'envers.
  Comme toujours quelque dispute
  Assaisonnait leur entretien;
  Un jour on s'échauffa si bien
Que l'entretien devint presque une lutte.
Les poumons l'emportaient; raison n'y faisait rien.
  « Messieurs, dit l'un d'eux, quand on s'aime,
Qu'il serait doux d'avoir même goût, mêmes yeux!
  Si nous sentions, si nous pensions de même,
Nous nous aimons beaucoup, nous nous aimerions mieux. »
Chacun étourdiment fut d'avis du problème,
Et l'on se proposa d'aller prier les dieux
  De faire en eux ce changement extrême.
  Ils vont au temple d'Apollon
  Présenter leur humble requête;
  Et le dieu sur-le-champ, dit-on,
  Des quatre ne fit qu'une tête,
  C'est-à-dire qu'il leur donna
Sentiments tout pareils et pareilles pensées.
  L'un comme l'autre raisonna.
« Bon, dirent-ils, voilà les disputes chassées. »
Oui, mais aussi voilà tout charme évanoui;
  Plus d'entretien qui les amuse.
  Si quelqu'un parle, ils répondent tous : « Oui ».
C'est désormais entre eux le seul mot dont on use.
L'ennui vint : l'amitié s'en sentit altérer.
Pour être trop d'accord nos gens se désunissent.
Ils cherchèrent enfin, n'y pouvant plus durer,
  Des amis qui les contredisent.

  C'est un grand agrément que la diversité :
  Nous sommes bien comme nous sommes.
  Donnez le même esprit aux hommes,
Vous ôtez tout le sel de la société.
L'ennui naquit un jour de l'uniformité.

LA FAYE

1674-1731

Jean-François Leriget de La Faye naquit en 1674, à Vienne, en Dauphiné. Il entra dans les mousquetaires, puis il servit dans l'infanterie, mais il dut renoncer à l'état militaire à cause de la faiblesse de sa santé. Il fut ensuite chargé de diverses missions diplomatiques; il prit part notamment aux négociations du traité d'Utrecht. Il finit par se consacrer tout à fait aux belles-lettres et aux beaux-arts. C'était un homme charmant : il avait une grande fortune; il possédait une belle collection de tableaux; il fut pour les artistes et les écrivains un protecteur. Nature élégante et fine, il avait beaucoup d'esprit et savait tourner avec un agrément égal le madrigal et l'épigramme. Petit poète, malgré tout, il eut l'honneur de combattre pour la défense de la poésie, et dans les discussions qu'avaient suscitées les doctrines de La Motte en cette matière, il intervint par une *Ode en faveur des vers* que nous citons ci-après et comme un épisode de cette lutte et comme un témoignage de l'aimable talent de La Faye. Ce gentilhomme de lettres fut admis à l'Académie française en 1730; il mourut le 11 juillet de l'année suivante, à Paris.

ODE EN FAVEUR DES VERS

« Mauvais goût né de l'habitude,
Faux enchantement du lecteur,
Rime, mesure, vaine étude,
Le peuple Goth fut ton auteur;
Non, tu n'es point la poésie;
D'un plus beau feu l'âme saisie,
En prose s'énonce bien mieux;
Les vers dans des siècles barbares,
Ont eu de nos aïeux ignares,
Le nom de « Langage des dieux. »

Tel est l'audacieux blasphème
Qu'on profère contre Apollon :

Eh qui! c'est La Motte lui-même,
Déserteur du sacré vallon :
Mais, cette erreur qu'il nous propose,
En vain de sa subtile prose,
Emprunte un éclat spécieux.
Par la rime et par la cadence,
Sur le Parnasse il a d'avance,
Expié son tort à nos yeux.

Censeur de notre tragédie,
Il ose, en ses réflexions,
Croire qu'une prose hardie
Peut nous peindre les passions :
Que c'est violer la nature
Que d'asservir à la mesure,
Et de rimer un sentiment,
Oubliant que c'est par ce charme,
Qu'Inès communique l'alarme
Qu'elle éprouve pour son amant.

Quoi de l'ode, dont Polymnie
A ses amants nota les airs,
Il veut abjurer l'harmonie
Qu'elle doit au charme des vers!
Pindare, Anacréon, Horace,
Ont donc abusé le Parnasse
Par leurs immortelles chansons ?
J'entends Malherbe qui soupire
De voir qu'on ose de sa lyre
Dédaigner les superbes sons.

La sagesse des premiers âges
En vers voulut dicter les lois,
Digne prix des plus grands courages
Les vers chantèrent les exploits;
Qu'on lise au temple de Mémoire
Les noms consacrés à la gloire,
Calliope les a tracés;
Tous ceux que son burin aimable
N'a pas gravés d'un trait durable
Sont peu lus ou sont effacés.

Art des vers, par quelle magie,
Au gré de tes sons enchanteurs,
L'emportes-tu sur l'énergie
Dont se vantent les orateurs!
Dans Rome, bravant la nature,
Octave insensible et parjure
La remplit de sang et d'horreurs;
Eh! qui ne sait qu'à l'harmonie
Du divin chantre d'Ausonie,
Il ne peut refuser des pleurs ?

Marcellus, dont les destinées
Privèrent trop tôt l'univers,
Moins de larmes furent données
A ton trépas qu'à tes beaux vers;
O poésie! à ta puissance
Que peut opposer l'éloquence ?
Quel miracle a-t-elle à citer ?
Serait-ce un fougueux Démosthène
Suivi d'un peuple qu'il entraîne,
Flots toujours prêts à s'agiter ?

Ami né de la symétrie,
L'homme en recherche l'agrément;
Des merveilles de l'industrie,
Seule elle fait l'enchantement.
A notre oreille la musique
Offre un mouvement symétrique
Des tons dont l'ordre fait les lois.
L'impression plus délicate
De cet ordre en beaux vers nous flatte,
Et sur l'esprit même a ses droits.

« Mais cet art frivole et pénible,
Est, dit-on, mécanique en soi,
De plus d'un obstacle invincible,
Souvent l'esprit subit la loi;
La cadence ou le sens vous gêne,
Quelquefois la recherche est vaine
D'un mot qui les serve tous deux;
La rime à cet autre s'oppose,
D'un autre qui plairait en prose
Le choix ne serait pas heureux. »

O combien le sage est louable,
Qui, s'abaissant à ce détail,
Pour rendre la sagesse aimable
N'en dédaigne pas le travail!
Des attraits d'Hélicon parée,
Il peut nous ramener Astrée;
L'homme va goûter l'équité;
Ainsi, de la main de sa mère
L'enfant boit la liqueur amère,
Par quelque douceur attiré.

De la contrainte rigoureuse,
Où l'esprit semble resserré,
Il acquiert cette force heureuse
Qui l'élève au plus haut degré;
Telle, dans les canaux pressée,
Avec plus de force élancée

L'onde s'élève dans les airs;
Et la règle qui semble austère
N'est qu'un art plus certain de plaire,
Inséparable des beaux vers.

Non, le travail n'est point futile,
Quand la raison en est l'objet :
Qu'elle plaise en ton vers utile,
Qu'elle t'en dicte le sujet;
Médite, polis, remanie;
Des dons du Dieu de l'harmonie
Aucun sans peine ne jouit :
C'est l'encens qu'Apollon désire;
A ce prix il prête sa lyre,
Et l'obstacle s'évanouit.

MADRIGAL

Projet flatteur de séduire une belle,
Soins concertés de lui faire la cour,
Tendres écrits, serments d'être fidèle,
Airs empressés, vous n'êtes point l'amour.
Mais se donner sans espoir de retour,
Par son désordre annoncer que l'on aime;
Respect timide avec ardeur extrême;
Persévérance au comble du malheur;
Dans sa Philis n'aimer que Philis même :
Voilà l'amour; il n'est que dans mon cœur.

LAGRANGE-CHANCEL

1677-1758

François-Joseph de Chancel, dit Lagrange-Chancel, naquit le
1er janvier 1677, au château d'Antoniat, dans le Périgord. A l'âge
de sept ans, il fut mis au collège de Périgueux. Déjà, paraît-il, il
composait des vers; il en faisait sur le premier sujet venu; on n'avait
qu'à lui en proposer un. Lui-même a proclamé cette surprenante
précocité : « Je ne savais pas lire que je savais rimer. » Dès qu'il sut
lire, il s'attacha aux tragédies de Corneille et aux romans de La Calpre-
nède. On l'envoya à Bordeaux pour y achever ses études; il y vit
jouer la comédie; le voilà tout d'un coup devenu auteur dramatique.
Il était encore un enfant; avec d'autres enfants, il interpréta ses
propres essais; mais il eut la mauvaise inspiration de mettre en scène
une aventure bizarre, récemment arrivée dans la ville. Il y eut des
protestations. La mère de Lagrange-Chancel ferma le théâtre familial,
et le jeune auteur, âgé alors de quatorze ans, partit pour Paris,
portant dans son bagage une tragédie de *Jugurtha*. Son nom parvint
jusqu'à la Cour; on le voulut voir; il y parut; il plut; il y trouva des
protecteurs, notamment la duchesse de Conti qui le prit dans sa
maison en qualité de page. Fortune plus précieuse, il reçut les
conseils de Racine. La vie s'annonçait, pour Lagrange-Chancel,
facile et glorieuse. Son *Jugurtha*, joué le 8 janvier 1694, eut un grand
succès. D'autres tragédies suivirent : *Oreste et Pylade, Méléagre,
Athénaïs, Amasis, Alceste, Ino et Mélicerte, Erigone, Cassius et
Victorinus;* des opéras aussi : *Méduse, Cassandre, Orphée, Pyrame et
Thisbé;* ouvrages inégaux, dont aucun n'est vraiment remarquable
et dont aucun ne remporta un triomphe complet. Lagrange-Chancel
s'était lié d'amitié avec le duc de La Force, qui lui déroba la tragédie
d'*Ino et Mélicerte*, et avec qui se brouilla. Sa haine fut ardente et
s'étendit au régent qui, dans ce démêlé, avait pris le parti du duc
de La Force. Lagrange-Chancel composa alors contre le régent
plusieurs odes satiriques, d'une violence extrême, qu'il appela *les
Philippiques* et qui firent un bruit énorme : il allait jusqu'à accuser
le régent d'avoir attenté par le poison à la vie du jeune Louis XV.
Il fut arrêté et emprisonné à l'île Sainte-Marguerite d'où il réussit
un jour à s'échapper. Il se rendit en Sardaigne, puis en Hollande. Il
ne revint en France qu'en 1729, après la mort du régent. Il fit repré-

senter quelques ouvrages, entre autres la tragédie pieuse de *Cassius et Victorinus*, qu'il adressa à sa protectrice, la princesse de Conti, avec une ode qui est l'une de ses meilleures poésies, et que l'on trouvera ci-après. L'*Orphée*, qu'il donna ensuite, échoua; un *Pygmalion*, qu'il offrit aux comédiens, fut refusé par eux. Lagrange-Chancel renonça alors au théâtre et se consacra à des travaux historiques. Il mourut le 26 décembre 1758, dans ce château d'Antoniat où il était né. Ce poète, qui a composé des satires si virulentes, n'était point du tout un méchant homme. Il était, au contraire, dit-on, sensible et affectueux; c'était un parent excellent, un ami dévoué et sûr.

ODE

A MADAME LA PRINCESSE DE CONTI

PREMIÈRE DOUAIRIÈRE,

EN LUI ADRESSANT LA TRAGÉDIE DE *Cassius et Victorinus*

Martyrs

Profanes nymphes du Permesse,
Je ne veux plus suivre vos pas;
Trop longtemps vos trompeurs appas
Ont séduit ma folle jeunesse.
Plus j'approche du monument,
Plus je vois sans déguisement,
Combien vos faveurs sont à craindre;
Et ma raison est un flambeau
Dont l'éclat n'est jamais si beau
Que lorsqu'il est près de s'éteindre.

Tantôt sur un ton langoureux
Vous avez ajusté ma lyre,
Dont souvent mon tendre délire
A tiré des sons dangereux.
Tantôt, plus charmé pour Athènes,
Des traits lancés par Démosthènes,
Qu'intimidé par ses malheurs,
Je n'ai pas craint, sous vos auspices,
De parcourir des précipices
Que vous m'aviez semés de fleurs.

Que de jours remplis d'amertume
M'attira le courroux du ciel,
Quand je laissai couler le fiel
Où vous aviez trempé ma plume!
N'aurais-je pas perdu le jour
Dans l'horreur d'un affreux séjour
Voisin de l'empire des Mânes,
Si mes vœux s'étaient reposés

Sur vos Hercules supposés,
Ou sur vos feintes Arianes ?

J'adressai mes humbles regrets
Au Dieu qu'adore une princesse
Dont on prise autant la sagesse
Qu'on fut charmé de ses attraits.
Alors, agréable surprise !
L'airain de mes portes se brise ;
Ma fuite devance les vents ;
Et je vois la plaine liquide
M'ouvrir une route solide
A travers deux remparts mouvants.

Compare, ô chantre de la Grèce !
A ces secours miraculeux
Ceux que ton héros fabuleux
Reçut d'une fausse déesse.
Quiconque a Dieu pour son appui,
Et ne met son espoir qu'en lui,
Brave les fureurs de l'envie.
Parmi les pièges des méchants,
Au milieu des glaives tranchants,
Il ne tremble point pour sa vie.

Armé d'un si puissant secours,
J'ai rendu ma course célèbre
Depuis le Pô, le Tage et l'Ebre
Jusqu'où l'Amstel finit son cours.
De l'Apennin aux Pyrénées,
J'ai vu des têtes couronnées
Relever mon front abattu.
Souvent des âmes généreuses,
Donnent aux fautes courageuses
Les éloges de la vertu.

Sorti des terres étrangères
Où j'ai vu dix ans s'écouler,
Qu'il m'est doux de ne plus fouler
Que l'héritage de mes pères !
Je vis sous leurs antiques toits,
Qu'aux superbes palais des rois
Préfère mon âme charmée,
Où, plus heureux et plus chrétien,
Mon cœur ne se plaint plus de rien
Que d'un peu trop de renommée.

C'est dans cet asile assuré
Que souvent mes erreurs passées
Se sont en foule retracées
A mon esprit plus épuré :

C'est là que ma lyre profane,
D'un roi que Dieu prit pour organe
Préférant les sacrés accords,
J'ai cru que, par de saintes rimes,
Je pourrais expier les crimes
De celles qui font mes remords.

Vous que vers lui, par tant de grâces,
Le Seigneur se plut d'attirer;
Vous qu'on peut bien plus admirer
Qu'on ne peut marcher sur vos traces,
Princesse, versez dans mon cœur,
Pour en ranimer la vigueur,
Ce feu divin qui vous éclaire,
Et favorisez un projet
Qui peut-être a trop pour objet
Un nouveau désir de vous plaire.

Tandis qu'à l'enfant de Cypris,
Ma jeunesse a rendu les armes,
J'ai de vous emprunté les charmes
Que j'ai dépeints dans mes écrits :
Aujourd'hui qu'ennemi des fables
C'est aux vérités ineffables,
Que mon luth veut se consacrer,
Je prends sur vos vertus augustes
Celles que des rimes plus justes
Ont entrepris de célébrer.

GRÉCOURT

1683-1743

Jean-Baptiste-Joseph Willart de Grécourt naquit à Tours en 1683.
Sa famille était originaire d'Ecosse; elle était noble, mais sans fortune;
la mère de Grécourt dut prendre un emploi; elle obtint, à Tours
même, celui de directrice des postes. Quant à lui, en sa qualité de
cadet, il était destiné à l'Eglise; on l'envoya à Paris pour y faire ses
études, sous la direction d'un oncle, ecclésiastique, dont le crédit lui
valut le titre prématuré, mais lucratif, de chanoine de Saint-Martin
de Tours. C'était en 1697; Grécourt avait environ quatorze ans.
Le jeune chanoine n'était guère enclin à la dévotion; on ne tarda
pas à s'en convaincre. A peine ordonné prêtre, il voulut prêcher; l'on raconte que son premier sermon, agrémenté d'allusions
satiriques à certaines dames de la ville, fit scandale, et que le jeune
orateur dut renoncer à la prédication; en réalité, ce n'était point là
son fait; non qu'il manquât de culture; il avait, au contraire, fait des
études consciencieuses et il eût été fort capable de prêcher très dignement et même savamment. Mais son humeur le portait plutôt
vers la poésie et vers les plaisirs. Il demeura chanoine, mais sans vivre
de la vie ecclésiastique, et fit de fréquents voyages à Paris où il se
lia avec le maréchal d'Estrées et d'autres jeunes libertins. Il finit
même par vivre à Paris complètement, promenant dans les sociétés
les plus galantes son esprit toujours enjoué. Il fut un épicurien délicat, sensible aux raffinements de la table et à la beauté des femmes.
Il s'amusa à rimer de petites poésies; il en rima beaucoup; dans son
œuvre, abondante et en grande partie libertine, on trouve un long
poème : *Philotanus*, des pièces burlesques, des épîtres, des fables, des
contes, des épigrammes, des madrigaux. Il avait de la verve, de la
facilité. Petit poète cependant et dont nous n'avons cité que
quelques petites pièces. Il vécut gaiement, galamment, heureux de
son indépendance, et refusant de l'aliéner jamais, quelques avances
qui lui fussent faites. Il mourut à Tours, le 2 avril 1743, laissant une
épitaphe de lui-même qu'on trouvera ci-après.

LES QUATRE AGES DES FEMMES

Philis plus avare que tendre,
Ne gagnant rien à refuser,
Un jour exigea de Lisandre
Trente moutons pour un baiser.

Le lendemain, nouvelle affaire,
Pour le berger le troc fut bon,
Il exigea de la bergère
Trente baisers pour un mouton.

Un autre jour Philis plus tendre,
Craignant de déplaire au berger,
Fut trop heureuse de lui rendre
Tous les moutons pour un baiser.

Le lendemain Philis peu sage,
Aurait donné moutons et chien,
Pour un baiser que ce volage
A Lisette donnait pour rien.

L'IVROGNE

Un maître ivrogne, dans la rue,
Contre une borne se heurta :
Dans l'instant sa colère émue
A la vengeance le porta.
Le voilà d'estoc et de taille
A ferrailler contre le mur.
« Ou bien il a sa cotte maille,
Disait-il, ou bien il est dur. »
En s'escrimant donc de plus belle,
Et pan, et pan, il avançait,
Lorsqu'il sortit une étincelle
De la pierre qu'il agaçait.
Sa valeur en fut constipée :
« Oh! oh! ceci passe le jeu;
Rengainons vite notre épée :
Le vilain porte une arme à feu. »

LE PAPILLON ET LES TOURTERELLES

Un papillon, sur son retour,
Racontait à deux tourterelles,

Combien dès l'âge de l'amour
Il avait caressé de belles :
« Aussitôt aimé qu'amoureux,
Disait-il, ô l'aimable chose,
Lorsque, brûlant de nouveaux feux,
Je voltigeais de rose en rose!
Maintenant on me suit partout,
Et partout aussi je m'ennuie;
Ne verrai-je jamais le bout
D'une aussi languissante vie ? »
Les tourterelles sans regret
Répondirent : « Dans la vieillesse
Nous avons trouvé le secret
De conserver notre tendresse;
A vivre ensemble nuit et jour
Nous goûtons un plaisir extrême;
L'amitié qui vient de l'amour
Vaut encor mieux que l'amour même. »

LA COLOMBE, LE FAUCON ET LE PIGEON [1]

Maître faucon, par la faim, aux abois
Allait en quête; en sortant de son bois
Il voit de loin une jeune colombe,
A tire-d'aile avance, plane, tombe
Sur la pauvrette, et se met en devoir
De la croquer. « Quoi donc, votre pouvoir
Est votre loi ? cria l'oiseau timide.
On est vainqueur quand le combat décide;
Mais quelle gloire est-ce à votre vigueur
De triompher de moi qui meurs de peur ?
Allez forcer l'épervier à se rendre
Ou le milan; ils sauront se défendre. »
Notre faucon lui répond d'un ton sec :
« Défendez-vous; vous avez votre bec.
— Hélas! mon bec n'a de force et d'adresse
Que pour donner quelque coup de tendresse
A mon ami. — Eh! Quel est cet ami ?
— C'est un pigeon sous ce toit endormi.
— Faut l'éveiller, et qu'il vienne à votre aide.
— Non, s'il vous plaît, de grâce; le remède
Serait encor plus cruel que le mal. »
Comme ils parlaient, le petit animal
Se réveillant, accourut de lui-même,
Et bec à bec il se fait égorger.

1. Cette pièce a été imprimée aussi sous le titre : *le Faucon et les pigeons*, avec de légères variantes.

L'amour prudent aurait vu le danger,
L'amour ardent ne voit que ce qu'il aime.

L'AMOUR MOUILLÉ

Pendant que, la paupière close,
Lassé du travail et du bruit,
L'homme tranquillement repose
Dans le silence de la nuit,
L'amour vint frapper à ma porte.
« Qui heurte si tard de la sorte ?
Criai-je, en sursaut réveillé.
— Hélas! c'est un enfant mouillé.
Répond-il; ouvrez, je vous prie.
Il pleut, mes pas sont égarés.
Ne craignez rien, de grâce, ouvrez! »
A ce discours, l'âme attendrie,
Une lampe en main, à l'instant,
Je cours ouvrir à cet enfant.
Ses ailes, son arc et sa trousse
Me donnèrent quelque soupçon;
Mais il avait la mine douce
Et l'air d'un aimable garçon.
Je le fais entrer, je l'essuie,
Je prends ses mains, et, peu à peu,
Je les réchauffe auprès du feu;
En un mot, je lui rends la vie.
Sitôt que le froid l'eut quitté :
« Voyons, me dit-il, si la pluie
A mon arc n'aurait rien gâté. »
Après ces mots il se retire
Trois pas en arrière, et, soudain,
Me décoche un trait dans le sein,
Et me dit d'un air scélérat :
« Félicite-moi, camarade,
Mon arc est en fort bon état;
Mais je crois ton cœur bien malade. »

ÉPITAPHE DE GRÉCOURT

PAR LUI-MÊME

Ci-gît l'auteur de Philopode,
Autrement dit *Philotanus*,
Ainsi qu'il sera plus commode
A la bulle *Unigenitus*.

Moitié grave, moitié bouffonne,
Sa muse assez joyeusement,
Le mena jusqu'à son automne,
Avec les plaisirs du printemps.
Il s'était fait un caractère
D'après Verville et Rabelais;
Dans l'art de varier les faits
Il avait saisi la manière;
Bon estomac, esprit très vif,
Il était un héros de table.
Plus libre en propos qu'inventif,
Et bien plus plaisant qu'imitable.
Il est mort, le pauvre chrétien!
Molina perd un adversaire
Et l'amour un historien.
Si je consulte son bréviaire
La religion n'y perd rien.

RICHER

1685-1748

Henri Richer naquit en 1685 à Longueil, dans le pays de Caux. Il fit son droit à Caen et se fit recevoir avocat au parlement de Rouen. Il renonça bientôt au barreau, et, épris par-dessus tout de littérature, il vint à Paris pour y réussir comme poète. Il débuta par des traductions en vers de Virgile et d'Ovide et par la composition de quelques fables. Celles-ci sont la partie la plus originale de son œuvre, qu'aucune vigueur ne soutient, qu'aucune chaleur n'anime, qu'aucune flamme n'éclaire. Il a cependant, parfois, des traits aimables, ingénieux et même de l'esprit. C'est pourquoi nous lui avons donc fait une petite place comme représentant d'un genre qui, parmi ses contemporains, a tenté beaucoup de poètes de la plupart desquels on ne trouverait rien à citer. Henri Richer a composé des tragédies (*Sabinus et Eponine*, publiée en 1735; *Coriolan*, publiée en 1748). Il a aussi écrit une *Vie de Mécénas*, avec des notes historiques et critiques, qui parut en 1746. Il mourut à Paris le 12 mars 1748.

FABLES

I

LE MIROIR

Jadis un père de famille
Eut un fils beau comme le jour :
Il eut au contraire une fille
Sans nuls attraits, vrai remède d'amour.
Ces enfants badinaient, comme font d'ordinaire
Ceux de leur âge, et trouvant un miroir,
À la toilette de leur mère,
Le Narcisse nouveau prit plaisir à s'y voir.
Devenu tout à coup amoureux de lui-même,
Il vanta ses attraits, vanité dont sa sœur
Ressentit un dépit extrême,
Croyant à chaque mot qu'il taxait sa laideur.

Elle n'entendait pas là-dessus raillerie;
Quoique fort jeune encor, l'amour-propre et l'envie
S'en étaient emparés. Elle va promptement
    Trouver son père à son appartement.
    « Mon petit frère a la manie
De se mirer, dit-elle; il se croit un soleil,
    Et son orgueil est sans pareil.
    Défendez-lui, mon père, je vous prie,
D'approcher du miroir et de s'y regarder. »
    Le père, loin de le gronder,
Les embrasse tous deux, tour à tour les caresse
    Et, leur partageant sa tendresse :
    « Mes chers enfants, dit-il, je veux
    Que vous vous miriez tous les deux.
Vous, mon fils, afin que l'image
De la beauté, dont Dieu prit soin de vous parer,
Vous donne horreur du vice et du libertinage,
    Qui pourraient la déshonorer :
Et vous, ma fille, afin qu'en cette glace,
    Apercevant votre disgrâce,
Et que vous n'avez pas ces attraits enchanteurs,
    Dont brille souvent la jeunesse,
Vous répariez ce défaut par vos mœurs :
    Rien n'est si beau que la sagesse. »

II

LE SOLITAIRE ET L'IMPORTUN

    Un philosophe, au retour du printemps,
    Se promenant seul dans les champs,
    S'entretenait avec lui-même.
    Il prenait un plaisir extrême
A méditer sur les objets divers
    Qu'offrait à ses yeux la nature.
Simple en ces lieux et belle sans parure.
    Vallons, coteaux, feuillages verts,
Occupaient son esprit. Un quidam, d'aventure,
Homme fort désœuvré crut que, semblable à lui,
    Ce solitaire était rongé d'ennui.
    « Je viens vous tenir compagnie,
Dit-il en l'abordant. C'est une triste vie
    Que d'être seul. Ces champêtres objets
    Les prés, les arbres sont muets.
    — Oui, pour vous, répondit le sage.
Mais pour moi ces objets ont chacun leur langage.
    Soyez détrompé sur ce point :
    Vous me forcez à vous le dire.
    Si je suis seul ici, beau sire,
    C'est depuis que vous m'avez joint. »

LE PRÉSIDENT HÉNAULT

1685-1770

Charles-Jean-François Hénault naquit le 8 février 1685, à Paris. Il était fils d'un fermier général. Il fit ses études chez les jésuites du collège Louis-le-Grand, et sa philosophie au collège des Quatre-Nations. Les débuts éclatants de Massillon le frappèrent et même l'enthousiasmèrent; il ambitionna la gloire de l'orateur sacré et, pour s'y préparer, il entra à l'Oratoire. Mais il en sortit au bout de deux années, fit son droit, fut à vingt et un ans conseiller au Parlement de Paris, et devint, quatre années après, président de la Chambre des Enquêtes. Le voilà donc, tout jeune encore, devenu le président Hénault. Plus tard, après la mort de Montesquieu, on l'appela « le président » tout court. Cependant, il ne conserva pas longtemps sa charge. Il s'en démit vers la trentaine et ne mena plus désormais que l'existence d'un homme de société. Il était galant, spirituel, lettré. On le vit à la petite cour de Sceaux, dans le salon de Mme de Lambert, dans le salon de Mme de Sully; il devint l'ami de Voltaire, il se lia avec Mme du Deffand. Il écrivait; il composa notamment des chansons, dont certaines eurent une grande vogue. En 1723, il fut élu membre de l'Académie française. Il avait encore très peu produit. Il produisit davantage après son élection. Son principal ouvrage est un *Abrégé chronologique de l'Histoire de France*, qu'il fit paraître en 1744, et grâce auquel il fut, en 1748, admis à l'Académie des Inscriptions. Il avait, deux années plus tôt, été nommé surintendant de la maison de la charmante et malheureuse reine Marie Leczinska. L'influence de cette honnête et délicate protectrice contribua à tourner davantage vers la religion le président Hénault, qu'une maladie grave, qu'il avait eue vers 1735, y avait déjà incliné un peu. Il vécut jusqu'en 1770. Il mourut le 24 novembre de cette année, laissant des *Mémoires* que son petit-neveu, M. de Vigan, a publiés en 1854. Ses œuvres poétiques sont peu nombreuses : elles tiennent dans un petit volume dont l'édition posthume fut donnée par M. de Sirieys. Il y a des pièces de divers genres : épîtres, stances, madrigaux, etc. Il y a de l'esprit, de la grâce, des tours heureux, comme souvent chez les petits poètes de ce temps-là. Le président Hénault avait aussi abordé le théâtre; en lisant les œuvres de Shakespeare, il avait eu l'idée d'un théâtre national qui aurait consisté,

à mettre à la scène les principaux faits de notre histoire : il donna
l'exemple en composant un drame de *François II*, tentative peu
heureuse, mais qui lui fournit l'occasion d'écrire une intéressante
préface.

A MONSIEUR DE L. D. D. G.

QUI ÉTAIT ALLÉ AUX EAUX DE FORGES

Quoi ! vous partez, sans que rien vous arrête,
Pour aller plaire en de nouveaux climats ?
Pourquoi courir de conquête en conquête ?
Nos cœurs soumis ne suffisaient-ils pas ?
Quoi ! vous partez, sans que rien vous arrête ?

Peuples heureux, qui verrez tant de charmes,
Vous ignorez le sort qui vous attend;
Le Dieu qui cause aujourd'hui nos alarmes
Vous vendra cher le plaisir d'un instant,
Peuples heureux qui verrez tant de charmes !

Père du jour éclaire son voyage,
Et peins les cieux des plus belles couleurs;
Mais ne la vois qu'à travers un nuage
Et laisse-lui deviner tes ardeurs.
Père du jour éclaire son voyage !

Que de ses dons, Flore faisant usage,
Parfume l'air, les plaines et les eaux;
Pour l'amuser, faunes, sur son passage,
Venez danser aux chansons des oiseaux.
Que de ses dons, Flore faisant usage.

ÉPITRE DE PSYCHÉ A L'AMOUR[1]

C'est Psyché qui t'écrit : sa faiblesse et son âge
Peindront mal des malheurs qu'on ne peut exprimer;
Elle n'était point faite à ce triste langage,
        Elle ne savait que t'aimer.

---

1. Cette pièce est précédée du petit préambule en prose que voici :
« On sait que Psyché, curieuse de connaître l'Amour, qui ne la visi-
tait que la nuit, le surprit à la faveur d'une lampe. L'Amour, pour
la punir de sa curiosité, l'abandonna. C'est après qu'il l'a quittée
qu'elle lui écrit pour se justifier. »

Que j'apprenne du moins quel peut être mon crime,
Par où j'ai mérité cet affreux châtiment :
La colère d'un dieu doit être légitime,
    Je ne parle plus d'un amant.

Dans l'excès de mes maux je me redis sans cesse :
Un désir curieux est-il un si grand mal ?
Et qui pouvait penser qu'un excès de tendresse
    Dût un jour m'être si fatal ?

Quelques droits que ta vue obtienne sur une âme,
J'avouerais tous les maux dont m'accablent les dieux,
Si j'avais eu besoin, pour accroître ma flamme,
    Du témoignage de mes yeux.

Mais j'en atteste ici cet infaillible gage,
Ces plaisirs ignorés, digne prix de tes soins,
Mon cœur ni ne cherchait à t'aimer davantage,
    Ni ne craignait de t'aimer moins.

Et de quoi m'eût servi de vouloir te connaître ?
Ne suffisait-il pas d'avoir donné ma foi ?
Ah! puisqu'enfin Psyché reconnaissait un maître,
    Ce ne pouvait être que toi.

Mais que voulais-je donc ? et par quel sort étrange,
Moi-même ai-je détruit tant de félicité ?
Il le faut avouer, et mon malheur te venge
    Du crime de ma vanité.

Fière de mes soupirs, je n'étais que trop sûre
Que l'amour seul pouvait avoir touché mon cœur,
Et je voulais du moins jouir de ma blessure
    Aux yeux d'un si puissant vainqueur.

Si d'un autre inconnu mon âme prévenue
Avait pu s'abaisser à d'indignes soupirs,
Loin de la souhaiter, j'aurais craint que sa vue
    Ne m'eût fait perdre mes plaisirs.

Mais toi qu'à mes transports j'avais su reconnaître,
Toi seul digne d'un cœur qui devait n'aimer rien,
Eh! ne devais-je pas te forcer de paraître
    Pour ton bonheur et pour le mien ?

Nuit fatale, où cédant à ma tendresse extrême,
Dans les bras du Sommeil mon amour te surprit!
Que vis-je! juste ciel! c'était l'Amour lui-même
    Que j'avais reçu dans mon lit.

Tremblante, je m'approche, et mon âme ravie
S'enivrait à longs traits... Mais quel réveil, grands dieux!
Tu choisis le moment le plus doux de ma vie
  Pour fuir à jamais de mes yeux.

C'en est fait, il me quitte, il n'est plus, et ma flamme
Le redemande encore aux lieux que j'habitais.
Lit fatal! cher témoin des transports de mon âme,
  Rends-moi le dieu que tu portais!

Hélas! tout me trahit, tout sert mon infidèle,
Ce ne sont plus ces vœux autrefois prévenus,
Et l'ingrat, pour combler sa vengeance cruelle,
  Me livre aux fureurs de Vénus.

J'avais bien mérité sa haine et ses alarmes,
Quand pour suivre mes lois tu désertas sa cour;
Mais hélas! devrait-elle encor punir des charmes
  Qui ne sont plus faits pour l'Amour!

En vain, pour m'accabler autant que je t'adore,
Elle joint tous les maux que l'enfer peut fournir;
Elle rougit de voir que j'aime mieux encore,
  Que sa fureur ne sait punir.

Je ne crains qu'un malheur, c'est qu'elle ne se lasse;
Hélas! si sa pitié m'allait priver du jour!...
Qu'elle se venge encore et me laisse par grâce
  Et mes malheurs et mon amour.

Oui, je chéris les maux où sa fureur me livre,
Puisque ton jeune cœur a pu trahir sa foi,
Puisqu'avec moi, cruel, tu t'es lassé de vivre,
  Du moins que je souffre pour toi!

SOUS UN PORTRAIT

POUR MADAME LA COMTESSE D***

Est-ce Junon? elle serait plus fière.
C'est donc Pallas? elle aurait l'air sévère.
Ah! c'est Vénus! Encor moins; toutefois
Ce ne saurait être qu'une des trois.
Oui, c'est Junon, à qui par aventure
Vénus, pour plaire, a prêté sa ceinture.

MADRIGAL A MADAME ***

Sans craindre d'être peu sincère,
Pour les belles on exagère
Raison, vertus, grâces, esprit,
Et souvent la raison en gronde.
Mais depuis qu'on flatte, on a dit
Vos vérités à tout le monde.

STANCES

POUR DEUX SŒURS QUI SE RESSEMBLAIENT

L'Amour rassemble sur vos traces
Les jeux, les plaisirs les plus doux;
Et le nombre seul, aux trois Grâces
Donne l'avantage sur vous.

En regardant ces deux visages
Et si ressemblants et si beaux,
On croit voir sur de verts rivages
Vénus se mirer dans les eaux.

MONCRIF

1687-1770

François-Augustin de Paradis de Moncrif naquit, en 1687, à Paris. Il était l'un de ces aimables viveurs, pleins de gaieté et d'entrain, comme on en trouve tant au XVIIIᵉ siècle. D'une physionomie agréable, de manières avenantes, il était un compagnon recherché. Il fut lié avec plusieurs jeunes seigneurs auprès de qui il trouva des emplois lucratifs : secrétaire du comte d'Argenson, puis secrétaire des commandements du comte de Clermont, puis lecteur de la reine Marie Leczinska; il devint enfin secrétaire général de l'administration des postes et il remplit cette fonction jusqu'à sa mort. La fortune ne cessa jamais de lui sourire; il en était digne par les qualités de son cœur. Il était fidèle dans ses affections : il le témoigna à d'Argenson, quand celui-ci fut exilé, et aux membres pauvres de sa famille dont il se fit le bienfaiteur. Son bagage littéraire n'est pas très volumineux, mais il est varié et agréable. On y trouve des romances et des chansons, des fables, des poésies diverses, dont un certain nombre d'inspiration chrétienne. La pièce *le Véritable Bonheur*, que nous citons ci-après, est une de celles-ci; des contes; un roman : *les Ames rivales*; des *Essais sur la nécessité et sur les moyens de plaire*; enfin son originale et fameuse *Histoire des chats*. Moncrif fut élu membre de l'Académie française en 1733. Il mourut, à Paris, le 19 novembre 1770.

LE VÉRITABLE BONHEUR

De tous les biens que tu nous donnes,
Le bien qui fait le mieux charmer,
Ce n'est ni l'or, ni les couronnes,
Mon Dieu, c'est le don de t'aimer.

Oui, je le sens, ta voix m'appelle.
Qui peut m'arrêter un moment ?
Tu m'as fait une âme immortelle,
Pour t'aimer éternellement.

De ton amour, de ta clémence,
Bien loin de vouloir abuser,
Je crains autant que ta vengeance
L'injustice de t'offenser.

Je te servirais par contrainte!
Pour tant de bonté, quel retour!
Ah! si je dois sentir la crainte,
C'est celle qui naît de l'amour!

Tu peux éprouver ma constance,
Ma peine est un nouveau bienfait.
Eh! peut-on appeler souffrance
Ce qui rend l'amour plus parfait ?

De ce feu divin qui m'anime,
En vain je veux peindre l'ardeur :
Ah! que faiblement on exprime
Ce qui remplit si bien le cœur!

L'ÉNIGME DES MUSES

FABLE

Dans les jardins de Sceaux, l'autre jour, Uranie
        Chantait ces heureux nourrissons,
        Qui, par l'effort d'un beau génie,
Ont su du dieu des vers épuiser les leçons :
Les muses écoutaient; la seule Polymnie,
Sur son luth en rêvant exprimait quelques sons;
Puis élevant la voix : « Ah! c'est mon tour, dit-elle,
Mes sœurs, daignez entendre une énigme nouvelle,
        Pour vous payer de vos chansons :
M'exposer en portrait me fait soupçonner d'être
Un tableau fabuleux avec art inventé;
Mais je deviens, dès qu'on peut me connaître,
        La plus aimable vérité :
On a peine à fixer quelle est mon existence;
Tous les dons séparés que le destin dispense,
        Se rassemblent en ma faveur;
        Je suis de divine naissance :
Muse par les talents, bergère par le cœur.
        Les jeux, enfants du charme que j'inspire,
Variés chaque instant renaissent dans ma cour,
Et, sans me transformer, je suis en même jour
Tibulle, Anacréon; j'anime tour à tour
La lyre de Sapho, le roseau de Tityre;
        Je suis enfin, par le plus doux empire,
        Ce qu'on respecte avec amour,
        Ce que sans regret on admire. »

A peine elle achevait : « Ma sœur, nous devinons,
S'écria-t-on d'abord; plus nous examinons,
Moins le sens de l'énigme à l'esprit se déguise;
Qui pourrait s'y tromper ? Le mot est : Ludovise [1]. »

CHANSONS

I

COMME TOUT LOYAL AMANT NE FAIT QU'ÊTRE COMPLAISANT
AU VOULOIR DE SA MIE

Elle m'aima cette belle Aspasie,
Et bien en moi trouva tendre retour :
Elle m'aima, ce fut sa fantaisie;
Mais celle-là ne lui dura qu'un jour.

Le jour d'après, cette belle Aspasie
Entend Mirtil chanter l'hymne d'amour;
Elle l'aima, ce fut sa fantaisie,
Et celle-là ne lui dura qu'un jour.

Toujours aimant, cette belle Aspasie
A pris, quitté nos bergers tour à tour :
Ils sont fâchés, moi je la remercie;
Las ! elle fait passer un si beau jour.

Pour ramener une belle Aspasie,
C'est grand abus de montrer du courroux;
Si réclamez sa douce fantaisie
Elle dira : que ne l'inspirez-vous ?

J'ai vu depuis cette belle Aspasie,
La couronnant de roses, je lui dis :
Quand reviendra la douce fantaisie ?
Car, ce jour-là, c'est le seul où je vis.

Lors j'aperçus cette belle Aspasie,
Qu'un doux souris colorait ses attraits!
Elle reprit sa douce fantaisie,
Et me donna même le jour d'après.

Amants quittés d'une belle Aspasie,
Ayez près d'elle un modeste maintien :
Ne prétendez gêner sa fantaisie;
Qui plaît est roi; qui ne plaît plus n'est rien.

[1]. S. A. S. Mme la duchesse du Maine.

II

Qui par fortune trouvera
    Nymphes dans la prairie,
Celle qui tant plus lui plaira,
    Tenez, c'est bien ma mie.
Si quelqu'une vient à danser,
    Et d'une grâce telle,
Qu'elle ne fait les fleurs verser ;
    Hé bien, c'est encore elle.

Si quelqu'un dit avec serment :
    « Je donnerais ma vie,
Pour être aimé rien qu'un moment »
    Tenez, c'est de ma mie.
Si quelqu'autre suit sans espoir
    La nymphe qu'il adore,
Content du charme de la voir ;
    Hé bien, c'est elle encore.

Eglé vint aux jeux de Cérès,
    Et fut d'abord suivie ;
Eglé revint le jour d'après,
    On ne vit que ma mie.
Si quelque nymphe a le crédit
    D'être toujours nouvelle
A vos yeux comme à votre esprit,
    Tenez, c'est toujours elle.

L'autre matin sous ces buissons,
    Une nymphe jolie
Me dit : « J'aime tant vos chansons! »
    Je dis : « C'est pour ma mie. »
Pour célébrer ses doux attraits,
    Fait-on chanson nouvelle ?
En y songeant, l'instant d'après
    On chante encor pour elle.

Je lui sais maint adorateur
    Et n'en ai jalousie ;
Amour a mis tout mon bonheur
    Dans celui de ma mie ;
Que servirait de m'alarmer ?
    La chose est naturelle ;
Amour l'a faite pour charmer,
    Et nous pour n'aimer qu'elle.

Prendre ainsi le doux nom d'amant,
    Flatte ma fantaisie ;

Elle me plaît uniquement,
    Je l'appelle ma mie.
Mais si j'étais la déité
    Qui la forma si belle,
Je croirais n'avoir mérité
    Que d'être enchanté d'elle.

PIRON

1689-1773

Alexis Piron naquit le 9 juillet 1689, à Dijon, où son père, Aimé Piron, exerçait la profession d'apothicaire. Aimé Piron était aussi poète. Il est l'auteur de quelques poésies latines, de quelques poésies françaises, et d'une quantité de pièces gaies ou satiriques en patois bourguignon. Son fils a dit de lui qu'il avait de la rondeur, de la bonhomie, et qu'il célébrait en vers populaires les fêtes auxquelles donnaient lieu les princes de la maison de Condé, gouverneurs de Bourgogne, mais aussi qu'il savait s'inspirer « des souffrances du pauvre peuple », dont il prit la défense « contre la rigueur des impôts et les excès des maltôtiers ». Aimé Piron était fertile en bons mots; il avait la repartie prompte et vive. Son fils eut, à un plus haut degré encore, les mêmes qualités. Alexis Piron, après avoir fait ses études, refusa d'être prêtre; après quoi, ayant à choisir entre la médecine et le droit, il se fit avocat. Il ne resta guère au barreau et jusqu'à l'âge de trente ans il ne fit guère que rimer quelques pièces de vers, parmi lesquelles sa fameuse *Ode à Priape*, dont toute sa vie le souvenir lui fut funeste. Très spirituel, très mordant, constamment en verve, il était, ainsi que Grimm le dira plus tard, « une machine à saillies », et Voltaire lui-même redoutera la causticité de son esprit. Pour l'instant, il s'en prenait surtout à ses voisins les Beaunois, contre qui il lança quelques traits demeurés célèbres. En 1718, il vint à Paris, peu riche d'argent, car sa famille avait eu des revers de fortune, mais plein d'entrain et d'espérance. Il trouva un modeste emploi de copiste chez le chevalier de Belle-Isle; il fut reçu chez la marquise de Mimeure où il lia quelques relations, et fréquenta le café Procope où il rencontra quelques écrivains célèbres, Diderot et Le Sage entre autres, et où il ne tarda point à briller. Il commença bientôt d'écrire, et, pour son début, composa des pièces que joua le théâtre de la Foire, puis il s'éleva jusqu'à la Comédie-Française où il fit représenter quelques tragédies et quelques comédies, dont *la Métromanie*, qui lui fut inspirée par la supercherie littéraire de Desforges-Maillard, est la meilleure et la plus fameuse. En dehors de son théâtre, il a surtout composé des contes, en général un peu longs, dans lesquels sa verve ne garde pas toujours sa pétulance primesautière, et des épigrammes, où il a excellé. Il en a fait beaucoup et des plus vives. Il s'en est surtout pris à deux critiques : Fréron, contre qui il a fait, sous le titre de *la Fréronnade*, une suite de trente-quatre épigrammes, et l'abbé Desfontaines à qui il promit, une fois, de lui en apporter une tous les matins pendant cinquante jours et à qui il tint parole. Il eut des malheurs domestiques : il avait épousé Mlle de Bar, femme de chambre de Mme de Mimeure; elle avait une rente viagère de 2 000 livres, mais elle devint folle et bientôt elle mourut; Piron se fut trouvé à peu près sans ressources s'il n'eût reçu d'un anonyme un contrat de 600 livres de rente viagère. Il se présenta à l'Académie française, à deux reprises, mais en vain; la première fois, en 1750, il retira lui-même sa candidature avant l'élection; la deuxième fois, en 1753, il fut écarté par le veto de Louis XV; c'était, disait-on, le résultat d'une manœuvre de l'évêque de Mirepoix et une des conséquences de la fameuse et déjà bien ancienne *Ode à Priape*. Mais l'Académie obtint de Mme de Pompadour, pour le poète, une pension de 1 000 livres. Piron vécut donc sans être rien, « pas même académicien ». Sa gaieté naturelle ne fut point altérée par les déceptions et par les chagrins. Il mourut âgé de quatre-vingt-trois ans, le 21 janvier 1773.

A MONSIEUR LE COMTE DE SAINT-FLORENTIN

DEPUIS

MONSIEUR LE DUC DE LA VRILLIÈRE

FRAGMENT

Monseigneur, quand je me présente
Ordonnez qu'on me laisse entrer :
Si vous ne voulez vous montrer
De vos bontés je vous exempte.
Allant vous en rendre mardi
Mille et mille actions de grâces,
Il m'en survint tant de disgrâces
Que j'en suis encore étourdi.
La malicieuse Fortune,
Pour me jouer tout le matin,
Prit le rôle de la Rancune
Et fit de moi son Ragotin.

J'étais sorti de ma chambrette,
Des Muses tranquille retraite,
Et j'allais chez vous, Monseigneur,
A pied comme un petit rimeur.
Vous demeurez au bout du monde.
Si les pas ne me coûtent rien,
Quand je vais voir les gens de bien,
C'est quand le beau temps me seconde :

Mais il en advint autrement,
Car le ciel, voilant sa lumière,
Voulut impitoyablement
Me baptiser à pleine aiguière.

Faut-il vous tracer un tableau
Plus vrai que ceux de Largillière ?
Sous les ailes d'un vieux chapeau,
Tenant à l'abri ma crinière,
Je cheminais en serpentant,
Pour éviter à chaque instant
Une cascade, une rivière,
Des torrents qu'à mes environs
Vomissait le haut des maisons.

En tout sens, en toute manière,
Ma démarche en vain biaisait;
Comme je suis court de visière
Mon mauvais ange me faisait
Heurter de gouttière en gouttière.

Cependant l'orgueilleux ruisseau
A mon courage offre matière;
Je recule un pas en arrière,
Et crois, léger comme un oiseau,
Franchir cette large barrière;
Mais à coup sûr j'avais à Dieu
Fait mal ce jour-là ma prière;
Je partage en deux la carrière
Et je me plante au beau milieu.
A cette chute singulière
De ma moue un Turc eût frémi.
En un bon grand pas et demi
Je sors de cette fondrière,
Jurant comme un Suisse endormi
Qu'un page a pincé par derrière;
Hélas! que j'étais loin encor
De l'hémistiche en lettres d'or
Du bel hôtel de La Vrillière!

Enfin je respire un moment :
Phébus avait percé la nue;
Je redresse mon col de grue
Et suis mon chemin doucement.

Me voilà donc, avec prudence,
Sautant de pavés en pavés,
Les pieds sur la pointe élevés,
Comme au premier pas d'une danse.
Qui m'eût vu marcher en cadence

Eût dit que, durant le chemin,
Je répétais la révérence
Qu'à monsieur de Saint-Florentin
Préparait ma reconnaissance.

Mais que de peines sans profit !
Tout à coup un fiacre maudit,
Croisant le pauvre philosophe,
Vous lui vient broder son habit
A n'en pas laisser voir l'étoffe.
Vingt mouches, pour dernier malheur,
Qui n'étaient pas du bon faiseur,
Volent à ma face interdite.
A cette apostrophe subite,
Les bras ouverts, je reste coi :
Un diable aspergé d'eau bénite
N'eût pas enragé plus que moi !
Aux yeux de la foule attentive
Je me secoue : enfin j'arrive.
Mais, proche de votre palais,
Arlequin fit son personnage.
De loin j'avais eu du courage ;
Je ne fus qu'un poltron de près ;
On ne peut l'être davantage.
De qui, de quoi donc avoir peur ?
Rassurez votre humeur affable.
Ce n'est pas de vous, Monseigneur !
Vous humanisez la grandeur,
Et votre caractère aimable
Imprime un respect sans terreur.
Bien loin de m'être redoutable,
Vous êtes mon cher protecteur ;
Vous m'avez été secourable,
Et j'augure bien du début.
Qui redoutais-je donc ? Le diable ;
L'ennemi de notre salut.
Non, je ne tiendrai point pour fable
Ce qu'on nous dit de Belzébut.
Las ! il n'est que trop vrai !... le traître
Chez les grands vient nous apparaître,
Tantôt en Suisse sans pitié
Et tantôt en valet de pied,
Qui nous barre l'aspect du maître,
Pour nous souvent plein d'amitié.
Ce diable est-il qualifié ?
Il n'en a que plus de malice.
Hélas ! je l'ai bien éprouvé !

Déjà je me croyais sauvé ;
Déjà j'avais franchi le Suisse,
Passé la cour et le perron ;

J'entre dans la salle prochaine
Avec tout aussi peu de peine
Que les ennuyeux chez Piron.

Hardiment j'ouvre une autre salle,
Et, m'avançant huit ou dix pas,
De ma figure originale
J'incline le masque assez bas,
Et prie humblement qu'on m'annonce.
Un beau monsieur froid et bénin,
Représentant l'esprit malin,
Me fait une douce réponse,
Et, tandis que très poliment,
En vrai papelart, il m'exhorte
A patienter un moment,
De pas en pas, tout doucement,
Il me ramène vers la porte,
Où je recule tout surpris.
Là, ne cessant de me promettre,
Sa bonté daigne me remettre
Où la témérité m'a pris...

LE MOINE BRIDÉ

OU

LA BRIDE NE FAIT PAS LE CHEVAL

Blaise à la ville, un jour ayant porté,
Et bien vendu son avoine et son orge,
Sur un cheval qu'il avait acheté
S'en revenait monté comme un saint George.
Saint George, soit, mais saint George descend
A ses besoins, ou quand le pied lui gèle,
Les pieds gelés, Blaise en vain s'en défend :
Il lui fallut abandonner la selle,
De cavalier devenir fantassin,
De son cheval lui-même être le guide,
Et dans la neige entr'ouvrir un chemin
Tirant la bête après lui par la bride.

Suivaient de loin deux grisons bien dispos,
Non des grisons de l'espèce indolente,
De celle-là qui porta sur son dos
Le palfrenier du fameux Rossinante.
C'étaient vraiment bien d'autres animaux;
C'étaient de ceux que Boccace nous vante,
De ces matois connus par plus d'un tour,
Ou de savant, ou d'espiègle, ou d'ivrogne;
De ces bons saints qui se firent un jour
Martyriser et cuire en Catalogne :

Deux cordeliers, pour vous le trancher net,
Suivaient de loin et l'homme et le genet.

« Sus, sus, l'ami, dit l'un des deux à l'autre,
Vois devant nous ce rustre et son cheval ;
Faisons un tour, ici, de carnaval :
Entendons-nous, et la monture est nôtre.
Seulement songe à nous bien seconder.
Goutte ne faut avoir ici, ni crampe :
Je le saurai doucement débrider.
Toi, cependant, habile à t'évader,
Sur le cheval, monte, pique et décampe :
Puis, sur nos pas, derrière ce rocher,
Tandis qu'à fin je mènerai l'affaire,
Tournant tout court, tu courras te cacher.
Je suis un sot, ou tu n'attendras guère
Que sain et sauf je n'aille t'y chercher. »

Le complot fait, et la marche hâtée,
Gaillardement, à l'œuvre les voilà.
Déjà par l'un, voici la bride ôtée,
Et proprement à son col ajustée ;
Tandis que l'autre en galopant s'en va,
Sans que le bruit des pieds du quadrupède
Fût et ne pût de Blaise être entendu :
Le paillasson, sur la plaine étendu,
Un pied de neige y mettait bon remède.

Au lieu marqué le cavalier alla ;
Qu'il ne soit plus parlé de celui-là.
Son compagnon, cette affaire arrangée,
Resté pour gage, et seul dans l'embarras,
Sur les talons de Blaise, pas à pas,
La bride au cou pendante et négligée,
La tête basse et l'échine allongée,
Allait un train dont il était bien las ;
Quand Blaise aussi, las de marcher lui-même,
Voulut enfin reprendre l'étrier :
Figurez-vous quelle surprise extrême,
Se retournant, de voir un cordelier !
Est-il esprit si fort qui n'y succombe ?
En cas pareil, en croiriez-vous vos yeux ?
Au pauvre Blaise, homme simple et pieux,
La bride échappe, et de la main lui tombe.

Le papelard, humble à fendre les cœurs,
S'agenouillant, et d'un cœur de colombe,
Bien tendrement laissant couler des pleurs,
S'écrie : « Hélas ! je suis Père Panuce,
De saint François indigne et lâche enfant,
Que de la chair le démon triomphant

Dans ses filets fit tomber par astuce!
Que voulez-vous ? Le plus sage a bronché.
Le tentateur mit un morceau d'élite
A l'hameçon. J'y mordis. Je péchai;
J'y remordis : j'y restai attaché;
C'en était fait : j'allais, en proie au diable,
Etre du vice à jamais entiché.
Mais Dieu qui veut, en père pitoyable,
L'amendement, non la mort du coupable,
Pour me tirer de l'abîme infernal
Où m'entraînait cette habitude au mal
Et m'emmener à la résipiscence,
Constitua mon âme en pénitence,
Pendant sept ans, dans le corps d'un cheval!
Le terme expire, et vous êtes le maître
De me traiter à votre volonté.
Ordonnez-moi l'écurie ou le cloître.
A vous je suis : vous m'avez acheté.

     — Eh oui, dit Blaise, au diable soit l'emplette!
J'eus belle affaire à vos péchés passés,
Pour en payer ainsi les pots cassés!
De Dieu pourtant la volonté soit faite!
Car, après tout, comme vous, j'ai péché;
J'ai comme vous mérité pénitence :
Chacun son tour. Toute la différence
Qu'ici je vois (dont je suis bien fâché),
La vôtre est faite, et la mienne commence :
Quitte j'en suis encore à bon marché.
Dieu m'aurait pu sept ans envoyer paître.
Un roi pécheur fut ours pendant sept ans :
Vous fûtes, vous, cheval, un pareil temps;
Un temps pareil, âne je pouvais être,
Et maintenant, travaillant au moulin,
Bien autrement je rongerais mon frein.
Eh bien! je perds une assez grosse somme :
Mais cinq cents francs ne sont la mort d'un homme;
Soyez donc libre, et libre sans rançon.
Vous serez sage, et vous n'irez pas comme
Un étourdi remordre à l'hameçon :
Qui de si près a frisé les chaudières
Sur son salut n'est pas si négligent.
Père Panuce, au moins pour mon argent,
Souvenez-vous de moi dans vos prières. »

     Notre bon Père, alors, se prosternant,
Et, par trois fois, ayant baisé la terre,
Son chapelet et le pied du manant,
Gai, sur ses pas s'en retourne en grand erre,
Tandis que, triste et le gousset vidé,
Blaise, chargé d'une bride inutile,

En véritable et franc oison bridé,
Regagne à pied son petit domicile.

Il ne dit rien de l'accident fatal
Et s'en fût tu longtemps, comme on peut croire,
Si quelques mois après, dans une foire,
Il n'eût revu, reconnu son cheval
Que marchandait son compère Grégoire.
Il s'émerveille, et souriant à part :
« Ami, dit-il, le tirant à l'écart,
N'achète point ce cheval, et pour cause :
Tu t'en mordrais les pouces tôt ou tard.
Je le connais. Sois bien sûr d'une chose,
C'est qu'un beau jour, te panadant en roi,
Sur cette bête, en effet, assez belle,
Crac ! en chemin, tout à coup, au lieu d'elle,
Tu trouveras un cordelier sous toi.

— Un cordelier ! tu voudrais que je crusse... ?
Un cordelier ! tu gausses ? — Point du tout,
Un maître moine, ayant cordon, capuce,
Grise vêture, et nom Père Panuce. »

Lors, il conta le fait de bout en bout,
L'achat, la route et la métamorphose,
Et l'hameçon fatal au franciscain,
Et les sept ans de purgatoire; enfin
Tout ce qu'il sait : le reste il le suppose.
« Tiens, poursuit-il : à peine le bourreau
S'est retrouvé sous sa première peau
Et sous le froc que, perdant la mémoire
Du châtiment qui lui fut si bien dû,
A l'hameçon il aura remordu;
Et le voilà. — Peste ! interrompt Grégoire,
Qu'il aille au diable avec son hameçon!
Et ses sept ans de nouveau purgatoire!
Vraiment, sans toi, j'étais joli garçon !
C'est cinq cents francs que je gagne. Allons boire! »

MISÈRE DE L'HOMME [1]

Que l'homme est sot et ridicule,
Quand l'amour vient s'en emparer;

---

[1]. Parodie des stances de J.-B. Rousseau :
        Que l'homme est bien, durant sa vie...
qui font partie de ce recueil (p. 60). Voir p. 152 une autre parodie
de ces mêmes stances, par Desforges-Maillard.

D'abord il craint, il dissimule,
Ne fait longtemps que soupirer.

S'il ose enfin se déclarer,
On s'irrite, on fait l'inhumaine;
N'importe, il veut persévérer;
Que de soins, d'ennuis et de peine!

On l'aime : tant pis, double chaîne,
Mille embarras dans son bonheur :
Contre-temps, humeur incertaine,
Père, mère, époux, tout fait peur.

Est-ce tout ? Non. Reste l'honneur,
L'honneur, du plaisir l'antipode,
On veut le vaincre, il est vainqueur;
On se brouille, on se raccommode.

Vient un rival : autre incommode.
Loin des yeux le sommeil s'enfuit,
Jaloux, on veille, on tourne, on rôde :
Ce n'est qu'alarme jour et nuit.

Après bien des maux et du bruit
Un baiser finit l'aventure;
Le feu s'éteint, le dégoût suit :
Le pré valait-il la fauchure ?

ÉPIGRAMMES

I

CONTRE L'ABBÉ DESFONTAINES

Un écrivain fameux par cent libelles
Croit que sa plume est la lance d'Argail :
Au haut du Pinde, entre les neuf Pucelles,
Il est planté comme un épouvantail.
Que fait le bouc en si joli bercail ?
S'y plairait-il ? Penserait-il y plaire ?
Non. C'est l'eunuque au milieu du sérail :
Il n'y fait rien, et nuit à qui veut faire.

II

CONTRE LE MÊME

En dix-huit cent, ouvre un dictionnaire.
Dans un article inutile et sommaire,
Tu trouveras : « Desfontaines (abbé),
« Grammairien médiocre et tombé
« Dans le mépris, déjà dans l'oubli même.
« Il régenta quelque temps en sixième :
« Nous l'avons mis ici parce qu'il fut
« Le Trissotin du siècle dix-huitième.
« On ne sait pas en quel temps il mourut. »

III

CONTRE FRÉRON

De nos auteurs, au bas du mont Parnasse,
Martin Fréron, fade et vain farfadet,
Ayant gagé d'exterminer la race,
Contre Pégase au jeu mit son baudet.
Nature avait armé notre cadet
D'un front d'airain, d'un double et triple crâne,
De dents, de griffes et de ce bel organe,
Qu'allant chasser, pour cor, un lion prit;
Ce nonobstant Martin perdit son âne,
Faute d'un point : faute d'un peu d'esprit.

IV

CONTRE VOLTAIRE

Son enseigne est *à l'Encyclopédie*.
Que vous plaît-il ? de l'anglais, du toscan ?
Vers, prose, algèbre, opéra, comédie ?
Poème épique, histoire, ode ou roman ?
Parlez! C'est fait. Vous lui donnez un an ?
Vous l'insultez!... En dix ou douze veilles,
Sujets manqués par l'aîné des Corneilles,
Sujets remplis par le fier Crébillon,
Il refond tout... Peste! voici merveilles!
Et la besogne est-elle bonne ?... Oh! non!

V

CONTRE L'ACADÉMIE FRANÇAISE

En France on fait, par un plaisant moyen,
Taire un auteur quand d'écrits il assomme :
Dans un fauteuil d'académicien,
Lui, quarantième, on fait asseoir son homme;
Lors, il s'endort et ne fait plus qu'un somme,
Plus n'en avez prose ni madrigal,
Au bel esprit ce fauteuil est, en somme,
Ce qu'à l'amour est le lit conjugal.

VI

A L'ACADÉMIE FRANÇAISE

Gens de tous états, de tout âge,
Ou bien, ou mal, ou non lettrés,
De cour, de ville ou de village,
Castorisés, casqués, mitrés,
Messieurs les beaux esprits titrés,
Au diable soit la pétaudière
Où l'on dit à Nivelle : Entrez
Et *nescio vos* à Molière.

VII

CONTRE MARMONTEL

Vieil apprenti, soyez plus avisé
Une autre fois, et nous crierons merveille.
Tirez plus juste où vous aurez visé,
Aurez sinon du sifflet par l'oreille.
Jamais bévue a-t-elle été pareille,
O le plus grand de tous les étourdis!
Vous séparez les élus des maudits,
Puis envoyez, par deux arrêts notables,
Votre ennemi Piron en paradis
Et votre ami Voltaire à tous les diables.

VIII

CONTRE L'ABBÉ LE BLANC

Latour va trop loin, ce me semble,
En nous peignant l'abbé Le Blanc,
N'est-ce pas assez qu'il ressemble ?
Faut-il encor qu'il soit parlant ?

IX

MA DERNIÈRE ÉPIGRAMME

J'achève ici-bas ma route,
C'était un vrai casse-cou.
J'y vis clair, je n'y vis goutte;
J'y fus sage, j'y fus fou.
Pas à pas j'arrive au trou.
Que n'échappe fou ni sage,
Pour aller je ne sais où :
Adieu, Piron; bon voyage!

ÉPITAPHES

I

DE JEAN-BAPTISTE ROUSSEAU

Ci-gît l'illustre et malheureux Rousseau.
Le Brabant fut sa tombe et Paris son berceau.
Voilà l'abrégé de sa vie,
Qui fut trop longue de moitié.
Il fut trente ans digne d'envie
Et trente ans digne de pitié.

II

MON ÉPITAPHE

Ci-gît... Qui ? Quoi ? Ma foi, personne, rien.
Un qui, vivant, ne fut valet ni maître,
Juge, artisan, marchand, praticien,
Homme des champs, soldat, robin ni prêtre;
Marguillier, même académicien.
Ni frimaçon. Il ne voulut rien être
Et véquit nul : en quoi certe il fit bien;
Car, après tout, bien fou qui se propose,
Venu de rien et revenant à rien,
D'être en passant ici-bas quelque chose!

POUR LE SOULAGEMENT DES MÉMOIRES, ET POUR LE MIEUX,
J'AI CRU DEVOIR RÉDUIRE CETTE ÉPITAPHE A DEUX VERS :

Ci-gît Piron, qui ne fut rien,
Pas même académicien.

LOUIS RACINE

1692-1763

Louis Racine, le second fils de Jean Racine, naquit le 6 novembre 1692, à Paris. Il avait sept ans lorsqu'il perdit son père. Il fit ses études sous la direction de Rollin, au collège de Beauvais; puis, en dépit de son penchant pour la poésie, et pour complaire à sa mère, il fit son droit et prit sa licence. Mais le barreau n'était pas son affaire; il se tourna alors vers la carrière ecclésiastique et il entra chez les oratoriens. Peu après il alla vivre à Fresnes, auprès du chancelier d'Aguesseau, qui s'intéressait à lui. C'est dans cette résidence qu'il composa son poème de *la Grâce*. En 1719, ayant à peine vingt-sept ans, il fut admis à l'Académie des Inscriptions, et ce choix est justifié par la science du jeune écrivain dont la forte culture s'étendait non seulement aux langues anciennes classiques, mais encore à l'hébreu et à l'italien. On lui fit obtenir un peu plus tard, en 1722, un poste dans les finances : il fut nommé inspecteur général des fermes en Provence, et résida à Marseille; nommé ensuite à Moulins, puis à Lyon, où il se maria, il devint, en 1740, directeur des gabelles à Soissons. Il quitta l'administration en 1746, et vint vivre à Paris; en 1755 il perdit son fils. Ce fut pour Louis Racine un coup terrible. Il passa dans la dévotion les dernières années de sa vie et il mourut, avec beaucoup de courage et de résignation, le 29 janvier 1763. Cet homme modeste, timide, laborieux et érudit, fut un poète sévère dont la muse est surtout religieuse. Il sollicita dès ses débuts et il suivit les conseils que lui donna le sévère Boileau. Son œuvre poétique comprend d'abord ses deux grands poèmes religieux : *la Grâce*, publié en 1720, et *la Religion*, publié en 1748, qui ne sont point sans monotonie, dont les vers ont trop souvent une raideur didactique, mais qu'une foi sincère soutient et par instants soulève; puis des œuvres lyriques où il manque le souffle et dont nous n'avons cité qu'une : *les Larmes de la Pénitence*, encore est-elle fort inégale; des épîtres, d'un médiocre intérêt; une traduction du *Paradis perdu*, de Milton. Nous signalons seulement ses très intéressants *Mémoires sur la vie de Jean Racine*; et pour ses *Réflexions sur la poésie* nous renverrons à ce que nous en avons dit dans notre Introduction.

LES LARMES DE LA PÉNITENCE [1]

Grâce, grâce, suspends l'arrêt de tes vengeances
Et détourne un moment tes regards irrités.
J'ai péché, mais je pleure; oppose à mes offenses,
Oppose à leur grandeur celle de tes bontés.

Je sais tous mes forfaits, j'en connais l'étendue :
En tous lieux, à toute heure, ils parlent contre moi;
Par tant d'accusateurs mon âme confondue
Ne prétend pas contre eux disputer devant toi.

Tu m'avais par la main conduit dès ma naissance;
Sur ma faiblesse en vain je voudrais m'excuser :
Tu m'avais fait, Seigneur, goûter ta connaissance,
Mais, hélas! de tes dons je n'ai fait qu'abuser.

De tant d'iniquités la foule m'environne,
Fils ingrat, cœur perfide en proie à mes remords,
La terreur me saisit; je frémis, je frissonne;
Pâle et les yeux éteints, je descends chez les morts.

Ma voix sort du tombeau; c'est du fond de l'abîme
Que j'élève vers toi mes douloureux accents :
Fais monter jusqu'aux pieds de ton trône sublime
Cette mourante voix et ces cris languissants.

O mon Dieu... Quoi! ce nom, je le prononce encore ?
Non, non, je t'ai perdu, j'ai cessé de t'aimer,
O juge qu'en tremblant je supplie et j'adore!
Grand Dieu, d'un nom plus doux je n'ose te nommer.

Dans le gémissement, l'amertume et les larmes,
Je repasse des jours perdus dans les plaisirs;
Et voilà tout le fruit de ces jours pleins de charmes :
Un souvenir affreux, la honte et les soupirs.

Ces soupirs devant toi sont ma seule défense :
Par eux un criminel espère t'attendrir;
N'as-tu pas en effet un trésor de clémence ?
Dieu de miséricorde, il est temps de l'ouvrir.

Où fuir, où me cacher, tremblante créature,
Si tu viens en courroux pour compter avec moi ?
Que dis-je ? Etre infini, ta grandeur me rassure,
Trop heureux de n'avoir à compter qu'avec toi!

1. *Odes Saintes*, **XXI**.

Près d'une majesté si terrible et si sainte,
Que suis-je ? Un vil roseau : voudrais-tu le briser ?
Hélas! si du flambeau la clarté s'est éteinte,
La mèche fume encor : voudrais-tu l'écraser ?

Que l'homme soit pour l'homme un juge inexorable :
Où l'esclave aurait-il appris à pardonner ?
C'est la gloire du maître; absoudre le coupable
N'appartient qu'à celui qui peut le condamner.

Tu le peux, mais souvent tu veux qu'il te désarme :
Il te fait violence, il devient ton vainqueur.
Le combat n'est pas long : il ne faut qu'une larme.
Que de crimes efface une larme du cœur!

Jamais de toi, grand Dieu, tu nous l'as dit toi-même,
Un cœur humble et contrit ne sera méprisé.
Voilà le mien : regarde, et reconnais qu'il t'aime;
Il est digne de toi : la douleur l'a brisé.

Si tu le ranimais de sa première flamme,
Qu'il reprendrait bientôt sa joie et sa vigueur!
Mais non, fais plus pour moi : renouvelle mon âme,
Et daigne dans mon sein créer un nouveau cœur.

De mes forfaits alors je te ferai justice,
Et ma reconnaissance armera ma rigueur!
Tu peux me confier le soin de mon supplice :
Je serai contre moi mon juge et ton vengeur.

Le châtiment au crime est toujours nécessaire;
Ma grâce est à ce prix, il faut la mériter.
Je te dois, je le sais, je te veux satisfaire :
Donne-moi seulement le temps de m'acquitter.

Ah! plus heureux celui que tu frappes en père!
Il connaît ton amour par ta sévérité.
Ici-bas quels que soient les coups de ta colère,
L'enfant que tu punis n'est pas déshérité.

Coupe, brûle ce corps, prends pitié de mon âme;
Frappe, fais-moi payer tout ce que je te dois.
Arme-toi, dans le temps, du fer et de la flamme,
Mais dans l'éternité, Seigneur, épargne-moi.

Quand j'aurais à tes lois obéi dès l'enfance,
Criminel en naissant, je ne dois que pleurer.
Pour retourner à toi la route est la souffrance :
Loi triste, route affreuse... entrons sans murmurer.

De la main de ton fils je reçois le calice ;
Mais je frémis, je sens ma main prête à trembler.
De ce trouble honteux mon cœur est-il complice ?
Suis-je le criminel, voudrais-je reculer ?

C'est ton fils qui le tient ; que ma foi se rallume ;
Il en a bu lui-même, oserais-je en douter ?
Que dis-je ? Il en a bu la plus grande amertume,
Il m'en laisse le reste, et je n'ose en goûter !

Je me jette à tes pieds, ô croix, chaire sublime,
D'où l'homme de douleur instruit tout l'univers ;
Autel sur qui l'amour embrase la victime ;
Arbre où mon Rédempteur a suspendu mes fers.

Drapeau du souverain qui marche à notre tête,
Tribunal de mon juge et trône de mon roi,
Char du triomphateur dont je suis la conquête,
Lit où j'ai pris naissance, il faut mourir sur toi.

INVOCATION A DIEU [1]

O vous qui ne cherchez que ces rimes impures,
Des plaisirs séduisants dangereuses peintures,
Sur mes chastes tableaux ne jetez pas les yeux ;
Fuyez : mes vers pour vous sont des vers ennuyeux ;
Des sons de la vertu votre oreille se lasse.
Profanes, loin d'ici, je vais chanter la Grâce.

De l'humaine raison cette Grâce est l'écueil.
L'homme, qui pour appui ne veut que son orgueil,
Ose opposer contre elle une audace insolente.
Ses plus chers défenseurs n'ont qu'une voix tremblante,
Et, contents de gémir, lorsque presque en tous lieux
Leurs cruels ennemis triomphent à leurs yeux,
Ils déplorent des jours où la foi refroidie,
Et de l'amour divin la chaleur attiédie,
Déjà des derniers temps annoncent les malheurs,
Pour de si grands périls c'est trop peu que des pleurs :
Si la timidité fait taire les prophètes,
La colère ouvrira la bouche des poètes.

Oui, j'entreprends, Seigneur, de lui prêter ma voix :
Tout fidèle est soldat pour défendre tes droits :
Si, par ta grâce, ici je combats pour ta grâce,
Rien ne peut ébranler ma généreuse audace,

1. *La Grâce*, chant I.

Dussent les libertins déchirer mes écrits :
Trop heureux si pour toi je souffre des mépris!
Que ta bonté, grand Dieu, veuille m'en rendre digne;
De tes riches faveurs, faveur la plus insigne!
Pour en être honorés tes saints ont fait des vœux,
Et moi j'en fais pour vivre et pour mourir comme eux.
Daigne donc agréer et soutenir mon zèle :
Tout faible que je suis, j'embrasse ta querelle.
La Grâce que je chante est l'ineffable prix
Du sang que sur la terre a répandu ton fils.
Ce fils, en qui tu mis toute ta complaisance,
Ce fils, l'unique espoir de l'humaine impuissance,
A défendre sa cause approuve mon ardeur;
Mais, animant ma langue, échauffe aussi mon cœur :
Que je sente ce feu qui par toi seul s'allume,
Et que j'éprouve en moi ce que décrit ma plume;
Non comme ces esprits tristement éclairés
Qui connaissent la route et marchent égarés,
Toujours vides d'amour et remplis de lumière,
Ardents pour la dispute et froids pour la prière.

DIEU DANS LA NATURE [1]

Oui, c'est un Dieu caché que le Dieu qu'il faut croire,
Mais, tout caché qu'il est, pour révéler sa gloire,
Quels témoins éclatants devant moi rassemblés!
Répondez, cieux et mers; et vous, terre, parlez!
Quel bras peut vous suspendre, innombrables étoiles ?
Nuit brillante, dis-nous qui t'a donné tes voiles ?
O cieux, que de grandeur et quelle majesté!
J'y reconnais un maître à qui rien n'a coûté,
Et qui dans nos déserts a semé la lumière,
Ainsi que dans nos champs il sème la poussière,
Toi qu'annonce l'aurore, admirable flambeau,
Astre toujours le même, astre toujours nouveau,
Par quel ordre, ô soleil, viens-tu du sein de l'onde
Nous rendre les rayons de ta clarté féconde ?
Tous les jours je t'attends, tu reviens tous les jours;
Est-ce moi qui t'appelle et qui règle ton cours ?
Et toi dont le courroux veut engloutir la terre,
Mer terrible, en ton sein quelle main te resserre ?
Pour forcer ta prison tu fais de vains efforts :
La rage de tes flots expire sur tes bords,
Fais sentir ta vengeance à ceux dont l'avarice
Sur ton perfide sein va chercher son supplice.
Hélas! prêts à partir, t'adressent-ils leurs vœux,
Ils regardent le ciel, secours des malheureux.

1. *La Religion*, chant I.

La nature, qui parle en ce péril extrême,
Leur fait lever les yeux vers l'asile suprême :
Hommage que toujours rend un cœur effrayé
Au Dieu que jusqu'alors il avait oublié.

La voix de l'univers à ce Dieu me rappelle.
La terre le publie : « Est-ce moi ? me dit-elle;
Est-ce moi qui produis mes riches ornements ?
C'est celui dont la main posa mes fondements.
Si je sers tes besoins, c'est lui qui me l'ordonne :
Les présents qu'il me fait, c'est à toi qu'il les donne;
Je me pare des fleurs qui tombent de sa main;
Il ne fait que l'ouvrir et m'en remplir le sein.
Pour consoler l'espoir du laboureur avide,
C'est lui qui, dans l'Egypte où je suis trop aride,
Veut qu'au moment prescrit, le Nil, loin de ses bords,
Répandu sur ma plaine, y porte ses trésors.
A de moindres objets tu peux le reconnoître;
Contemple seulement l'arbre que je fais croître.
Mon suc dans la racine à peine répandu,
Du tronc qui le reçoit à la branche est rendu;
La feuille le demande, et la branche fidèle,
Prodigue de son bien, le partage avec elle.
De l'éclat de ses fruits justement enchanté
Ne méprise jamais ces plantes sans beauté,
Troupe obscure et timide, humble et faible vulgaire.
Si tu sais découvrir leur vertu salutaire
Elles pourront servir à prolonger tes jours.
Et ne t'afflige pas si les leurs sont si courts :
Toute plante en naissant déjà renferme en elle
D'enfants qui la suivront une race immortelle :
Chacun de ces enfants, dans ma fécondité,
Trouve un gage nouveau de sa postérité. »

Ainsi parle la terre, et, charmé de l'entendre,
Quand je vois par ces nœuds que je ne puis comprendre
Tant d'êtres différents l'un à l'autre enchaînés,
Vers une même fin constamment entraînés,
A l'ordre général conspirer tous ensemble,
Je reconnais partout la main qui les rassemble;
Et d'un dessein si grand j'admire l'unité
Non moins que la sagesse et la simplicité.

JÉSUS-CHRIST [1]

Cependant il paraît à ce peuple étonné
Un homme, si ce nom lui peut être donné,

1. *La Religion*, chant IV.

Qui, sortant tout à coup d'une retraite obscure,
En maître, et comme Dieu, commande à la nature.
A sa voix sont ouverts des yeux longtemps fermés,
Du soleil qui les frappe éblouis et charmés ;
D'un mot il fait tomber la barrière invincible
Qui rendait une oreille aux sons inaccessible ;
Et la langue qui sort de la captivité
Par de rapides chants bénit sa liberté.
Des malheureux traînaient leurs membres inutiles,
Qu'à son ordre à l'instant ils retrouvent dociles.
Le mourant étendu sur un lit de douleurs
De ses fils désolés court essuyer les pleurs.
La mort même n'est plus certaine de sa proie.
Objet tout à la fois d'épouvante et de joie,
Celui que du tombeau rappelle un cri puissant
Se relève, et sa sœur pâlit en l'embrassant.
Il ne repousse point les fleuves vers leur source ;
Il ne dérange pas les astres dans leur course.
On lui demande en vain des signes dans les cieux !
Vient-il pour contenter les esprits curieux ?
Ce qu'il fait d'éclatant, c'est sur nous qu'il l'opère,
Et pour nous sort de lui sa vertu salutaire.
Il guérit nos langueurs, il nous appelle au jour :
Sa puissance toujours annonce son amour.
Mais c'est peu d'enchanter les yeux par ces merveilles ;
Il parle : ses discours ravissent les oreilles.
Par lui sont annoncés de terribles arrêts ;
Par lui sont révélés de terribles secrets.
Lui seul n'est point ému des secrets qu'il révèle :
Il parle froidement d'une gloire éternelle ;
Il étonne le monde et n'est point étonné :
Dans cette même gloire il semble qu'il soit né ;
Il paraît ici-bas peu joyeux de la sienne.
Qu'empressé de l'entendre un peuple le prévienne,
Il n'adoucit jamais aux esprits révoltés
Ses dogmes rigoureux, ses dures vérités.
C'est en vain qu'on murmure ; il faut croire ; il l'ordonne.
D'un œil indifférent il voit qu'on l'abandonne.
Un disciple qui vient se jeter dans ses bras,
Et qui renonce à tout pour marcher sur ses pas,
Lui demande par grâce un délai nécessaire,
Un moment, pour aller ensevelir son père :
« Dès ce moment, suis-moi, lui répond-il alors,
Et laisse aux morts le soin d'ensevelir les morts. »
Quittons tout pour lui seul ; que rien ne nous arrête.
Cependant il n'a pas où reposer sa tête.

     D'un tel législateur quel sera le destin ?
Jadis de la vertu Platon prévit la fin :
« Que son héros, dit-il, attende avec courage,
Tout ce que des méchants lui prépare la rage.

S'il se montre à la terre, à la terre arraché,
Proscrit, frappé, sanglant, *à la croix attaché*,
Paix secrète du cœur, gage de l'innocence,
C'est toi seule à sa mort qui seras sa défense! »
L'oracle est accompli. Le juste est immolé.
Tout s'émeut, et des bords du Jourdain désolé
Au Tibre en un moment le bruit s'en fait entendre.
D'intrépides humains courent pour le répandre;
Ils volent : l'univers est rempli de leur voix.

   « Repentez-vous, pleurez, et montez à sa croix.
Quel que soit le forfait, la victime l'expie.
Vous avez fait mourir le maître de la vie.
Celui que vos bourreaux traînaient en criminel,
Est l'image, l'éclat, le fils de l'Eternel.
Ce Dieu, dont la parole enfanta la lumière,
Couché dans un tombeau, dormait dans la poussière,
Mais la mort est vaincue et l'enfer dépouillé.
La nature a frémi, son Dieu s'est réveillé.
Il vit, nos yeux l'ont vu; croyez. » Parole étrange!
Ils commandent de croire, on les croit, et tout change.

PANARD

1694-1765

Charles-François Panard ou Pannard naquit en 1694, à Courville (Eure-et-Loir). Chansonnier et auteur dramatique fécond, il a laissé plus de cent pièces de théâtre : vaudevilles, opéras-comiques, parodies, divertissements, dont une petite partie seulement a été réunie dans l'édition de son *Théâtre* et de ses *Œuvres diverses* qui parut en 1763. Sous ce nom d'*Œuvres diverses* sont rangées de courtes pièces (il en a composé, dit-on, plus de huit cents) : fables, allégories, comparaisons, conseils et maximes, épigrammes, madrigaux, énigmes, cantates, variétés, bouquets, etc. Si ses pièces galantes ne sont pas du dernier galant et s'il leur manque cette grâce accomplie qui faisait tout le mérite des compositions de certains de ses contemporains, ses pièces épigrammatiques, en revanche, sont inoffensives. Il s'est toujours gardé d'y attaquer les personnes. Panard était bonhomme : il aimait à boire, à chanter et à rire, il était peu soucieux des choses de la vie réelle, et Marmontel a pu, pour cette raison plutôt sans doute que pour le tour aisé et la valeur poétique de ses œuvres, l'appeler le *La Fontaine du vaudeville*. Ayant ainsi vécu, et bien qu'il eût beaucoup produit, il se trouvait à peu près sans ressources à l'heure de la vieillesse. Il reçut, grâce au concours de trois personnes généreuses, une rente de trois cents francs par an. C'était peu. C'était assez cependant pour cet homme de goûts modestes. Il garda jusqu'à ses derniers jours sa verve et sa bonne humeur. Il mourut d'une attaque d'apoplexie le 13 juin 1765.

PIÈCES ANACRÉONTIQUES

I

LE RUISSEAU DE CHAMPIGNY

IDYLLE

Ruisseau, qui baignes cette plaine,
Je te ressemble en bien des traits :

Toujours même penchant t'entraîne ;
Le mien ne changera jamais.

Tu fais éclore des fleurettes ;
J'en produis aussi quelquefois :
Tu gazouilles sous ces coudrettes ;
De l'amour j'y chante les lois.

Ton murmure flatteur et tendre
Ne cause ni bruit, ni fracas ;
Plein du souci qu'Amour fait prendre,
Si j'en murmure, c'est tout bas.

Rien n'est, dans l'empire liquide,
Si pur que l'argent de tes flots :
L'ardeur qui dans mon sein réside
N'est pas moins pure que tes eaux.

Des vents, qui font gémir Neptune,
Tu braves les coups redoublés :
Des jeux cruels de la fortune
Mes sens ne sont jamais troublés.

Je sens pour la tendre Sylvie
Cet amoureux empressement
Qui te porte vers la prairie
Que tu chéris si constamment.

Quand Thémire est sur ton rivage,
Dans tes eaux on voit son portrait :
Je conserve aussi son image ;
Dans mon cœur elle est trait pour trait.

Tu n'as pas d'embûche profonde ;
Je n'ai point de piège trompeur :
On voit jusqu'au fond de ton onde ;
On lit jusqu'au fond de mon cœur.

Au but prescrit par la nature
Tu vas toujours d'un pas égal ;
Jusqu'au temps où, par sa froidure,
L'hiver vient glacer ton cristal.

Sans Thémire je ne puis vivre :
Mon but à son cœur est fixé ;
Je ne cesserai de la suivre
Que quand mon sang sera glacé.

II

Un jour l'enfant de Cythère,
Panier et serpette en main,
S'offrit à Bacchus pour faire
La cueillette du bon vin.

Bacchus reconnut le traître :
« Ah! c'est vous, beau vendangeur!
Je vais vous faire connaître
Comme on traite un imposteur.

« Vite, vite, que l'on mette
Dans la hotte l'étourdi;
Qu'on le porte et qu'on le jette
Dans la cuve tout brandi! »

La sentence s'exécute,
Et le pauvre Cupidon
Fut baigné, dans la minute,
Des pieds jusques au menton.

Il fuit enfin, mais il reste,
Dans le vin dont il sortit,
Certaine vapeur funeste
Qui fait que l'on s'attendrit.

Ah! c'est de ce vin sans doute
Qu'Iris nous verse en ce jour;
Je n'en ai bu qu'une goutte
Et mon cœur brûle d'amour.

COMPARAISON

Comme le vin dans sa primeur
L'homme, dans sa verte jeunesse,
Est vif, emporté, plein d'ardeur;
En vain de sa fougueuse humeur
Minerve veut être maîtresse;
Ses passions sont une ivresse,
Ses transports sont une fureur.
Quand cette première vigueur
Par le temps se trouve affaiblie,
Il perd un peu de son aigreur,
Son âme acquiert quelque douceur;
Mais il est rare qu'il oublie
Tout ce qu'il avait de folie,
Tout ce qui corrompait son cœur.

Il est, pendant toute sa vie,
Comme la bachique liqueur ;
Le vin repose sur la lie,
Lui repose sur son erreur.

MON PÉGASE...

Mon Pégase, doux et docile,
Ne m'égare pas dans les airs ;
J'aime mieux la clarté facile
Des modestes et petits vers,
Que la pompe inintelligible
D'un sublime rempli d'éclairs,
Qui, par une fougue terrible,
Sème l'effroi dans l'univers,
Et qui, dans l'ardeur qui l'excite,
Confondant la terre et les mers,
Roule à grand bruit, et précipite
Le bon sens au fond des enfers.

ÉPIGRAMMES

I

Lorsque le chantre de la Thrace
Dans les sombres lieux descendit,
On punit d'abord son audace
Par sa femme qu'on lui rendit.
Mais bientôt par une justice
Qui fit honneur au dieu des morts,
Ce dieu lui reprit Eurydice
Pour prix de ses divins accords.

II

Un bâtiment à reconstruire,
Un mal d'aventure à guérir,
Et, ce qui semble encore pire,
Un procès à faire finir,
Sont trois choses que l'avarice
Fait durer autant que les fonds
Du malheureux bourgeois qui met en exercice
Juges, chirurgiens, maçons.

VOLTAIRE

1694-1778

François-Marie Arouet, dit Voltaire, naquit le 21 novembre 1694 à Paris et mourut le 30 mai 1778 à Ferney. S'il est au XVIIIᵉ siècle un écrivain dont il soit superflu de résumer la biographie c'est bien celui-là; comment d'ailleurs pourrions-nous prétendre faire tenir en quelques lignes une existence si riche de jours, d'actes et d'œuvres ? Et ses œuvres elles-mêmes, comment les énumérer sans excéder, par leur énumération même, la limite ordinaire de ces notes ? Poète, romancier, conteur, auteur dramatique, historien, critique littéraire, philosophe, épistolier, polémiste, il a touché à tous les genres avec l'esprit le plus vif et la verve la plus endiablée. Dans la poésie même il s'est essayé dans les genres les plus divers : ode, élégie, épître, conte, satire, madrigal, épigramme, poème épique; dans cette production si abondante il a manifesté la variété et l'aisance d'un talent infiniment souple, alerte et gracieux. Nous avons d'ailleurs parlé de l'œuvre de Voltaire, et de sa vie, dans notre Introduction. Nous nous permettrons donc d'y renvoyer le lecteur.

STANCES A MADAME DU CHATELET

Si vous voulez que j'aime encore,
Rendez-moi l'âge des amours;
Au crépuscule de mes jours
Rejoignez, s'il se peut, l'aurore.

Des beaux lieux où le dieu du vin
Avec l'Amour tient son empire,
Le Temps, qui me prend par la main,
M'avertit que je me retire.

De son inflexible rigueur
Tirons au moins quelque avantage.
Qui n'a pas l'esprit de son âge
De son âge a tout le malheur.

> Laissons à la belle jeunesse
> Ses folâtres emportements :
> Nous ne vivons que deux moments ;
> Qu'il en soit un pour la sagesse.
>
> Quoi ! pour toujours vous me fuyez,
> Tendresse, illusion, folie,
> Dons du ciel qui me consoliez
> Des amertumes de la vie !
>
> On meurt deux fois, je le vois bien ;
> Cesser d'aimer et d'être aimable
> C'est une mort insupportable :
> Cesser de vivre, ce n'est rien.
>
> Ainsi je déplorais la perte
> Des erreurs de mes premiers ans,
> Et mon âme aux désirs ouverte
> Regrettait ses égarements.
>
> Du ciel alors, daignant descendre,
> L'amitié vint à mon secours ;
> Elle était peut-être aussi tendre,
> Mais moins vive que les amours.
>
> Touché de sa beauté nouvelle,
> Et de sa lumière éclairé,
> Je la suivis ; mais je pleurai
> De ne pouvoir plus suivre qu'elle.

(1741.)

AUX MANES DE MONSIEUR DE GENONVILLE

Toi que le ciel jaloux ravit dans son printemps ;
Toi de qui je conserve un souvenir fidèle,
> Vainqueur de la mort et du temps ;
> Toi dont la perte, après dix ans,
> M'est encore affreuse et nouvelle ;
Si tout n'est pas détruit ; si, sur les sombres bords,
Ce souffle si caché, cette faible étincelle,
Cet esprit, le moteur et l'esclave du corps,
Ce je ne sais quel sens qu'on nomme âme immortelle,
Reste inconnu de nous, est vivant chez les morts ;
S'il est vrai que tu sois, et si tu peux m'entendre,
O mon cher Genonville ! avec plaisir reçoi
Ces vers et ces soupirs que je donne à ta cendre,
Monument d'un amour immortel comme toi.
Il te souvient du temps où l'aimable Egérie,
> Dans les beaux jours de notre vie,

Ecoutait nos chansons, partageait nos ardeurs.
Nous nous aimions tous trois. La raison, la folie,
L'amour, l'enchantement des plus tendres erreurs,
     Tout réunissait nos trois cœurs.
Que nous étions heureux! même cette indigence,
     Triste compagne des beaux jours,
Ne put de notre joie empoisonner le cours.
Jeunes, gais, satisfaits, sans soins, sans prévoyance,
Aux douceurs du présent bornant tous nos désirs,
Quel besoin avions-nous d'une vaine abondance ?
Nous possédions bien mieux, nous avions les plaisirs!
Ces plaisirs, ces beaux jours coulés dans la mollesse,
     Ces ris, enfants de l'allégresse,
Sont passés avec toi dans la nuit du trépas.
Le ciel, en récompense, accorde à ta maîtresse
     Des grandeurs et de la richesse,
Appuis de l'âge mûr, éclatant embarras,
Faible soulagement quand on perd sa jeunesse.
La fortune est chez elle, où fut jadis l'amour.
Les plaisirs ont leur temps, la sagesse a son tour.
L'amour s'est envolé sur l'aile du bel âge;
Mais jamais l'amitié ne fuit du cœur du sage.
Nous chantons quelquefois et tes airs et les miens;
De ton aimable esprit nous célébrons les charmes;
Ton nom se mêle encore à tous nos entretiens;
Nous lisons tes écrits, nous les baignons de larmes.
Loin de nous à jamais ces mortels endurcis,
Indignes du beau nom, du nom sacré d'amis,
Ou toujours remplis d'eux, ou toujours hors d'eux-mêmes,
Au monde, à l'inconstance, ardents à se livrer,
Malheureux, dont le cœur ne sait pas comme on aime,
Et qui n'ont point connu la douceur de pleurer!

                     (1729.)

ÉPITRES

I

A M. DESMAHIS [1]

    Vos jeunes mains cueillent des fleurs,
    Dont je n'ai plus que les épines;
    Vous dormez dessous les courtines
    Et des Grâces et des neuf Sœurs :
    Je leur fais encor quelques mines,
    Mais vous possédez leurs faveurs.

---

1. On trouvera plus loin (p. 245) l'épître de Desmahis à Voltaire.

Tout s'éteint, tout s'use, tout passe :
Je m'affaiblis, et vous croissez;
Mais je descendrai du Parnasse
Content, si vous m'y remplacez.
Je jouis peu, mais j'aime encore;
Je verrai du moins vos amours :
Le crépuscule de mes jours
S'embellira de votre aurore.
Je dirai : « Je fus comme vous ».
C'est beaucoup me vanter peut-être;
Mais je ne serai point jaloux :
Le plaisir permet-il de l'être ?

(1750.)

II

A MONSIEUR LE CHEVALIER DE BOUFFLERS

Croyez qu'un vieillard cacochyme,
Chargé de soixante et douze ans,
Doit mettre, s'il a quelque sens,
Son âme et son corps au régime.
Dieu fit la douce illusion
Pour les heureux fous du bel âge,
Pour les vieux fous l'ambition,
Et la retraite pour le sage.
Vous me direz qu'Anacréon,
Que Chaulieu même, et Saint-Aulaire,
Tiraient encore quelque chanson
De leur cervelle octogénaire.
Mais ces exemples sont trompeurs;
Et quand les derniers jours d'automne
Laissent éclore quelques fleurs,
On ne leur voit point les couleurs
Et l'éclat que le printemps donne :
Les bergères et les pasteurs
N'en forment point une couronne.
La Parque, de ses vilains doigts,
Marquait d'un sept avec un trois
La tête froide et peu pesante
De Fleury, qui donna des lois
A notre France languissante.
Il porta le sceptre des rois
Et le garda jusqu'à nonante.

Régner est un amusement
Pour un vieillard triste et pesant,
De toute autre chose incapable;
Mais vieux bel esprit, vieux amant,
Vieux chanteur, est insupportable.

C'est à vous, ô jeune Boufflers,
A vous, dont notre Suisse admire
Le crayon, la prose, et les vers,
Et les petits contes pour rire;
C'est à vous de chanter Thémire,
Et de briller dans un festin,
Animé du triple délire
Des vers, de l'amour et du vin.

(1766.)

III

ÉPITRE CONNUE
SOUS LE NOM DES « VOUS » ET DES « TU »

Philis, qu'est devenu ce temps
Où dans un fiacre promenée,
Sans laquais, sans ajustements,
De tes grâces seules ornée,
Contente d'un mauvais soupé
Que tu changeais en ambroisie,
Tu te livrais dans ta folie
A l'amant heureux et trompé
Qui t'avait consacré sa vie ?
Le ciel ne te donnait alors,
Pour tout rang et pour tous trésors,
Que les agréments de ton âge,
Un cœur tendre, un esprit volage,
Un sein d'albâtre, et de beaux yeux.
Avec tant d'attraits précieux,
Hélas! qui n'eût été friponne ?
Tu le fus, objet gracieux :
Et (que l'amour me le pardonne!)
Tu sais que je t'en aimais mieux.

Ah! madame! que votre vie,
D'honneurs aujourd'hui si remplie,
Diffère de ces doux instants!
Ce large suisse à cheveux blancs,
Qui ment sans cesse à votre porte,
Philis, est l'image du Temps :
On dirait qu'il chasse l'escorte
Des tendres Amours et des Ris;
Sous vos magnifiques lambris
Ces enfants tremblent de paraître.
Hélas! je les ai vus jadis
Entrer chez toi par la fenêtre,
Et se jouer dans ton taudis.

Non, madame, tous ces tapis
Qu'a tissus la Savonnerie,
Ceux que les Persans ont ourdis,
Et toute votre orfèvrerie,
Et ces plats si chers que Germain
A gravés de sa main divine,
Et ces cabinets où Martin
A surpassé l'art de la Chine,
Vos vases japonais et blancs,
Toutes ces fragiles merveilles,
Ces deux lustres de diamants
Qui pendent à vos deux oreilles,
Ces riches carcans, ces colliers,
Et cette pompe enchanteresse,
Ne valent pas un des baisers
Que tu donnais dans ta jeunesse.

IV

A BOILEAU, OU MON TESTAMENT

Boileau, correct auteur de quelques bons écrits,
Zoïle de Quinault, et flatteur de Louis,
Mais oracle du goût dans cet art difficile
Où s'égayait Horace, où travaillait Virgile,
Dans la cour du palais je naquis ton voisin;
De ton siècle brillant mes yeux virent la fin;
Siècle de grands talents bien plus que de lumière,
Dont Corneille, en bronchant, sut ouvrir la carrière.
Je vis le jardinier de ta maison d'Auteuil,
Qui chez toi, pour rimer, planta le chèvrefeuil.
Chez ton neveu Dongois je passai mon enfance;
Bon bourgeois qui se crut un homme d'importance.
Je veux t'écrire un mot sur tes sots ennemis,
A l'hôtel Rambouillet contre toi réunis,
Qui voulaient, pour loyer de tes rimes sincères,
Couronné de lauriers t'envoyer aux galères.
Ces petits beaux esprits craignaient la vérité,
Et du sel de tes vers la piquante âcreté.
Louis avait du goût. Louis aimait la gloire :
Il voulut que ta muse assurât sa mémoire;
Et, satirique heureux, par ton prince avoué,
Tu pus censurer tout, pourvu qu'il fût loué.

Bientôt les courtisans, ces singes de leur maître,
Surent tes vers par cœur, et crurent s'y connaître.
On admira dans toi jusqu'au style un peu dur
Dont tu défiguras le vainqueur de Namur,
Et sur l'amour de Dieu ta triste psalmodie,
Du haineux janséniste en son temps applaudie;

Et l'Equivoque même, enfant plus ténébreux,
D'un père sans vigueur avorton malheureux.
Des muses dans ce temps, au pied du trône assises,
On aimait les talents, on passait les sottises.
Un maudit Ecossais, chassé de son pays,
Vint changer tout en France, et gâta nos esprits.
L'Espoir trompeur et vain, l'Avarice au teint blême,
Sous l'abbé Terrasson calculant son système,
Répandaient à grands flots leurs papiers imposteurs,
Vidaient nos coffres-forts et corrompaient nos mœurs,
Plus de goût, plus d'esprit : la sombre arithmétique
Succéda dans Paris à ton art poétique.
Le duc et le prélat, le guerrier, le docteur,
Lisaient pour tous écrits des billets au porteur.
On passa du Permesse au rivage du Gange,
Et le sacré vallon fut la place du change.

Le ciel nous envoya, dans ces temps corrompus,
Le sage et doux pasteur des brebis de Fréjus;
Econome sensé, renfermé dans lui-même,
Et qui n'affecta rien que le pouvoir suprême.
La France était blessée : il laissa ce grand corps
Reprendre un nouveau sang, raffermir ses ressorts,
Se rétablir lui-même en vivant de régime.
Mais si Fleury fut sage, il n'eut rien de sublime;
Il fut loin d'imiter la grandeur des Colberts :
Il négligeait les arts, il aimait peu les vers.
Pardon si contre moi son ombre s'en irrite,
Mais il fut en secret jaloux de tout mérite.
Je l'ai vu refuser, poliment inhumain,
Une place à Racine, à Crébillon du pain.
Tout empira depuis. Deux partis fanatiques,
De la droite raison rivaux évangéliques,
Et des dons de l'esprit dévots persécuteurs,
S'acharnaient à l'envi sur les pauvres auteurs.
Du faubourg Saint-Médard les dogues aboyèrent,
Et les renards d'Ignace avec eux se glissèrent.
J'ai vu ces factions, semblables aux brigands
Rassemblés dans un bois pour voler les passants,
Et, combattant entre eux pour diviser leur proie,
De leur guerre intestine ils m'ont donné la joie.
J'ai vu l'un des partis de mon pays chassé,
Maudit comme les juifs, et comme eux dispersé;
L'autre plus méprisé, tombant dans la poussière
Avec Guyon, Fréron, Nonnotte et Sorinière.

Mais parmi ces faquins l'un sur l'autre expirants,
Au milieu des billets exigés des mourants,
Dans cet amas confus d'opprobre et de misère
Qui distingue mon siècle et fait son caractère,
Quels chants pouvaient former les enfants des neuf sœurs ?

Sous un ciel orageux, dans ces temps destructeurs,
Des chantres de nos lois les voix sont étouffées :
Au siècle de Midas on ne voit point d'Orphées.
Tel qui dans l'art d'écrire eût pu te défier,
Va compter dix pour cent chez Rabot le banquier :
De dépit et de honte, il a brisé sa lyre.

Ce temps est, réponds-tu, très bon pour la satire.
Mais quoi! puis-je en mes vers, aiguisant un bon mot,
Affliger sans raison l'amour-propre d'un sot ?
Des Cotins de mon temps poursuivre la racaille,
Et railler un Coger dont tout Paris se raille ?
Non, ma muse m'appelle à de plus hauts emplois.
A chanter la vertu j'ai consacré ma voix.

Vainqueur des préjugés que l'imbécile encense,
J'ose aux persécuteurs prêcher la tolérance;
Je dis au riche avare : « Assiste l'indigent »;
Au ministre des lois : « Protège l'innocent »;
Au docteur tonsuré : « Sois humble et charitable
Et garde-toi surtout de damner ton semblable ».
Malgré soixante hivers, escortés de seize ans,
Je fais au monde encore entendre mes accents.
Du fond de mes déserts, aux malheureux propice,
Pour Sirven opprimé je demande justice :
Je l'obtiendrai, sans doute; et cette même main,
Qui ranima la veuve et vengea l'orphelin,
Soutiendra jusqu'au bout la famille éplorée
Qu'un vil juge a proscrite, et non déshonorée.
Ainsi je fais trembler, dans mes derniers moments,
Et les pédants jaloux et les petits tyrans.
J'ose agir sans rien craindre, ainsi que j'ose écrire.
Je fais le bien que j'aime, et voilà ma satire.
Je vous ai confondus, vils calomniateurs,
Détestables cagots, infâmes délateurs;
Je vais mourir content. Le siècle qui doit naître
De vos traits empestés me vengera peut-être.
Oui, déjà Saint-Lambert, en bravant vos clameurs,
Sur ma tombe qui s'ouvre a répandu des fleurs;
Aux sons harmonieux de son luth noble et tendre,
Mes mânes consolés chez les morts vont descendre.
Nous nous verrons, Boileau : tu me présenteras
Chapelain, Scudéry, Perrin, Pradon, Coras.
Je pourrais t'amener, enchaînés sur mes traces,
Nos Zoïles honteux, successeurs des Garasses.
Minos entre eux et moi va bientôt prononcer :
Des serpents d'Alecton nous les verrons fesser :
Mais je veux avec toi baiser dans l'Elysée
La main qui nous peignit l'épouse de Thésée.
J'embrasserai Quinault, en dusses-tu crever;
Et si ton goût sévère a pu désapprouver

Du brillant Torquato le séduisant ouvrage,
Entre Homère et Virgile il aura mon hommage.
Tandis que j'ai vécu, l'on m'a vu hautement
Aux badauds effarés dire mon sentiment;
Je veux le dire encor dans ces royaumes sombres:
S'ils ont des préjugés, j'en guérirai les ombres.
A table avec Vendôme, et Chapelle, et Chaulieu,
M'enivrant du nectar qu'on boit en ce beau lieu,
Secondé de Ninon, dont je fus légataire,
J'adoucirai les traits de ton humeur austère.
Partons : dépêche-toi, curé de mon hameau,
Viens de ton eau bénite asperger mon caveau.

(1769.)

LE SONGE CREUX

CONTE

Je veux conter comment, la nuit dernière,
D'un vin d'Arbois largement abreuvé,
Par passe-temps dans mon lit j'ai rêvé
Que j'étais mort, et ne me trompais guère.
Je vis d'abord notre portier Cerbère
De trois gosiers aboyant à la fois;
Il me fallut traverser trois rivières;
On me montra les trois sœurs filandières
Qui font le sort des peuples et des rois.
Je fus conduit vers trois juges sournois
Qu'accompagnaient trois gaupes effroyables,
Filles d'enfer et geôlières des diables;
Car, Dieu merci, tout se faisait par trois.
Ces lieux d'horreur effarouchaient ma vue;
Je frémissais à la sombre étendue
Du vaste abîme où des esprits pervers
Semblaient avoir englouti l'univers.
Je réclamais la clémence infinie
Des puissants dieux, auteurs de tous les biens;
Je l'accusais, lorsqu'un heureux génie
Me conduisit aux champs élysiens,
Au doux séjour de la paix éternelle,
Et des plaisirs qui, dit-on, sont nés d'elle.
On me montra, sous des ombrages frais,
Mille héros connus par les bienfaits
Qu'ils ont versés sur la race mortelle,
Et qui pourtant n'existèrent jamais :
Le grand Bacchus, digne en tout de son père;
Bellérophon, vainqueur de la Chimère;
Cent demi-dieux des Grecs et des Romains.
En tous les temps tout pays eut ses saints.

Or, mes amis, il faut que je déclare
Que, si j'étais rebuté du Tartare,
Cet Elysée et sa froide beauté
M'avaient aussi promptement dégoûté.
Impatient de fuir cette cohue,
Pour m'esquiver je cherchais une issue,
Quand j'aperçus un fantôme effrayant,
Plein de fumée et tout enflé de vent,
Et qui semblait me fermer le passage.
« Que me veux-tu ? dis-je à ce personnage.
— Rien, me dit-il, car je suis le néant ;
Tout ce pays est de mon apanage. »
De ce discours je fus un peu troublé :
« Toi, le néant ! jamais il n'a parlé...
— Si fait, je parle ; on m'invoque, et j'inspire
Tous les savants qui sur mon vaste empire
Ont publié tant d'énormes fatras...
— Eh bien ! mon roi, je me jette en tes bras ;
Puisqu'en ton sein tout l'univers se plonge,
Tiens, prends mes vers, ma personne et mon songe ;
Je porte envie au mortel fortuné
Qui t'appartient aussitôt qu'il est né. »

LA HENRIADE

I

LA MORT DE COLIGNY[1]

Le signal est donné sans tumulte et sans bruit :
C'était à la faveur des ombres de la nuit.
De ce mois malheureux l'inégale courrière
Semblait cacher d'effroi sa tremblante lumière.
Coligny languissait dans les bras du repos,
Et le sommeil trompeur lui versait ses pavots.
Soudain de mille cris le bruit épouvantable
Vient arracher ses sens à ce calme agréable :
Il se lève, il regarde, et voit de tous côtés
Courir des assassins à pas précipités :
Il voit briller partout les flambeaux et les armes,
Son palais embrasé, tout un peuple en alarmes,
Ses serviteurs sanglants dans la flamme étouffés,
Les meurtriers en foule au carnage échauffés,
Criant à haute voix : « Qu'on n'épargne personne !
C'est Dieu, c'est Médicis, c'est le roi qui l'ordonne ! »

1. Chant II.

Il entend retentir le nom de Coligny.
Il aperçoit de loin le jeune Téligny,
Téligny, dont l'amour a mérité sa fille,
L'espoir de son parti, l'honneur de sa famille,
Qui, sanglant, déchiré, traîné par des soldats,
Lui demandait vengeance, et lui tendait les bras.

Le héros malheureux, sans armes, sans défense,
Voyant qu'il faut périr, et périr sans vengeance,
Voulut mourir du moins, comme il avait vécu.
Avec toute sa gloire et toute sa vertu.
Déjà des assassins la nombreuse cohorte
Du salon qui l'enferme allait briser la porte ;
Il leur ouvre lui-même et se montre à leurs yeux
Avec cet œil serein, ce front majestueux,
Tel que, dans les combats, maître de son courage,
Tranquille, il arrêtait ou pressait le carnage.

A cet air vénérable, à cet auguste aspect,
Les meurtriers surpris sont saisis de respect ;
Une force inconnue a suspendu leur rage.
« Compagnons, leur dit-il, achevez votre ouvrage,
Et de mon sang glacé souillez ces cheveux blancs
Que le sort des combats respecta quarante ans ;
Frappez, ne craignez rien : Coligny vous pardonne ;
Ma vie est peu de chose, et je vous l'abandonne.
J'eusse aimé mieux la perdre en combattant pour vous. »
Ces tigres, à ces mots, tombent à ses genoux :
L'un, saisi d'épouvante, abandonne ses armes ;
L'autre embrasse ses pieds, qu'il trempe de ses larmes ;
Et de ses assassins ce grand homme entouré
Semblait un roi puissant par son peuple adoré.

Besme, qui dans la cour attendait sa victime,
Monte, accourt, indigné qu'on diffère son crime,
Des assassins trop lents il veut hâter les coups :
Aux pieds de ce héros il les voit trembler tous.
A cet objet touchant lui seul est inflexible ;
Lui seul, à la pitié toujours inaccessible,
Aurait cru faire un crime et trahir Médicis,
Si du moindre remords il se sentait surpris.
A travers les soldats, il court d'un pas rapide :
Coligny l'attendait d'un visage intrépide :
Et bientôt dans le flanc ce monstre furieux
Lui plonge son épée, en détournant les yeux,
De peur que d'un coup d'œil cet auguste visage
Ne fît trembler son bras, et glaçât son courage.

Du plus grand des Français tel fut le triste sort.
On l'insulte, on l'outrage encore après sa mort.

Son corps, percé de coups, privé de sépulture,
Des oiseaux dévorants fut l'indigne pâture ;
Et l'on porta sa tête aux pieds de Médicis,
Conquête digne d'elle, et digne de son fils.
Médicis la reçut avec indifférence,
Sans paraître jouir du fruit de sa vengeance,
Sans remords, sans plaisir, maîtresse de ses sens,
Et comme accoutumée à de pareils présents.

II

RICHELIEU ET MAZARIN [1]

Henri, dans ce moment, voit sur les fleurs de lis
Deux mortels orgueilleux auprès du trône assis :
Ils tiennent sous leurs pieds tout un peuple à la chaîne ;
Tous deux sont revêtus de la pourpre romaine ;
Tous deux sont entourés de gardes, de soldats :
Il les prend pour des rois... « Vous ne vous trompez pas ;
Ils le sont, dit Louis, sans en avoir le titre ;
Du prince et de l'Etat l'un et l'autre est l'arbitre.
Richelieu, Mazarin, ministres immortels,
Jusqu'au trône élevés de l'ombre des autels,
Enfants de la fortune et de la politique,
Marcheront à grands pas au pouvoir despotique.
Richelieu, grand, sublime, implacable ennemi ;
Mazarin, souple, adroit, et dangereux ami ;
L'un fuyant avec art et cédant à l'orage,
L'autre aux flots irrités opposant son courage :
Des princes de mon sang ennemis déclarés ;
Tous deux haïs du peuple et tous deux admirés.
Enfin, par leurs efforts, ou par leur industrie,
Utiles à leurs rois, cruels à la patrie.
O toi, moins puissant qu'eux, moins vaste en tes desseins,
Toi, dans le second rang, le premier des humains,
Colbert, c'est sur tes pas que l'heureuse abondance,
Fille de tes travaux, vient enrichir la France.
Bienfaiteur de ce peuple ardent à t'outrager,
En le rendant heureux, tu sauras t'en venger ;
Semblable à ce héros, confident de Dieu même,
Qui nourrit les Hébreux pour prix de leur blasphème. »

1. Chant VII.

ÉPIGRAMMES

I

De Beausse et moi, criailleurs effrontés,
Dans un souper clabaudions à merveille,
Et, tour à tour, épluchions les beautés
Et les défauts de Racine et Corneille.
A piailler serions encor, je croi,
Si n'eussions vu sur la double colline
Le grand Corneille et le tendre Racine
Qui se moquaient et de Beausse et de moi.

(1719.)

II

SUR L'ABBÉ DE SAINT-PIERRE

N'a pas longtemps, de l'abbé de Saint-Pierre
On me montrait le buste tant parfait
Qu'onc ne sus voir si c'était chair ou pierre,
Tant le sculpteur l'avait pris trait pour trait,
Adonc restai perplexe et stupéfait,
Craignant en moi de tomber en méprise;
Puis dis soudain : « Ce n'est là qu'un portrait;
L'original dirait quelque sottise ».

III

SUR JEAN-BAPTISTE ROUSSEAU

Rousseau, sujet au camouflet,
Fut autrefois chassé, dit-on,
Du théâtre à coups de sifflet,
De Paris à coups de bâton;
Chez les Germains chacun sait comme
Il s'est garanti du fagot;
Il a fait enfin le dévot
Ne pouvant faire l'honnête homme.

(1736.)

IV

SUR FRÉRON

L'autre jour, au fond d'un vallon,
Un serpent piqua Jean Fréron;

Que pensez-vous qu'il arriva ?
Ce fut le serpent qui creva.

V

SUR LE MÊME

Aliboron, de la goutte attaqué,
Se confessait; car il a peur du diable :
Il détaillait, de remords suffoqué,
De ses méfaits une liste effroyable;
Chrétiennement, chacun fut expliqué.
Stupide orgueil, mensonge, ivrognerie,
Basse imprudence et noire hypocrisie!
Il ne croyait en oublier aucun,
Le confesseur dit : « Vous en passez un.
— Un ? de par Dieu, j'en dis assez je pense.
— Eh! mon ami! le péché d'ignorance! »

VI

SUR L'ESTAMPE
MISE PAR LE LIBRAIRE LE JAY A LA TÊTE D'UN
COMMENTAIRE SUR *LA HENRIADE*
OÙ LE PORTRAIT DE VOLTAIRE EST ENTRE CEUX
DE LA BEAUMELLE ET DE FRÉRON

Le Jay vient de mettre Voltaire
Entre La Beaumelle et Fréron :
Ce serait vraiment un calvaire
S'il s'y trouvait un bon larron.

(1774.)

LATTAIGNANT

1697-1779

Charles-Gabriel de Lattaignant naquit en 1697, à Paris. En qualité de cadet il fut destiné au sacerdoce. Sa vocation ne l'y portait point. Aussi, ayant été mis au séminaire des Bons-Enfants, en sortit-il seulement avec le petit collet, bien résolu à ne pas s'engager tout à fait dans la voie ecclésiastique. Il avait donc le titre d'abbé comme Grécourt et comme Voisenon et il le porta de la même façon; c'est-à-dire qu'il vécut dans les sociétés les plus aimables et les plus gaies, où il plut par sa gaieté, son entrain, sa galanterie et son talent facile de poète. Il fut surtout un chansonnier et plusieurs de ses chansons eurent une grande vogue. Il accompagna, en qualité de secrétaire, le comte de Cambis, quand celui-ci fut nommé ambassadeur à Turin; revenu ensuite à Paris il y continua, bien que laid de visage, sa carrière de chansonnier et de galant; les plus nobles maisons lui étaient ouvertes, mais il arrivait parfois au bon abbé de s'encanailler un peu, d'égarer ses pas dans des lieux sans distinction, ce qu'il avouait d'ailleurs en disant : « J'allume mon génie au soleil et je l'éteins dans la boue. » Vers la quarantaine il faillit se marier avec une enfant de seize ans, mais il faillit seulement; alors, faute de mieux, il se résigna à être prêtre. Pourvu d'un canonicat à Reims en 1743, il reçut la prêtrise un ou deux ans après. A Reims il eut la bonne fortune de plaire à Mgr de Rohan-Guéméné, qui en était l'archevêque, et qui fit de Lattaignant une sorte de secrétaire. En 1750, ayant été nommé conseiller à la chambre souveraine du clergé, il s'établit une nouvelle fois à Paris, où il reprit la joyeuse et magnifique existence qu'il y avait menée autrefois. L'âge venant, il songea à se convertir. Il ne se fit pas ermite, mais il se retira chez les frères de la doctrine chrétienne; il composa alors quelques pièces d'un ton plus sévère, comme celle qu'il a intitulée *Réflexions sérieuses*, que nous citons ci-après. Il se sentit chansonnier pourtant une fois encore : ce fut en 1778 quand Voltaire vint à Paris. Voltaire mourut la même année. Lattaignant mourut à son tour au début de l'année suivante, le 10 janvier 1779. Son œuvre comprend ses poésies et quelques vaudevilles. Il passe pour être l'auteur de la chanson populaire : *J'ai du bon tabac.*

A MONSIEUR L'ABBÉ GUÉRET

POUR L'INVITER A SOUPER AVEC DEUX DE SES PÉNITENTES

Chez cet abbé, grand conteur de sornettes,
De doux propos, faiseur de chansonnettes,
Pas bien dévôt, au surplus bon chrétien,
Comme vos vers le dépeignent si bien,
Daignez demain venir dans la soirée;
Car il se meurt (la phrase n'est outrée),
Non d'aucun mal qui fasse trépasser;
Aussi ce n'est brin pour le confesser;
Mais il se meurt de désir et d'envie
De vous donner, en bonne compagnie,
Un bon souper, où vous serez assis
Commodément, dos au feu, ventre à table,
Entre deux sœurs, en qui tout est aimable,
Et près de qui les cœurs sont indécis.
Jà de ce couple en connaissez bien une,
Qui va vous voir, non en bonne fortune,
Mais qui pourtant vous en conte en secret,
Et vous instruit de tout ce qu'elle fait :
Même quelqu'un m'a dit l'avoir surprise
A vos genoux; mais c'était dans l'église,
Et vous étiez dans le saint cabinet,
Très gravement en en surplis et bonnet.
Ici serez de toute autre manière,
Et prouverez qu'avec votre morale austère,
Et saintes mœurs, on peut être joyeux;
Qu'on trouve en vous un docteur respectable,
Un ami sûr, un directeur pieux
Et, qui plus est, un convive agréable.

ADIEUX AU MONDE

SUR L'AIR DES « BILLETS DOUX »

J'aurai bientôt quatre-vingts ans :
Je crois qu'à cet âge il est temps
De dédaigner la vie.
Aussi je la perds sans regret,
Et je fais gaîment mon paquet;
Bonsoir la compagnie!

J'ai goûté de tous les plaisirs;
J'ai perdu jusques aux désirs;

A présent je m'ennuie.
Lorsque l'on n'est plus bon à rien,
On se retire et l'on fait bien;
    Bonsoir la compagnie!

Lorsque d'ici je partirai,
Je ne sais pas trop où j'irai,
    Mais en Dieu je me fie :
Il ne peut me mener que bien,
Aussi je n'appréhende rien :
    Bonsoir la compagnie!

Dieu nous fit sans nous consulter,
Rien ne saurait lui résister;
    Ma carrière est remplie.
A force de devenir vieux,
Peut-on se flatter d'être mieux ?
    Bonsoir la compagnie!

Nul mortel n'est ressuscité,
Pour nous dire la vérité
    Des biens d'une autre vie.
Une profonde obscurité
Est le sort de l'humanité;
    Bonsoir la compagnie!

Rien ne périt entièrement,
Et la mort n'est qu'un changement,
    Dit la philosophie.
Que ce système est consolant!
Je chante, en adoptant ce plan,
    Bonsoir la compagnie!

Lorsque l'on prétend tout savoir,
Depuis le matin jusqu'au soir,
    On lit, on étudie;
On n'en devient pas plus savant;
On n'en meurt pas moins ignorant.
    Bonsoir la compagnie!

RÉFLEXIONS SÉRIEUSES

Je veux mettre un intervalle
Entre la vie et la mort;
Songeons à l'heure fatale
Qui doit décider mon sort.

C'est un moment qu'appréhende
Le plus malheureux mortel;

Il faut donc qu'il en dépende
Un autre état éternel.

Si la mort n'était suivie
D'aucun mal ni d'aucun bien,
Regretterait-on la vie ?
Que craindre s'il n'est plus rien ?

Une intelligence sage
N'a pu rien créer en vain;
Si la vie est un passage,
Il nous mène à quelque fin.

Quoi ! quand rien dans la nature
Ne rentre dans le néant,
L'âme plus noble et plus pure
Périrait entièrement ?

Dieu m'aurait-il donné l'être,
Pour n'exister un moment ?
A quoi bon me faire naître
Pour me détruire à l'instant ?

La raison, cette lumière
Qu'il refuse aux animaux,
Qui me guide et qui m'éclaire
Sur les biens et sur les maux,

A quoi me servirait-elle,
S'il n'était loi ni devoir ?
Et si mon âme est mortelle,
D'où vient la crainte et l'espoir ?

L'instinct serait préférable
Au plus sûr raisonnement,
Et, loin d'être secourable,
Il serait un vrai tourment.

Mais là le plus beau génie
Qui s'élève jusqu'aux cieux,
Et qui connaît l'harmonie
De tant d'astres radieux,

Qui dans un savant système
En explique les accords,
Ne se connaît pas soi-même,
Ni ses intimes ressorts.

O raison ! lumière sombre,
Ton faible éclat ne nous luit

Dans le brouillard et dans l'ombre
Que pour nous montrer la nuit!

Ta lueur dans les ténèbres
Ne me découvre aucun bien;
Avec tes rayons funèbres
Je crois voir, et ne vois rien.

Je suis né sans connaissance;
Dans le doute j'ai vécu,
Et je meurs dans l'ignorance.
O ma pauvre âme, où vas-tu?

C'est ainsi qu'un de nos maîtres,
Dans ce moment plein d'effroi,
S'écriait : « Etre des êtres,
Daigne avoir pitié de moi! »

O savants! de votre étude
Voilà donc l'unique fruit!
Une triste incertitude
Est tout ce qu'elle produit.

Plus heureuse l'ignorance
De ces mortels pleins de foi,
Qui vivent dans l'espérance,
Et qui meurent sans effroi.

Ils croient sans répugnance
Ce qu'ils ne comprennent pas,
Dans une ferme assurance
De vivre après leur trépas.

O Dieu! que je porte envie
A tant de docilité!
Hé! quelle philosophie
Vaut cette sécurité?

Pour moi, quand, dans la nuit noire,
Je ne vois qu'obscurité,
En vain je m'efforce à croire,
Sans sentir la vérité.

C'est un effort qui me passe.
Peut-on se donner la foi?
Grand Dieu! si c'est une grâce,
Par pitié, donne-la-moi!

Tire-moi de cet abîme
Où ma raison m'a jeté;

Ou ne me fais point un crime
De mon incrédulité.

« Mais! dira-t-on, quel blasphème!
Quoi! ta raison veut juger
L'auteur de la raison même,
Et prétend l'interroger ?

« Quoi! cette raison rebelle
Ne veut rien croire d'obscur ?
Ce que Dieu même révèle
Ne doit-il pas être sûr ?

« Pour n'être pas vraisemblable,
En est-il moins vérité ?
N'est-il pas incontestable
Avec cette autorité ?

« Ignores-tu les oracles
Par son esprit inspirés ?
Doutes-tu de ses miracles
Publiquement avérés ? »

Non, j'entrevois la lumière.
Mais, quel est mon triste état ?
D'abord ma faible paupière
Se referme à son éclat.

Grand Dieu! raffermis ma vue;
Aide mon infirmité;
Fais que la brillante nue
Se tourne de mon côté.

Je te rends hommage et gloire;
Dieu puissant, exauce-moi;
Je sens que je devrais croire,
Mais je ne puis rien sans toi.

DESFORGES-MAILLARD

1699-1772

Paul Desforges-Maillard naquit le 24 avril 1699, au Croisic, en
Bretagne. Il fit ses études à Vannes, chez les jésuites; il alla ensuite
faire son droit à Nantes et fut reçu avocat au Parlement de Rennes.
Il ne semble pas qu'il ait beaucoup plaidé. Il était surtout occupé
de poésie, et envoyait de ses vers à des recueils périodiques : le *Mercure*, le *Journal de Verdun*, qui les inséraient, mais il n'en retirait
pas la gloire qu'il ambitionnait. Il prit part alors aux concours
poétiques de l'Académie française. Il n'eut pas de prix, il fut déçu; il
écrivit une protestation en vers, qu'il envoya au *Mercure*, mais que
le *Mercure* n'inséra pas. Desforges insista, et le résultat de cette
insistance fut de lui fermer le *Mercure* définitivement. C'était un coup
rude pour le poète. Il trouva moyen de le parer. Ne pouvant plus
faire imprimer dans cette feuille les productions de Desforges-Maillard,
il y ferait imprimer celles de Mlle Malcrais de La Vigne. Il offrit donc
sous ce nom diverses pièces qui furent, en effet, insérées, et dont l'une :
les Tourterelles, eut un grand succès. On loua l'auteur; et le directeur,
qui avait banni de sa feuille le poète Desforges-Maillard, adressa à
Mlle Malcrais de La Vigne une déclaration d'amour. La *Muse bretonne*
devint promptement célèbre. De nombreux poètes lui adressèrent
des hommages, jusques à Voltaire à qui elle avait adressé une pièce
de vers sur *la Henriade*, et qui lui répondit fort galamment. Desforges,
cependant, avait avoué la supercherie à l'auteur du *Parnasse français*, Titon du Tillet. Celui-ci l'engagea à venir à Paris. Il y vint. Il
vit Voltaire qu'il détrompa, mais en évitant de dévoiler publiquement
la supercherie. Elle fut éventée cependant; dès lors, la renommée de
Mlle Malcrais de La Vigne se dissipa vite. Voltaire même se détourna
du pauvre Desforges-Maillard qui pourtant lui avait toujours témoi-
gné une vive admiration. Après un séjour de deux années, notre
poète prit le parti de quitter Paris. Il se retira au Croisic, puis il alla
à Poitiers où il venait d'être nommé « contrôleur du dixième »; il
revint de nouveau au Croisic où il obtint un autre emploi dans les
finances, emploi modeste qui l'aida du moins à vivre. La fin de sa vie
ne fut pas heureuse; il n'était pas riche, on l'oubliait. Le vent qui
avait un jour apporté son nom aux échos l'en avait emporté pour
toujours. Il mourut le 10 décembre 1772, étant âgé de soixante-treize

ans. Ses œuvres poétiques comprennent des épîtres, des contes, des idylles, des madrigaux, des épigrammes. Il n'était pas sans talent, mais il n'avait pas un grand talent.

ÉPITRE

A MONSIEUR TITON DU TILLET
LE PREMIER DE L'AN 1746

Mon cher Titon, l'an recommence
Et nous finissons tous les jours;
Le temps rapide dans son cours,
Eteint pour moi, sans que j'y pense,
Les feux passagers des amours,
Et ne me laisse pour partage
Que le souvenir et l'image
Des jeux envolés pour toujours.

J'ai vu dans mon adolescence
Que, pétillant d'impatience,
Je me désolais quelquefois,
Que les semaines terminées
Tardaient trop à former les mois,
Les mois à former les années;
Un sentiment de vanité
Me faisait observer que l'âge
Qu'accompagne la gravité,
Donnait dans la société
Plus de poids et plus d'avantage,
Et certain air de dignité
A qui chacun rendait hommage.

Aujourd'hui que l'âge viril
Vers mon déclin me précipite,
Plus j'y rêve et plus j'y médite,
Et plus le temps, d'un vol subtil,
Me semble redoubler sa fuite.
Mon inutile plainte imite
Celle que fait dans ses écrits
L'élégant Catulle; et je dis:
Brillant soleil, tu meurs dans l'onde
Pour y renaître avec le jour;
Mais, hélas! en sortant du monde
Il n'est personne qui se fonde
Sur l'espérance du retour.
Roi des amis, où sont les roses
Que tu croyais, l'autre printemps,
Couvertes d'appas éclatants,
Dans tes riants jardins écloses?

Un limon vil et croupissant
Les a toutes ensevelies;
Tel est le sort qui nous attend
Au terme fatal de nos vies.

Tu me répondras que je puis,
En comptant avec la nature,
Me flatter qu'à l'âge où je suis,
Je n'ai pas comblé sa mesure;
Mais tu sais que dans ses beaux vers,
Malherbe, dont les divins airs
Enchanteraient un cœur de roche,
Dit que le jour est refroidi,
Et que la nuit est déjà proche,
Dès que l'on a passé midi.

C'est ainsi que l'aimable Flore,
Venant de ses dons désirés
Rajeunir nos bois et nos prés,
On s'applaudit de voir l'aurore
Presser sa course le matin,
S'attendant à la voir demain,
Un peu plus diligente encore,
Semer l'ombre sur son chemin.

Mais, quand, précurseur de l'automne,
Le froid retour des aquilons
Flétrit la dernière anémone,
Quoique les jours soient encor longs,
On sent en soi ses esprits sombres
De voir le soleil paresseux
Céder de son tour lumineux,
Soir et matin aux tristes ombres :
Et l'on regrette vainement
Les beaux yeux de Flore éplorée,
Qui perd de moment en moment,
Chancelante et décolorée,
Ce qui lui reste d'agrément,
Et qui s'en va languissamment
Chercher dans une autre contrée
Une saison plus tempérée
Où, de son teint vif et charmant,
La douce fraîcheur réparée,
Plaise à Zéphire son amant.

Le ciel, dans une nuit profonde,
Nous cache ses arrêts constants,
Et c'est moins pour vivre longtemps,
Que sa bonté nous mit au monde,
Que pour y répandre l'odeur

Qu'exhalent l'aimable sagesse,
L'amour du prochain, la candeur,
Et que leur souvenir vainqueur
Longtemps après la mort y laisse.

Mais à la vérité qui luit
L'incrédule a livré la guerre;
Et publiant que le tonnerre
N'est qu'un accident et du bruit,
Le vice règne sur la terre,
D'où la pâle vertu s'enfuit.

J'ai vu sous des toits magnifiques,
Temples consacrés à Vénus,
S'endormir les masses lubriques
Des riches et lâches Crésus :
Et dans leurs douceurs léthargiques,
Ces dieux terrestres éperdus,
Frappés de maux inattendus,
Passer aux effrois tyranniques
De Balthazar, d'Antiochus.

J'ai vu sous des formes humaines,
Nourrir des tigres et des ours,
Des crocodiles, des vautours,
Des monstres à voix de sirènes,
Dont les faux et tendres discours
Nous payant d'espérances vaines,
Dans un dédale de détours
N'ont fait que redoubler nos peines.

L'enfer avide et ténébreux
Les ensevelit dans sa flamme.
Leur pouvoir, dont l'usage affreux
Souilla leur odieuse trame,
Leurs vains monts d'or, le prix infâme
Des entrailles des malheureux,
Corrompent leurs fils après eux;
Et se glissant de race en race,
Leur sanglante injustice passe
Jusqu'à leurs troisièmes neveux.
Ainsi leur mémoire abhorrée
Leur survit pendant quelque temps,
Horriblement régénérée
Dans des successeurs plus méchants.

Mais, pour toi, Titon, cœur fidèle,
Ami sincère et plein de zèle,
Astrée exprès quittant les cieux,
Vint allaiter ta sage enfance,

Et s'en retourna chez les dieux,
Voyant peu d'hommes en ces lieux,
Propres à suivre avec constance
Ses avis purs et précieux.

Aussi quelque longue durée
Que le temps promette à l'airain
Du beau monument dont ta main
Eleva la cime sacrée;
Plus solidement revêtu,
L'édifice de ta vertu,
Que le docte Apollon couronne,
Ne sera jamais abattu.

Ta gloire, qui partout résonne,
Bravera la faux qui moissonne
Les vains noms dont l'éclat séduit;
Fol éclat, lueur passagère,
Que loin du calme qui la fuit,
La fortune allume et détruit
Du vent de son aile légère.

Titon, nos maîtres éternels,
Ces dieux puissants, dont l'urne enserre,
Et, dans ses flots continuels,
Roule les sorts universels,
Te doivent longtemps à la terre,
Pour servir d'exemple aux mortels.

LA BELLE CHASSEUSE

MADRIGAL

Thémire, abandonnez les monts et les forêts.
Si Diane autrefois chassait comme vous faites,
Cette déesse eut moins d'attraits
Et fut moins belle que vous l'êtes.
Les cœurs volent en foule au-devant de vos coups.
Pouvez-vous préférer à ces douces conquêtes
Celles des monstres en courroux ?
Ce plaisir dont la peine est l'unique avantage,
Ne convient pas à la beauté;
Mais si le sort en est jeté,
Si votre humeur guerrière à chasser vous engage,
Bornez à terrasser un animal sauvage
Votre impitoyable rigueur,
Et devenez enfin, par un charmant partage,
Diane dans les bois et Vénus dans mon cœur.

LA MISÈRE DU LIVRE [1]

Qu'un livre est bien, pendant sa vie,
Un parfait miroir de douleurs !
En naissant, sous la presse, il crie
Et semble prévoir ses malheurs.

Un essaim de fâcheux censeurs,
D'abord qu'il commence à paraître,
En dégoûte les acheteurs,
Qui le blâment sans le connaître.

A la fin, pour comble de maux,
Un droguiste, qui s'en rend maître,
En habille poivre et pruneaux !...
C'était bien la peine de naître !

1. Parodie des stances de J.-B. Rousseau :
      Que l'homme est bien, durant sa vie...
   Voir p. 110 une autre parodie par Piron de ces mêmes stances qui
font partie de ce recueil (p. 60).
   « Les vicissitudes que J.-B. Rousseau attribue à la vie humaine,
Desforges les voit dans les destinées du livre : c'est-à-dire que d'une
thèse philosophique il a fait une thèse bibliographique. » (H. BON-
HOMME.)

VOISENON

1708-1775

Claude-Henri de Fusée de Voisenon naquit le 8 juillet 1708, au château de Voisenon, près de Melun. Il était d'une santé délicate mais il avait une intelligence très vive. Dès l'âge de onze ans, il adressait une épître à Voltaire qui l'en remercia, le loua et lui prédit des succès poétiques. Une amitié se forma entre Voltaire et Voisenon, qui ne se démentit jamais, et quand Voisenon mourut, son ami lui rima une jolie épitaphe. Le jeune poète aurait volontiers consacré sa vie aux muses seules, mais il dut, en qualité de cadet, entrer dans les ordres. Il y fit rapidement son chemin. Sitôt ordonné prêtre, il devint grand-vicaire du diocèse de Boulogne dont son oncle, Mgr Henriot, était évêque. Il remplit parfaitement ses fonctions et se fit grandement aimer de ses diocésains, qui, à la mort de Mgr Henriot, demandèrent que Voisenon fût choisi pour lui succéder. Il courut à Versailles et intercéda auprès du ministre afin qu'on ne le nommât pas; sa demande fut exaucée, mais on lui donna une abbaye qui n'obligeait pas à la résidence et que, pour cette raison, il accepta. Le voici donc de nouveau à Paris et mêlé à la société mondaine et littéraire : il fut bientôt l'un des principaux membres de la *Société du bout du banc;* il écrivait des contes et des poésies légères; il avait, avant d'embrasser la carrière ecclésiastique, composé quelques ouvrages dramatiques; il en fit de nouveaux : comédies, opéras, oratorios dont la plupart eurent du succès. Il n'ambitionnait pas d'autre gloire, et quand le duc de Choiseul lui offrit un poste diplomatique il le refusa comme il avait refusé l'évêché de Boulogne; mais il accepta, comme il avait accepté un bénéfice, la pension de 6 000 livres que Choiseul lui fit donner afin qu'il composât des *Essais historiques* à l'usage des petits-fils de Louis XV. Présenté à Mme de Pompadour, et bientôt en grande faveur auprès d'elle, il usa de son influence pour obliger, avec une discrétion parfaite, ses confrères peu fortunés. En 1763, il fut élu membre de l'Académie française, bien que son bagage littéraire ne fût guère lourd, mais il était un parfait homme du monde et c'était un titre suffisant. Il se montra d'ailleurs aussi bon académicien qu'il était bon confrère, car il mettait au service des jeunes écrivains l'influence qu'il pouvait avoir, de même qu'il les faisait profiter de son expérience, de son goût, et de ses connaissances littéraires : il

leur donnait volontiers des conseils et, à l'occasion même, il les aidait
un peu. Il était universellement sympathique. Très spirituel et très
gai, il avait, au dire de La Harpe, cet extrême enjouement qui trouve
à rire et à faire rire de tout, un ton de galanterie alors à la mode, beaucoup d'insouciance et le talent des quolibets plutôt que des bons
mots. On a dit encore de lui qu'il avait la figure d'un singe et qu'il
semblait en avoir la malice. Ses poésies fugitives contiennent des
pièces de divers genres : discours, épîtres, épigrammes, madrigaux,
chansons; tout cela est vif, gracieux, léger, et tout à fait représentatif
du goût poétique de ce frivole, fin et élégant XVIIIᵉ siècle. Dans le
courant de 1775 le poète se sentit malade; il se retira à Voisenon,
afin, disait-il, de s'y trouver de plain-pied avec la sépulture de ses
pères. Il y mourut le 22 novembre de la même année.

A MONSIEUR DE VOLTAIRE

SUR SA TRAGÉDIE DE « LA TOLÉRANCE »

De vos vers l'éloquence aisée
En consolant l'esprit humain,
Dans nos cœurs porte un jour serein,
Ainsi que la douce rosée
Pénètre les fleurs du matin.
Vous détestez la violence
D'un prédicateur que l'on craint;
L'homme est né pour la tolérance,
On l'éclaire dès qu'on le plaint.
Quand même une erreur prend naissance,
Du premier feu l'esprit atteint
S'allume par la résistance;
N'observez pas son existence :
En la tolérant on l'éteint.
Quand, des gazettes jansénistes,
Les journalistes assommants
Sont les diffus apologistes
De leurs saints, morts sans sacrements,
L'ennui que leurs feuilles produisent
Me fait dire en très bon chrétien :
On les tolère et l'on fait bien :
C'est pour punir ceux qui les lisent.
Mais sur les ouvrages du goût
La tolérance est condamnable;
Je vois que l'on tolère tout,
Et que tout devient exécrable.
Nos opéras sont sans vocale,
Nos pièces sont sans action,
Et leurs scènes sans passion
N'ont que leur langueur pour scandale.
On tolère des vers nouveaux,

Au-dessous de ceux de La Fosse;
Des chanteurs dont la voix est fausse,
Et de beaux parleurs pensant faux.
On tolère de froids copistes,
On tolère de vains sophistes,
On tolère des sots titrés,
Les grands fripons sont tolérés,
Et moi, dont les jours misérables,
Que les ans viennent délabrer,
Se passent à voir tolérer
Tant de choses intolérables,
Je reviens près de mon foyer,
Et m'écrie, en frondant l'engeance
Qui vient de me tant ennuyer :
Que de maux fait la tolérance!

A MADAME DE D***

QUI JOUAIT UN OPÉRA-COMIQUE

Vous commencez votre carrière
Lorsque je penche vers ma fin;
Vos premiers rayons de lumière
Des miens raniment le déclin;
Votre mine fraîche et jolie
Rend mon état moins incertain;
Vous parez le soir de ma vie
Des couleurs de votre matin;
Et si quelque étincelle encore
De mes vers nourrit le penchant,
Je ne le dois qu'à votre aurore
Qui réfléchit sur mon couchant.
Je vous chante et je vous admire,
Rallumé par l'amour du vrai.
Quand les derniers sons de ma lyre
De vos talents vantent l'essai,
C'est l'hiver oubliant ses glaces,
Qui s'échauffe en suivant vos traces
Et rend hommage au mois de mai.

A MADAME DE ***

QUI M'AVAIT MONTRÉ A FAIRE DU FILET,
ET A QUI J'OFFRAIS MON PREMIER ESSAI DE CET OUVRAGE

Saint Pierre, Vulcain et l'Amour
Firent des filets tour à tour.

Ceux de l'Amour, qu'on idolâtre,
Forment le plus doux des métiers;
Mais les filets des deux premiers
Ne sont pas restés au théâtre.
L'Amour, quand même il est oisif,
De filets tient manufacture,
Et le privilège exclusif
Lui fut donné par la nature.
Grâces, gaîté, finesse, esprit,
Pour filets sont un grand mérite;
Voilà pourquoi ce dieu vous fit
Son ouvrière favorite.
Femme, officier, petit collet,
Sont compagnons dans cet ouvrage;
De l'aveu même du plus sage
Toute la France est au filet.
La mode me gagne moi-même;
L'objet de mon travail est doux.
C'est pour en parer ce que j'aime :
Vous jugez bien que c'est pour vous.
Mais, trêve à la plaisanterie,
Quand je vous offre ce bouquet,
Ne dites pas de mon filet :
C'est bon pour la Vierge Marie.

A L'AVOCAT MARCHAND

QUI M'AVAIT ÉCRIT
POUR LUI DONNER A DINER A BELLEVILLE PEU DE TEMPS
APRÈS LA MORT DE MADAME FAVART

Mon ami, dans quel lieu désirez-vous venir ?
Ce séjour, qui jadis eut pour moi tant de charmes,
N'est qu'un triste dépôt de regrets et de larmes,
Et vous y recevoir ce serait vous punir.
Hélas! avec Favart ma gaîté s'est éteinte;
Le chagrin en silence y grave son empreinte,
Il répand ses brouillards sur le jour le plus beau.
Nous ne portons la main sur nos roses nouvelles
Que pour nous occuper à parer le tombeau
De l'objet qui nous livre aux douleurs éternelles.
Mais les cœurs affligés ont besoin de bons cœurs;
J'accepte les bontés que vous m'avez offertes;
L'amitié désolée, et qui vit dans les pleurs,
Implore l'amitié pour réparer ses pertes.

VERS

POUR METTRE AU BAS DU PORTRAIT
DE MADAME DE POMPADOUR

L'éclat de ses attraits n'est point ce qui la flatte ;
Philosophe et sensible au milieu de la cour,
Elle étonne l'Envie, en exposant au jour
Les grâces de Vénus et l'âme de Socrate.

GRESSET

1709-1777

Jean-Baptiste-Louis Gresset naquit le 29 août 1709, à Amiens. Il y commença ses études, puis il vint à Paris où il entra chez les jésuites. Mais il n'était pas né pour la vie religieuse. Il composait des vers irrévérencieux et spirituels : le poème de *Vert-Vert* d'abord, dont il courut des copies et qui fut imprimé à l'insu de l'auteur, dit-on; ensuite, dans le même ton, *le Lutrin vivant* et *le Carême impromptu*. Ses supérieurs avaient envoyé le jeune « père » professer les humanités en province : il enseigna à Tours, ensuite à La Flèche; mais il ne tarda pas à abandonner son ordre. Revenu à Paris il écrivit pour le théâtre; il composa des tragédies qui sont oubliées, et une comédie : *le Méchant*, qui est l'une des meilleures que nous ait laissées le XVIII⁰ siècle, et l'œuvre capitale de Gresset. C'est cette comédie et quelques petites pièces qui marquent, dans notre histoire littéraire, la place de cet aimable écrivain. Il entra à l'Académie française en 1748. Quelques années après il se retira à Amiens, sa ville natale, où il se maria en 1751 et où il fonda une académie dont il fut élu président. Il ne tarda pas à tourner à la dévotion; il rendit public son projet de renoncer au théâtre par scrupule de conscience et il rétracta solennellement, par la même occasion, tout ce qu'il avait pu écrire « d'un ton peu réfléchi, dans les bagatelles rimées dont on a, dit-il, multiplié les éditions », sans qu'il eût « jamais été dans la confidence d'aucune ». Voltaire ne manqua pas, à ce propos, de l'attaquer violemment. Il reparut à l'Académie, pour recevoir Suard en août 1774, et le discours qu'il prononça en cette circonstance est cité comme un exemple de mauvais goût. Cependant il reçut, dans sa retraite, d'éclatantes faveurs. Louis XVI lui donna des lettres de noblesse, et Monsieur le nomma historiographe de l'ordre de Saint-Lazare. Il mourut subitement le 16 juin 1777.

VERT-VERT

FRAGMENT [1]

Vert-Vert était un perroquet dévot,
Une belle âme innocemment guidée;
Jamais du mal il n'avait eu l'idée,
Ne disait onc un immodeste mot;
Mais en revanche il savait des cantiques,
Des *oremus*, des colloques mystiques;
Il disait bien son *Benedicite*,
Et « notre mère » et « votre charité »;
Il savait même un peu du soliloque
Et des traits fins de Marie Alacoque.
Il avait eu, dans ce docte manoir,
Tous les secours qui mènent au savoir.
Il était là maintes filles savantes
Qui mot pour mot portaient dans leurs cerveaux
Tous les noëls anciens et nouveaux.
Instruit, formé par leurs leçons fréquentes,
Bientôt l'élève égala ses régentes.
De leur ton même adroit imitateur,
Il exprimait la pieuse lenteur,
Les saints soupirs, les notes languissantes
Du chant des sœurs, colombes gémissantes.
Finalement Vert-Vert savait par cœur
Tout ce que sait une mère de chœur.

Trop resserré dans les bornes d'un cloître,
Un tel mérite au loin se fit connoître;
Dans tout Nevers, du matin jusqu'au soir,
Il n'était bruit que des scènes mignonnes
Du perroquet des bienheureuses nonnes :
De Moulins même on venait pour le voir.
Le beau Vert-Vert ne bougeait du parloir;
Sœur Mélanie, en guimpe toujours fine,
Portait l'oiseau : d'abord aux spectateurs
Elle en faisait admirer les couleurs,
Les agréments, la douceur enfantine;
Son air heureux ne manquait point les cœurs.
Mais la beauté du tendre néophyte
N'était encor que le moindre mérite;
On oubliait ses attraits enchanteurs,
Dès que sa voix frappait les auditeurs,
Orné, rempli de saintes gentillesses
Que lui dictaient les plus jeunes professes,

1. Extrait du chant II. Ce morceau dépeint l'existence de Vert-Vert au couvent des Sœurs Visitandines de Nevers.

L'illustre oiseau commençait son récit;
A chaque instant, de nouvelles finesses,
Des charmes neufs variaient son débit :
Eloge unique et difficile à croire
Pour tout parleur qui dit publiquement,
Nul ne dormait dans tout son auditoire;
Quel orateur en pourrait dire autant ?
On l'écoutait, on vantait sa mémoire.
Lui cependant, stylé parfaitement,
Bien convaincu du néant de la gloire,
Se rengorgeait toujours dévotement,
Et triomphait toujours modestement,
Quand il avait débité sa science,
Serrant le bec et parlant en cadence,
Il s'inclinait d'un air sanctifié,
Et laissait là son monde édifié.
Il n'avait dit que des phrases gentilles,
Que des douceurs, excepté quelques mots
De médisance, et tels propos de filles
Que par hasard il apprenait aux grilles,
Ou que nos sœurs traitaient dans leur enclos.

Ainsi vivait dans ce nid délectable,
En maître, en saint, en sage véritable,
Père Vert-Vert, cher à plus d'une Hébé,
Gras comme un moine, et non moins vénérable;
Beau comme un cœur, savant comme un abbé,
Toujours aimé, comme toujours aimable,
Civilisé, musqué, pincé, rangé;
Heureux enfin s'il n'eût pas voyagé.

LE CARÊME IMPROMPTU

Sous un ciel toujours rigoureux
Au sein des flots impétueux,
Non loin de l'armorique plage,
Il est une île, affreux rivage,
Habitacle marécageux,
Moitié peuplé, moitié sauvage,
Dont les habitants malheureux,
Séparés du reste du monde,
Semblent ne connaître que l'onde
Et n'être connus que des cieux.
Des nouvelles de la nature
Viennent rarement sur ces bords :
On n'y sait que par aventure
Et par de très tardifs rapports,
Ce qui se passe sur la terre,

Qui fait la paix, qui fait la guerre,
Qui sont les vivants et les morts.

De cette étrange résidence
Le curé, sans trop d'embarras,
Enseveli dans l'indolence
D'une héréditaire ignorance,
Vit de baptême et de trépas
Et d'offices qu'il n'entend pas.
Parmi les notables de l'île
Il est regardé comme habile
Quand il peut dire quelquefois
Le mois de l'an, le jour du mois.
On va penser que j'exagère,
Et que j'outre le caractère.
« Quelle apparence, dira-t-on;
Quelle île assez abandonnée
Ignore le temps de l'année ?
Non, ce trait ne peut être bon
Que dans une île imaginée
Par le fabuleux Robinson. »

De grâce, censeur incrédule,
Ne jugez point sur ce soupçon.
Un fait narré sans fiction
Va vous enlever ce scrupule :
Il porte la conviction;
Je n'y mettrai que la façon.

Le curé de l'île susdite,
Vieux papa, bon israélite
(N'importe quand advint le cas),
N'avait point, avant les étrennes,
Fait apporter de nos climats
De guide-ânes ni d'almanachs
Pour le guider dans ses antiennes,
Et régler ses petits états.
Il reconnut sa négligence;
Mais trop tard vint la prévoyance.

La saison ne permettait pas
De faire voile vers la France :
Abandonnée aux noirs frimas,
La mer n'était plus praticable;
Et l'on n'espérait les bons vents
Qui rendent l'onde navigable
Et le continent abordable,
Qu'à la naissance du printemps.

Pendant ces trois mois de tempête,
Que faire sans calendrier ?

Comment placer les jours de fête ?
Comment les différencier ?
Dans une pareille méprise,
Quelque autre curé plus savant
N'aurait pu régir son église;
Et peut-être dévotement,
Bravant les fougues de la bise,
Se serait livré, sans remise,
Aux périls du moite élément.
Mais, pour une telle imprudence,
Doué d'un trop bon jugement,
Notre bon prêtre assurément
Chérissait trop son existence.
C'était d'ailleurs un vieux routier
Qui, s'étant fait une habitude
Des fonctions de son métier,
Officiait sans trop d'étude,
Et qui, dans sa décrépitude,
Dégoisait psaumes et leçons,
Sans y faire tant de façons.
Prenant donc son parti sans peine,
Il annonce le premier mois,
Et recommande par trois fois
A son assistance chrétienne
De ne point finir la semaine
Sans chômer la fête des Rois.
Ces premiers points étaient faciles :
Il ne trouva de l'embarras
Qu'en pensant qu'il ne saurait pas
Où ranger les fêtes mobiles.
Qu'y faire enfin ? Peu scrupuleux,
Il décida, ne pouvant mieux,
Que ces fêtes, comme ignorées,
Ne seraient chez lui célébrées
Que quand, au retour du zéphyr,
Lui-même il aurait pu venir
Prendre langue dans nos contrées.
Il crut cet avis selon Dieu :
Ce fut celui de son vicaire,
De Javotte, sa ménagère,
Et de son magister Mathieu,
La plus forte tête du lieu.
Ceci posé, janvier se passe;
Plus agile encor dans son cours,
Février fuit, mars le remplace,
Et l'aquilon régnait toujours :
Du printemps avec patience
Attendant le prochain retour,
Et sur l'annuelle abstinence
Prétendant cause d'ignorance,
Ou bonnement et sans détour

Par faute de réminiscence,
Notre vieux curé, chaque jour,
Se mettait sur la conscience
Un chapon de sa basse-cour.
Cependant, poursuit la chronique,
Le carême, depuis un mois,
Sur tout l'univers catholique
Etendait ses austères lois :
L'île seule, grâce au bon homme,
A l'abri des statuts de Rome,
Voyait ses libres habitants
Vivre en gras pendant tout ce temps.
De vrai, ce n'était fine chère;
Mais cependant chaque insulaire,
Mi-paysan et mi-bourgeois,
Pouvait parer son ordinaire
D'un fin lard flanqué de vieux pois.
A l'exemple du presbytère,
Tous, dans cette erreur salutaire,
Soupaient pour nous d'un cœur joyeux,
Tandis que nous jeûnions pour eux.

Enfin pourtant le froid Borée
Quitta l'onde plus tempérée.
Voyant qu'il était plus que temps
D'instruire nos impénitents,
Le diable, content de lui-même,
Ne retarda plus le printemps :
C'était lui qui, par stratagème,
Leur rendant contraire tout vent,
Avait voulu, chemin faisant,
Leur escamoter un carême,
Pour se divertir en passant.
Le calme rétabli sur l'onde,
Mon curé, selon son serment,
Pour voir comment allait le monde,
S'embarque sans retardement,
S'étant bien lesté la bedaine
De quatre tranches de jambon
(Fait digne de réflexion,
Car de la sainte quarantaine
Déjà la cinquième semaine
Venait de commencer son cours).
Il vient : il trouve avec surprise
Que, dans l'empire de l'Eglise,
Pâques revenait dans dix jours.
« Dieu soit loué! prenons courage,
Dit-il, enfonçant son castor,
Grâce au Seigneur, notre voyage
Se trouve fait à temps encor

Pour pouvoir, dans son ermitage,
Fêter Pâques selon l'usage. »

Content, il rentre sur son bord,
Après avoir fait ses emplettes
Et d'almanachs et de lunettes.
Il part, il arrive à bon port
Dans ses solitaires retraites.
Le lendemain, jour des Rameaux,
Prônant, avec un zèle extrême,
Il notifie à ses vassaux
La date de notre carême :
« Mais, poursuit-il, j'ai mon système,
Mes frères, nous n'y perdrons rien,
Et nous le rattraperons bien :
D'abord, avant notre abstinence,
Pour garder l'usage ancien,
Et bien remplir toute observance,
Le Mardi-Gras sera mardi,
Le jour des Cendres mercredi :
Suivront trois jours de pénitence,
Dans toute l'île on jeûnera;
Et dimanche, unis à l'Eglise,
Sans plus craindre aucune méprise,
Nous chanterons l'*Alleluia*. »

LE SIÈCLE PASTORAL [1]

Précieux jours dont fut ornée
La jeunesse de l'univers,
Par quelle triste destinée
N'êtes-vous plus que dans nos vers ?

Votre douceur charmante et pure
Cause nos regrets superflus,
Telle qu'une tendre peinture
D'un aimable objet qui n'est plus.

La terre, aussi riche que belle,
Unissait, dans ces heureux temps,
Les fruits d'une automne éternelle,
Aux fleurs d'un éternel printemps.

Tout l'univers était champêtre,
Tous les hommes étaient bergers;
Les noms de sujet et de maître
Leur étaient encore étrangers.

1. J.-J. Rousseau a composé une suite à cette idylle. On la trouvera plus loin (p. 194).

Sous cette juste indépendance,
Compagne de l'égalité,
Tous dans une même abondance
Goûtaient même tranquillité.

Leurs toits étaient d'épais feuillages,
L'ombre des saules leurs lambris;
Les temples étaient des bocages,
Les autels des gazons fleuris.

Les dieux descendaient sur la terre,
Que ne souillaient aucuns forfaits;
Dieux moins connus par le tonnerre
Que par d'équitables bienfaits.

Vous n'étiez point, dans ces années,
Vices, crimes tumultueux!
Les passions n'étaient point nées,
Les plaisirs étaient vertueux.

Sophismes, erreurs, impostures,
Rien n'avait pris votre poison!
Aux lumières de la nature
Les bergers bornaient leur raison.

Sur leur république champêtre
Régnait l'ordre, image des cieux.
L'homme était ce qu'il devait être;
On pensait moins, on vivait mieux.

Ils n'avaient point d'aréopages
Ni de Capitoles fameux;
Mais n'étaient-ils point les vrais sages
Puisqu'ils étaient les plus heureux ?

Ils ignoraient les arts pénibles
Et les travaux nés du besoin;
Des arts enjoués et paisibles
La culture fit tout leur soin.

La tendre et touchante harmonie
A leurs jeux doit ses premiers airs;
A leur noble et libre génie
Apollon doit ses premiers vers.

On ignorait dans leurs retraites
Les noirs chagrins, les vains désirs,
Les espérances inquiètes,
Les longs remords, les courts plaisirs.

L'intérêt, au sein de la terre,
N'avait point ravi les métaux,
Ni soufflé le dieu de la guerre,
Ni fait des chemins sur les eaux.

Les pasteurs, dans leur héritage,
Coulant leurs jours jusqu'au tombeau,
Ne connaissaient que le rivage
Qui les avait vus au berceau.

Tous, dans d'innocentes délices,
Unis par des nœuds pleins d'attraits,
Passaient leur jeunesse sans vices,
Et leur vieillesse sans regrets.

La mort, qui pour nous a des ailes,
Arrivait lentement pour eux;
Jamais des causes criminelles
Ne hâtaient ses coups douloureux.

Chaque jour voyait une fête,
Les combats étaient des concerts;
Une amante était la conquête,
L'Amour jugeait du prix des airs.

Ce dieu berger, alors modeste,
Ne lançait que des traits dorés;
Du bandeau qui le rend funeste
Ses yeux n'étaient point entourés.

Les crimes, les pâles alarmes
Ne marchaient point devant ses pas;
Il n'était point suivi des larmes,
Ni du dégoût, ni du trépas.

La bergère, aimable et fidèle,
Ne se piquait point de savoir;
Elle ne savait qu'être belle
Et suivre la loi du devoir.

La fougère était sa toilette,
Son miroir le cristal des eaux,
La jonquille et la violette
Etaient ses atours les plus beaux.

On la voyait dans sa parure,
Aussi simple que ses brebis;
De leur toison commode et pure
Elle se filait des habits.

Elle occupait son plus bel âge
Du soin d'un troupeau plein d'appas,
Et, sur la foi d'un chien volage,
Elle ne l'abandonnait pas.

O règne heureux de la nature !
Quel dieu nous rendra tes beaux jours ?
Justice, égalité, droiture,
Que n'avez-vous régné toujours !

Sort des bergers, douceurs aimables,
Vous n'êtes plus ce sort si doux ;
Un peuple vil de misérables
Vit pasteur sans jouir de vous.

Ne peins-je point une chimère ?
Ce charmant siècle a-t-il été ?
D'un auteur, témoin oculaire,
En sait-on la réalité ?

J'ouvre les fastes : sur cet âge
Partout je trouve des regrets ;
Tous ceux qui m'en offrent l'image
Se plaignent d'être nés après.

J'y lis que la terre fut teinte
Du sang de son premier berger ;
Depuis ce jour, de maux atteinte,
Elle s'arma pour le venger.

Ce n'est donc qu'une belle fable ;
N'envions rien à nos aïeux :
En tout temps l'homme fut coupable,
En tout temps il fut malheureux.

COLLÉ

1709-1783

Charles Collé naquit le 14 avril 1709 à Paris, où son père était substitut du procureur du roi au Châtelet et trésorier de la chancellerie du Palais. Il n'eut aucun goût pour la basoche; il avait de la gaieté, de l'esprit, le besoin de l'indépendance, avec cela une intelligence pratique et de l'habileté; il se poussa parfaitement dans le monde par sa bonne humeur et ses chansons. Il fut le poète préféré de la cour du joyeux duc d'Orléans qui lui avait donné le titre de lecteur ordinaire et l'avait fortement renté. C'est pour ce prince qu'il composa son *Théâtre de Société* formé de pièces d'une grande liberté de ton. Il composa aussi, fort heureusement pour sa renommée, des ouvrages dramatiques d'un art plus digne, dont l'un : *la Partie de chasse d'Henri IV*, reparaît encore parfois à la lumière de la scène. Il est aussi l'auteur de vaudevilles, de parodies, d'amphigouris. Ses chansons sont souvent galantes ou graveleuses, mais il en a aussi rimé de satiriques; les deux que nous citons sont de ce genre : elles s'en prennent — la deuxième, en forme de vaudeville, d'une façon particulièrement plaisante — à la littérature sombre et larmoyante qui sévissait alors. Il mourut le 3 novembre 1783, âgé de soixante-quatorze ans, accablé par le chagrin que lui avait causé la perte de sa femme. Il a laissé un *Journal historique* rempli de détails piquants sur le monde littéraire du XVIIIᵉ siècle.

CONTRE LE GENRE LARMOYANT

Attaquons ce siècle insipide
Dont le mauvais goût fait horreur;
Dans le bourbier Aganippide
Allons répandre la terreur;
Détruisons ce genre hérétique,
Ce mauvais genre dramatique,
Du bon sens aveugle ennemi;
Et faisons de la populace
Qui croasse au bas du Parnasse
Une autre Saint-Barthélemy.

Quel est ce poème fantasque
Dont le mélange maladroit
Tient du tragique le plus flasque,
Et du comique le plus froid ?
C'est toi, bâtarde comédie,
Avorton de la tragédie,
Qu'on voit triompher aujourd'hui;
Toi, dont le larmoyant comique
N'a pris dans la muse tragique
Que le ton pleureur et l'ennui.

Ni la chaleur, ni l'élégance,
Ni les mœurs, ni les passions,
Ne rachètent l'extravagance
De leurs folles créations.
Un nom caché dans la naissance,
Quelque froide reconnaissance,
Voilà leur éternel refrain!
De cette comédie étrange,
Les plans semblent faits par Lagrange,
Les vers par l'abbé Pellegrin.

Des caractères romanesques,
Des incidents miraculeux,
De grandes vertus gigantesques,
Un fonds d'intrigues fabuleux,
Un intérêt mince et pénible,
Qui sort d'un roman impossible;
Que peignent ces faibles pastels ?
Molière connaissait les hommes;
Il nous a peints tels que nous sommes,
Ses tableaux seront immortels.

Sors des Enfers, vole au Parnasse,
Ombre de Molière, arme-toi!
Sors, viens exterminer la race
De ces déserteurs de ta loi!
Tel que le soleil, sur nos plages,
Devant soi fait fuir les nuages,
Marche, avance à pas de géant;
Aux traits pressants de ta lumière,
Ils rentreront dans la poussière,
Epouvantés de leur néant.

Révérend Père La Chaussée,
Prédicateur du saint Vallon,
Porte ta morale glacée
Loin des neuf sœurs et d'Apollon!
Ne crois pas, Cotin dramatique,
A la muse du vrai comique

Devoir tes passagers succès;
Non, la véritable Thalie
S'endormit à chaque homélie
Que tu fis prêcher aux Français.

LE *DIES IRÆ, DIES ILLA*[1]

LE COMTE DE COMMINGES

Jour de colère! jour affreux!
Jour où deux amants malheureux,
A la Trappe expirent tous deux!

LE MÊME

A la Trappe ayant fait leurs vœux,
Ma belle prend l'habit chez eux;
Quel fond d'intrigue est plus heureux ?

L'AUTEUR DU DRAME, *d'un ton railleur*

Des dramatistes écoliers,
Ou sur les mœurs moins réguliers,
Mettraient la scène aux Cordeliers.

L'AMANTE, *d'un ton de fausset*

Qu'à ce drame tout fonde en pleurs;
Que ce drame ait ses larmoyeurs,
Des gens de goût, des fossoyeurs.

L'ABBÉ DE LA TRAPPE, *basse-contre*

L'on peut s'amuser du trépas,
Les cimetières ne sont pas
Sans agréments et sans appas.

1. En sous-titre : « Vaudeville nouveau fait pour être chanté avec
le *De Profundis* de M. de Lalande, et servir de divertissement au drame
ancien du comte de Comminges, le *Cinna* du genre sombre, qui doit
être représenté ces jours-ci dans une société de bons réjouis. » (Chez
le prince de Guéméné.)

L'AUTEUR DU DRAME, *d'un air méprisant*

Nos tragiques des temps derniers
N'eussent pas osé, ces âniers,
Placer la scène en des charniers.

L'AMANTE, *avec sentiment*

Pour déchirer le cœur d'abord,
Est-il de plus puissant ressort
Qu'une belle tête de mort ?

DUO DE L'AMANTE ET DE L'AMANT

Que du fond de son monument,
La trompette du jugement
Ramène à { mes tes } { pieds } { mon ton } amant.

NEUVIÈME ET DERNIER COUPLET
QUE TOUS LES SPECTATEURS CHANTENT A GRAND CHŒUR
ET DE GRAND CŒUR

Ce drame glaçant et glacé,
Dès sa naissance est trépassé,
Un *Requiescat in pace...*
                    Amen!

LEFRANC DE POMPIGNAN

1709-1784

Jean-Jacques-Nicolas Lefranc, marquis de Pompignan, naquit le 10 août 1709, à Montauban. Il fit ses études à Paris, au collège Louis-le-Grand; ensuite, il entra dans la magistrature; il fut avocat général, puis président à la Cour des Aides de Montauban et conseiller d'honneur au Parlement de Toulouse. Mais il renonça à la robe pour se consacrer entièrement aux lettres et principalement à la poésie vers laquelle ses goûts le portaient. Il avait débuté par une tragédie de *Didon*, qui fut représentée en 1734, sans grand succès. Se détournant du théâtre, il composa surtout des pièces de vers : poésies sacrées et poésies de circonstance, qui sont de grandes odes d'un lyrisme un peu contraint, mais dont l'une au moins : l'*Ode sur la mort de Jean-Baptiste Rousseau*, a une noble allure et est soutenue par un vrai souffle lyrique; c'est par cette pièce, et principalement par quelques strophes de cette pièce, que le nom de Lefranc de Pompignan a quelque chance d'immortalité. A ce propos Sainte-Beuve a écrit avec malice que « la plus belle ode que l'on doive à Jean-Baptiste Rousseau » est peut-être celle de Lefranc sur sa mort. Les *Poésies sacrées* de Pompignan, tirées pour la plupart des *Psaumes* et des *Prophètes*, parurent en deux recueils : le premier en 1751, le deuxième en 1755. On y trouve des strophes d'un beau mouvement, d'une facture remarquable, ne manquant ni d'éclat ni de solidité, mais dans aucune de ces pièces le ton n'est soutenu du commencement à la fin. Lefranc de Pompignan, poète lyrique et religieux dans un temps où le goût public allait aux poésies légères et galantes, eut, à défaut de grands succès mondains, le suffrage des lettrés. En 1759, l'Académie française lui ouvrit ses portes. Cette consécration de son talent marqua d'ailleurs la fin de sa carrière. Ayant, dans son discours de réception, attaqué le parti philosophique, il eut à subir les représailles des philosophes, celles surtout de Voltaire qui composa contre lui quelques satires fort vives et fort plaisantes. Le nom de Lefranc était à présent célèbre, mais d'une célébrité qu'il n'avait point prévue. Le pauvre poète, bafoué dans sa vanité et lardé d'épigrammes, se retira en Languedoc. Il mourut à Montauban le 1er novembre 1784. Il avait, outre ses odes lyriques, composé des pièces d'un tour moins solennel, comme les strophes : *En revenant de Barèges*, et un *Voyage en Languedoc*, mêlé de prose et de vers, à l'imitation de celui de Chapelle de Bachaumont.

ODE SUR LA MORT DE J.-B. ROUSSEAU

Quand le premier chantre du monde
Expira sur les bords glacés
Où l'Ebre effrayé dans son onde
Reçut ses membres dispersés,
Le Thrace, errant sur les montagnes,
Remplit les bois et les campagnes
Du cri perçant de ses douleurs ;
Les champs de l'air en retentirent,
Et dans les antres qui gémirent,
Le lion répandit des pleurs.

La France a perdu son Orphée...
Muses, dans ce moment de deuil,
Elevez le pompeux trophée
Que vous demande son cercueil.
Laissez par de nouveaux prodiges,
D'éclatants et dignes vestiges
D'un jour marqué par vos regrets :
Ainsi le tombeau de Virgile
Est couvert du laurier fertile
Qui par vos soins ne meurt jamais.

D'une brillante et triste vie
Rousseau quitte aujourd'hui les fers ;
Et, loin du ciel de sa patrie,
La mort termine ses revers.
D'où ses maux prirent-ils leur source ?
Quelles épines, dans sa course,
Etouffaient les fleurs sous ses pas ?
Quels ennuis ! quelle vie errante !
Et quelle foule renaissante
D'adversaires et de combats !

Vous, dont l'inimitié durable
L'accusa de ces chants affreux,
Qui méritaient, s'il fut coupable,
Un châtiment plus rigoureux,
Dans le sanctuaire suprême,
Grâce à vos soins, par Thémis même,
Son honneur est encor terni.
J'abandonne son innocence ;
Que veut de plus votre vengeance ?
Il fut malheureux et puni.

Jusques à quand, mortels farouches,
Vivrons-nous de haine et d'aigreur ?

Prêterons-nous toujours nos bouches
Au langage de la fureur ?
Implacable dans ma colère,
Je m'applaudis de la misère
De mon ennemi terrassé :
Il se relève; je succombe,
Et moi-même à ses pieds je tombe,
Frappé du trait que j'ai lancé.

Songeons que l'imposture habite
Parmi le peuple et chez les grands,
Qu'il n'est dignité ni mérite
A l'abri de ses traits errants;
Que la calomnie écoutée,
A la vertu persécutée,
Porte souvent un coup mortel,
Et poursuit, sans que rien l'étonne,
Le monarque sous la couronne
Et le pontife sur l'autel.

Du sein des ombres éternelles
S'élevant au trône des dieux,
L'envie offusque de ses ailes
Tout éclat qui frappe ses yeux.
Quel ministre, quel capitaine,
Quel monarque vaincra sa haine
Et les injustices du sort ?
Le temps à peine les consomme;
Et jamais le prix du grand homme
N'est bien connu qu'après sa mort.

Oui, la mort seule nous délivre
Des ennemis de nos vertus :
Et notre gloire ne peut vivre
Que lorsque nous ne vivons plus.
Le chantre d'Ulysse et d'Achille,
Sans protecteur et sans asile,
Fut ignoré jusqu'au tombeau.
Il expire : le charme cesse,
Et tous les peuples de la Grèce
Entre eux disputent son berceau.

Le Nil a vu sur ses rivages
De noirs habitants des déserts
Insulter par leurs cris sauvages
L'astre éclatant de l'univers.
Cris impuissants! fureurs bizarres!
Tandis que ces monstres barbares
Poussaient d'insolentes clameurs,
Le dieu, poursuivant sa carrière,

Versait des torrents de lumière
Sur ses obscurs blasphémateurs.

Souveraine des chants lyriques,
Toi que Rousseau dans nos climats
Appela des jeux olympiques,
Qui semblaient seuls fixer tes pas;
Pour qui ta trompette éclatante,
Secondant ta voix triomphante,
Formera-t-elle des concerts ?
Des héros, muse magnanime,
Par quel organe assez sublime,
Vas-tu parler à l'univers ?

Favoris, élèves dociles
De ce ministre d'Apollon,
Vous à qui ses concerts utiles
Ont ouvert le sacré vallon;
Accourez, troupe désolée,
Déposez sur son mausolée
Votre lyre qu'il inspirait;
La mort a frappé votre maître,
Et d'un souffle a fait disparaître
Le flambeau qui vous éclairait.

Et vous, dont sa fière harmonie
Egala les superbes sons,
Qui reviviez dans son génie
Formé par vos seules leçons,
Mânes d'Alcée et de Pindare,
Que votre suffrage répare
La rigueur de son sort fatal.
Dans la nuit du séjour funèbre,
Consolez son ombre célèbre
Et couronnez votre rival.

ODE *EXSURGAT DEUS*

PSAUME LXVII

Dieu se lève : tombez, roi, temple, autel, idole;
Au feu de ses regards, au son de sa parole,
Les Philistins ont fui.
Tel le vent dans les airs chasse au loin la fumée;
Tel un brasier ardent voit la cire enflammée
Bouillonner devant lui.

Chantez vos saintes conquêtes,
Israël, dans vos festins,

Offrez d'innocentes fêtes
A l'auteur de vos destins.
Jonchez de fleurs son passage,
Votre gloire est son ouvrage,
Et le Seigneur est son nom.
Son bras venge vos alarmes
Dans le sang et dans les larmes
Des familles d'Ascalon.

Ils n'ont pu soutenir sa face étincelante;
Du timide orphelin, de la veuve tremblante
        Il protège les droits.
Du fond du sanctuaire il nous parle à toute heure.
Il aime à rassembler, dans la même demeure,
        Ceux qui suivent ses lois.

        Touché du remords sincère,
        Il rompt les fers redoutés
        Qu'il forgea dans sa colère
        Pour ses enfants révoltés.
        Mais ses mains s'appesantissent
        Sur les peuples qui l'aigrissent
        Par des attentats nouveaux;
        Et dans des déserts arides,
        Sur ces cœurs durs et perfides,
        Il épuise ses fléaux.

Souverain d'Israël, Dieu vengeur, Dieu suprême,
Loin des rives du Nil tu conduisais toi-même
        Nos aïeux effrayés.
Parmi les eaux du ciel, les éclairs et la foudre,
Le mont de Sinaï, prêt à tomber en poudre,
        Chancela sous tes pieds.

        De l'humide sein des nues
        Le pain que tu fis pleuvoir,
        A nos tribus éperdues
        Rendit la vie et l'espoir.
        Tu veilles sur ma patrie,
        Comme sur sa bergerie
        Veille un pasteur diligent;
        Et ta divine puissance
        Répand avec abondance
        Ses bienfaits sur l'indigent.

Sur l'abîme des flots, sur l'aile des tempêtes,
Tes ministres sacrés étendent leurs conquêtes
        Aux lieux les plus lointains.
Ton peuple bien aimé vaincra toute la terre,
Et le sceptre des rois, que détrône la guerre,
        Passera dans ses mains.

Ses moindres efforts terrassent
Ses ennemis furieux;
Des périls qui le menacent
Il sort toujours glorieux.
Roi de la terre et de l'onde,
Il éblouira le monde
De sa nouvelle splendeur.
Ainsi du haut des montagnes,
La neige dans les campagnes
Répand sa vive blancheur.

O monts délicieux! ô fertile héritage!
Lieux chéris du Seigneur, vous êtes l'heureux gage
     De son fidèle amour.
Demeure des faux dieux, montagnes étrangères,
Vous n'êtes point l'asile où le Dieu de nos pères
     A fixé son séjour.

    Sion, quelle auguste fête!
    Quels transports vont éclater!
    Jusqu'à ton superbe faîte
    Le char de Dieu va monter.
    Il marche au milieu des anges
    Qui célèbrent ses louanges,
    Pénétrés d'un saint effroi.
    Sa gloire fut moins brillante
    Sur la montagne brûlante
    Où sa main grava sa loi.

  Seigneur, tu veux régner au sein de nos provinces;
Tu reviens entouré de peuples et de princes
     Chargés de fers pesants.
L'idolâtre a frémi quand il t'a vu paraître;
Et quoiqu'il n'ose encor t'avouer pour son maître,
     Il t'offre des présents.

    Ce Dieu si grand, si terrible,
    A nos voix daigne accourir.
    Sa bonté toujours visible
    Se plaît à nous secourir.
    Prodigue de récompenses,
    Malgré toutes nos offenses
    Il est lent dans sa fureur;
    Mais les carreaux qu'il apprête,
    Tôt ou tard brisent la tête
    De l'impie et du pécheur.

  Dieu m'a dit : De Bazan pourquoi crains-tu les pièges ?
La mer engloutira ces tyrans sacrilèges
     Dans son horrible flanc.
Tu fouleras aux pieds leurs veines déchirées;

Et les chiens tremperont leurs langues altérées
      Dans les flots de leur sang.

      Les ennemis de sa gloire
     Sont vaincus de toutes parts :
     La pompe de sa victoire
     Frappe leurs derniers regards.
     Nos chefs, enflammés de zèle,
     Chantent la force immortelle
     Du Dieu qui sauva leurs jours;
     Et nos filles triomphantes
     Mêlent leurs voix éclatantes
     Au son bruyant des tambours.

  Bénissez le Seigneur, bénissez votre maître,
Descendants de Jacob, ruisseaux que firent naître
      Les sources d'Israël.
Vous, jeune Benjamin, vous l'espoir de nos pères,
Nephtali, Zabulon, Juda, roi de vos frères,
      Adorez l'Eternel.

      Remplis, Seigneur, la promesse
     Que tu fis à nos aïeux;
     Que les rois viennent sans cesse
     Te rendre hommage en ces lieux;
     Dompte l'animal sauvage
     Qui, contre nous plein de rage,
     S'élance de ces marais;
     Pour éviter ta poursuite,
     Qu'il cherche en vain dans sa fuite
     Les roseaux les plus épais.

  Des nations de sang confonds la ligue impie.
Les envoyés d'Egypte et les rois d'Arabie
      Reconnaîtront tes lois.
Chantez le Dieu vivant, royaumes de la terre;
Vous entendez ce bruit : ces éclats de tonnerre,
      C'est le cri de sa voix.

      O ciel, ô vaste étendue,
     Les attributs de ton Dieu,
     Sur les astres, dans la nue,
     Sont écrits en traits de feu.
     Les prophètes qu'il envoie,
     Sont les héros qu'il emploie
     Pour conquérir l'univers.
     Sa clémence vous appelle;
     Nations, que votre zèle
     Serve le Dieu que je sers.

PROPHÉTIE DE NAHUM[1]

Malheur, malheur à toi, cité lâche et perfide,
Cité de sang prodigue et de trésors avide,
Entends le bruit des chars, le choc des boucliers,
Les clameurs du soldat, les coursiers qui frémissent,
      Les champs qui retentissent
      Sous les pas des coursiers.

Vois le glaive qui brille et les flèches qui volent,
Tes murs et ton pays que les flammes désolent,
Ton peuple mis en fuite après de vains efforts ;
Des bataillons entiers qui sous le fer succombent,
      Et des mourants qui tombent
      Sur des monceaux de morts.

Le ciel enfin sur toi se venge avec usure,
Epouse criminelle et courtisane impure,
Qui te vendais sans cesse à tes adorateurs,
Et qui, par tes attraits ou par tes artifices,
      Du poison de tes vices
      Infectais tous les cœurs.

« Je viens, dit le Seigneur ; tremble, indigne adultère,
Je viens de tes forfaits dévoiler le mystère ;
Ton infâme bonheur retombera sur toi.
Tu serviras d'exemple, et ces rois qui t'honorent,
      Ces peuples qui t'adorent
      Reculeront d'effroi.

« Ils diront : « Dieu se venge, et Ninive est détruite. »
Mais, dans l'état funeste où tu seras réduite,
Tes maux ne trouveront que d'insensibles cœurs.
Hé ! crois-tu l'emporter sur cette ville altière
      Dont la ruine entière
      Annonçait tes malheurs ?

« A ses commandements l'Egypte était fidèle,
L'Afrique la servait et combattait pour elle ;
Son trône était bâti dans l'enceinte des eaux :
Les fleuves l'entouraient, et l'empire de l'onde
      Des richesses du monde
      Remplissait ses vaisseaux.

« Cependant ses remparts sont brisés par la guerre,
Ses enfants devant elle écrasés sur la pierre,

1. Chapitre III.

Ses vieillards mis aux fers ou traînés à la mort ;
Et ses chefs, loin des lieux qu'habitaient leurs ancêtres,
                    Abandonnés aux maîtres
                    Que leur choisit le sort.

« Dieu répandra sur toi le fiel de sa vengeance ;
Tu ne rougiras point d'implorer l'assistance
De ceux dont ta fureur décriait les vertus ;
Et tes murs tomberont sous tes vainqueurs féroces,
                    Comme des fruits précoces
                    Par l'orage abattus.

« Que font tes citoyens, plus lâches que des femmes ?
Tes portes, ton pays, sont dévorés des flammes ;
Hâte-toi, ne perds point de précieux moments ;
Allume les fourneaux, pétris la molle argile,
                    Et d'un rempart fragile
                    Creuse les fondements.

« Malheureuse ! où t'entraîne un superbe délire !
Du commerce et des arts tu gouvernais l'empire,
Et l'or des nations circulait dans tes murs.
Tout tremble, tout s'enfuit aux éclats de la foudre,
                    Qui brûle et met en poudre
                    Tes magasins impurs.

« Tes soldats te vantaient leur force inépuisable :
Tel d'insectes légers un essaim méprisable
Sur le déclin du jour se rassemble avec bruit ;
Mais au retour des feux qui chassent l'ombre humide,
                    La légion timide
                    Dans l'air s'évanouit.

« Roi d'Assur, l'heure approche, et tes pasteurs som-
                                              [meillent ;
Tes chefs sont endormis quand tes ennemis veillent ;
A quelles mains ton peuple était-il confié !
Ce peuple que l'effroi dans sa fuite accompagne,
                    Errant sur la montagne,
                    Ne s'est point rallié.

« Tu tombes, roi cruel, tu meurs chargé de crimes ;
L'univers si longtemps rempli de tes victimes,
Triomphe de ta chute et rit de tes douleurs.
Le fléau des humains, l'auteur de nos alarmes,
                    Fit couler trop de larmes
                    Pour mériter des pleurs. »

GENTIL-BERNARD

1710-1775

Pierre-Joseph Bernard naquit le 26 août 1710, à Grenoble. Il fit ses études à Lyon, chez les jésuites, puis il fut clerc chez un procureur. Mais il abandonna bientôt la carrière du droit pour celle, plus brillante, des armes et, en diverses rencontres, il eut l'occasion de se montrer un brave soldat. En même temps que guerrier il était poète. Pourvu, par la protection du duc de Coigny, de la place de secrétaire général des dragons, avec des appointements magnifiques, il eut désormais une existence fortunée et heureuse. Ses premières œuvres avaient reçu la louange de Voltaire qui, en manière de compliment, donna au poète le surnom de *Gentil*, dont on n'a jamais, depuis, cessé de l'appeler. Gentil-Bernard, au témoignage de ses contemporains, ne méritait guère ce surnom aimable. Marmontel le trouve « froidement poli », sans enjouement, superficiel en littérature et incapable d'avoir un avis sur « un objet de quelque conséquence ». Le prince de Ligne déclare tout net que « gentil », Bernard ne l'était « ni de figure, ni de manière, ni même d'esprit » et il ajoute : « Ce nom de Gentil m'a toujours fait rire. Il avait plutôt l'air dur ainsi que son organe. » Il fit cependant des vers galants, il en fit beaucoup et d'assez réussis. Comme le dit Sainte-Beuve, il a donné un ton fringant à la poésie fugitive.

Homme de plaisir « amusant de ses jolis vers les joyeux soupers de Paris », comme l'écrit Marmontel, lié avec Mme de Pompadour, il eut de nombreuses aventures galantes. Il avait, pour y réussir, toutes sortes de qualités, dont une fort rare : la discrétion. Ses œuvres poétiques consistent en poésies légères, qui lui ont valu le nom un peu usurpé d' « Anacréon de la France »; en épîtres, dont deux, l'une adressée à Claudine, l'autre à Corinne (on trouvera celle-ci après), sont particulièrement estimées; en un poème en trois chants, *l'Art d'aimer*, où l'on cherche en vain le sentiment et dont La Harpe a écrit : « Sa composition est tendue et pénible; rien n'y est fondu d'un jet; rien ne coule de source. On voit qu'il a fait un vers avec soin et puis un autre vers avec le même soin, et, en travaillant le vers, il ne fait pas la phrase. » C'est le cas de répéter, en un sens différent, le mot que nous citions quelques lignes plus haut : cela est « froidement poli ». Ce poème, laborieusement composé, et qui était commencé dès

1740, ne fut achevé que longtemps plus tard et ne parut qu'en 1775. Cette même année, le 1er novembre, l'auteur mourut à Choisy-le-Roi, près de Paris. Il avait perdu la raison quatre ans plus tôt et il vivait depuis dans un état d'imbécillité. Il faut mentionner en terminant, comme l'un de ses succès littéraires, son œuvre de début : l'opéra de *Castor et Pollux*, joué en 1737, et dont Rameau avait composé la musique.

ÉPITRE A CORINNE

O dieu! quel infidèle guide
Des amours veut te séparer ?
Reviens, triste amante d'Euclide,
Et quitte le sentier aride
Où Maupertuis va t'égarer.

Laisse tant de sublimes folles,
Dont la marotte est le compas,
Passer de Cythère aux écoles,
Et manquer des calculs frivoles
Au lieu de compter leurs appas.

De Phaon, l'amante plus sage,
Qui ne chanta que ses amours,
De l'esprit qu'elle eut en partage,
Fit-elle un abus si sauvage ?
Perdit-elle ainsi ses beaux jours ?

Quand des tristes Zénon d'Athène,
L'erreur, étendant le pouvoir,
Du portique à la cour romaine
Apporta l'ennui du savoir,
Vit-on de leur étude avide,
Julie oublier nos chansons,
Et prendre en secret les leçons
D'un autre art que celui d'Ovide ?

Qu'Uranie au front soucieux
Tristement couronné d'étoiles,
Perce la nature et ses voiles,
Parcoure et compasse les cieux.
Mais toi, dans l'enceinte dorée
D'un entresol délicieux,
Livrée aux soins officieux
Des suivantes de Cythérée,
Ne vois que ces riens précieux
Dont brille la beauté parée,
Et sur ton image adorée
Fixe ton étude et tes yeux.

Tout est là; quel autre système,
Quel autre esprit peut t'animer ?
Ignorer tout, mais tout charmer,
Voilà ta science suprême;
Plus savante que Newton même,
Si tu savais encore aimer!

Tandis qu'un petit Zoroastre
Veille aux portes du firmament,
Et cherche au ciel quelque désastre,
Dans ton alcôve, obscurément,
Observe à tes pieds un amant,
Et renonce au coucher d'un astre;
Le flambeau d'amour est le tien :
Qu'il préside au plus doux lien,
Qu'il serve aux plaisirs du mystère,
Et que sa flamme, qui t'éclaire,
Se change, selon tes désirs,
En cette lampe de Cythère,
Nocturne témoin des plaisirs.
Au tourbillon de ton ivresse,
Que le sommeil et la mollesse
Ne te conduisent qu'à rêver;
Et par une étude certaine,
Vois chez toi, pour tout phénomène,
L'aurore à midi se lever.

Si, prenant un vol curieux,
Tu veux, d'une âme trop active,
Franchir le cercle injurieux
Où le préjugé vous captive,
Ajoute au don de la beauté
Les arts et les talents aimables;
L'amour est par eux excité,
Et, par plus d'objets arrêté,
A des triomphes plus durables.
Connais l'art profond des accords,
Fais parler un clavier sonore,
Et prête une âme à ses ressorts;
Par un chant plus flatteur encore,
Suis les pas, surpasse la voix
De Terpsichore et des Sirènes,
Et, par tous ces dons à la fois,
Présente à nos cœurs plus de chaînes.
Aux yeux des Pindare jaloux,
Fais voir ma sublime écolière :
Fais des vers tendres, comme nous.
O que le charme en sera doux
Si ton cœur en fait la matière!
Pour t'instruire et pour t'écouter,
L'amour m'a déclaré ton maître :

Je vais t'apprendre à le chanter;
Mais t'apprendrai-je à le connaître ?

LA ROSE

Tendre fruit des pleurs de l'Aurore,
Objet des baisers du Zéphir;
Reine de l'empire de Flore,
Hâte-toi de t'épanouir.

Que dis-je, hélas! crains de paraître,
Diffère un moment de t'ouvrir;
L'instant qui doit te faire naître
Est celui qui doit te flétrir.

Thémire est une fleur nouvelle
Qui subira la même loi;
Rose, tu dois briller pour elle;
Elle doit passer comme toi.

Descends de ta tige épineuse,
Va l'embellir de tes couleurs :
Tu dois être la plus heureuse
Comme la plus belle des fleurs.

Va, meurs sur le sein de Thémire;
Qu'il soit ton trône et ton tombeau.
Jaloux de ton sort, je n'aspire
Qu'au bonheur d'un trépas si beau.

Suis la main qui va te conduire
Du côté que tu dois pencher;
Eclate à nos yeux, sans leur nuire,
Pare son sein, sans le cacher.

Là, si quelque autre main s'avance,
Là, si quelqu'autre est mon égal,
Emporte avec toi ma vengeance,
Garde une épine à mon rival.

Tu vivras plus d'un jour, peut-être,
Sur le sein que tu dois parer;
Un soupir t'y fera renaître,
Si Thémire peut soupirer.

Fais-lui sentir, par mes alarmes,
Le prix du plus grand de ses biens;
En voyant expirer tes charmes,
Qu'elle apprenne à jouir des siens.

LES HÉROS D'HOMÈRE

MADRIGAL

Quel est, ô dieux! le pouvoir d'une amante ?
Quand je voyais Pâris, Achille, Hector,
La Grèce en deuil, et Pergame fumante;
« Quels fous! disais-je, Homère qui les chante
Est plus fou qu'eux. » Je n'aimais point encor.
J'aime, et je sens qu'une beauté trop chère
De ces fureurs peut verser le poison;
J'approuve tout : rien n'est beau comme Homère,
Atride est juste et Pâris a raison.

JEAN-JACQUES ROUSSEAU

1712-1778

Jean-Jacques Rousseau naquit le 28 juin 1712 à Genève et mourut le 2 juillet 1778 à Ermenonville. Nulle existence n'est plus connue; nulle biographie peut-être n'a été aussi souvent écrite. Lui-même, d'ailleurs, en a tracé un récit qui est la plus attachante de toutes ses œuvres. Nous ne le suivrons donc pas au cours de sa vagabonde jeunesse, ni pendant ses séjours auprès de Mme de Warens, dans ces Charmettes qu'il a célébrées, non seulement en prose mais encore dans des vers qu'on trouvera ci-après; nous ne le suivrons pas à Paris, dans cet hôtel de la rue des Cordiers où il connut Thérèse Levasseur, jeune servante qui devait devenir la compagne de toute sa vie, non plus que dans les diverses résidences où la bienveillance de ses protecteurs tour à tour l'abrita; nous ne retracerons pas sa carrière littéraire, dont nous avons d'ailleurs dit quelques mots dans notre Introduction, ni la bizarrerie de son humeur, ni sa mort, demeurée mystérieuse, sur laquelle on discute encore et qui a été attribuée tantôt à une attaque d'apoplexie, tantôt à un suicide, et même à un assassinat. On lit toujours la prose enivrante de Jean-Jacques, mais ses vers sont beaucoup moins connus. C'est pourquoi nous lui avons fait dans ce recueil une assez large place.

LE VERGER DES CHARMETTES

Rara domus tenuem non aspernatur amicum
Raraque non humilem calcat fastosa clientem.

Verger, cher à mon cœur, séjour de l'innocence,
Honneur des plus beaux jours que le ciel me dispense,
Solitude charmante, asile de la paix,
Puissé-je, heureux verger, ne vous quitter jamais !
O jours délicieux, coulés sous vos ombrages !
De Philomèle en pleurs les languissants ramages,
D'un ruisseau fugitif le murmure flatteur,
Excitent dans mon âme un charme séducteur.

J'apprends sur votre émail à jouir de la vie :
J'apprends à méditer sans regret, sans envie,
Sur les frivoles goûts des mortels insensés ;
Leurs jours tumultueux, l'un par l'autre poussés,
N'enflamment point mon cœur du désir de les suivre.
A de plus grands plaisirs je mets le prix de vivre.
Plaisirs toujours charmants, toujours doux, toujours purs,
A mon cœur enchanté vous êtes toujours sûrs.
Soit qu'au premier aspect d'un beau jour près d'éclore,
J'aille voir ces coteaux qu'un soleil levant dore,
Soit que vers le midi, chassé par son ardeur,
Sous un arbre touffu, je cherche la fraîcheur ;
Là, portant avec moi Montaigne ou La Bruyère,
Je ris tranquillement de l'humaine misère ;
Ou bien, avec Socrate et le divin Platon,
Je m'exerce à marcher sur le pas de Caton :
Soit qu'une nuit brillante, en étendant ses voiles,
Découvre à mes regards la lune et les étoiles ;
Alors suivant de loin La Hire et Cassini,
Je calcule, j'observe, et, près de l'infini,
Sur ces mondes divers que l'éther nous recèle,
Je pousse, en raisonnant, Huyghens et Fontenelle :
Soit enfin que, surpris d'un orage imprévu,
Je rassure, en courant, le berger éperdu
Qu'épouvantent les vents qui sifflent sur sa tête,
Les tourbillons, l'éclair, la foudre, la tempête ;
Toujours également heureux et satisfait,
Je ne désire point un bonheur plus parfait.

   O vous, sage Warens, élève de Minerve,
Pardonnez ces transports d'une indiscrète verve ;
Quoique j'eusse promis de ne rimer jamais,
J'ose chanter ici les fruits de vos bienfaits.
Oui, si mon cœur jouit du sort le plus tranquille,
Si je suis la vertu dans un chemin facile,
Si je goûte en ces lieux un repos innocent,
Je ne dois qu'à vous seule un si rare présent.
Vainement des cœurs bas, des âmes mercenaires,
Par des avis cruels plutôt que salutaires,
Cent fois ont essayé de m'ôter vos bontés :
Ils ne connaissent pas le bien que vous goûtez
En faisant des heureux, en essuyant des larmes ;
Ces plaisirs délicats, pour eux, n'ont point de charmes.
De Tite et de Trajan les libérales mains
N'excitent dans leurs cœurs que des ris inhumains.
Pourquoi faire du bien dans le siècle où nous sommes ?
Se trouve-t-il quelqu'un dans la race des hommes,
Digne d'être tiré du rang des indigents ?
Peut-il dans la misère être d'honnêtes gens ?
Et ne vaut-il pas mieux employer ses richesses
A jouir des plaisirs, qu'à faire des largesses ?

Qu'ils suivent à leur gré ces sentiments affreux,
Je me garderai bien de rien exiger d'eux.
Je n'irai pas ramper, ni chercher à leur plaire ;
Mon cœur sait, s'il le faut, affronter la misère,
Et, plus délicat qu'eux, plus sensible à l'honneur,
Regarde de plus près au choix d'un bienfaiteur.
Oui, j'en donne aujourd'hui l'assurance publique,
Cet écrit en sera le témoin authentique,
Que si jamais le sort m'arrache à vos bienfaits,
Mes besoins jusqu'aux leurs ne recourront jamais.

Laissez des envieux la troupe méprisable
Attaquer des vertus dont l'éclat les accable.
Dédaignez leurs complots, leur haine, leur fureur ;
La paix n'en est pas moins au fond de votre cœur,
Tandis que, vils jouets de leurs propres furies,
Aliments des serpents dont elles sont nourries,
Le crime et les remords portent au fond des leurs
Le triste châtiment de leurs noires horreurs.
Semblables en leur rage à la guêpe maligne,
De travail incapable, et de secours indigne,
Qui ne vit que de vols, et dont enfin le sort
Est de faire du mal en se donnant la mort,
Qu'ils exhalent en vain leur colère impuissante ;
Leurs menaces pour vous n'ont rien qui m'épouvante ;
Ils voudraient d'un grand roi vous ôter les bienfaits ;
Mais de plus nobles soins illustrent ses projets :
Leur basse jalousie et leur fureur injuste
N'arriveront jamais jusqu'à son trône auguste :
Et le monstre qui règne en leurs cœurs abattus
N'est pas fait pour braver l'éclat de ses vertus.
C'est ainsi qu'un bon roi rend son empire aimable ;
Il soutient la vertu que l'infortune accable :
Quand il doit menacer, la foudre est dans ses mains.
Tout roi, sans s'élever au-dessus des humains,
Contre les criminels peut lancer le tonnerre ;
Mais, s'il fait des heureux, c'est un dieu sur la terre.
Charles, on reconnaît ton empire à ces traits ;
Ta main porte en tous lieux la joie et les bienfaits ;
Tes sujets égalés éprouvent ta justice ;
On ne réclame plus, par un honteux caprice,
Un principe odieux, proscrit par l'équité,
Qui, blessant tous les droits de la société,
Brise les nœuds sacrés dont elle était unie,
Refuse à ses besoins la meilleure partie,
Et prétend affranchir, de ses plus justes lois,
Ceux qu'elle fait jouir de ses plus riches droits.
Ah ! s'il t'avait suffi de te rendre terrible,
Quel autre, plus que toi, pouvait être invincible,
Quand l'Europe t'a vu, guidant tes étendards,
Seul entre tous ses rois briller aux champs de Mars ?

Mais ce n'est pas assez d'épouvanter la terre ;
Il est d'autres devoirs que les soins de la guerre ;
Et c'est par eux, grand roi, que ton peuple aujourd'hui
Trouve en toi son vengeur, son père et son appui.
Et vous, sage Warens, que ce héros protège,
En vain la calomnie en secret vous assiège,
Craignez peu ses effets, bravez son vain courroux ;
La vertu vous défend et c'est assez pour vous :
Ce grand roi vous estime, il connaît votre zèle,
Toujours à sa parole il sait être fidèle,
Et, pour tout dire enfin, garant de ses bontés,
Votre cœur vous répond que vous les méritez.

    On me connaît assez et ma muse sévère
Ne sait point dispenser un encens mercenaire ;
Jamais d'un vil flatteur le langage affecté
N'a souillé dans mes vers l'auguste vérité.
Vous méprisez vous-même un éloge insipide,
Vos sincères vertus n'ont point l'orgueil pour guide.
Avec vos ennemis convenons, s'il le faut,
Que la sagesse en vous n'exclut point tout défaut.
Sur cette terre, hélas ! telle est notre misère,
Que la perfection n'est qu'erreur et chimère,
Connaître mes travers est mon premier souhait,
Et je fais peu de cas de tout homme parfait.
La haine quelquefois donne un avis utile ;
Blâmez cette bonté trop douce et trop facile,
Qui souvent, à leurs yeux, a causé vos malheurs.
Reconnaissez en vous les faibles des bons cœurs :
Mais sachez qu'en secret l'éternelle sagesse
Hait leurs fausses vertus plus que votre faiblesse,
Et qu'il vaut mieux cent fois se montrer à ses yeux
Imparfait comme vous, que vertueux comme eux.

    Vous donc dès mon enfance attachée à m'instruire,
A travers ma misère, hélas ! qui crûtes lire
Que de quelques talents le ciel m'avait pourvu,
Qui daignâtes former mon cœur à la vertu,
Vous que j'ose appeler du tendre nom de mère,
Acceptez aujourd'hui cet hommage sincère,
Le tribut légitime et trop bien mérité,
Que ma reconnaissance offre à la vérité.
Oui, si quelques douceurs assaisonnent ma vie ;
Si j'ai pu jusqu'ici me soustraire à l'envie ;
Si, le cœur plus sensible, et l'esprit moins grossier,
Au-dessus du vulgaire on m'a vu m'élever ;
Enfin, si chaque jour je jouis de moi-même,
Tantôt en m'élançant jusqu'à l'Etre suprême,
Tantôt en méditant, dans un profond repos,
Les erreurs des humains, et leurs biens, et leurs maux,
Tantôt, philosophant sur les lois naturelles,

J'entre dans le secret des causes éternelles,
Je cherche à pénétrer tous les ressorts divers,
Les principes cachés qui meuvent l'univers ;
Si, dis-je, en mon pouvoir j'ai tous ces avantages,
Je le répète encor, ce sont là vos ouvrages,
Vertueuse Warens ; c'est de vous que je tiens
Le vrai bonheur de l'homme et les solides biens.

Sans craintes, sans désirs, dans cette solitude,
Je laisse aller mes jours exempts d'inquiétude :
O que mon cœur touché ne peut-il à son gré
Peindre sur ce papier, dans un juste degré,
Des plaisirs qu'il ressent la volupté parfaite !
Présent dont je jouis, passé que je regrette,
Temps précieux, hélas ! je ne vous perdrai plus
En bizarres projets, en soucis superflus.
Dans ce verger charmant j'en partage l'espace.
Sous un ombrage frais, tantôt je me délasse ;
Tantôt avec Leibnitz, Malebranche et Newton,
Je monte ma raison sur un sublime ton,
J'examine les lois des corps et des pensées ;
Avec Locke je fais l'histoire des idées ;
Avec Képler, Wallis, Barrow, Raynaud, Pascal,
Je devance Archimède, et je suis l'Hospital [1].
Tantôt, à la physique appliquant mes problèmes,
Je me laisse entraîner à l'esprit des systèmes :
Je tâtonne Descarte et ses égarements,
Sublimes, il est vrai, mais frivoles romans.
J'abandonne bientôt l'hypothèse infidèle,
Content d'étudier l'histoire naturelle.
Là, Pline et Nieuwentit, m'aidant de leur savoir,
M'apprennent à penser, ouvrir les yeux, et voir.
Quelquefois, descendant de ces vastes lumières,
Des différends mortels je suis les caractères ;
Quelquefois, m'amusant jusqu'à la fiction,
Télémaque et Séthos me donnent leur leçon ;
Ou bien dans Cléveland j'observe la nature,
Qui se montre à mes yeux touchante et toujours pure.
Tantôt aussi, de Spon parcourant les cahiers,
De ma patrie en pleurs je relis les dangers.
Genève, jadis sage, ô ma chère patrie !
Quel démon dans ton sein produit la frénésie ?
Souviens-toi qu'autrefois tu donnas des héros,
Dont le sang t'acheta les douceurs du repos.
Transportés aujourd'hui d'une soudaine rage,
Aveugles citoyens, cherchez-vous l'esclavage ?
Trop tôt peut-être, hélas ! pourrez-vous le trouver ;
Mais, s'il est encor temps, c'est à vous d'y songer.

---

1. « Le marquis de l'Hospital, auteur de l'*Analyse des infiniment petits*, et de plusieurs autres ouvrages de mathématiques. »

Jouissez des bienfaits que Louis vous accorde.
Rappelez dans vos murs cette antique concorde.
Heureux si, reprenant la foi de vos aïeux,
Vous n'oubliez jamais d'être libres comme eux !
O vous, tendre Racine ! ô vous, aimable Horace !
Dans mes loisirs aussi vous trouvez votre place ;
Claville, Saint-Aubin, Plutarque, Mézerai,
Despréaux, Cicéron, Pope, Rollin, Barclai,
Et vous, trop doux La Mothe, et toi, touchant Voltaire,
Ta lecture à mon cœur restera toujours chère.
Mais mon goût se refuse à tout frivole écrit
Dont l'auteur n'a pour but que d'amuser l'esprit :
Il a beau prodiguer la brillante antithèse,
Semer partout des fleurs, chercher un tour qui plaise :
Le cœur, plus que l'esprit, a chez moi des besoins,
Et, s'il n'est attendri, rebute tous ces soins.

C'est ainsi que mes jours s'écoulent sans alarmes.
Mes yeux sur mes malheurs ne versent point de larmes,
Si des pleurs quelquefois altèrent mon repos,
C'est pour d'autres sujets que pour mes propres maux,
Vainement la douleur, les craintes, la misère,
Veulent décourager la fin de ma carrière ;
D'Epictète asservi la stoïque fierté
M'apprend à supporter les maux, la pauvreté ;
Je vois, sans m'affliger, la langueur qui m'accable ;
L'approche du trépas ne m'est point effroyable ;
Et le mal dont mon corps se sent presque abattu
N'est pour moi qu'un sujet d'affermir ma vertu.

SUITE AU *SIÈCLE PASTORAL* DE GRESSET [1]

Mais qui nous eût transmis l'histoire
De ces temps de simplicité ?
Etait-ce au temple de Mémoire
Qu'ils gravaient leur félicité ?

La vanité de l'art d'écrire
L'eût fait bientôt évanouir ;
Et, sans songer à la décrire,
Ils se contentaient d'en jouir.

Des traditions étrangères
En parlent sans obscurité ;

[1]. « Le philosophe de Genève fut tellement ému à la lecture du *Siècle pastoral* qu'il entreprit de donner une suite à l'Idylle de Gresset. » On trouvera cette Idylle p. 165 du présent volume.

Mais dans ces sources mensongères
Ne cherchons point la vérité.

Cherchons-la dans le cœur des hommes,
Dans ces regrets trop superflus
Qui disent dans ce que nous sommes
Tout ce que nous ne sommes plus.

Qu'un savant des fastes des âges
Fasse la règle de sa foi ;
Je sens de plus sûrs témoignages
De la mienne au-dedans de moi.

Ah ! qu'avec moi le ciel rassemble,
Apaisant enfin son courroux,
Un autre cœur qui me ressemble !
L'âge d'or renaîtra pour nous.

ÉPITAPHE DE VOLTAIRE

Plus bel esprit que beau génie,
Sans foi, sans honneur, sans vertu,
Il mourut comme il a vécu,
Couvert de gloire et d'infamie.

PESSELIER

1712-1763

Charles-Etienne Pesselier naquit le 9 juillet 1712 et il mourut le 24 avril 1763. On ne connaît pas l'histoire de sa vie. Il a passé presque sans laisser de traces. Il semble avoir été un homme simple et raisonnable. On sait qu'il a rédigé pendant quelque temps, avec Dreux du Radier, un journal littéraire, *le Glaneur français*, et qu'il a composé plusieurs ouvrages dont le principal, le seul que l'on cite encore, est le recueil de ses fables. Il n'y en a pas d'excellentes, mais toutes non plus ne sont pas négligeables. Trop souvent, il gâte sa veine par sa prolixité ou par la recherche de trop d'originalité; mais il a eu le mérite de faire des fables véritables à un moment où, sous le nom de fables, c'était plutôt des contes que les poètes composaient, et parmi celles dont il est l'auteur, il en est qui sont bien conçues et habilement tournées. Nous en donnons trois qui montreront la variété de son inspiration; on y trouvera et de l'esprit et de la grâce.

FABLES

I

LE JET D'EAU ET LE RUISSEAU

Dans un palais charmant, où l'art, par aventure,
Sans la défigurer fécondait la nature,
      Le plus tranquille des ruisseaux
Etait assez voisin du plus fier des jets d'eaux.

    Le modeste ruisseau, le long d'une avenue,
      Coulait sans pompe et sans fracas :
Le superbe jet d'eau s'élevait dans la nue,
Et du ruisseau voisin faisait fort peu de cas.
      Il poussa même l'arrogance
      (Où l'orgueil ne mène-t-il pas ?)
Jusqu'à trouver mauvais, dans son extravagance,

Qu'un ruisseau dans ces lieux osât porter ses pas.
« N'es-tu pas las, dit-il, de ramper sur la terre,
       Tandis qu'au séjour du tonnerre
Tu vois que je m'élance avec activité ?
Tu ne seras jamais qu'une onde méprisable,
Digne, au plus, d'arroser quelque bois écarté;
Mais de paraître ici tu n'es pas excusable,
       Et c'est une témérité...
— Eh! de grâce, mon cher, un peu moins de fierté,
Interrompt le ruisseau : pensez donc, camarade,
Que ce rôle brillant dont vous faites parade,
Votre onde ne le doit qu'à sa captivité :
Dans les canaux, il faut qu'elle soit resserrée,
       Pour que, vers la voûte éthérée,
Elle puisse jaillir avec rapidité.
Je ne m'élève point jusques à l'Empyrée,
       Non; mais je coule en liberté. »

       Naïve, mais fidèle image
       Du bourgeois et du grand seigneur,
       A celui-ci je rends hommage,
       Car à tout seigneur tout honneur;
Mais de l'autre, entre nous, j'envierais le bonheur.
Je ne vois dans les grands que de nobles esclaves,
       Qui ne doivent qu'à leurs entraves
L'éclat que le vulgaire attache à leurs états :
A Dieu ne plaise, hélas! que je leur porte envie;
J'ai pris pour ma devise, et pour toute ma vie :
       Plus de liberté, moins d'éclat.

             II

     MINERVE ENDORMIE PAR L'AMOUR

  On m'a dit que l'Amour, à trois grandes déesses
Voulant donner des fleurs, eut soin de les choisir
       Différentes dans leurs espèces
Pour la variété du goût et du plaisir.

       Junon, trop surveillante épouse
       De Jupiter, mari coquet,
       N'eut que des soucis pour bouquet :
Les soucis sont le lot d'une flamme jalouse.

       De son petit lutin de fils
       Vénus reçut aussi l'hommage;
       C'étaient des roses et des lis,
       De la beauté brillante image,
       Dignes d'être offerts à Cypris.

Quand ce vint à Pallas, déité peu docile,
   Il fallut redoubler l'apprêt;
   Et l'Amour, tout adroit qu'il est,
   Trouva la chose difficile.
Elle était délicate en effet. Peu s'en faut
Qu'en pareil cas ce dieu ne se trouve en défaut.

Cependant cet enfant qu'à Paphos on révère,
   A la divinité sévère,
   D'un air doux, naïf, innocent
(Et cet air ingénu n'est pas sans éloquence),
   Donna des pavots en présent,
   Fleurs que l'on crut sans conséquence.
Mais à peine Pallas eut-elle à son côté
   Ce bouquet enchanté,
   Que soudain la déesse austère
S'endormit dans les bras de l'enfant de Cythère,
   Qui malignement regardait
   L'effet de son petit mystère :
   Et voilà ce qu'il demandait!

   Maîtres passés en amourettes,
Qu'une jeune beauté doit craindre votre abord!
Dès qu'elle a respiré l'odeur de vos fleurettes,
La nature s'éveille, et la vertu s'endort.

III

LA BOUCHE ET LES YEUX

J'ai lu, je ne sais plus quand, ni dans quel endroit,
Qu'un matin... Attendez... c'était chez une dame,
Belle bouche et beaux yeux se disputaient le droit
De bien interpréter les mouvements de l'âme.
   La bouche (nous nous abusons
Dans les vastes projets que notre orgueil nous prête)
Se crut d'abord du cœur le meilleur interprète,
Et dit, pour le prouver, d'assez bonnes raisons.
Mais les yeux, de leur part, ont aussi leur langage;
   On le prétend même éloquent.
L'opéra nous le dit; je le crois, et je gage
Que ce langage-là n'est pas le moins piquant.
   Quoi qu'il en soit, sur ce chapitre
De la bouche et des yeux, le cœur, nommé l'arbitre
   Pour terminer leurs différends,
Voulut leur assigner des rôles différents :
« Vis-à-vis de l'objet qui vous blesse ou vous touche,
Amis, dit-il, voici quels seront vos égards;
Les refus doivent être annoncés par la bouche,
   Et les faveurs par les regards. »

DIDEROT

1713-1784

Denis Diderot naquit le 5 octobre 1713 à Langres et mourut le 31 juillet 1784 à Paris. Nous n'avons pas à raconter ici cette existence pleine d'œuvres et d'aventures. Philosophe, romancier, auteur dramatique, critique d'art, Diderot ne fut poète que par occasion, rarement; il n'appartient donc à notre recueil que par la partie la moins considérable et aussi la moins importante de son œuvre. De ses vers, qu'aucun mérite particulier ne relève, nous avons cité plusieurs pièces qui montreront en lui un poète galant et un poète philosophe. On était volontiers alors l'un et l'autre.

LE CODE DENIS [1]

Dans ses Etats, à tout ce qui respire,
Un souverain prétend donner la loi;
　　　C'est le contraire en mon empire;
　　　Le sujet règne sur son roi.

Diviser pour régner, la maxime est ancienne;
Elle fut d'un tyran; ce n'est donc pas la mienne.
Vous unir est mon vœu : j'aime la liberté;
　　　Et si j'ai quelque volonté
　　　C'est que chacun fasse la sienne.

1. « *Suivant l'usage antique et solennel*, on sert en France le jour des Rois un gâteau qu'on partage en autant de parts qu'il y a de convives... La royauté étant tombée en partage à M. Diderot, au dîner où nous étions, il n'a pas voulu laisser languir ses sujets; il a publié ses lois successivement pendant qu'on était à table, de sorte qu'avant de sortir et de déposer son sceptre tous les devoirs de législation se trouvèrent remplis par l'impromptu que vous allez lire. » (Grimm, sous la date du 15 janvier 1770, dans la *Correspondance littéraire, philosophique et critique par Grimm, Diderot*, etc. Ed. Maurice Tourneux, t. VIII, p. 442.)

Amis qui composez ma cour,
Au dieu du vin rendez hommage;
Rendez hommage au dieu d'amour :
Aimez et buvez tour à tour,
Buvez pour aimer davantage.

Que j'entende, au gré du désir,
Et les éclats de l'allégresse,
Et l'accent doux de la tendresse,
Le choc du verre et le bruit du soupir.

Au frontispice de mon code
Il est écrit : « Sois heureux à ta mode,
Car tel est notre bon plaisir. »

Fait l'an septante et mil sept cent,
Au petit Carrousel en la cour de Marsan;
Assis près d'une femme aimable,
Le cœur nu sur la main, les coudes sur la table.
Signé : « DENIS, sans terre ni château,
Roi par la grâce du gâteau. »

STANCES IRRÉGULIÈRES

POUR UN PREMIER JOUR DE L'AN

Tel qu'un ruisseau silencieux,
Par son cristal uni, par son cours insensible,
Image du repos, en impose à nos yeux;
Tel et plus fugitif, et plus imperceptible,
Dans son rapide et secret mouvement,
Le moment nous échappe, et non moins sourdement
S'écoulera le moment qui va suivre.
Mais du temps qui s'enfuit à quoi bon s'alarmer,
Si ce n'était, Philis, qu'un jour de moins à vivre
Est un jour de moins à s'aimer ?

Les dieux ont dit au Temps : « Tu marcheras sans cesse »,
Mais l'éternel décret ne lui permettant pas
D'accélérer ou d'étendre son pas,
Apprends comment on peut le gagner de vitesse.
Le bonheur! pour un seul instant,
Compte plus d'une jouissance :
Hâtons-nous donc, Philis, aimons-nous tant et tant,
Que d'un même plaisir maint autre résultant,
Nous dérobions au temps quelques lustres d'avance.

Tandis qu'un sable mobile,
La mesure de nos jours,

Hors de sa prison fragile
Va précipitant son cours,
Tu parles, je t'entends, je te vois, je t'admire;
Dans ma raison, dans mon délire,
Ou je baise tes yeux, ou je presse tes mains;
Et quel autre que moi peut savoir et peut dire
Ce que je dois encore à chacun de ses grains ?
Oublié de tous deux, puisse le dieu bizarre
Tous les deux nous oublier;
Ou touché d'une vie aussi douce, aussi rare,
Retourner son sablier.

TRADUCTION LIBRE DU COMMENCEMENT DE
LA PREMIÈRE SATIRE D'HORACE

Qui fit, Maecenas, etc...

Dites-moi donc pourquoi ce bizarre animal,
L'homme, dans son état, se trouve toujours mal ?
Qu'il tienne cet état, ou de la circonstance,
Ou de son propre choix, c'est la même inconstance.
Quel est de son éloge un éternel sujet ?
Quel est de son envie un éternel objet ?
Le sort de son voisin. Des travaux de la guerre
Le soldat accablé, jetant son casque à terre,
S'écrie avec douleur : « Heureux le commerçant! »
Tandis que celui-ci, consterné, gémissant,
Dit en voyant ses jours, ses jours et sa fortune
Livrés à la merci d'Eole et de Neptune :
« Trop heureux le soldat! on se bat bravement,
On triomphe ou l'on meurt, c'est le mal d'un moment. »
Si le bruit d'un client tiré de sa chaumière,
En ébranlant sa porte entr'ouvre sa paupière,
De l'avocat alors écoutez le propos :
« Ah! ce n'est plus qu'aux champs qu'habite le repos. »
Et le laboureur ? Lui, dédaignant ses charrues,
Pense que le bonheur n'est qu'au coin de nos rues.
Le récit de ces traits pourrait, par sa longueur,
Des poumons de Raynal épuiser la vigueur.
Mais pour en épargner à votre impatience
La liste, écoutez-moi! Voici ce que je pense.
Supposons qu'assourdi de ces vœux insensés,
Jupiter, un beau jour, les a tous exaucés,
Il dit au commerçant : « Empoigne cette épée,
Qu'elle soit dans le sang incessamment trempée;
Marche sous le drapeau, car te voilà guerrier. »
Au soldat : « De ton front arrache ce laurier.
Tu pars pour Ceylan, le pilote t'appelle;

Va, et rapporte-nous le poivre et la cannelle;
Te voilà commerçant. » Il dit au laboureur :
« Les champs ne seront plus trempés de ta sueur;
Tu ne mendieras plus dans ces villes cruelles
Un peu de ce froment que tu sèmes pour elles.
Endosse cette robe; au voleur opulent,
Au puissant malfaiteur vends ton petit talent;
Je te fais avocat... Et toi, prends cette bêche,
Défriche, sarcle, émonde; allons, vite, dépêche,
En parcourant des cieux les ardentes maisons
Le soleil t'avertit des prochaines moissons.
Va nettoyer ton aire, aiguiser ta faucille;
Rassemble sur ton champ tes valets, ta famille;
Attelle, et que tes bœufs à tirer essoufflés,
Fléchissent les genoux sous le poids de tes blés.
Tu n'es plus avocat. Jupiter te condamne
A quitter pour jamais l'antre de la chicane.
Te voilà gros fermier... Allez donc... Allez tous...
N'êtes-vous pas enfin servis selon vos goûts ?
Partez... Je parle en vain... Ils font la sourde oreille...
Et qui pouvait s'attendre à sottise pareille ?...
A quoi tient-il ?... Mais non, calmons notre courroux;
Je les fis tels qu'ils sont, et je les fis bien fous. »
Le dieu sourit, s'éloigne, et dans moins d'un quart d'heure
Revoit des Immortels la paisible demeure,
Jurant qu'à l'avenir ils auront beau prier,
Et jurant, par le Styx, de les laisser crier...

Je voulais jusqu'au bout suivre les pas d'Horace;
Mais, le dirai-je ? ici mon guide s'embarrasse.
Son écrit décousu n'offre à mon jugement
Que deux lambeaux exquis rapprochés sottement.
Qu'on doute de la chose, ou que l'on en accuse
De quelque vieux rhéteur la pédantesque muse,
J'abandonne la forme au premier disputant,
Pourvu que sur le fond on m'entende un instant.
La tonne des plaisirs et la tonne des peines,
Vastes également, sont également pleines.
Mais tandis qu'à grands flots l'une verse le fiel,
L'autre, avare, ne rend qu'une goutte de miel.
Savourons cette goutte, et que la triste envie
Cesse par ses poisons d'infecter notre vie.
Soyons heureux chez nous. Ne vîtes-vous jamais
La gaîté sous le chaume, et l'ennui sous un dais ?
Souvent. Abjurez donc la sotte conséquence
Qui fixe le bonheur aux pieds de l'opulence;
Et dites, en dépit du vulgaire falot,
Que les biens et les maux sont notre commun lot.
De son propre fardeau, mon épaule pressée,
Ignore le fardeau dont la vôtre est blessée.
Suis-je d'un peu de bien devenu possesseur,

L'habitude perfide en détruit la douceur.
D'une peine légère éprouvé-je l'atteinte,
La durée au contraire en aiguise la pointe [1].
Mais chacun peut se dire, en causant avec soi :
« Cet ordre du destin n'est-il fait que pour moi ?
Je ne sais ce qui bout dans l'âtre de cet autre ;
Laissons-lui sa gamelle, et vivons à la nôtre. »

---

1. VARIANTE :
    D'une peine au contraire, ai-je l'âme effleurée,
    Je sens que ma douleur s'accroît par sa durée.

BERNIS

1715-1794

François-Joachim de Pierre de Bernis naquit le 22 mai 1715 à Saint-Marcel, dans le Vivarais. Il fit ses études à Paris, partie chez les jésuites du collège Louis-le-Grand, partie au séminaire de Saint-Sulpice. Il était en effet, en qualité de cadet, destiné à la carrière ecclésiastique. Il ne s'engagea pas tout d'abord au-delà des ordres mineurs, et le siècle fut doté d'un petit abbé de plus. Celui-ci était avenant, « bien joufflu, bien gras, bien poupin », d'une parfaite bonne grâce et de beaucoup d'esprit. Il tournait des vers galants. Il eut tout de suite du succès dans les sociétés où il fréquenta. Il était pauvre, mais par son agrément il mena rapidement sa fortune. Mme de Pompadour, à qui il plut infiniment, y aida de tout son pouvoir. Pour ses petits vers, l'abbé de Bernis fut, à vingt-neuf ans, admis à l'Académie française. Mais ce n'était là qu'un honneur; bientôt lui vinrent les profits et les places. Sa protectrice lui fit donner, en 1753, l'ambassade de Venise. Dans cette noble cité, l'abbé de Bernis s'ennuya. Il y resta pourtant environ trois années. Rentré en France en 1756, il fut nommé sous-secrétaire d'État; l'année suivante, il devint ministre des Affaires étrangères; en 1758, il reçut le chapeau de cardinal. Il n'était pourtant pas prêtre encore, mais il avait franchi, trois ans auparavant, le pas irrévocable dans la voie du sacerdoce en recevant le premier des ordres majeurs. Doté d'importants bénéfices, et revêtu des plus hautes dignités, il était, de toutes les façons, parvenu au faîte de la fortune. Mais cette année 1758 fut aussi celle de sa disgrâce; en désaccord avec la favorite, il fut exilé à Vic-sur-Aisne, près de Soissons. Au bout de quelques années cependant, la faveur lui revint. En 1764, il obtint l'archevêché d'Albi, et, en 1769, l'ambassade de Rome. Il remplit sa mission d'ambassadeur jusqu'en mars 1791. A cette époque, son refus de prêter sans restriction le serment constitutionnel le fit relever de ses fonctions. Il continua de vivre à Rome et c'est dans cette ville qu'il mourut le 1er novembre 1794. Les œuvres poétiques de Bernis sont presque entièrement les fruits de sa jeunesse. Elles ont les qualités de facilité, d'aisance et de grâce qu'on trouve à beaucoup de petits poètes de son temps. Il n'a ni grandeur, ni élévation, mais sa mollesse sait trouver des touches harmonieuses. Sa prose a plus de charme et de viva-

cité et on lit avec un plaisir égal dans la correspondance qu'il eut avec
Voltaire les lettres de l'un et de l'autre de ces deux hommes d'esprit. Il a aussi laissé des sermons et un poème sur *la Religion vengée*.

ÉPITRE SUR LA PARESSE

A Monsieur De ★★★.

Censeur de ma chère paresse,
Pourquoi viens-tu me réveiller ?
Au sein de l'aimable mollesse
Où j'aime tant à sommeiller ?
Laisse-moi, philosophe austère,
Goûter voluptueusement
Le doux plaisir de ne rien faire
Et de penser tranquillement.
Sur l'Hélicon tu me rappelles :
Mais ta muse en vain me promet
Le secours constant de ses ailes
Pour m'élever à son sommet;
Mon esprit, amoureux des chaînes
Que lui présente le repos,
Frémit des veilles et des peines
Qui suivent le dieu de Délos.
Veux-tu qu'héritier de la plume
Des Malherbes, des Despréaux,
Dans mes vers pompeux je rallume
Le feu qui sort de leurs pinceaux ?
Ce n'est point à l'humble colombe
A suivre l'aigle dans les cieux.
Sous les grands travaux je succombe;
Les jeux et les ris sont mes dieux.
Peut-être d'une voix légère,
Entre l'amour et les buveurs,
J'aurais pu vanter à Glycère
Et mon amour et ses faveurs;
Mais la Suze, la Sablière,
Ont cueilli les plus belles fleurs,
Et n'ont laissé dans leur carrière
Que des narcisses sans couleurs.
Pour éterniser sa mémoire
On perd les moments les plus doux :
Pourquoi chercher si loin la gloire ?
Le plaisir est si près de nous!
Dites-moi, mânes des Corneilles,
Vous qui, par des vers immortels,
Des dieux égalez les merveilles,
Et leur disputez les autels,
Cette couronne toujours verte

Qui pare vos noms triomphants,
Vous venge-t-elle de la perte
De vos amours, de vos beaux ans ?
Non, vos chants, triste Melpomène,
Ne troubleront point mes loisirs :
La gloire vaut-elle la peine
Que j'abandonne les plaisirs ?
Ce n'est pas que, froid quiétiste,
Mes yeux, fermés par le repos,
Languissent dans une nuit triste
Qui n'a pour fleurs que des pavots;
Occupé de riants mensonges,
L'amour interrompt mon sommeil;
Je passe de songes en songes,
Du repos je vole au réveil.
Quelquefois pour Eléonore,
Oubliant son oisiveté,
Ma jeune muse touche encore
Un luth que l'amour a monté;
Mais elle abandonne la lyre
Dès qu'elle est prête à se lasser;
Car, enfin, que sert-il d'écrire ?
N'est-ce pas assez de penser ?

LES PETITS TROUS

CONTE

Ainsi qu'Hébé, la jeune Pompadour,
  A deux jolis trous sur la joue!
Deux trous charmants où le plaisir se joue,
Qui furent faits par la main de l'Amour.
L'enfant ailé, sous un rideau de gaze,
La vit dormir et la prit pour Psyché.
Qu'elle était belle! à l'instant il s'embrase,
Sur ses appas, il demeure attaché.
Plus il la voit, plus son délire augmente;
Et pénétré d'une si douce erreur,
Il veut mourir sur sa bouche charmante,
Heureux encor de mourir son vainqueur.
    Enchanté des roses nouvelles
      D'un teint dont l'éclat éblouit,
Il les touche du doigt, elles en sont plus belles;
Chaque fleur sous sa main s'ouvre et s'épanouit.
Pompadour se réveille, et l'Amour en soupire;
Il perd tout son bonheur en perdant son délire :
L'empreinte de son doigt forma ce joli trou,
      Séjour aimable du sourire,
      Dont le plus sage serait fou.

L'AMOUR ET LES NYMPHES

ODE ANACRÉONTIQUE

Auprès d'une féconde source,
D'où coulent cent petits ruisseaux,
L'Amour, fatigué de sa course,
Dormait sur un lit de roseaux.

Les naïades, sans défiance,
S'approchent d'un pas concerté,
Et toutes, en un grand silence,
Admirent sa jeune beauté.

« Ma sœur, que sa bouche est vermeille! »
Dit l'une d'un ton indiscret.
L'Amour, qui l'entend, se réveille,
Et se félicite en secret.

Il cache ses desseins perfides
Sous un air engageant et doux :
Les nymphes, bientôt moins timides,
Le font asseoir sur leurs genoux.

Eucharis, Naïs et Thémire
Couronnent sa tête de fleurs.
L'Amour, d'un gracieux sourire,
Répond à toutes leurs faveurs.

Mais bientôt, aux flammes cruelles
Qui brûlent la nuit et le jour,
Ces indiscrètes immortelles
Connurent le perfide Amour.

« Ah! rendez-nous, dieu de Cythère,
Disent-elles, notre repos!
Pourquoi le troubler, téméraire ?
Nous brûlons au milieu des eaux.

— Nourrissez plutôt, sans vous plaindre,
Répond l'Amour, mes tendres feux :
Je les allume quand je veux;
Mais je ne saurais les éteindre. »

IMPROMPTU

A UNE DAME QUI SE PLAIGNAIT D'ÊTRE AGÉE
DE QUATRE-VINGTS ANS

Avec les qualités à tant d'esprit unies,
Pouvez-vous regretter, Doris, vos premiers jours ?
Vous êtes aujourd'hui la Reine des génies
    Et vous la fûtes des amours.

Songez qu'il est bien peu d'hivers comme le vôtre
En vous laissant l'esprit, qu'a-t-il pu dérober ?
Doris, c'est proprement passer d'un trône à l'autre :
    Appelle-t-on cela tomber ?

A MADAME LA MARQUISE DE P***

QUI DEMANDAIT A L'AUTEUR CE QUE C'EST QUE L'AMOUR

L'Amour ? C'est un enfant, mon maître;
    Il l'est aussi du berger et du roi.
Il est fait comme vous, il pense comme moi,
    Mais il est plus hardi peut-être.

DUC DE NIVERNAIS
1716-1798

Louis-Jules Mancini-Mazarini, petit-fils du duc de Nevers, le neveu de Mazarin, naquit le 16 décembre 1716. Il suivit d'abord la carrière des armes et prit part à diverses campagnes; son mauvais état de santé le contraignit, jeune encore, à quitter l'armée. Il écrivait déjà et surtout il composait des vers; ses légers titres littéraires, joints à ceux de sa naissance et aux avantages que lui donnait sa position dans le monde, le firent choisir par l'Académie française, alors qu'il avait à peine vingt-sept ans, pour occuper le fauteuil de Massillon. Mais les lettres étaient son passe-temps et non point sa carrière. Ayant renoncé à l'armée il entra dans la diplomatie et fut ambassadeur successivement à Rome, à Berlin et à Londres, avec un intervalle de plusieurs années entre chacune de ces ambassades. Mêlé à la disgrâce du duc de Choiseul, il fut dès lors sans emploi et perdit même, sous Louis XVI, tout son crédit à la cour. Emprisonné en septembre 1793, il ne fut libéré que le 9 thermidor; pendant sa captivité, il fit des vers. Rendu à la liberté, il entreprit la publication d'une édition de ses œuvres. Elle parut en 1796 et forme 8 volumes in-8°. Mancini-Nivernais mourut peu après, le 25 février 1798. Il avait vécu ses dernières années dans une condition modeste, sans que le sort contraire eût abattu son âme ou altéré son humeur. Il avait autrefois joui d'une grande fortune et connu les plus brillants succès mondains; parfait galant homme, homme d'esprit, possédant les langues vivantes et les langues anciennes, très bon acteur, moins bon poète, il avait toujours conservé intact le prestige de sa haute naissance. Aussi à Mme Geoffrin qui avait dit : « Il est manqué de partout, guerrier manqué, ambassadeur manqué, homme d'affaires manqué, et auteur manqué », Horace Walpole pouvait répliquer : « Non, il n'est pas homme de naissance manqué. » Chateaubriand salua à son tour en Nivernais « l'homme de bonne compagnie »; le prince de Ligne lui trouvait « beaucoup d'agrément dans la société, d'aménité dans les mœurs et le ton excellent d'un grand seigneur homme de cour », mais il lui paraissait « peut-être un peu trop homme de lettres... » Toutes ces qualités réunies ne font pas un poète; H. Potez ne le considère d'ailleurs pas autrement que comme un amateur, « un homme du monde qui se piquait d'écrire ». Mais c'est un amateur qui a beaucoup écrit et principalement des vers : fables (il en a composé près de deux cent cinquante, divisées en douze livres), élégies, faibles et affectées, épîtres, contes, épigrammes, énigmes, chansons, traductions et imitations en vers de Pope, de Milton, de Gray, de Métastase, de Virgile, d'Ovide. De cette abondante et assez médiocre production nous avons extrait les quelques pièces ci-après.

LE SIGISBÉE OCTOGÉNAIRE

*A ***.*

En m'apprêtant au grand voyage
Qu'annoncent mes quatre-vingts ans,
De mes plus secrets sentiments
Je vous offre un dernier hommage.

Des remords et du désespoir
J'ignore la cruelle atteinte :
Je passerai le fleuve noir
Sans repentir comme sans crainte.

Je verrai Minos sans effroi ;
Qu'a-t-il à reprendre en ma vie ?
La vertu fut ma seule loi ;
Etre aimé fut ma seule envie.

Sous un ciel à jamais serein
Citoyen des Champs-Elysées,
Je partagerai le destin
Promis aux âmes fortunées.

Partout ce séjour enchanté
Offre un bonheur toujours facile ;
Tout ce qui n'est pas volupté
Est inconnu dans cet asile.

Mais, hélas ! ce séjour si doux
Comment peut-il me satisfaire ?
Rien ne m'y manquera que vous,
Et sans vous rien ne peut me plaire.

Les belles, les héros, les rois,
Hôtes de cette heureuse rive,
Verront pour la première fois
Une ombre inquiète et plaintive.

Chacun d'eux me demandera
D'où vient ma tristesse profonde,

Et chacun la partagera
Quand on vous saura dans le monde.

Dans ce séjour rival des cieux
Je ferai connaître l'envie;
Aux plus fortunés demi-dieux
Je ferai regretter la vie.

Vous les verrez tous à ma voix,
Amants de votre renommée,
Pour aller vivre sous vos lois
Prêts à déserter l'Elysée.

Et s'ils arrivent à Lormoy [1],
Par un miracle assez étrange,
Je vous jure de bonne foi
Qu'ils croiraient bien gagner au change.

Mais peut-être ils voudront savoir
Quel prix le don de ma franchise
De votre cœur put recevoir :
Que voulez-vous que je leur dise ?

(1796.)

MES SOUHAITS

CHANSON

D'aimer jamais si je fais la folie,
Et que je sois le maître de mon choix,
Connais, Amour, celle qui sous ses lois
Pourra fixer le destin de ma vie.

Je la voudrais moins belle que gentille,
Trop de fadeur suit de près la beauté;
Simples attraits piquent la volupté,
Du feu d'amour joli minois pétille.

Je la voudrais moins coquette que tendre,
Sans être Agnès, ayant peu de désir;
Sans le chercher, se livrant au plaisir,
Et l'augmentant en voulant se défendre.

Je la voudrais simple dans sa parure,
Sans négliger le soin de ses appas;
Car un peu d'art, qui ne s'aperçoit pas,
Ajoute encore au prix de la nature.

1. « Maison de campagne de Mme de M ***. »

Je la voudrais n'ayant pas d'autre envie,
D'autre bonheur que celui de m'aimer ;
Si cet objet, Amour, peut se trouver,
De te servir je ferai la folie.

LE FILS DU ROI ET LES PORTRAITS

FABLE

Le fils d'un roi touchait à l'âge de raison.
  Ne croyez pas pour cela qu'il fût sage :
  Voit-on le ciel tout à fait sans nuage
  Aux premiers jours de la belle saison ?
  Quoi qu'il en soit, on forme sa maison,
On lui donne un palais, on le meuble, on l'arrange,
    Et le roi, pour tout ornement,
    Fit mettre dans l'appartement
  Force tableaux : non pas de Michel-Ange
  Ou de Rubens ; mais portraits seulement,
    Et portraits de toute manière.
  On y voyait seigneurs et paysans,
  Prêtres, soldats, magistrats, artisans ;
    Bref, l'humanité tout entière
    Se présentait là par extraits.
Le prince adolescent goûta peu ces portraits ;
    Il eût mieux aimé des dorures,
    Et des glaces et des vernis.
  Le roi lui dit là-dessus : « Va, mon fils,
  Tu n'es qu'un sot, et ces peintures
Devraient avoir à tes yeux plus de prix.
Ne vois-tu pas qu'avec elles nous sommes
    Au milieu de tous nos sujets ?
    Tu voudrais des colifichets ;
    Ne vaut-il pas mieux voir des hommes ?
Mais voici plus encor que de les voir.
Observe ici comme par le pouvoir
    D'une magique perspective,
D'aucun côté tu ne peux te mouvoir
    Sans que partout leur œil te suive.
    Or, voilà ce qui nous arrive
    Dans le monde, à nous autres rois.
    Seigneurs, paysans et bourgeois
Ont toujours l'œil sur nous, inspectent notre vie,
  En sont témoins et juges à la fois.
Rien n'est plus vrai, mon fils, et je te prie
De ne jamais rien faire d'important
    Sans méditer auparavant
    Sur ce point d'où dépend ta gloire.
J'ai mis tous ces portraits dans ton appartement
    Pour t'en rafraîchir la mémoire. »

SAINT-LAMBERT

1716-1803

Jean-François, marquis de Saint-Lambert, naquit le 26 décembre 1716 à Nancy. Sa famille n'était pas riche. Il fit ses études au collège des jésuites de Pont-à-Mousson, puis il servit dans les gardes du roi de Lorraine, employant ses loisirs à composer des pièces de vers comme on en faisait beaucoup alors, c'est-à-dire légères et gracieuses. A la cour de Lunéville, il connut la marquise du Châtelet, qui en était l'une des femmes les plus admirées, il en devint amoureux, et il se fit aimer d'elle, au grand dépit de Voltaire, qui, d'abord fort irrité, affecta ensuite de prendre très philosophiquement la chose. Ce n'est qu'après la mort de Mme du Châtelet, survenue en 1749, et dont Voltaire fut très affligé, qu'il y eut un froid entre eux. Mais, au bout de quelques années, leurs relations reprirent. Voltaire admirait Saint-Lambert comme poète. Il alla jusqu'à placer le poème des *Saisons*, de celui-ci, au rang des « ouvrages de génie », et lorsque, un an après la publication dudit ouvrage, c'est-à-dire en 1770, Saint-Lambert se présenta à l'Académie, Voltaire fut un de ses partisans les plus résolus. Trois années après la mort de Mme du Châtelet, en 1752 donc, le poète s'était lié avec Mme d'Houdetot, qui était la sœur de Mme d'Epinay et pour qui Jean-Jacques Rousseau conçut aussi une vive passion. Cette liaison dura jusqu'à la mort de Saint-Lambert. Celui-ci, après son élection à l'Académie, composa des *Fables orientales*, des *Contes* en prose, un *Essai* sur la vie et les ouvrages d'Helvétius. Il passa le temps de la Révolution à Eaubonne, avec sa fidèle amie. Il était devenu triste et même un peu faible d'esprit; il se montrait très gourmand. Il mourut à Paris le 9 février 1803. Son œuvre principale est le poème des *Saisons*, dont on ne saurait tout louer, mais qui, écrit avec une élégance qui n'exclut pas toujours la sécheresse ni la lourdeur, contient des passages très brillants, d'autres gracieusement poétiques, et montre chez son auteur, sinon le sentiment profond, du moins l'amour de la nature. Aux passages que nous en donnons, nous ajoutons quelques poésies fugitives.

L'AGRICULTEUR [1]

O toi, par qui fleurit l'art le plus nécessaire,
Ami de l'innocence, honnête agriculteur,
Qu'il est facile et doux de faire ton bonheur!
Ah! s'il n'a point à craindre une injuste puissance,
Un tyran subalterne, ou l'avide finance,
Si la loi le protège, il est heureux sans frais;
Auprès de la nature, il sent tous ses bienfaits.
Le luxe ne vient point lui montrer ses misères.
Content de ses plaisirs, de l'état de ses pères,
Il peut aimer demain ce qu'il aime aujourd'hui,
Et la paix de son cœur n'est jamais de l'ennui.
Vous le rendez heureux, volupté douce et pure,
Attachée à l'hymen, aux nœuds de la nature;
L'épouse qu'il choisit partage ses travaux,
De l'ami de son cœur elle adoucit les maux.
Ses enfants sont sa joie, ils seront sa richesse;
Il verra leurs enfants appuyer sa vieillesse,
Et sur son front ridé, rappelant la gaîté,
Prêter encore un charme à sa caducité.
Qu'il revient avec joie à son humble chaumière,
Dès que l'astre du jour a fini sa carrière!
Qu'il trouve de saveur aux mets simples et sains,
Qu'une épouse attentive apprête de ses mains!
La paix, la complaisance et le doux badinage,
Aimables compagnons de son heureux ménage,
Entourent avec lui la table du festin.
Réveillé par l'amour, inspiré par le vin,
Versant à ses enfants le doux jus de l'automne,
Il chante ses plaisirs et le Dieu qui les donne;
Sa fille, en souriant répète ses chansons.

L'ORAGE [1]

Les cris de la corneille ont annoncé l'orage;
Le bélier effrayé veut rentrer au hameau :
Une sombre fureur anime le taureau
Qui respire avec force, et, relevant la tête,
Par ses mugissements appelle la tempête.

On voit à l'horizon, des deux points opposés,
Des nuages monter dans les airs embrasés;
On les voit s'épaissir, s'élever et s'étendre.
D'un tonnerre éloigné le bruit s'est fait entendre :

1. LES SAISONS : L'Eté.

Les flots en ont frémi, l'air en est ébranlé,
Et le long du vallon le feuillage a tremblé.
Les monts ont prolongé le lugubre murmure,
Dont le son lent et sourd attriste la nature.
Il succède à ce bruit un calme plein d'horreur,
Et la terre en silence attend dans la terreur.
Des monts et des rochers le vaste amphithéâtre
Disparaît tout à coup sous un voile grisâtre;
Le nuage élargi les couvre de ses flancs;
Il pèse sur les airs tranquilles et brûlants.
Mais des traits enflammés ont sillonné la nue,
Et la foudre en grondant roule dans l'étendue :
Elle redouble, vole, éclate dans les airs;
Leur nuit est plus profonde, et de vastes éclairs
En font sortir sans cesse un jour pâle et livide.
Du couchant ténébreux s'élance un vent rapide
Qui tourne sur la plaine, et, rasant les sillons,
Enlève un sable noir, qu'il roule en tourbillons.
Ce nuage nouveau, ce torrent de poussière,
Dérobe à la campagne un reste de lumière.
La peur, l'airain sonnant, dans les temples sacrés
Font entrer à grands flots les peuples égarés.
Grand Dieu! vois à tes pieds leur foule consternée
Te demander le prix des travaux de l'année.
Hélas! d'un ciel en feu les globules glacés
Ecrasent en tombant les épis renversés;
Le tonnerre et les vents déchirent les nuages;
Le fermier de ses champs contemple les ravages,
Et presse dans ses bras ses enfants effrayés.
La foudre éclate, tombe, et des monts foudroyés
Descendent à grand bruit les graviers et les ondes
Qui courent en torrent sur les plaines fécondes.
O récolte! ô moisson! tout périt sans retour;
L'ouvrage de l'année est détruit dans un jour.

Ah! fuyons ces tableaux; et, loin de ces rivages,
Allons chercher des lieux où le cours des orages,
Sans y lancer la foudre ou noyer les moissons,
A rafraîchi les airs, et baigne les sillons.
De l'écharpe d'Iris l'éclatant météore,
Déployant dans les cieux les couleurs de l'aurore,
Y couronne les champs, où le ruisseau vermeil
Voit jouer dans ses flots les rayons du soleil.
Un reste de nuage, errant sur les campagnes,
Va s'y perdre en fumée au sommet des montagnes;
Un vent frais et léger y parcourt les guérets,
Et roule en vagues d'or les moissons de Cérès.
On y sent ce parfum, cette odeur végétale,
Que la terre échauffée après l'orage exhale.
Le berger au berger répète ses chansons;
L'heureux agriculteur, si près de ses moissons,

Se rappelle ses soins, ses travaux, sa prudence,
Admire ses guérets, sourit à l'abondance.
Il est content de lui, ne se repent de rien,
Et se dit, comme un Dieu : « Ce que j'ai fait est bien! »

L'AUTOMNE [1]

O vous qu'ont enrichis les trésors de Cérès,
Préparez-vous, mortels, à de nouveaux bienfaits.
Redoublez vos présents, terre heureuse et féconde;
Récompensez encor la main qui vous seconde.
Et toi, riant automne, accorde à nos désirs
Ce qu'on attend de toi, du repos, des plaisirs,
Une douce chaleur, et des jours sans orages.

Il vient environné de paisibles nuages,
Il voit du haut du ciel le pourpre des raisins,
Et l'ambre et l'incarnat des fruits de nos jardins.
De coteaux en coteaux la vendange annoncée
Rappelle le tumulte et la joie insensée;
J'entends de loin les cris du peuple fortuné
Qui court, le thyrse en main, de pampres couronné.
Favoris de Bacchus, ministres de Pomone,
Célébrez avec moi les charmes de l'automne :
L'année à son déclin recouvre sa beauté.
L'automne a des couleurs qui manquaient à l'été.
Dans ces champs variés, l'or, le pourpre et l'opale,
Sur un fond vert encor brillent par intervalle,
Et couvrent la forêt, qui borde ces vallons,
D'un vaste amphithéâtre étendu sur les monts.
L'arbre de Cérasonte au gazon des prairies
Oppose l'incarnat de ses branches flétries.
Quelles riches couleurs, quels fruits délicieux
Ces champs et ces vergers présentent à vos yeux!
Voyez par les zéphyrs la pomme balancée
Echapper mollement à la branche affaissée,
Le poirier en buisson, courbé sous son trésor,
Sur le gazon jauni rouler les globes d'or,
Et de ces lambris verts attachés au treillage
La pêche succulente entraîner le branchage.

Les voilà donc, ces fruits qu'ont annoncés les fleurs
Et que l'été brûlant mûrit par ses chaleurs!
Jouissez, ô mortels, et, par des cris de joie,
Rendez grâces au ciel des biens qu'il vous envoie;
Que la danse et les chants, les jeux et les amours,
Signalent à la fois les derniers des beaux jours.

1. LES SAISONS : Début de *l'Automne*.

LA CHASSE AU CERF [1]

Entendez-vous quel bruit retentit dans les airs,
Et, d'échos en échos, roule dans ces déserts ?
La Discorde, Bellone ou le dieu de la guerre,
Par ce bruit effrayant menacent-ils la terre ?
De la vaste forêt l'espace en est rempli.
Dans ses sombres buissons le cerf a tressailli ;
Au monarque des bois la guerre est déclarée.
Il a vu d'ennemis sa demeure entourée,
Et des chiens dévorants en groupe dispersés,
De distance en distance autour de lui placés.
Là, le coursier fougueux levant sa tête altière,
Bondissant sous son maître et frappant la bruyère,
De la course tardive appelle les instants.
Mais on part, il s'élance, et des sons éclatants,
Sur les traces du cerf dont la terre est empreinte,
Ont conduit le chasseur au centre de l'enceinte.
Le timide animal s'épouvante et s'enfuit,
Et voit dans chaque objet la mort qui le poursuit,
Sa route sur le sable est à peine tracée ;
Il devance, en courant, la vue et la pensée ;
L'œil le suit et le cherche aux lieux qu'il a quittés.
Ses cruels ennemis, par le cor excités,
S'élèvent sur ses pas au sommet des montagnes,
Ou fondent à grands cris sur les vastes campagnes.
Effrayé des clameurs et des longs hurlements
Sans cesse à son oreille apportés des vents,
Vers ces vents importuns il dirige sa fuite :
Mais la troupe implacable, ardente à sa poursuite,
En saisit mieux alors ses esprits vagabonds.
Il écoute et s'élance, et s'élève par bonds ;
Il voudrait ou confondre, ou dérober sa trace,
Se détacher du sable, et voler dans l'espace.
Mais que lui serviront ses feintes, ses retours ?
Les gazons, les taillis révèlent ses détours.
Il revoit ces grands bois, théâtre de sa gloire,
Où jadis cent rivaux lui cédaient la victoire,
Où couvert de leur sang, consumé de désirs,
Pour prix de son courage il obtint les plaisirs.
S'il force un jeune cerf à courir dans la plaine,
Pour présenter sa trace à la meute incertaine,
Le chasseur qui le guide en préviendra l'erreur ;
Que fera-t-il ? tremblant, morne, saisi d'horreur,
Son armure l'accable et sa tête est penchée ;
Sous son palais brûlant, sa langue est desséchée ;

---

1. LES SAISONS : *L'Automne.*

Il s'arrête, il entend des cris plus menaçants,
Et fait pour fuir encor des efforts impuissants;
Ses yeux appesantis laissent tomber des larmes.
A la troupe en fureur il oppose ses armes :
Mais ce vain désespoir ne lui sert qu'un instant;
Il tombe, il se relève, et meurt en combattant.

ÉPITRE

Chloé, ce badinage tendre,
Ces légères faveurs amusent mes désirs,
Ce sont des fleurs que l'amour sait répandre
Sur le chemin qui nous mène aux plaisirs.
Mais puis-je à les cueillir borner mon espérance ?
Ici, loin des témoins, dans l'ombre et le silence,
Donnons au vrai bonheur ce reste d'un beau jour.
De ces riens enchanteurs n'occupons plus l'amour,
Chloé, tirons ce dieu des jeux de son enfance.

Rappelle-toi ce soir, où, sensible à mes vœux,
Tu daignas par un mot dissiper mes alarmes :
« Oui, j'aime!... » Que ce mot embellissait tes charmes!
Qu'il irritait mes transports amoureux!
Déjà tous mes soupirs expiraient sur ta bouche :
Je voulus tout tenter; mais, sans être farouche,
Tu repoussas l'amour égaré dans tes bras :
Je ravis des faveurs, et je n'en obtins pas.

L'honneur, ce vain fantôme, effrayait ta tendresse;
Il dissipait des sens l'impétueuse ivresse :
Ennemi de l'amour, qu'il ne peut surmonter,
Sans savoir l'obtenir, disputant la victoire,
A combattre il borne sa gloire;
Il est toujours vaincu, mais il veut résister.
Tu m'aimes; je t'adore : ah! garde-toi de croire
Que ce faible tyran puisse nous arrêter.
On le craignait jadis; et les cœurs de nos mères
Ne goûtaient qu'en tremblant le bonheur de sentir.
De ce siècle poli les lois sont moins sévères;
L'amour à ses côtés n'a plus le repentir.
Nous rions aujourd'hui de ces prudes sublimes,
Qu'effarouche un amant qui gêne leurs désirs;
Et ces plaisirs si doux dont tu te fais des crimes,
Dès qu'on les a goûtés ne sont que des plaisirs.

Va, ton honneur est d'être belle,
Ton devoir est d'être fidèle,
Tes lois sont dans ton cœur, les amours sont tes dieux :
Jeune Chloé, qu'ils soient tes guides.

Ce prélude voluptueux
Va nous conduire à des biens plus solides.
L'amour, en se jouant, fatiguait ta vertu,
Tu sens l'ennui de te défendre :
A l'honneur d'avoir combattu,
Hâte-toi d'ajouter le plaisir de te rendre.

LES CAPRICES

CHANSON

Mon destin, auprès de Climène,
Varie à chaque instant du jour;
Un caprice inspire sa haine,
Un autre lui rend son amour.

Elle m'a dit : « Lindor, je t'aime,
Ton cœur a mérité ma foi. »
Elle m'a dit à l'instant même :
« Lindor, je me moquais de toi. »

Au moment où sa voix m'appelle,
Climène songe à m'éviter;
Je ne vais chercher auprès d'elle
Que le regret de la quitter.

Elle est triste dans mon absence,
Et méprise alors mes rivaux;
Elle les vante en ma présence,
Et me parle de mes défauts.

Mes tourments pour elle ont des charmes,
Elle cherche à les irriter;
Et je la vois verser des larmes
Lorsque je viens les lui conter.

Je lui portais les fleurs qu'elle aime,
Elle les prit avec dédain;
Elle me donna le soir même
La rose qui paraît son sein.

Un jour Climène, moins cruelle,
Avait pris soin de me calmer,
Et je m'enivrais auprès d'elle
Du bonheur de plaire et d'aimer.

Dans la plus profonde tristesse
Je la vis bientôt se plonger;
Je l'offensais par mon ivresse,
Mes plaisirs semblaient l'affliger.

Elle est simple, sans artifices,
Nul amant n'a tenté sa foi,
Et fidèle dans ses caprices,
Elle n'aime et ne hait que moi.

Beauté si douce et si terrible,
Souvent aimé, jamais heureux,
Que tu sois barbare ou sensible,
Je n'en suis pas moins amoureux.

Par tes rigueurs ou ton absence,
Cesse de déchirer mon cœur;
Je t'aimerais sans inconstance
Quand tu m'aimerais sans humeur.

ÉPIGRAMME

La jeune Eglé, quoique très peu cruelle,
D'une Honesta veut avoir le renom;
Prudes, pédants, vont travailler chez elle
A réparer sa réputation.
Là, tout le jour, un cercle misanthrope,
Avec Eglé médit, fronde l'amour.
Hélas! Eglé, semblable à Pénélope,
Défait la nuit tout l'ouvrage du jour.

MADRIGAUX

I

Ces rivaux, que l'Amour auprès de vous rassemble,
M'inquiètent, Thémire, et ne sont pas heureux;
Vous m'aimez mieux que chacun d'eux,
Vous m'aimez moins que tous ensemble.

II

Je touche aux bornes de ma vie,
Mais l'Amour vient me ranimer;
Je suis jeune aux pieds de Sylvie :
J'ai si peu de temps pour l'aimer,
Qu'il faut l'aimer à la folie.

III

Fuyez, volez, instant fatal à mes désirs...
Mais, hélas! espérances vaines,
Le temps qui fuit sur nos plaisirs,
Semble s'arrêter sur nos peines.

FRÉRON

1718-1776

Elie-Catherine Fréron naquit au commencement de l'année 1718, à Quimper, où il fut baptisé le 24 janvier. Il vint tout jeune à Paris, fit ses études chez les jésuites et fut quelque temps professeur au collège Louis-le-Grand. Puis il travailla avec l'abbé Desfontaines : d'abord aux *Observations sur les écrits modernes*, ensuite aux *Jugements sur les ouvrages nouveaux*, feuilles qui paraissaient périodiquement. L'abbé Desfontaines mourut en 1745; admirateur du XVIIe siècle et attaché à ses traditions, Fréron, au nom de cette tradition et des chefs-d'œuvre dont elle s'enorgueillissait, jugea avec une indépendance et une ardeur qui lui fit bien des ennemis, Voltaire en tête, la littérature du XVIIIe siècle. Après la mort de l'abbé Desfontaines, il continua son œuvre de critique : il fit paraître ainsi, en 1746, les *Lettres de Madame la Comtesse de ****, où ses jugements revêtirent une forme particulièrement vive; en 1749 et 1750 il rédigea, avec l'abbé de La Porte, treize volumes de *Lettres sur les écrits du temps*; de 1754 à 1776, enfin, il dirigea l'*Année littéraire*. Son existence de critique fut une lutte de tous les jours, lutte âpre, implacable même, tout le long de laquelle les épigrammes et les outrages de toutes sortes tombèrent comme grêle sur le pauvre Fréron, que Voltaire mit cruellement en scène dans sa pièce de l'*Ecossaise*. Quelque peu soutenu par M. de Malesherbes, il tint tête vaillamment à la meute de ses adversaires; mais ceux-ci furent les plus forts : ils obtinrent en 1776 du garde des Sceaux, M. de Miromesnil, la suppression du privilège de l'*Année littéraire*. Fréron était déjà malade lorsqu'il reçut ce dernier coup; il mourut à Montrouge le 10 mars de la même année. Il a composé peu de vers : quelques odes au roi, quelques épîtres, diverses petites pièces. Nous donnons trois de ces morceaux.

ÉPITRE A MONSIEUR V ***

RECEVEUR GÉNÉRAL DES FINANCES,
AMATEUR DE LA BELLE NATURE

Bon jour, bon an, salut, santé,
A mon philosophe entêté
De la simple et froide nature,
Cette triste divinité
Qui n'ose, dans sa marche obscure,
De son éternelle parure,
Varier l'uniformité.

De mon âme idole chérie,
Art charmant, Dieu de ma patrie,
Le merveilleux naît sous tes pas.
Enrichis toujours ces climats
Des trésors de ton industrie;
Laisse gronder les partisans
De ta rivale désolée;
De nos villes et de nos champs,
Pour jamais elle est exilée.
Un sceptre d'émail à la main,
Tu gouvernes en souverain
Le Français brillant et volage.

C'est toi qui formes l'assemblage
De nos légers ameublements.
Ces trumeaux, chargés de dorure,
Et ces plafonds, où la peinture
Se flattait de braver les ans,
D'un coup d'aile tu les effaces;
Ta délicatesse, tes grâces
Nous prescrivent les ornements.

Ces fragiles enfants des modes,
Ces porcelaines, ces pagodes,
Ces vernis si délicieux,
Ces papiers qu'une main divine
Peignit pour le plaisir des yeux,
Et ces magots facétieux
Nés de ton humeur enfantine;
Tels sont les meubles précieux
Que tu fais venir de la Chine,
Pour en décorer ces beaux lieux.

Qui suit la nature à la piste
Ne sera jamais qu'un copiste,

Qu'un malheureux imitateur.
Le Chinois seul est créateur.
Il donne un nouvel ordre aux choses;
Fertile en prodiges divers,
Ses riantes métamorphoses
Font éclore un autre univers.

Fleuves, coulez sur les montagnes;
Détachez-vous du firmament,
Etoiles, parez les campagnes;
Poissons, quittez votre élément;
Vous, oiseaux, rampez sur la terre;
Bœufs, rhinocéros, éléphants,
Volez au séjour du tonnerre;
Et vous, mortels impertinents,
Venez, sous diverses figures,
Par mille grotesques postures,
Me divertir à vos dépens.

Voilà, malgré votre satire,
Ce que j'aime et ce que j'admire.
Soyez aussi de votre temps :
Et que la nature marâtre,
Dont vous êtes trop idolâtre,
Perde son pouvoir sur vos sens.
Croyez-moi, ses charmes maussades
Ressemblent à ces beautés fades
Que l'on contemple sans désirs.
L'art est une coquette aimable,
Dont l'enjouement inépuisable
Sait donner la vie aux plaisirs.

VERS SUR ÉSOPE

Sur le ton de l'aigre censure
C'est au pédant à se monter :
Il croit corriger la nature,
Il ne fait que la révolter.

Par son humeur atrabilaire
Il perd le fruit de ses leçons,
La vérité ne saurait plaire
Que sous l'appât des fictions.

Ainsi pensait le bon Esope :
De ces voiles ingénieux,
Censeur aimable, il enveloppe
Ses préceptes judicieux.

Ses fables sont des comédies ;
Les acteurs sont les animaux ;
Ils nous offrent les parodies
De nos vertus, de nos défauts.

Ici paraît l'agneau timide,
Victime du loup ravissant :
Cette scène est pour l'homme avide,
Lâche oppresseur de l'innocent.

Là, jouet de la flatterie,
Un corbeau gémit, mais trop tard.
Combien de sots, dans ma patrie,
Sont dupés par plus d'un renard !

Tantôt une faible colombe
Est immolée au fier milan ;
De même le petit succombe
Sous le sceptre affreux d'un tyran.

Tantôt un baudet ridicule
Vante son courage immortel.
Que de poltrons, ce faux Hercule
Nous représente au naturel !

Le geai, dans sa vanité folle,
Prend les plumes d'un autre oiseau.
Plagiaires, peuple frivole,
Reconnaissez-vous ce tableau ?

C'est par cette douce magie
Qu'habile à dévoiler nos cœurs,
L'aimable esclave de Phrygie
En riant corrige les mœurs.

ÉPIGRAMME

Au fond d'un bois, assez près de Paris,
J'errais, lisant l'admirable Racine ;
J'entends crier : « Au meurtre ! on m'assassine ! »
Je vais au lieu d'où s'élançaient les cris,
Que vois-je, ô ciel ? quelle surprise extrême !
Le dieu du goût assassiné lui-même.
« Ami, dit-il, je cède au coup mortel,
A mes tyrans je voulais me soustraire,
Mais, par malheur, dans ce bois solitaire,
J'ai rencontré R*** [Raynal] et M*** [Marmontel]. »

VADÉ

1719-1757

Jean-Joseph Vadé naquit le 18 janvier 1719 à Ham, en Picardie. Il avait environ six ans lorsque sa famille vint s'établir à Paris. Son père, qui était commerçant, voulait lui faire faire de bonnes études, mais le jeune Vadé n'avait pas grand goût pour le travail, et manifestait, dit-on, une horreur particulière pour le latin. Lorsqu'il fut en âge de prendre un état, on ne put lui procurer qu'un emploi de « contrôleur du vingtième » à Soissons. Il passa ensuite en la même qualité à Laon, puis à Rouen. Enfin la protection du duc d'Agenois, dont il était devenu le secrétaire, le fit nommer à Paris. On suppose que c'est pendant le séjour de quelques années (de 1739 à 1744) qu'il avait fait en province que Vadé compléta ses études et tâcha d'en combler les lacunes. En réalité, il lut surtout les poètes du XVIe siècle et ceux du commencement du XVIIe, parmi lesquels il est quelques bons biberons dont l'existence joyeuse et la verve gauloise durent lui plaire singulièrement. Il était de leur famille et il marcha dans leurs pas. Il n'avait pas attendu d'être définitivement fixé à Paris pour composer des vers, mais c'est alors seulement que ses productions se précipitèrent, se répandirent et lui valurent une rapide et surprenante renommée. Il a écrit un assez grand nombre de pièces de théâtre : comédies, opéras-comiques, vaudevilles, pastorales, parodies; il a rimé des amphigouris, des chansons, des fables, des épîtres; il a surtout, et c'est là son originalité, composé des poèmes en style poissard, dont le plus connu est *la Pipe cassée*. Il emprunta au langage de la halle son vocabulaire et il en fit de petits ouvrages, auxquels la littérature n'a point de part, mais qui sont curieux, comme les produits d'un burlesque nouveau. Le succès qu'obtinrent ces compositions s'explique par le talent avec lequel Vadé savait les dire et les mimer. Il devint populaire « à force de mots grivois, d'esprit bachique, de pétulance amoureuse », comme l'écrit Jules Janin. Toujours de bonne humeur, paraît-il, il était franc de nature et jouissait d'un excellent estomac. Son confrère Collé dit qu'il avait le cœur honnête, qu'il était désintéressé, et il l'appelle « un galant homme qui a des mœurs et de l'honnêteté ». Ce bon vivant mourut jeune encore. Il succomba le 4 juillet 1757 aux suites d'une opération chirurgicale. Nous n'avons rien cité de ses « œuvres poissardes » en vers,

à côté desquelles il faut mentionner son plaisant petit roman épistolaire intitulé : *Lettres de la Grenouillère;* mais dans les pièces qui
n'ont pas ce caractère, nous avons, pour faire une place à ce petit
auteur qui eut un grand renom, reproduit une de ses *épîtres* et une
de ses *fables.*

ÉPITRE SUR L'AMITIÉ

*A Monsieur ***.*

Ami très cher, toi, dont la sympathie,
Malgré mon sort ne s'est point démentie,
Je te connais, oui, de toi je suis sûr
Et le présent me répond du futur;
Ne va pas croire, en lisant cette épître,
Que de mes vers Apollon soit l'arbitre.
Par ton mérite à t'aimer excité,
Mon Hippocrène est la sincérité.
Loin, loin, l'emphase! Oreste avec Pylade
N'usa jamais de ce langage fade,
Ton frelaté qu'on affecte aujourd'hui,
Qui, sans estime, est aussi sans appui;
Sensible aux traits de cette amitié pure,
Ce beau lien, honneur de la nature,
Je vois, ami, par ces feux éclairé,
Que ce doux titre est un titre sacré,
Et que ce nom, sous lequel on s'annonce,
Est usurpé si le cœur ne prononce.
Il est des gens inquiets, soucieux,
Pour leurs amis parfois officieux,
Dont les bontés si tristement obligent,
Que leurs bienfaits à coup sûr vous affligent;
Avec douleur, ils vous font un plaisir
Et leur secours a l'air du repentir.
Ce froid secours enfin est un blasphème
Que l'amitié peut frapper d'anathème;
Elle aime mieux un refus bien placé
Que d'obtenir un service glacé.
Ces doucereux, dont l'humeur philanthrope
Produit l'effet du flatteur microscope,
M'offrent en vain de grossir mes talents,
Et de trouver tous mes vers excellents;
Je me ris d'eux, leur encens me suffoque,
Autant qu'un sot en me prônant me choque,
Et, pour ne point m'expliquer à demi,
Jamais un sot ne sera mon ami.
Dans ce qu'il fait, sachant mal se conduire,
En vous servant, il parvient à vous nuire;
Vous échouez en suivant ses avis,
Ou le choquez, s'ils ne sont pas suivis.

On est toujours avec lui sur ses gardes;
Qu'il soit l'ami de ces femmes bavardes
Dont l'œil éteint et le livide aspect
Sait inspirer un maussade respect.
Pour écouter leurs antiques merveilles,
Il n'est besoin que d'avoir des oreilles.
D'un tel organe un sot ne manque pas,
Voilà son lot; je suis encore bien las
De ces rieurs, de cette plate espèce,
Amis de table échauffés par l'ivresse,
Qui, tout de feu pour chaque convié,
Comme le vin font mousser l'amitié;
A chaque verre elle engage, elle augmente,
Et dure autant que la liqueur fermente;
Mais on se quitte, on se couche, on s'endort,
Rendu, blasé par maint bachique effort;
Cette amitié, quand chacun d'eux s'éveille,
Est mise au rang des excès de la veille,
Et ces élans si chaudement trompeurs,
Sont engloutis dans la nuit des vapeurs.

    Heureux celui qui, plein d'un noble zèle,
A cœur ouvert sert un ami fidèle,
Et qui sachant parler, penser, agir,
En l'obligeant ne le fait point rougir,
Soit qu'en tout point il prenne sa défense,
Soit qu'il l'arrache à l'affreuse indigence;
L'amitié parle, il connaît ses accents,
Il la prévient, et, par ses soins pressants,
A ce qu'il aime il rend bientôt le calme
Sans exiger ni couronne ni palme :
Le vrai plaisir, celui de bienfaiteur,
Est tout le prix dont jouisse son cœur,
Et l'on ne sait, dans cet instant propice,
Lequel reçoit ou rend un bon office.
Tels on nous voit : cette rare amitié
Brille chez toi par la belle moitié;
Mon cœur comblé remplit l'autre partie;
J'en fais l'aveu, sans que ta modestie
Puisse en gronder; un cœur reconnaissant
Marche à l'égal d'un ami bienfaisant;
Aussi jamais la basse complaisance
N'ira me faire éprouver la distance
Qu'un financier croit que le ciel a mis
Entre son être et ses pauvres amis.
Jadis rampant au sein de la misère
Et n'aspirant qu'à l'honneur de leur sphère,
Il les aimait; mais aujourd'hui que l'or
D'un beau vernis a décoré son sort,
Avec dédain son orgueil les aborde;
Le dur mépris pèse ce qu'il accorde.

De protégé devenu protecteur,
Il ne sourit qu'au plus adulateur :
Au milieu d'eux le fat est dans son centre,
Génie étroit, jargon lourd, large ventre :
Voilà ses droits, ses titres, ses vertus.
Allez, grand-croix de l'ordre de Plutus,
Percez, suivez votre riche carrière;
On vous verra rentrer dans la poussière
Qui sous nos yeux vous servit de berceau,
Avant que j'aille arborer le drapeau
Sous qui se range, en trahissant l'estime,
Un malheureux que l'infortune opprime,
Et qui, forcé de feindre jusque-là,
En est puni par la honte qu'il a.

Ne pense pas, toi que j'aime entre mille,
Que ce discours soit dicté par la bile.
Non, ce portrait est bien citation;
Eh! plût aux dieux qu'il devînt fiction,
Et qu'en son cœur chacun, à ton exemple,
A l'amitié sût élever un temple!
Alors, content, l'encensoir à la main,
On me verrait chérir le genre humain.

LE MIROIR DE LA VÉRITÉ

FABLE

Un jour, la Vérité, dans une grande place
Montrait, pour de l'argent, un magique miroir.
« Oh! oh! dit le public, c'est une chose à voir! »
Le monde y court. La merveilleuse glace
        Avait entre autres le pouvoir,
        Quand on fixait les yeux sur sa surface,
D'en apprendre bien plus qu'on n'en voulait savoir.
        Le faux dévot, la coquette, la prude,
        Le traître, l'ingrat, le méchant,
L'orgueilleux, le faquin, le brutal, le pédant,
Venaient des curieux grossir la multitude :
Bref, chacun y voyait ses défauts découverts.
        On rougissait, on ne savait que dire :
        « Mais ai-je les yeux bien ouverts ? »
On les frotte, on les ouvre, et puis on se remire.
        Mêmes objets de nouveau sont offerts.
« Au diable le miroir! on s'y voit de travers!
Bonsoir, la Vérité, gardez votre vitrage. »
Et puis, sans la payer, on lui dit : « Bon voyage! »
        Pour s'enrichir, la Vérité
        Avait sans doute pris le change :
La fortune n'est pas pour la sincérité;
        Nous ne payons que la louange.

SEDAINE

1719-1797

Michel-Jean Sedaine naquit le 2 juin 1719 à Paris. On a souvent raconté combien fut modeste sa naissance et laborieuse sa jeunesse. Fils d'un architecte qui mourut sans fortune, Sedaine, que ses goûts portaient vers les lettres et qui n'avait pu recevoir qu'une instruction fort incomplète, dut, pour vivre, se faire tailleur de pierres. Il devint ensuite maître-maçon et architecte enfin. Tout en travaillant de son métier, il s'instruisit un peu, et composa ses premiers vers. Ils n'étaient nullement remarquables et le recueil qu'il en fit paraître en 1752 eût risqué de passer inaperçu s'il n'avait contenu cette *Epître à mon habit*, qui fut fort appréciée et qui rendit son auteur célèbre. C'est, à la vérité, une de ses meilleures poésies, la meilleure peut-être, celle en tout cas qui, aujourd'hui encore, est inséparable du nom de son auteur. On la trouvera ci-après avec une fable et des stances sur *la Rose*. Sedaine donna en 1760 une édition nouvelle et augmentée de ses œuvres poétiques : il y a des pièces de toutes sortes : épîtres, satires, églogues, fables, contes, stances, sonnets, rondeaux, madrigaux, épigrammes, cantates, chansons, imitations, traductions, et un poème didactique en quatre chants sur *le Vaudeville*. Il y a peu à prendre dans ce recueil, en dépit de son abondance et de sa variété. Sedaine n'est ni un lyrique, ni un élégiaque; sa muse va à pied mais elle observe en cheminant; elle sait regarder et écouter les hommes; et ce qu'elle rendra avec le plus de bonheur, et avec le plus d'originalité, ce sont les paroles et les actions des hommes. C'est dans la comédie, et dans l'épître familière, qu'elle réussira surtout. Sedaine le sentait bien quand il écrivait, parlant de son recueil de poésies fugitives : « J'ai regret, au lieu de m'être livré à ces frivolités, de n'avoir pas donné une pièce de théâtre. » Il fut donc avant tout un auteur dramatique. Il entra dans la carrière en 1756 et fit représenter des pièces de tous les genres : opéras, opéras-comiques, tragédies, drames, comédies. Il suffit de rappeler ici ses deux meilleurs ouvrages : *le Philosophe sans le savoir*, joué en 1765; *la Gageure imprévue*, joué en 1768 et demeurés l'un et l'autre au répertoire. Le bon et loyal Sedaine entra à l'Académie française en 1786. Il mourut à Paris le 17 mai 1797.

ÉPITRE A MON HABIT

Ah! mon habit, que je vous remercie!
Que je valus hier, grâce à votre valeur!
            Je me connais; et plus je m'apprécie,
        Plus j'entrevois qu'il faut que mon tailleur,
                Par une secrète magie,
Ait caché dans vos plis un talisman vainqueur,
Capable de gagner et l'esprit et le cœur.
Dans ce cercle nombreux de bonne compagnie,
Quels honneurs je reçus! Quels égards! Quel accueil!
Auprès de la maîtresse, et dans un grand fauteuil,
Je ne vis que des yeux toujours prêts à sourire;
J'eus le droit d'y parler, et parler sans rien dire.
                Cette femme à grands falbalas
        Me consulta sur l'air de son visage,
            Un blondin, sur un mot d'usage,
            Un robin, sur des opéras;
Ce que je décidai fut le *nec plus ultra*.
On applaudit à tout, j'avais tant de génie!
        Ah! mon habit, que je vous remercie!
            C'est vous qui me valez cela!
        De compliments bons pour une maîtresse
                Un petit-maître m'accabla,
            Et, pour m'exprimer sa tendresse,
Dans ses propos guindés me dit tout Angola.
            Ce poupart, à simple tonsure,
Qui ne songe qu'à vivre et ne vit que pour soi,
Oublia quelque temps son rabat, sa figure,
                Pour ne s'occuper que de moi.
Ce marquis, autrefois mon ami de collège,
Me reconnut enfin, et, du premier coup d'œil,
            Il m'accorda par privilège
Un tendre embrassement qu'approuvait son orgueil.
Ce qu'une liaison dès l'enfance établie,
Ma probité, mes mœurs, que rien ne dérégla,
                N'eussent obtenu de ma vie,
            Votre aspect seul me l'attira.
        Ah! mon habit, que je vous remercie!
            C'est vous qui me valez cela.
            Mais ma surprise fut extrême :
            Je m'aperçus que sur moi-même
            Le charme, sans doute, opérait.
J'entrais jadis d'un air discret;
Ensuite, suspendu sur le bord de ma chaise,
J'écoutais en silence et ne me permettais
            Le moindre si, le moindre mais;
Avec moi tout le monde était fort à son aise,
            Et moi, je ne l'étais jamais.

Un rien aurait pu me confondre;
Un regard, tout m'était fatal;
Je ne parlais que pour répondre;
Je parlais bas, je parlais mal.
Un sot provincial arrivé par le coche
Eût été moins que moi tourmenté dans sa peau;
Je me mouchais presque au bord de ma poche,
J'éternuais dans mon chapeau.
On pouvait me priver sans aucune indécence
De ce salut par l'usage introduit;
Il n'en coûtait de révérence
Qu'à quelqu'un trompé par le bruit.
Mais à présent, mon cher habit,
Tout est de mon ressort, les airs, la suffisance;
Et ces tons décidés, qu'on prend pour de l'aisance,
Deviennent mes tons favoris;
Est-ce ma faute, à moi, puisqu'ils sont applaudis ?
Dieu! Quel bonheur pour moi, pour cette étoffe,
De ne point habiter ce pays limitrophe
Des conquêtes de notre roi!
Dans la Hollande, il est une autre loi :
En vain j'étalerais ce galon qu'on renomme,
En vain j'exalterais sa valeur, son débit;
Ici l'habit fait valoir l'homme,
Là, l'homme fait valoir l'habit.
Mais chez nous, peuple aimable, où les grâces, l'esprit,
Brillent à présent dans leur force,
L'arbre n'est point jugé sur ses fleurs, sur son fruit;
On le juge sur son écorce.

ENVOI A MONSIEUR L. C.

EN LUI FAISANT REMETTRE L'ÉPITRE PRÉCÉDENTE

Ce n'est point chez vous que ma muse
A rencontré l'intention
Qui pourrait fournir une excuse
A cette épître où je m'amuse
Guidé par ma réflexion.
Tout homme rempli de droiture
Chez vous doit être toujours bien;
Et, quoi que dise le maintien
Du vertueux couvert de bure
Et du fat chargé de dorure,
L'un et l'autre n'y perdent rien.
Par les soins de la politesse
Qui hait le scandale et le bruit,
Le faquin s'y trouve éconduit,
Et l'on réserve la tendresse,
Les égards, la délicatesse,

Pour quiconque fait héberger
L'esprit et les vertus ensemble :
Il ne vous faut, pour en juger,
Qu'examiner s'il vous ressemble.

LE ROSSIGNOL

FABLE

Le rossignol chantait au lever de l'aurore;
Les oiseaux en silence écoutaient ses accents.
            Zéphire agité par ses chants,
            S'en croyait plus digne de Flore;
De degrés en degrés, l'oiseau mélodieux,
            Presse ses sons, anime son ramage,
                Il fait retentir le bocage
D'accents toujours plus vifs, plus doux, plus gracieux
Et se tait. Alors l'alouette
Lui dit : « Nous t'écoutions; le prix du chant t'est dû;
            Mais cruel, pourquoi chantes-tu
            Si peu de temps ? Dans les airs on regrette
Que tes plus longs concerts n'aient que quelques instants.
Moi, je chante, Dieu sait, tant que le printemps dure,
            On n'attend pas. — Moi, j'attends la nature,
Reprit le rossignol; ce n'est qu'à ses élans
                Que je dois mes faibles talents :
Sans elle, je me tais; je ne suis rien sans elle. »

Favoris des neuf sœurs, imitez Philomèle.

LA ROSE

            Jadis, la reine des fleurs,
            Du lis portait la parure,
            Et des mains de la nature
            Sortait sans nulles couleurs.

            Ses nuances diaprées
            Par des teintes de carmin,
            N'avaient alors pour livrées
            Que la blancheur du jasmin.

            Son sein, sa tige divine,
            Avait les mêmes parfums,
            Même feuille; et même épine
            Ecartait les importuns.

L'Amour, qui souvent butine
La fleur prête à s'embellir,
Vole près d'elle, badine,
Et s'empresse à la cueillir.

Mais une épine traîtresse,
De son dard vif et perçant,
Pique le doigt qui la presse,
Et l'Amour verse du sang.

Une goutte précieuse,
Imbibant plis et replis,
Teignit de son coloris
Cette rose trop heureuse.

Depuis qu'Amour fut blessé,
A chaque bouton qu'il cueille,
Il retrouve dans la feuille
Le beau sang qu'il a versé.

FEUTRY

1720-1789

Aimé-Ambroise-Joseph Feutry naquit en 1720 à Lille. Il fit son droit, fut quelque temps avocat au parlement de Douai, puis il abandonna le barreau pour la littérature. Il a beaucoup écrit tant en prose qu'en vers. Il chercha ses modèles chez les poètes de l'Angleterre et il fut un imitateur de Thomson, de Pope et surtout du sombre Young, ainsi que nous l'avons rappelé dans notre Introduction. Sa muse funèbre, et qui vise volontiers au sublime, a des mouvements assez éloquents, mais sa langue n'est ni simple si sûre, et son poème des *Tombeaux*, que nous citons, figure surtout dans ce recueil comme un exemple de la noire poésie qui était alors tristement à la mode. Outre ses œuvres poétiques et ses ouvrages relatifs à la poésie, comme son *Traité de l'origine de la poésie castillane* et ses *Recherches historiques sur la poésie toscane*, il a publié un *Essai sur la construction des voitures à transporter les lourds fardeaux*, un *Supplément à l'art du serrurier*, un *Manuel tironien ou recueil d'abréviations faciles...*, qui est une sorte de système de sténographie ; il est l'auteur de quelques autres ouvrages encore et de quelques traductions de livres anglais ou hollandais. Cet écrivain abondant mourut à Douai. Le 28 mars 1789, dans un accès de démence, il se pendit.

LES TOMBEAUX

POÈME

Discendum est mori, cum mori necesse est.

Au pied de ces coteaux, où, loin du bruit des cours,
Sans crainte, sans désirs, je coule d'heureux jours,
Où des vaines grandeurs je connais le mensonge,
Où tout, jusqu'à la vie, à mes yeux est un songe,
S'élève un édifice, asile de mortels
Aux larmes dévoués, consacrés aux autels.
Une épaisse forêt, de la demeure sainte,
Aux profanes regards cache l'austère enceinte ;

L'aspect de ce séjour, sombre, majestueux,
Suspend des passions le choc impétueux,
Et portant dans nos cœurs une atteinte profonde,
Il y peint le néant des plaisirs de ce monde.

Leur temple, vaste, simple, et des temps respecté,
Inspire la terreur par son obscurité;
Là, cent tombeaux, pareils aux livres des Prophètes,
Sont des lois de la mort les tristes interprètes :
Ces marbres éloquents, monuments de l'orgueil,
Ne renferment, ainsi que le plus vil cercueil,
Qu'une froide poussière, autrefois animée,
Et qu'enivrait sans cesse une vaine fumée.
De ces lieux sont bannis l'ambition, l'espoir,
La dure servitude, et l'odieux pouvoir;
Là, d'un repos égal, jouissent l'opulence,
La pauvreté, le rang, le savoir, l'ignorance.
Orgueilleux! c'est ici que la mort vous attend;
Connaissez-vous... peut-être il n'est plus qu'un instant :
Cœurs faibles! qui craignez son trait inévitable,
Osez voir, sans frémir, ce séjour redoutable;
Parcourez ces tombeaux, venez, suivez mes pas,
Et préparez vos yeux aux horreurs du trépas.

Quel est ce monument dont la blancheur extrême
De la tendre innocence est sans doute l'emblème ?
C'est celui d'un enfant qu'un destin fortuné
Enleva de ce monde aussitôt qu'il fut né.
Il goûta seulement la coupe de la vie;
Mais sentant sa liqueur d'amertume suivie,
Il détourna la tête, et, regardant les cieux,
A l'instant pour toujours il referma les yeux.
Mère! sèche tes pleurs, cet enfant dans la gloire
Jouira sans combats des fruits de la victoire.

Ici sont renfermés l'espoir et la douleur
D'un père qui gémit sous le poids du malheur.
Il demande son fils, l'appui de sa vieillesse,
L'unique rejeton de sa haute noblesse;
Il le demande en vain : l'impitoyable mort
Au midi de ses jours a terminé son sort.
Sa couche nuptiale était déjà parée;
A marcher aux autels l'amante préparée
Attendait son amant pour lui donner sa foi,
Mais la fête se change en funèbre convoi.
Calme-toi, jeune Elvire! insensible à tes larmes,
Dans les bras de la mort, Iphis brave tes charmes.

Quels sont les attributs de cet autre tombeau ?
Dans un ruisseau de pleurs l'Amour plonge un flambeau;

On voit à ses côtés les Grâces gémissantes
Baisser un triste front, et des mains languissantes :
La jeunesse éplorée, et les jeux éperdus,
Semblent encor chercher la beauté qui n'est plus.
Quelle main oserait en tracer la peinture ?
Hortense fut, hélas! l'orgueil de la nature.
Mais de cette beauté, fière de ses attraits,
Osons ouvrir la tombe et contempler les traits.
O ciel!... de tant d'éclat... quel changement funeste!...
Une masse putride est tout ce qu'il en reste ;
Vous frémissez... ainsi nos corps, dans ce séjour,
D'insectes dévorants seront couverts un jour.
Hommes vains et distraits! quelle trace sensible
Laisse dans vos esprits ce spectacle terrible ?
La même, hélas! qu'empreint le dard qui fend les airs
Ou le vaisseau léger qui sillonne les mers.

Des sépulcres des grands, voici la sombre entrée.
De quelle horreur votre âme est-elle pénétrée ?
Tout est tranquille ici; suivons ces pâles feux;
Le silence et la mort règnent seuls en ces lieux.
La terreur qui les suit, errante sous ces voûtes,
Ne peut nous en cacher les ténébreuses routes.
Descendons, parcourons ces tombeaux souterrains,
Où, séparés encor du reste des humains,
Ces grands, dont le vulgaire adorait l'existence,
Ont voulu conserver leur triste préséance.
De l'humaine grandeur pitoyables débris!
Eh! que sont devenus ces superbes lambris,
Ces plaisirs, ces honneurs, ces immenses richesses,
Ces hommages profonds... ou plutôt ces bassesses ?...
Grands! votre éclat, semblable à ces feux de la nuit,
Brille un moment, nous trompe, et soudain se détruit.

A l'obscure clarté de ces lampes funèbres,
Sur ces marbres inscrits voyons leurs noms célèbres;
Lisons : « Ci-gît le grand... » Brisez-vous, imposteurs!
Eh quoi! des os en poudre ont encor des flatteurs!...
Je l'ai vu de trop près : dédaigneux et bizarre,
Il fut à la fois haut, rampant, prodigue, avare,
Sans vertus, sans talents, et, dévoré d'ennui,
Il cherchait le plaisir qui fuyait loin de lui.
De cet autre, ô regrets! l'épitaphe est sincère :
Il fut des malheureux, le protecteur, le père;
Affable, juste, vrai, rempli d'humanité,
Il prévint les soupirs de l'humble adversité :
La patrie anima son zèle, son courage,
Soub..., il eut enfin tes vertus en partage.
Des vrais grands, par ces traits, connaissons tout le prix,
Mais leurs fantômes vains sont dignes de mépris.

Dans ces lieux, un moment, recueille-toi, mon âme!...
Tombeaux! votre éloquence, avec un trait de flamme,
A gravé dans mon cœur le néant des plaisirs;
Cessons donc ici-bas de fixer nos désirs,
Tout n'est qu'illusion d'illusions suivie,
Et ce n'est qu'à la mort où commence la vie.

DESMAHIS

1722-1761

Joseph-François-Edouard de Corsembleu de Desmahis naquit le 3 février 1722, à Sully-sur-Loire. Il était fils d'un magistrat. Destiné au barreau par ses parents, il vint à Paris, vers l'âge de dix-huit ans, et ne tarda pas à se détourner du droit pour prendre la carrière des lettres. Il avait de l'esprit, et se fit remarquer par quelques poésies légères, qui lui valurent le suffrage de Voltaire, et, par suite, une rapide renommée dans les salons. En 1750, il fit représenter une comédie en un acte et en vers : *l'Impertinent ou le Billet perdu*, qui est une sorte de proverbe, habilement versifié, où l'on trouve des traits piquants, mais qui est à peu près vide d'action et qui réussit au-delà de son mérite. Il composa deux autres comédies : *le Triomphe du sentiment* et *la Veuve coquette*, qui ne furent pas jouées ; il en entreprit deux autres encore qu'il n'eut pas le temps d'achever et qui étaient des comédies de caractère, ayant pour titre : l'une, *l'Inconséquent* et l'autre, *l'Honnête Homme*. Desmahis mourut à trente-neuf ans, le 25 février 1761, laissant, outre les œuvres dramatiques ci-dessus mentionnées, un certain nombre de poésies, dont nous avons extrait une *Épître à Voltaire*, considérée comme l'une de ses meilleures pièces, et deux morceaux en vers, tirés d'un petit ouvrage mêlé de vers et de prose, conçu dans le genre et à l'imitation du voyage de Chapelle et Bachaumont et intitulé : *Voyage à Saint-Germain*. On verra, par ces quelques pièces, que si Desmahis n'a ni moins d'esprit ni moins d'aisance que bon nombre d'autres petits poètes de son temps, il n'a ni plus d'originalité qu'eux ni plus de vigueur, et l'on pourra s'étonner qu'il ait, de son vivant, obtenu un très grand succès.

PRIÈRE AU SILENCE [1]

Silence, frère du repos,
Habitant de la solitude,

1. « Au milieu de cette forêt [la forêt de Saint-Germain], je me représentai la demeure du Silence ; il me paraissait aussi digne d'être personnifié que le Sommeil et tant d'autres à qui les poètes ont fait cet honneur. S'il est un démon du bruit, pourquoi le silence n'aurait-

Ami des arts et de l'étude,
Qui fuis la pourpre et les faisceaux;
Toi par qui le sage se venge
Des critiques, des cabaleurs,
Des ignorants et des railleurs,
Reçois cet hymne à ta louange,
Et me préserves, en échange,
Du commerce des grands parleurs.
Quand notre oreille est affligée
Par de froids et bruyants discours,
C'est par toi qu'elle est soulagée;
Quand la raison est outragée
C'est à toi seul qu'elle a recours.
Après avoir, par la parole,
Amusé le sot genre humain,
La science, toujours frivole,
Et le bel esprit, toujours vain,
Privés du renom qui s'envole
Vont se reposer sur ton sein.
Tu peins les amoureuses flammes
Mieux que les plus galants propos;
Les plus ingénieux bons mots
Ne valent pas tes épigrammes;
Tu conserves l'honneur des femmes
Et tu tiens lieu d'esprit aux sots.

LA NOCE DE VILLAGE [1]

Toi qui, vrai, riant et facile,
Peignis des fêtes sous l'ormeau,
Tityre enflant son chalumeau,
Eglé dansant d'un pas agile,
Et Silène sur un tonneau,
Teniers, viens tracer ce tableau;
La nature, à ton art docile,
Semblait naître sous ton pinceau.

Pour trois jours reine du hameau,
Ayant un bouquet pour parure,
Pour couronne un petit chapeau
Qui se perdait dans sa coiffure,

il pas un génie ? A tout hasard, je lui adressai cette prière. » *(Voyage à Saint-Germain.)*

1. « En sortant de la forêt de Saint-Germain, nous crûmes entrer dans la vallée de Tempé. Un spectacle tel que l'Idylle n'en a peut-être jamais peint de plus agréable s'offrit à notre vue. C'était un lendemain de noces; c'était l'Hymen paysan, l'Amour berger, la Joie naïve; c'était une fête vraiment rustique, bien préférable à celle de nos opéras. » *(Voyage à Saint-Germain.)*

Pour trône un siège de verdure,
Et pour dais un humble arbrisseau,
La jeune épouse de la veille,
Tout à la fois pâle et vermeille,
Avait encor l'air étonné ;
Et, tout ensemble heureuse et sage,
Laissait lire sur son visage
Le plaisir qu'elle avait donné.
Sa simplicité la décore
Mieux que le plus riche appareil ;
Son époux la regarde encore,
Ivre d'amour et de sommeil.
Son bonheur naissant se déploie
Sur son front noir et radieux,
Et le Dieu qui ferme ses yeux
N'en a point éclipsé la joie.
Autour d'eux, formant un ballet,
Tous les Amours de ces contrées,
Les Grâces, en petit corset,
Les Ris avec leur air follet,
De l'Hymen portent les livrées,
Des Céladons et des Astrées
Dansent au son du flageolet.
Voyez-les, dans leur joie extrême,
Aller, revenir, se croiser ;
L'un d'eux, à la brune qu'il aime,
En passant ravit un baiser ;
Contre un larcin qu'elle pardonne,
La belle s'arme de rigueur,
Et bien vite au fond de son cœur
Cache le plaisir qu'elle donne.
Qui s'en serait jamais douté
Que ces bergers pussent connaître
La pudeur et la volupté ?
Pour finir ce groupe champêtre,
Quelques vieillards sont à côté,
Qui, dans leurs cœurs sentant renaître
Des étincelles de gaîté,
Comme en hiver on voit paraître
Quelques heures d'un jour d'été,
Racontent ce qu'ils ont été,
Oubliant qu'ils vont cesser d'être.

ÉPITRE A VOLTAIRE [1]

Je naquis au pied du Parnasse,
Et mes faibles yeux en s'ouvrant

1. Voir p. 129 les vers de Voltaire à Desmahis.

Vous y virent au premier rang,
Près de Virgile et près d'Horace.
Vous étiez au-dessus du Tasse,
J'étais au-dessous de Ferrand;
De vos pas je perdis la trace,
Depuis je fus toujours errant;
J'ai pris des leçons en courant,
Et de Sénèque et de Boccace;
Enfin, dans mon séjour natal,
Plein d'une ambitieuse audace,
Je reviens briguer une place
Entre Térence et Juvénal.
Vous me trouvez bien téméraire;
Mais, plein de l'amour des neuf Sœurs,
J'aspire aux plus grandes faveurs,
Pour obtenir la plus légère.

   J'ai cherché d'abord à Cythère
La beauté, les grâces, l'amour;
Mais j'ai trouvé dans cette cour
L'intrigue au lieu de l'art de plaire,
L'intérêt au lieu du désir,
La débauche au lieu du plaisir,
Le scandale au lieu du mystère;
Pétrone y parut trop austère,
On le quitta pour Tigelin,
Canidie en chassa Glycère,
Et l'Albane, à la main légère,
Fut remplacé par l'Arétin.
Non moins vainement au Portique
J'ai cherché la sagesse antique;
C'est là que le démon du bruit
Règne avec l'ignorance altière;
J'y cherchais l'ordre et la lumière,
J'y vis le chaos et la nuit :
C'est là que la pédanterie
Toujours cite, argumente, crie;
Quelques fous, à triste maintien,
Y parlent du souverain bien;
On se loue et l'on s'injurie,
On s'ennuie, et l'on n'apprend rien.

   Paris, la rivale d'Athènes,
Fertile comme elle en chansons,
En bons mots, en satires vaines,
Pour un Socrate a dix Zénons;
Pour un Platon vingt Diogènes,
Pour une abeille cent frelons.

   J'étais dans les noirs tourbillons
De ces insectes parasites,

Comme Regnard chez les Lapons,
Comme Ovide au milieu de Scythes :
A ma patrie enfin rendu,
A mon atelier revenu,
Loin du boudoir d'une coquette,
Au cœur faux, à l'air ingénu,
Loin du froid manteau d'Epictète
Et du masque de la vertu,
Je vais préparer ma palette,
Et peindre tout ce que j'ai vu.
Je peindrai la blonde Egérie,
Cette Laïs à sentiment,
Cette prude à tempérament,
Qui pleure sans être attendrie,
Qui contre les mœurs se récrie,
Et change tous les mois d'amant!
Je peindrai ce faux Aristide,
A l'esprit sec, au cœur glacé,
Au ton dur, au sourcil froncé,
Ignorant qui toujours décide,
Important partout déplacé.

Mais les mœurs que j'aurai dépeintes
Avec mon fidèle pinceau,
Ne paraîtront-elles pas feintes,
Quand j'exposerai leur tableau ?
Nos mœurs, qui ne sont que des modes,
Ont moins de rapport quelquefois
Avec celles de l'autre mois,
Qu'avec celles des antipodes.
Dans ses erreurs, dans ses excès,
Qui peut saisir l'esprit français ?
Nos sottises, nos ridicules
S'échappent en mille globules;
C'est le vif argent dispersé;
L'œil a peine à suivre ses traces,
Mais quand ce métal est fixé,
Il fait qu'on se voit dans nos glaces;
Tel est l'art : quel en est le prix ?
Des gens titrés le froid souris,
Et, de messieurs les beaux esprits,
Le sot dédain, la basse envie;
Il faut marcher toute sa vie
Entre la haine et le mépris.
Que Molière quitte la tombe,
Et qu'à la France il soit rendu,
Demain le Misanthrope tombe,
Et le Tartufe est défendu.
Heureux pourtant si je rassemble
Quelques débris de ses crayons!
Mais plus heureux qui vous ressemble,

Et qui peut allier ensemble,
Tous les esprits et tous les tons!
Heureux du moins si, sur vos traces,
Je vais sacrifier aux grâces!
Heureux même d'être envié,
Si, comme vous, malgré l'envie,
Je pouvais partager ma vie
Entre la gloire et l'amitié!

MARMONTEL

1723-1799

Jean-François Marmontel naquit le 11 juillet 1723, à Bort, en
Limousin. Après avoir fait ses premières études à Mauriac, il fit sa
philosophie à Clermont-Ferrand, et prit la carrière ecclésiastique. Il
reçut la tonsure à Limoges, faillit s'engager à Toulouse chez les
jésuites, mais ayant envoyé aux jeux floraux une pièce de vers et
n'ayant pas reçu de prix, il soumit son ouvrage au jugement de
Voltaire, qui lui répondit d'une manière encourageante et qui le
détermina à se rendre à Paris. Marmontel renonça donc à la carrière
ecclésiastique et commença son métier d'auteur. A Paris, il vécut
d'abord modestement. Il débuta en 1748 par une tragédie : *Denys
le Tyran*, que suivit, en 1749, une tragédie nouvelle : *Aristomène;*
elles obtinrent l'une et l'autre un très grand succès et elles assurèrent
la renommée et la fortune de l'auteur. Les trois tragédies qu'il fit
jouer ensuite : *Cléopâtre* en 1750, *les Héraclides* en 1752, *Egyptus*
en 1753, sans être ni meilleures ni pires que les précédentes, ne réussirent pas. Marmontel composa aussi des ballets, des opéras-comiques,
des *Contes moraux;* un roman, *Bélisaire*, dont un chapitre, où il est
traité de la tolérance, fut l'occasion de longues polémiques; un autre
roman, *les Incas*, où la question de la tolérance est reprise avec de plus
abondants développements; divers poèmes académiques, quelques
petites pièces de vers assez vivement rimées et dont nous citons quelques-unes, des *Éléments de littérature;* enfin et surtout des *Mémoires*
qui sont, sans doute, la seule partie de son œuvre qu'on lise encore et
dans lesquels il raconte avec beaucoup de simplicité, de bonhomie
et d'agrément son existence d'honnête homme et d'honnête écrivain.
Ses succès littéraires lui avaient ouvert les plus riches salons; après
l'insuccès de ses dernières tragédies, la protection de Mme de Pompadour lui fit obtenir le poste de secrétaire des bâtiments de la couronne;
il l'occupa cinq années, après quoi il devint directeur du *Mercure de
France*. Disgracié deux ans après, à la suite d'une parodie faite
contre le duc d'Aumont et dont on le crut l'auteur, il fut mis à la
Bastille où on ne le laissa d'ailleurs que quelques jours. Il fut admis
en 1763 à l'Académie française, dont, en 1783, il devint le secrétaire
perpétuel. Enfin il fut nommé historiographe du roi. Sa mésaventure, on
le voit, n'avait point nui à sa fortune. En 1776, il s'était marié; il

avait épousé une jeune fille, nièce de l'abbé Morellet; cette union fut heureuse. Marmontel, qui avait vécu dans la société de riches épicuriens, et qui avait été fort sensible aux voluptés de l'amour et aux délices de la table, s'accusa de cette « mollesse de conscience » et fut un époux et un père de famille excellents. Pendant la Révolution, il se retira à la campagne, avec les siens. C'est dans la retraite qu'il s'était choisie, au hameau d'Abloville, près de Gaillon, en Normandie, qu'il mourut le 31 décembre 1799.

CHANSON

A Mademoiselle C***.

    J'ai vu de notre roi
La cour et l'équipage,
Tiens, Lisette, avec toi
J'aime mieux le village.

    Loin du brillant fracas
De la grandeur suprême,
Ton berger, dans tes bras,
N'est-il pas roi lui-même ?

    Qu'on s'enivre à loisir
D'une joie importune :
Nous avons le plaisir,
Il vaut bien la fortune.

    Ceint de myrtes fleuris
Que tu cueillis toi-même,
Je vois avec mépris
Le plus beau diadème.

    L'art s'épuise à la cour
Pour les plaisirs du maître;
La nature et l'amour
Sous nos pas les font naître.

    Mon Louvre est un berceau,
Mon sceptre une houlette,
Mon empire un troupeau
Et le cœur de Lisette.

    Je vis loin des grandeurs,
Mais près de ma maîtresse;
Je n'ai point de flatteurs,
Mais son chien me caresse.

RÉPONSE A UNE ÉPITRE DE VOLTAIRE

Ainsi par vous tout s'embellit;
Ainsi tout s'anime et tout pense;
Divine et féconde influence
Du beau feu qui vous rajeunit!

Pour vous l'âge n'a point de glaces;
Les feux sont de toute saison :
Enfant, vous orniez la Raison;
Vieillard, vous couronnez les Grâces.

Quand vous parcourez vos hameaux,
La joie avec vous se promène.
Partout, dans votre heureux domaine,
Vos semblables sont vos égaux :
Le soin de soulager leur peine
Vous fait oublier tous vos maux;
Et, pour mieux égayer la scène,
Vous observez vos animaux
Avec les yeux de La Fontaine [1].

Oui, le monde est tel, à peu près,
Que vous en tracez la peinture :
L'art doit causer peu de regrets
A qui jouit de la nature.

Elle a de sublimes erreurs;
Et l'art n'a que de vains caprices.
Elle est si belle en ses horreurs!
Et l'art est si laid dans ses vices!
Croyez-moi, vos renards, vos loups,
Sont bien moins cruels que les nôtres;
Et nos chiens, soit dit entre nous,
Sont moins vigilants que les vôtres [2].

1. Voltaire dans son *Epître à M. Marmontel* avait écrit :

Si mes paons de leur beau plumage
Me font admirer les couleurs,
Je crois voir mes jeunes seigneurs
Avec leur brillant étalage;
Et mes coqs d'Inde sont l'image
De leurs pesants imitateurs.

2. Voltaire avait écrit :

Les renards, autres chattemites,
Se glissant dans mes basses-cours,
Me font penser à des jésuites.
Puis-je voir mes troupeaux bêlants
Qu'un loup impunément dévore,
Sans songer à des conquérants
Qui sont beaucoup plus loups encore ?

De La Ruette et de Clerval
Grétry fait briller le ramage;
Mais le rossignol, leur rival,
De leurs chansons vous dédommage [1].

Ne croyez pas tous les récits.
De Thomas, les traits adoucis,
Ont eux-mêmes flatté nos dames.
Près de N*** il était assis
Lorsqu'il fit de si belles âmes :
Sur la Vénus de Médicis
Il nous a peint toutes les femmes [2].

Des B***! Ah! qu'il est loin
Le temps où l'on en comptait mille!
Notre pays, j'en suis témoin,
N'est plus en beautés si fertile.
On est plus jolie à présent,
Et d'un minois plus séduisant
On a les piquantes finesses;
Mais du *beau* les temps sont passés.
De Nymphes il en est assez,
Mais nous n'avons plus de déesses.

Cependant Paris doit avoir
Pour vous encore assez de charmes;
Et quand *Zaïre*, sur le soir,
Le remplit de tendres alarmes,
Il vous serait doux de le voir
Applaudir et verser des larmes.
Ne dédaignez pas les honneurs
Que l'on décernait aux Corneilles;
Venez : nos transports et nos pleurs
Sont un prix digne de vos veilles.
Ah! si j'approchais des grandeurs,
Je dirais bien que c'est dommage
Que vous n'adoriez qu'une image;
Qu'il est d'innocentes faveurs
Qu'on peut accorder à votre âge,

1. Voltaire avait écrit :
    Lorsque les chantres du printemps
    Réjouissent de leurs accents,
    Mon jardin et mon toit rustique,
    Lorsque mes sens en sont ravis
    On me soutient que leur musique
    Cède aux bémols de Monsigny
    Qu'on chante à l'Opéra-Comique.

2. Voltaire avait écrit :
    Je lis cet éloge éloquent
    Que Thomas a fait savamment
    Des dames de Rome et d'Athène.

Et qu'on devrait changer l'usage
De baiser par ambassadeurs [1].

Mais si Paris qui vous désire
Vous demande aux dieux vainement,
J'aurai, du moins, en vous aimant [2],
La douceur d'aller vous le dire.

Oui, j'irai les voir ces heureux
Qui peuplent les lieux où vous êtes;
J'irai vous bénir avec eux
Et jouir du bien que vous faites.

Du flambeau de la vérité
J'irai ravir quelque étincelle,
Pour éclairer l'obscurité
Du nuage qui la recèle.
J'ai fait vœu de suivre ses pas.
Je sais qu'elle a bien moins d'appas
Que des fables enchanteresses;
Mais ce sont de folles maîtresses
Qu'on aime, et qu'on n'estime pas.

ÉPIGRAMME [3]

Le vieil auteur du Cantique à Priape,
Le cœur contrit s'en allait à la Trappe,
Pleurer le mal qu'il avait fait jadis.
Son directeur lui dit : « Bon métromane,
C'est bien assez de ton *De profundis*.
Rassure-toi : le bon Dieu ne condamne
Que des vers doux, faciles, arrondis,
Et faits pour plaire à ce monde profane;
Ce qui séduit, voilà ce qui nous damne :
Les rimeurs durs vont tous en paradis. »

1. « Une dame en faveur lui envoyait des baisers. »
2. Voltaire avait écrit :

> On me dit : « Partez promptement,
> Venez sur les bords de la Seine... »
> Ainsi, du monde détrompé,
> Tout m'en parle et tout m'y ramène;
> Serais-je un esclave échappé
> Que tient encore un bout de chaîne ?
> Non, je ne suis point faible assez
> Pour regretter des jours stériles...

3. Elle est faite contre Piron qui a déclaré : « Je trouvai cette épigramme digne de son auteur, et j'y répondis par celle-ci : *Vieil
apprenti...* » (Voir p. 113.)

TURGOT

1727-1781

Anne-Robert-Jacques Turgot, baron de l'Aulne, naquit le 10 mai 1727 à Paris. Destiné à l'état ecclésiastique, il suivit les cours de la faculté de théologie, mais les questions économiques l'intéressaient par-dessus tout et il renonça à l'Eglise. Nous n'avons pas à retracer ici la courte carrière politique, ni à analyser les ouvrages de celui qui, selon l'expression de Renan, fut « habile financier, économiste profond, philosophe excellent ». Mais, bien que Renan ne l'ait pas mentionné, il fut encore poète. Il consacra à la poésie les derniers temps de sa vie, après sa retraite du ministère, qui eut lieu en mai 1776. Il rima surtout des traductions : traductions de Virgile, d'Horace, de Cléante, de Pope, de Gessner. Nous avons pensé qu'on lirait avec curiosité et avec intérêt une pièce de vers de cet homme remarquable à tant de titres, sinon à titre de poète; nous citons donc sa traduction de la *Prière universelle* de Pope. Turgot mourut à Paris le 18 mars 1781.

PRIÈRE UNIVERSELLE

A DIEU TRÈS BON, TRÈS GRAND

TRADUITE DE POPE

Père de tout, ô toi qu'en tout temps, en tout lieu,
Ont adoré les saints, les barbares, les sages,
Sous mille noms divers, objet de leurs hommages :
    Jéhovah, Jupiter ou Dieu;

    Etre caché, source de l'Etre,
    Impénétrable Majesté,
A ma faible raison toi qui n'as fait connaître
    Que sa faiblesse et ta bonté!

Tu m'as donné du moins, dans cette nuit obscure,
De voir le bien, le mal, la défense et la loi;

Tandis que tes décrets enchaînent la nature,
    Tu m'as fait libre comme toi.

Que mon cœur, dans lui-même et dans sa propre estime,
Trouvant un juge austère et jamais corrompu,
Redoute moins l'enfer qu'il n'abhorre le crime,
Désire moins le ciel qu'il n'aime la vertu!

    Loin de moi cette erreur impie
Qui méconnaît tes dons, qui tremble d'en jouir.
C'est toi qui rassemblas les plaisirs sur ma vie;
Les goûter, c'est payer tes soins, c'est t'obéir.

Mais je ne croirai point que ta munificence
A ce globe où je rampe ait borné ses effets,
Qu'errants autour de moi dans l'étendue immense
Mille mondes en vain appellent tes bienfaits.

Que jamais mon orgueil usurpant ton tonnerre
Ne s'arroge le droit d'en diriger les coups,
De lancer l'anathème et de juger la terre,
Interprète ignorant de ton sacré courroux.

    Si je marche dans la justice,
    Jusqu'au terme affermis mes pas;
Si j'ai pu m'égarer dans les sentiers du vice,
Montre-moi le chemin que je ne connais pas.

Quelques biens qu'à mes yeux refuse ta sagesse
Ou que verse sur moi ta libéralité,
Du murmure insolent préserve ma faiblesse
Et défends ma raison contre la vanité.

Si tu m'as vu, sensible au malheur de mes frères,
Prêter à leurs défauts un voile officieux,
Adoucis à ton tour tes jugements sévères :
Sois indulgent pour moi, si je le fus pour eux.

Je connais mon néant, mais je suis ton ouvrage;
    Quel que soit aujourd'hui mon sort,
Sois mon appui, mon guide, et soutiens mon courage
    Ou dans la vie, ou dans la mort.

    Donne-moi le nécessaire,
    La subsistance et la paix;
Si, de tant d'autres biens quelqu'un m'est salutaire,
Tu le sais, tu peux tout; j'adore et je me tais.

    Ton temple est l'immensité même;
Tes autels sont le ciel et la terre et les mers.
Chœur des êtres, chantez votre Maître suprême;
Eclate, hymne éternel, ordre de l'univers.

ÉCOUCHARD-LEBRUN

1729-1807

Ponce-Denis Ecouchard-Lebrun naquit le 11 août 1729 à Paris.
Son père était valet de chambre du prince de Conti, qui se fit le
protecteur de l'enfant, le fit élever au collège Mazarin et, plus tard,
le nomma secrétaire de ses commandements. Le jeune Lebrun fit de
brillantes études et montra des dispositions précoces pour la poésie. A
douze ans il composa ses premiers vers. Louis Racine, dont le fils était
le condisciple de Lebrun, s'intéressa au jeune poète et le conseilla ;
par lui Lebrun reçut les enseignements du XVIIe siècle. Porté à
l'éloquence et visant au sublime, il fit des *Odes*. Nous en avons parlé
dans notre Introduction. Nous n'ajouterons rien ici à ce que nous en
avons dit. En 1760, Lebrun rencontra une nièce de Corneille, dont la
condition n'était pas heureuse, et il écrivit une ode pour la recom-
mander à Voltaire ; celui-ci adopta la jeune fille et Lebrun se glorifia
lui-même de son action en publiant ensemble et son ode et la correspondance qu'il avait eue avec Voltaire en cette circonstance. Raillé par
Fréron, il fit ou il fit faire par son frère une double riposte ; ce furent
les deux pamphlets intitulés : *la Wasprie* et *l'Ane littéraire*. Il avait
du penchant pour la satire, et son penchant pour la satire se développa. Il ne manqua pas d'occasions pour exercer sa verve et il
l'exerça sans pitié. Il excella dans l'épigramme. Aucun poète français
n'en a sans doute rimé autant que lui ; M. Ginguené en a publié
six livres qui en contiennent six cent trente-six et il ne les a pas
toutes recueillies. C'est vraiment la partie « supérieure » de l'œuvre
de Lebrun. En revanche, il a composé des *Elégies* qui sont d'une
surprenante faiblesse. Elles sont adressées à *Fanny*. Il désigne de ce
nom sa femme légitime, Marie-Anne de Surcourt, qu'il avait épousée
en 1759, avec qui il ne tarda pas à être en désaccord, qu'il injuriait,
qu'il battait même, et qui finit par lui intenter un procès en séparation
dans lequel la sœur de Lebrun et jusqu'à sa mère déposèrent contre
lui. Cette séparation, qui le remplit de fureur et qui le ruina en partie,
fut prononcée en 1781. Deux années après, sa ruine fut rendue
complète par la banqueroute du prince de Guéménée, chez qui il
avait placé ce qui lui restait de sa fortune. Il vécut dès lors dans une
petite chambre de la rue Montmartre dont Chateaubriand a décrit
le désordre et la pauvreté. Quand vint la Révolution, il se montra

violemment révolutionnaire et il insulta de sa verve aigrie à toute la noblesse de l'ancienne cour; après le 18 brumaire il fut ardemment bonapartiste. Il était alors remarié; il avait, sous le Directoire, épousé sa servante, laquelle, dit Sainte-Beuve, « le trompait et le maîtrisait ». Celui qui avait reçu le nom trop glorieux de Lebrun-Pindare, et qui avait eu une si grande renommée, était maintenant un vieillard à peu près sans ressources, avare et malheureux. Il devint aveugle et passa tristement ses dernières années; logé d'abord par le gouvernement dans les combles du Louvre, il alla habiter ensuite au Palais-Royal. C'est là qu'il mourut le 2 septembre 1807. Il était membre de l'Académie française depuis 1803. Il avait eu, dans sa vie, de nobles amitiés, au premier rang desquelles il faut citer celle de Buffon et celle de Mme de Chénier, dans la société de qui il connut et il aima le chevalier de Pange, les deux MM. de Trudaine, le marquis de Brazais, et surtout André Chénier, dont il prédit la gloire, mais dont, emporté par sa fougue révolutionnaire, il n'eut pas le noble courage de déplorer l'injuste mort.

ODE A MONSIEUR DE BUFFON

SUR SES DÉTRACTEURS

Buffon, laisse gronder l'envie;
C'est l'hommage de sa terreur :
Que peut sur l'éclat de ta vie
Son obscure et lâche fureur ?
Olympe, qu'assiège un orage,
Dédaigne l'impuissante rage
Des Aquilons tumultueux;
Tandis que la noire tempête
Gronde à ses pieds, sa noble tête
Garde un calme majestueux.

Pensais-tu donc que le génie
Qui te place au trône des arts,
Longtemps d'une gloire impunie
Blesserait de jaloux regards ?
Non! Non! tu dois payer la gloire;
Tu dois expier ta mémoire
Par les orages de tes jours;
Mais ce torrent qui dans ton onde
Vomit sa fange vagabonde
N'en saurait altérer le cours.

Poursuis ta brillante carrière,
O dernier astre des Français!
Ressemble au Dieu de la lumière
Qui se venge par des bienfaits.

Poursuis! que tes nouveaux ouvrages
Remportent de nouveaux outrages
Et des lauriers plus glorieux!
La gloire est le prix des Alcides,
Et le dragon des Hespérides
Gardait un or moins précieux.

C'est pour un or vain et stérile
Que l'intrépide fils d'Eson
Entraîne la Grèce docile
Aux bords fameux par la Toison.
Il emprunte aux forêts d'Epire
Cet inconcevable navire
Qui parlait aux flots étonnés;
Et déjà sa valeur rapide
Des champs affreux de la Colchide
Voit tous les monstres déchaînés.

Il faut qu'à son joug il enchaîne
Les brûlants taureaux de Vulcain :
De Mars qu'il sillonne la plaine
Tremblante sous leurs pieds d'airain.
D'un serpent, l'effroi de la terre,
Les dents, fertiles pour la guerre,
A peine y germent sous ses pas,
Qu'une moisson vivante, armée
Contre la main qui l'a semée,
L'attaque et jure son trépas.

S'il triomphe, un nouvel obstacle
Lui défend l'objet de ses vœux,
Il faut, par un dernier miracle,
Conquérir cet or dangereux :
Il faut vaincre un Dragon farouche,
Braver les poisons de sa bouche,
Tromper le feu de ses regards;
Jason vole; rien ne l'arrête;
Buffon! pour ta noble conquête
Tenterais-tu moins de hasards ?

Mais si tu crains la tyrannie
D'un monstre jaloux et pervers,
Quitte le sceptre du génie,
Cesse d'éclairer l'univers.
Descends des hauteurs de ton âme,
Abaisse tes ailes de flamme.
Brise tes sublimes pinceaux,
Prends tes envieux pour modèles,
Et de leurs vernis infidèles
Obscurcis tes brillants tableaux.

Flatté de plaire aux goûts volages,
L'esprit est le dieu des instants,
Le génie est le dieu des âges,
Lui seul embrasse tous les temps.
Qu'il brûle d'un noble délire
Quand la gloire, autour de sa lyre,
Lui peint les siècles assemblés,
Et leur suffrage vénérable
Fondant son trône véritable
Sur les empires écroulés.

Eût-il, sans ce tableau magique
Dont son noble cœur est flatté,
Rompu le charme léthargique
De l'indolente volupté ?
Eût-il dédaigné les richesses ?
Eût-il rejeté les caresses
Des Circés aux brillants appas,
Et par une étude incertaine
Acheté l'estime lointaine
Des peuples qu'il ne verra pas ?

Ainsi l'active chrysalide
Fuyant le jour et le plaisir,
Va filer son trésor liquide
Dans un mystérieux loisir.
La nymphe s'enferme avec joie
Dans ce tombeau d'or et de soie
Qui la voile aux profanes yeux,
Certaine que ses nobles veilles
Enrichiront de leurs merveilles
Les rois, les belles, et les dieux.

Ceux dont le présent est l'idole
Ne laissent point de souvenir :
Dans un succès vain et frivole
Ils ont usé leur avenir.
Amants des roses passagères,
Ils ont les grâces mensongères
Et le sort des rapides fleurs.
Leur plus long règne est d'une aurore;
Mais le temps rajeunit encore
L'antique laurier des neuf Sœurs.

Jusques à quand de vils Procustes
Viendront-ils au sacré vallon,
Bravant les droits les plus augustes,
Mutiler les fils d'Apollon ?
Le croirez-vous, races futures ?
J'ai vu Zoïle aux mains impures,

Zoïle outrager Montesquieu!
Mais quand la Parque inexorable
Frappa cet homme irréparable,
Nos regrets en firent un dieu.

Quoi! tour à tour dieux et victimes,
Le sort fait marcher les talents
Entre l'Olympe et les abîmes,
Entre la satire et l'encens!
Malheur au mortel qu'on renomme.
Vivant, nous blessons le grand homme;
Mort, nous tombons à ses genoux.
On n'aime que la gloire absente;
La mémoire est reconnaissante;
Les yeux sont ingrats et jaloux.

Buffon, dès que rompant ses voiles,
Et fugitive du cercueil,
De ces palais peuplés d'étoiles
Ton âme aura franchi le seuil,
Du sein brillant de l'Empyrée
Tu verras la France éplorée
T'offrir des honneurs immortels,
Et le Temps, vengeur légitime,
De l'envie expier le crime,
Et l'enchaîner à tes autels.

Moi, sur cette rive déserte
Et de talents et de vertus,
Je dirai, soupirant ma perte :
Illustre ami, tu ne vis plus!
La nature est veuve et muette!
Elle te pleure! et son poète
N'a plus d'elle que des regrets.
Ombre divine et tutélaire,
Cette lyre qui t'a su plaire,
Je la suspends à tes cyprès!

AVANTAGES DE LA VIEILLESSE

Que Minos jette dans son urne
Les noms des vulgaires mortels;
Muses! vos fils bravent Saturne
A l'ombre de vos saints autels.
En vain s'échappe la jeunesse;
Mon âme trompe la vieillesse;
Ma pensée est à son printemps :
Sa fleur ne peut m'être ravie
Et, même en exhalant ma vie,
Je ne meurs pas; je sors du temps!

La nuit jalouse et passagère,
Dont le voile ombrage mes yeux,
N'est qu'une éclipse mensongère
D'où l'esprit sort plus radieux.
Ainsi la nymphe transformée
En chrysalide inanimée
Que voilent de sombres couleurs,
Prépare ces brillantes ailes,
Et ce front paré d'étincelles,
Qu'adore la reine des fleurs.

Le vieillard qui charmait la Grèce,
Cet Anacréon si vanté,
Dans la coupe de l'allégresse
Sut boire l'immortalité.
Jeune de verve et de pensée,
Sa vieillesse fut caressée
Par les Muses et les Amours;
Son hiver eut des fleurs écloses;
Son front se couronna de roses,
Et ces roses vivent toujours.

Mais du chantre heureux de Bathylle,
La verte et brillante saison
Ne fut qu'une suite stérile
De printemps obscurs et sans nom.
Lui-même voila son jeune âge
Sûr de l'immortel badinage
Dont il ménageait le flambeau :
Il sut reculer sa mémoire,
Et sembla naître pour la gloire
Aux portes mêmes du tombeau.

Ainsi, quand la prodigue Flore
A su ravir ses doux présents,
Dons fragiles qu'en vain l'Aurore
Humectait de pleurs bienfaisants,
La sage et tardive Pomone
Ose confier à l'automne,
Voisin des farouches hivers,
Ces fruits dont la riche corbeille
Brave les larcins de l'abeille
Et le souffle glacé des airs.

Ou tel des grappes colorées
Le feu liquide et pétillant
Vieillit, loin des coupes dorées,
Au sein pur d'un cristal brillant;
Loin que son âge le consume,
Riche du temps qui le parfume,

Il devient ce jus précieux,
Cette liqueur à qui tout cède,
Même celle dont Ganimède
Couronnait la coupe des dieux.

ODE SUR LE VAISSEAU *LE VENGEUR*

Au sommet glacé du Rhodope,
Qu'il soumit tant de fois à ses accords touchants,
Par de timides sons le fils de Calliope
      Ne préludait point à ses chants.

Plein d'une audace pindarique,
Il faut que des hauteurs du sublime Hélicon,
Le premier trait que lance un poète lyrique
      Soit une flèche d'Apollon.

L'Etna, géant incendiaire,
Qui, d'un front embrasé, fend la voûte des airs,
Dédaigne ces volcans dont la froide colère
      S'épuise en stériles éclairs.

A peine sa fureur commence,
C'est un vaste incendie et des fleuves brûlants.
Qu'il est beau de courroux, lorsque sa bouche immense
      Vomit leurs flots étincelants!

Tel éclate un libre génie,
Quand il lance aux tyrans les foudres de sa voix.
Telle à flots indomptés sa brûlante harmonie
      Entraîne les sceptres des rois.

Toi, que je chante et que j'adore,
Dirige, ô Liberté! mon vaisseau dans son cours,
Moins de vents orageux tourmentent le Bosphore
      Que la mer terrible où je cours.

Argo, la nef à voix humaine,
Qui mérita l'Olympe et luit au front des cieux,
Quel que fût le succès de sa course lointaine,
      Prit un vol moins audacieux.

Vainqueur d'Eole et des Pléiades,
Je sens d'un souffle heureux mon navire emporté :
Il échappe aux écueils des trompeuses Cyclades,
      Et vogue à l'immortalité.

Mais des flots fût-il la victime,
Ainsi que le *Vengeur* il est beau de périr;

Il est beau, quand le sort vous plonge dans l'abîme,
          De paraître le conquérir.

          Trahi par le sort infidèle,
Comme un lion pressé de nombreux léopards,
Seul au milieu de tous, sa fureur étincelle;
          Il les combat de toutes parts.

          L'airain lui déclare la guerre;
Le fer, l'onde, la flamme entourent ses héros.
Sans doute, ils triomphaient! mais leur dernier tonnerre
          Vient de s'éteindre sous les flots.

          Captifs!... la vie est un outrage!
Ils préfèrent le gouffre à ce bienfait honteux.
L'Anglais, en frémissant, admire leur courage;
          Albion pâlit devant eux.

          Plus fiers d'une mort infaillible,
Sans peur, sans désespoir, calmes dans les combats,
De ces républicains l'âme n'est plus sensible
          Qu'à l'ivresse d'un beau trépas.

          Près de se voir réduits en poudre,
Ils défendent leurs bords enflammés et sanglants,
Voyez-les défier et la vague et la foudre
          Sous des mâts rompus et brûlants.

          Voyez ce drapeau tricolore,
Qu'élève en périssant leur courage indompté.
Sous le flot qui les couvre, entendez-vous encore
          Ce cri : « Vive la liberté » ?

          Ce cri!... c'est en vain qu'il expire,
Etouffé par la mort et par les flots jaloux.
Sans cesse il revivra répété par ma lyre.
          Siècles! il planera sur vous!

          Et vous, héros de Salamine,
Dont Thétis vante encor les exploits glorieux,
Non! vous n'égalez point cette auguste ruine,
          Ce naufrage victorieux!

ÉPIGRAMMES

I

L'OPÉRA CHAMPÊTRE

Qu'ils me sont doux, ces champêtres concerts,
Où rossignols, pinsons, merles, fauvettes,
Sur leur théâtre, entre deux rameaux verts,
Viennent, gratis, m'offrir leurs chansonnettes.
Quels opéras me seraient aussi chers ?
Là n'est point d'art, d'ennui scientifique :
Gluck, Piccini n'ont point noté les airs,
Nature seule en a fait la musique,
Et Marmontel n'en a point fait les vers.

II

SUR UNE DAME POÈTE

Chloé, belle et poète, a deux petits travers :
Elle fait son visage, et ne fait pas ses vers.

III

A ***

QUI EXALTAIT MES ÉPIGRAMMES POUR DÉPRÉCIER MES ODES [1]

Dans l'Epigramme au moins j'ai su te plaire :
Là, je suis bon; tu le dis, je le croi;
Je n'ai pourtant jamais parlé de toi;
O mon Ami ! la meilleure est à faire.

IV

O la maudite compagnie
Que celle de certains fâcheux
Dont la nullité vous ennuie !
On n'est pas seul, on n'est pas deux.

---

1. Cette épigramme est dirigée contre Suard, qui, en l'apprenant,
aurait dit : « Elle est faite. » (Fayolle, *Acanthologie*.)

V

SUR LA HARPE
QUI VENAIT DE PARLER DU GRAND CORNEILLE
AVEC IRRÉVÉRENCE

Ce petit homme à son petit compas,
Veut sans pudeur asservir le génie.
Au bas du Pinde il trotte à petits pas,
Et croit franchir les sommets d'Aonie.
Au grand Corneille il a fait avanie;
Mais, à vrai dire, on riait aux éclats,
De voir ce nain mesurer un Atlas;
Et redoublant ses efforts de Pygmée,
Burlesquement roidir ses petits bras
Pour étouffer si haute renommée!

VI

DÉFENSE DE LA HARPE

Non. La Harpe au serpent n'a jamais ressemblé;
Le serpent siffle et La Harpe est sifflé.

VII

Un vieux Rohan, tout bouffi de son nom,
Frappé se vit du foudre apoplectique;
Un vieux docteur, homme de grand renom,
Appelé fut dans ce moment critique.
Près du malade il s'assied, prend le pouls :
« Eh bien, dit-il, comment vous sentez-vous ? »
Point ne répond. Notre rusé Boerhave
Lui crie alors d'un ton un peu plus fort :
« Monseigneur ?... Rien! peste! le cas est grave!
Prince ?... au plus mal! Votre Altesse ?... il est mort! »

VIII

SUR UNE BROCHURE INTITULÉE :
ESPRIT DE L'ABBÉ DE LA PORTE
PUBLIÉE APRÈS SA MORT

De feu La Porte en ce livret,
L'esprit, oui l'esprit, se révèle;
C'en est la première nouvelle,
Tant le bon abbé fut discret.

IX

SUR LE MÊME SUJET

De La Porte, admirez le sort !
L'esprit lui vint après la mort.

X

SUR UNE FEMME LAIDE ET SOTTE

Cléis, bien laide, avec peine se mire,
Car, des miroirs, sa laideur elle apprit ;
Cléis, bien sotte, en babillant s'admire.
Ah ! que n'est-il des miroirs pour l'esprit !

XI

LE NOUVEAU PIBRAC [1]

Que tes quatrains nous distillent d'ennuis !
De tes quatrains vraiment le poids m'assomme.
Pour m'assoupir je m'en servais les nuits :
Oh ! qu'ils m'ont fait dormir d'un mauvais somme !

XII

SUR CE QU'ON DISAIT QUE SAINT-LAMBERT
COMPOSAIT UN POÈME SUR LE GÉNIE

Oh ! quelle étrange calomnie !
Je n'en crois rien, en vérité.
Saint-Lambert peindre le génie ?
C'est l'hiver qui peindrait l'été !

XIII

SUR UNE TRAGÉDIE DE STUART

Ton drame est triste et froid ; tes vers sont désastreux,
Ah ! le sort des Stuarts est d'être malheureux !

XIV

SUR LA HARPE
EXCELLENT PROFESSEUR DE POÉSIE AU LYCÉE

Oh ! La Harpe est vraiment un professeur unique !
Il vous parle si bien de vers, de poétique,

---

1. François de Neufchâteau qui publia, en 1784 puis en 1792, une
*Anthologie morale, ou choix de Quatrains et de Distiques pour exercer
la mémoire, pour armer l'esprit et pour former le cœur des jeunes gens.*

Qu'instruit par ses leçons, on ne peut désormais
    Lire un seul des vers qu'il a faits.

XV

AUX QUARANTE

    Dans vos fauteuils honorifiques,
Dormez aussi, beaux endormeurs,
Sûrs de vos dons soporifiques,
Bravez les malignes clameurs.
Qu'importe que des Frérons braillent
Et vous montrent toujours les dents,
Les Cerbères les plus mordants
Peuvent-ils mordre quand ils bâillent ?

XVI

A QUI SE RECONNAITRA

    Quoi ! petit sot, vous faites des malices !
Las de m'offrir un narcotique encens,
Chez d'autres sots vous cherchez des complices,
Pour décrier mes lyriques accents !
A vos tréteaux ameutez les passants ;
De Chapelain contez-leur la victoire ;
Prônez surtout le grand barde B*** [1],
Sifflez-moi bien ; c'est me faire la cour :
Sifflets de sots sont fanfare de gloire.

XVII

    Au coche académique il est quarante places,
Qu'avec les beaux esprits quelques sots briguent fort.
On le charge de vers, et de prose, et de glaces.
Où va-t-il ? Je ne sais. Qu'y fait-on ? L'on y dort.

XVIII

SUR ANDRIEUX

    Dans ces contes pleins de bons mots
Qu'Andrieux lestement compose,
La rime, bien mal à propos,
Gâte le charme de la prose.

1. Baour.

L'ABBÉ AUBERT

1731-1814

Jean-Louis Aubert naquit le 15 février 1731, à Paris. Il entra dans les ordres, mais il avait le goût des belles-lettres et il fut à la fois poète et critique. Critique, il fut chargé, à partir de 1752, du feuilleton littéraire aux *Annonces et Affiches de la province et de Paris*, et plus tard au *Journal des Beaux-Arts et des Sciences*; en 1774 enfin, il se vit confier la direction générale de la *Gazette de France*. Il venait alors d'être nommé professeur au Collège royal qui prit ensuite le nom de Collège de France. Comme poète, il a composé des *Contes moraux* et surtout des *Fables*, dont les premières parurent au *Mercure de France* et furent paradoxalement louées par Voltaire qui n'hésita pas à écrire à leur auteur : « Vous vous êtes mis, Monsieur, à côté de La Fontaine. » A côté seulement ? L'abbé Aubert se jugeait plus favorablement encore, car, s'estimant sans doute un peu inférieur à La Fontaine dans la versification, il se trouvait supérieur dans l'invention, se faisant gloire d'avoir tiré de lui-même les sujets de ses fables, tandis que La Fontaine avait presque toujours emprunté les siens. Nous donnons deux des fables d'Aubert, que nous avons choisies précisément parmi celles que Voltaire admirait et dont il écrivait : « De telles fables sont du sublime, écrit avec naïveté. » L'amabilité de Voltaire est infinie. A défaut de sublime, Aubert a des traits d'une naïveté aisée et souvent gracieuse. Si ce n'est pas beaucoup, c'est pourtant quelque chose. L'abbé Aubert reçut-il de son illusoire rivalité avec La Fontaine une nouvelle émulation ? En tout cas, il eut l'imprudence de traiter à son tour, mais en vers, la légende de *Psyché*. Il le fit sans aucun bonheur. Il ne fut pas heureux non plus comme auteur dramatique : il composa un drame en trois actes : *la Mort d'Abel*, qui n'est qu'une imitation, sans chaleur et sans relief, de l'ouvrage de Gessner. L'abbé Aubert passa dans la retraite les années de la Révolution et de l'Empire. Il mourut, âgé de quatre-vingt-trois ans, le 10 novembre 1814.

FABLES

I

LES FOURMIS

La reine des fourmis mourut : on la pleura.
      Le trône était héréditaire.
Elle n'avait qu'un fils ; ce fils lui succéda
Mais il n'imita point les vertus de sa mère,
      Et bientôt on le détrôna :
Ce peuple avec ses rois n'entend pas raillerie.
Voulant à l'avenir éviter un tel cas,
      Il abolit la monarchie.
Il fallut pour cela convoquer les états.
      Ils créèrent des magistrats,
      Ils accrurent la tyrannie,
Et de ce nouveau joug chacun fut bientôt las.
Pour avoir mal choisi, ces insectes conclurent
Qu'un tel gouvernement ne leur convenait pas ;
Et leurs meilleurs cerveaux dès l'instant résolurent
De n'avoir désormais ni magistrats ni roi :
Le Louvre fut détruit et les lois disparurent.
Alors chaque fourmi ne vécut que pour soi.
      « Que m'importe si ma voisine
Pour passer son hiver n'a pas assez de grains ?
Je n'irai pas quitter le soin de ma cuisine
      Pour enrichir ses magasins. »
L'une ainsi raisonnait. « Grâce à Dieu, disait l'autre,
Mon grain me durera quatre bonnes saisons ;
      Plutôt que de donner du nôtre,
Le printemps et l'été nous nous reposerons. »
Plusieurs avaient, parmi ces insectes avares,
Au pied d'un petit mont établi leurs foyers ;
D'autres sur la hauteur avaient mis leurs dieux Lares.
L'aquilon, de ceux-ci, vide un soir les greniers.
      Les dames d'en-bas toutes fières
      D'avoir leurs magasins entiers,
Quand ils viennent quêter, rejettent leurs prières.
Mais la pluie à son tour ravageant leurs logis,
      Ces bestioles trop altières
Vont des rives du Styx grossir les fourmilières.
Leurs voisins par l'épargne et le temps rétablis,
Les laissèrent périr sans en être attendris.
Une jeune fourmi vit un jour avec joie
Un bel épi de blé à deux pas de son trou.
Vingt fourmis près de là, trottaient sans savoir où :
« Aidez-moi, leur dit-elle, à charger cette proie.

— C'est très bien dit vraiment, répond chaque fourmi;
Allez vous fatiguer pour cette demoiselle!
Quant à moi, je prends l'air; mon grenier est rempli :
      Le ciel vous assiste, la belle! »
De leur mépris barbare elle se vengea bien
      (Le dépit donne du courage) :
Tandis qu'elles goûtaient les plaisirs du voyage,
      La dame alla piller leur bien.
De retour au logis les autres ne trouvèrent
      Que la moitié de leur provision :
Pour unique ressource elles se désolèrent;
Personne ne prit part à leur affliction.

   Les hommes deviendraient bientôt insociables,
S'ils ne connaissaient plus ni monarques ni lois;
Et les refus cruels qu'essuieraient leurs semblables
      Leur nuiraient à tous à la fois.
Cérès a dans mon champ répandu ses largesses ?
Ce que j'aurai de trop sera pour mon voisin
      Qu'elle a privé de ses richesses,
Et sa reconnaissance est un trésor certain
      Où je puiserai l'abondance
Quand Cérès, me voyant avec indifférence,
      Pour lui seul ouvrira son sein :
Tel est le fondement de la loi naturelle;
Mais tant de passions en détachent nos cœurs,
      Que pour nous ramener vers elle,
Il faut des dieux, des rois et des décrets vengeurs.

            II

        LE MERLE

D'un bois fort écarté, les divers habitants,
Animaux, la plupart sauvages, malfaisants,
      De l'homme ignoraient l'existence.
Nos semblables jamais ne pénétrèrent là.
Un merle, en un couvent élevé dès l'enfance,
En voyageant au loin, parvint chez ces gens-là.
Il était beau parleur, et sortait d'une cage,
Où merle de tout temps apprit à s'énoncer
      En jeune oiseau dévot et sage.
Son zèle dans ce bois eut de quoi s'exercer.
« Eclairons, disait-il, nos frères misérables;
Tout merle à ce devoir par état engagé,
Plus éclairé, plus saint, doit prêcher ses semblables. »
Un jour donc notre oiseau, sur un arbre perché,
Harangua vivement les plus considérables.
Nouveau missionnaire, il suait en prêchant.
D'abord on ne comprit son discours qu'avec peine :

Il parlait d'un être puissant,
Qu'il nommait homme, ayant l'univers pour domaine,
Sachant tout, et pouvant, s'ils ne s'apprivoisaient,
Détruire par le feu toute leur race entière.
Ours, tigres, sangliers étaient là qui bâillaient :
Mais à ce dernier trait ils dressent la crinière.
Le merle profitant d'un instant précieux,
S'agite, entre en fureur, et déploie à leur yeux
   Les grands traits de l'art oratoire :
(Eschine en ses discours montrait moins d'action.)
On dit qu'il arracha des pleurs à l'auditoire.
Dans le bois chacun songe à sa conversion,
Et tremble d'encourir la vengeance de l'homme.
  Sur ce nouveau roi qu'on leur nomme,
  Au docteur merle ils font cent questions.
« L'homme est, répondit-il, doué par la nature,
   De toutes les perfections.
   — Il a donc une belle hure ?
   Dit le porc en l'interrompant.
— Sans doute qu'il reçut une trompe en partage ?
   Reprit à son tour l'éléphant. »
Le tigre prétendait qu'il devait faire rage
   Avec ses griffes et ses dents;
Et l'ours, qu'entre ses bras il étouffait les gens.
Les faibles s'en formaient des images pareilles,
Et pensaient le douer d'attributs assez beaux,
Le cerf, en lui donnant des jambes de fuseaux,
   Et l'âne de longues oreilles.

Tout ce qui nous ressemble est parfait à nos yeux :
D'après leurs traits grossiers, leur instinct vicieux,
   Ces animaux peignaient les hommes.
   Et, vils insectes que nous sommes,
A notre image aussi notre orgueil peint les dieux.

GUICHARD

1731-1811

Jean-François Guichard naquit le 5 mai 1731, à Chartrettes, près Melun. Il n'était pas riche; il occupa divers emplois des plus modestes dans l'administration de la marine d'abord, puis dans celle des finances; en 1790 il fut mis à la retraite, n'ayant pour vivre qu'une petite pension. Néanmoins, il fut toujours d'humeur gaillarde. Il aimait les plaisirs. Comme beaucoup de bons viveurs de son temps il rima des poésies légères : des contes qui souvent sont fort licencieux; des épigrammes, dont toute une série contre le critique Geoffroy; quelques petites pièces de théâtre et quelques fables. Il vécut fort vieux sans rien changer à sa vie. Pauvre homme et assez pauvre poète, il mourut le 23 février 1811. Il avait quatre-vingts ans.

L'OPTIMISTE

De philosophes à Bagdad
Il était une secte assez originale;
        Et, contente de faire éclat,
        Sa maxime fondamentale,
Son refrain éternel le voici : *Tout est bien*.
        Elle ne désapprouvait rien.
L'un de ces beaux docteurs avait méchante femme,
        Méchante, méchante à l'excès.
Ce mari, comme un autre, eut un maudit accès;
En disant : *Tout est bien*, il étrangla sa dame.
Le calife envoya saisir le criminel,
Et le fit empaler sur l'heure en sa présence.
Pas un cri; de sang-froid se montrait ce mortel.
        « Pourquoi déguiser ta souffrance,
Faux sage ? des croyants lui dit le commandeur :
        Plains-toi; la plainte apaise la douleur.
— Moi, me plaindre ? eh! de quoi ? ce serait injustice.
        L'exécuteur s'est signalé,
        Je n'ai qu'à souffrir mon supplice,
Tout est bien, je me vois comme il faut empalé. »

ÉPIGRAMMES

I

CONTRE FRÉRON [1]

Souris de trop bon goût, souris trop téméraire,
Un subtil trébuchet de vous m'a fait raison.
Coquine, vous rongez un tome de Voltaire,
Tandis que vous avez les feuilles de Fréron.

II

SUR UN VERSIFICATEUR DIFFUS

Vos vers sont bien tournés, les rimes en sont belles ;
Certes les pieds y sont, mais je cherche les ailes.

III

CONTRE GEOFFROY [2]

Il est cité pour le plus grand des drôles ;
Mais montrez-lui seulement le bâton,
Vous le verrez, soudain, baisser le ton,
Et s'esquiver en serrant les épaules ;
Onc ne naquit insolent dans les Gaules
Qui, par le dos, entendit mieux raison.

IV

MOT DE FONTENELLE

« Ou donnez-nous à boire, ou versez-nous ; laquelle
De ces deux façons vaut le mieux ? »

1. Outre la version ci-dessus de l'épigramme contre Fréron, version donnée dans la *Correspondance* de Grimm, t. IV, p. 486, on trouve la suivante dans le Recueil de Bruzen de La Martinière, t. II, livre X, épigramme 47 :

Je te tiens, souris téméraire,
Un trébuchet m'a fait raison :
Coquine ! tu rongeais un tome de Voltaire,
Tandis que j'avais là les œuvres de Pradon.

2. Critique dramatique au *Journal des Débats*.

Demandait d'un ton précieux
Un freluquet à Fontenelle,
Voulant narguer l'académicien.
« Monsieur, répondit le doyen,
La meilleure pour vous, si vous m'en voulez croire,
C'est de dire : « Menez-moi boire. »

V

L'HEUREUX CALEMBOUR

Assez souvent le faux pour le vrai se publie.
On disait que Terray, ce malfaisant mortel,
Sous le ciel de son lit avait perdu la vie;
Et de Bièvre, présent, s'écria : « Juste ciel ! »

BEAUMARCHAIS

1732-1799

Pierre-Augustin Caron, qui prit plus tard le nom de Beaumarchais, naquit le 24 janvier 1732 à Paris et mourut le 17 mai 1799. Il n'est pas nécessaire de rappeler ici l'existence aventureuse de l'auteur du *Barbier de Séville*, du *Mariage de Figaro*, et des fameux *Mémoires* dans l'affaire Gözmann. Il appartient à l'histoire des mœurs et à l'histoire du théâtre au XVIIIe siècle. Il a composé peu de vers et ceux qu'il a écrits n'ont rien de particulièrement remarquable. Nous avons cru cependant devoir lui faire une place dans ce recueil, et y recueillir, à côté de deux petites pièces tirées de ses poésies fugitives, la délicieuse romance qu'au deuxième acte du *Mariage de Figaro*, il fait chanter à Chérubin.

ROMANCE DE CHÉRUBIN

Air : *Malbrough s'en va-t-en guerre*

Mon coursier hors d'haleine
(Que mon cœur, mon cœur a de peine!)
J'errais de plaine en plaine,
Au gré du destrier.

Au gré du destrier,
Sans varlet, n'écuyer.
Là, près d'une fontaine,
(Que mon cœur, mon cœur a de peine!)
Songeant à ma marraine,
Sentais mes pleurs couler.

Sentais mes pleurs couler,
Prêt à me désoler.
Je gravais sur un frêne,
(Que mon cœur, mon cœur a de peine!)
Sa lettre sans la mienne;
Le roi vint à passer.

Le roi vint à passer,
Ses barons, son clergier.
« Beau page, dit la reine,
(Que mon cœur, mon cœur a de peine!)
Qui vous met à la gêne ?
Qui vous fait tant plorer ?

Qui vous fait tant plorer ?
Nous faut le déclarer.
— Madame et Souveraine,
(Que mon cœur, mon cœur a de peine!)
J'avais une marraine,
Que toujours adorai.

Que toujours adorai :
Je sens que j'en mourrai.
— Beau page, dit la reine,
(Que mon cœur, mon cœur a de peine!)
N'est-il qu'une marraine ?
Je vous en servirai.

Je vous en servirai.
Mon page vous ferai;
Puis à ma jeune Hélène,
(Que mon cœur, mon cœur a de peine!)
Fille d'un capitaine,
Un jour vous marirai.

Un jour vous marirai.
— Nenni, n'en faut parler!
Je veux, traînant ma chaîne,
(Que mon cœur, mon cœur a de peine!)
Mourir de cette peine,
Mais non m'en consoler. »

INSCRIPTION

PLACÉE DANS SON JARDIN, AU FOND D'UN BOSQUET

Adieu, passé, songe rapide
Qu'anéantit chaque matin!
Adieu, longue ivresse homicide
Des Amours et de leur festin,
Quel que soit l'aveugle qui guide
Ce monde, vieillard enfantin!
Adieu, grands mots remplis de vide,
Hasard, Providence ou Destin!
Fatigué dans ma course aride
De gravir contre l'incertain,

Désabusé comme Candide
Et plus tolérant que Martin,
Cet asile est ma Propontide :
J'y cultive en paix mon jardin.

L'ÉLOGE DU REGARD

CHANSON FAITE SUR UNE TRÈS BELLE FEMME
NOMMÉE MADAME DE MONREGARD

Sur l'air : *Ah! sans vous, sans vous, ma Lisette, etc.*

Les femmes vantent ma figure,
On dit mes traits intéressants;
Mon air, ma taille, ma stature,
Ont aussi mille partisans.
Mon esprit, ma voix, mon sourire,
Obtiennent leur éloge à part;
Mais ce que surtout on admire,
C'est la beauté de mon regard.

Vous, philosophe atrabilaire,
Pour qui rien ne se peint en beau,
Vous, à qui la nature entière
Ne semble qu'un vaste tombeau,
Je vous plains de ne voir en elle
Que les jeux d'un triste hasard.
Qu'elle est pour moi touchante et belle!
Mais vous n'avez pas mon regard.

Nos champs reprennent leur parure :
Quel spectacle délicieux!
Quand je regarde la nature,
Mon âme est toute dans mes yeux.
A ces jeux dont elle est ravie,
Mes autres sens ont peu de part;
Les plus doux plaisirs de ma vie,
Ah! je les dois à mon regard!

Du goût, du toucher, le prestige
S'annonce en me faisant la loi;
Une odeur m'atteint et m'afflige;
Le bruit me frappe malgré moi.
Sur mes sens, chaque objet, chaque être,
Commande, agit sans nul égard;
Mais du monde entier je suis maître
Quand je jouis de mon regard.

Je pourrais braver l'infortune,
L'envie et ses efforts puissants;
Je me verrais sans plainte aucune
Privé de quatre de mes sens :
Tant de maux de cet hémisphère
Ne hâteraient point mon départ;
Mais que faire, hélas! sur la terre,
Si j'avais perdu mon regard ?

THOMAS

1732-1785

Antoine-Léonard Thomas naquit le 10 octobre 1732, à Clermont-Ferrand. Après avoir fait, à Paris, de bonnes études, il entra comme clerc chez un procureur; il y resta peu de temps, car les lettres seules l'attiraient. Il se tourna vers l'enseignement, et obtint le poste de professeur de sixième au collège de Beauvais. Il y compléta en même temps ses propres études et y composa ses premiers ouvrages. Il débuta par des *Réflexions philosophiques et littéraires sur le poème de La religion naturelle;* début présomptueux, pour un jeune homme, car l'auteur s'y attaquait à Voltaire. Voltaire s'en vengea en appelant le style boursouflé et redondant, non plus du *galimatias* mais du *Gali-Thomas.* Après cet ouvrage, qui est de 1756, Thomas publia (en 1759) un poème en quatre chants : *Jumonville,* tout à fait oublié aujourd'hui et qui n'a que de bien faibles mérites. Il trouva enfin sa vraie voie : il composa, pour les concours d'éloquence de l'Académie française, des *Éloges.* Il a fait celui de Marc Aurèle, celui de Sully, celui de Descartes, celui de Duguay-Trouin, celui de d'Aguesseau, d'autres encore. Il était propre à ce genre : il avait le style naturellement oratoire, oratoire jusqu'à la déclamation; il savait arrondir et aligner de ces phrases pauvres de substance mais riches de sonorité qui conviennent au développement des lieux communs, même les plus simples. Il eut d'ailleurs de belles pages à l'occasion; il mérita donc d'être considéré comme l'un des maîtres de ce genre académique dont il a formulé une théorie dans un *Essai sur les éloges* qui parut en 1773; c'est surtout comme auteur d'éloges, du reste, que son nom est, aujourd'hui encore, quelquefois cité. Comme poète, il ne s'élève guère au-dessus de la médiocrité. Il a, outre *Jumonville,* composé un poème en quatre chants intitulé : *le Tzar Pierre,* des épîtres, des poésies diverses, une traduction de la dixième satire de Juvénal et des odes, dont l'une, *l'Ode sur le temps,* a été particulièrement admirée et a, plus que les autres, mérité de l'être. De ses ouvrages poétiques, elle demeure, sinon le seul, du moins le plus connu. On y trouve des expressions que l'on retrouvera dans *le Lac* de Lamartine. Nous l'avons donc citée comme une des productions intéressantes de la poésie lyrique au XVIIIᵉ siècle. Thomas était un homme digne de la plus haute estime : esprit religieux, mais non pas intolérant, cœur généreux plaçant son devoir avant ses intérêts, il n'eut point d'ennemis personnels. Les écrivains qui, en littérature, étaient ses adversaires, lui rendaient eux-mêmes hommage, jusqu'à Voltaire qui eut l'occasion de lui écrire plusieurs lettres du tour le plus flatteur. Cet homme de bien mourut à Oullins, le 17 septembre 1785.

ODE SUR LE TEMPS

Le compas d'Uranie a mesuré l'espace.
O Temps, être inconnu que l'âme seule embrasse,
Invisible torrent des siècles et des jours,
Tandis que ton pouvoir m'entraîne dans la tombe,
      J'ose, avant que j'y tombe,
M'arrêter un moment pour contempler ton cours.

  Qui me dévoilera l'instant qui t'a vu naître ?
Quel œil peut remonter aux sources de ton être ?
Sans doute ton berceau touche à l'éternité.
Quand rien n'était encore, enseveli dans l'ombre
      De cet abîme sombre,
Ton germe y reposait, mais sans activité.

  Du chaos tout à coup les portes s'ébranlèrent ;
Des soleils allumés les feux étincelèrent ;
Tu naquis ; l'Eternel te prescrivit ta loi.
Il dit au mouvement : « Du Temps sois la mesure. »
      Il dit à la nature :
« Le Temps sera pour vous, l'Eternité pour moi. »

  Dieu, telle est ton essence : oui, l'océan des âges
Roule au-dessous de toi sur tes frêles ouvrages,
Mais il n'approche pas de ton trône immortel.
Des millions de jours qui l'un l'autre s'effacent,
      Des siècles qui s'entassent
Sont comme le néant aux yeux de l'Eternel.

  Mais moi, sur cet amas de fange et de poussière
En vain contre le Temps je cherche une barrière ;
Son vol impétueux me presse et me poursuit.
Je n'occupe qu'un point de la vaste étendue
      Et mon âme éperdue
Sous mes pas chancelants voit ce point qui s'enfuit.

  De la destruction tout m'offre des images.
Mon œil épouvanté ne voit que des ravages ;
Ici, de vieux tombeaux que la mousse a couverts ;
Là, des murs abattus, des colonnes brisées,
      Des villes embrasées ;
Partout les pas du Temps empreints sur l'univers.

Cieux, terres, éléments, tout est sous sa puissance.
Mais tandis que sa main, dans la nuit du silence,
Du fragile univers sape les fondements;
Sur des ailes de feu, loin du monde élancée,
                Mon active pensée
Plane sur les débris entassés par le Temps.

Siècles qui n'êtes plus, et vous qui devez naître,
J'ose vous appeler; hâtez-vous de paraître,
Au moment où je suis, venez vous réunir.
Je parcours tous les points de l'immense durée
                D'une marche assurée :
J'enchaîne le présent, je vis dans l'avenir.

Le soleil épuisé dans sa brûlante course,
De ses feux par degrés verra tarir la source,
Et des mondes vieillis les ressorts s'useront.
Ainsi que des rochers qui du haut des montagnes
                Roulent sur les campagnes,
Les astres l'un sur l'autre un jour s'écrouleront.

Là, de l'éternité commencera l'empire;
Et dans cet océan, où tout va se détruire,
Le Temps s'engloutira, comme un faible ruisseau.
Mais mon âme immortelle, aux siècles échappée,
                Ne sera point frappée,
Et des mondes brisés foulera le tombeau.

Des vastes mers, grand Dieu, tu fixas les limites,
C'est ainsi que du Temps les bornes sont prescrites.
Quel sera ce moment de l'éternelle nuit ?
Toi seul tu le connais, tu lui diras d'éclore :
                Mais l'univers l'ignore;
Ce n'est qu'en périssant qu'il en doit être instruit.

Quand l'airain frémissant autour de vos demeures,
Mortels, vous avertit de la fuite des heures,
Que ce signal terrible épouvante vos sens.
A ce bruit, tout à coup, mon âme se réveille,
                Elle prête l'oreille
Et croit de la mort même entendre les accents.

Trop aveugles humains, quelle erreur vous enivre!
Vous n'avez qu'un instant pour penser et pour vivre,
Et cet instant qui fuit est pour vous un fardeau!
Avare de ses biens, prodigue de son être,
                Dès qu'il peut se connaître,
L'homme appelle la mort et creuse son tombeau.

L'un, courbé sous cent ans, est mort dès sa naissance;
L'autre engage à prix d'or sa vénale existence;

Celui-ci la tourmente à de pénibles jeux;
Le riche se délivre, au prix de sa fortune,
            Du Temps qui l'importune;
C'est en ne vivant pas que l'on croit vivre heureux.

    Abjurez, ô mortels, cette erreur insensée!
L'homme vit par son âme, et l'âme est la pensée.
C'est elle qui pour vous doit mesurer le Temps!
Cultivez la sagesse; apprenez l'art suprême
            De vivre avec soi-même
Vous pourrez sans effroi compter tous vos instants.

    Si je devais un jour pour de viles richesses
Vendre ma liberté, descendre à des bassesses,
Si mon cœur par mes sens devait être amolli,
O Temps! je te dirais : « Préviens ma dernière heure,
            Hâte-toi que je meure;
J'aime mieux n'être pas que de vivre avili. »

    Mais si de la vertu les généreuses flammes
Peuvent de mes écrits passer dans quelques âmes;
Si je peux d'un ami soulager les douleurs;
S'il est des malheureux dont l'obscure innocence
            Languisse sans défense,
Et dont ma faible main doive essuyer les pleurs,

    O Temps, suspends ton vol, respecte ma jeunesse;
Que ma mère, longtemps témoin de ma tendresse,
Reçoive mes tributs de respect et d'amour;
Et vous, Gloire, Vertu, déesses immortelles,
            Que vos brillantes ailes
Sur mes cheveux blanchis se reposent un jour.

COLARDEAU

1732-1776

Charles-Pierre Colardeau naquit le 12 octobre 1732, à Janville, non loin de Chartres. A treize ans, il perdit son père; son oncle, curé de Pithiviers, se chargea d'abord de son éducation, puis il le mit au collège des jésuites de Meung-sur-Loire. Ses études terminées, Colardeau fut placé à Paris chez un procureur; mais il ne voulait pas être avocat, il voulait être poète; rappelé auprès de son oncle, il fit des traductions en vers de psaumes et de cantiques. Le bon prêtre ne résista plus à une vocation poétique si édifiante et Colardeau put retourner à Paris. Il ne fut pourtant pas un poète religieux, mais il ne fut pas non plus simplement un petit poète galant, comme il y en avait tant alors. Nous ne répéterons pas ce que nous avons dit dans notre Introduction de son rôle littéraire : création de l'*Héroïde*, traduction des poètes anglais, sentiment et description de la nature. Colardeau composa aussi quelques pièces de théâtre, assez faibles, et mit en vers, comme le fit le poète Léonard, *le Temple de Gnide* de Montesquieu. Une liaison amoureuse, qui lui causa bien des douleurs, lui donna l'occasion d'écrire sous le titre d'*Epîtres à toi* une série d'élégies sur le bonheur et les peines de l'amour. Cet homme simple et bon, qui — et cela vaut d'être noté — n'a point fait d'épigrammes dans un temps où tout le monde en faisait, mourut à Paris, le 7 avril 1776, peu après son élection à l'Académie française, où le triste état de sa santé ne lui avait pas permis de prendre séance.

ÉPITRE A MONSIEUR DUHAMEL
DE DENAINVILLIERS

FRAGMENT

Je parcours, plus heureux, ces voûtes isolées.
Si je suis les détours que forment ces vallées,
J'aime à voir le zéphyr agiter dans les eaux
Les replis ondoyants des joncs et des roseaux,
Et ces saules vieillis, dans leur mourante écorce,
Pousser encor des jets pleins de sève et de force.

Ici tout m'intéresse et plaît à mes regards :
Sur les bords du ruisseau, cent papillons épars,
Avant que mes esprits démêlent l'imposture,
Me paraissent des fleurs que soutient la verdure,
Déjà ma main séduite est prête à les cueillir;
Mais, alarmé du bruit, plus prompt que le zéphyr,
L'insecte, tout à coup détaché de la tige,
S'enfuit... et c'est encore une fleur qui voltige.
Les arbres, le rivage et la voûte des cieux,
Dans le cristal des eaux se peignent à mes yeux :
Chaque objet s'y répète : et l'onde qui vacille
Balance dans son sein cette image mobile.

Tandis que du tableau je demeure frappé,
Soudain, vers l'horizon, le ciel enveloppé
Roule un nuage sombre; et déjà le tonnerre
De ses flèches de feu le sillonne et l'éclaire :
Mais un vaste intervalle en absorbe le bruit.
La tempête, semblable aux ombres de la nuit,
Dans le calme imposant du plus profond silence,
Monte, se développe, et lentement s'avance.
La nature frémit dans un muet effroi :
L'air immobile et lourd s'appesantit sur moi.
Tout à coup il murmure; un tourbillon de poudre
S'élève vers la nue où retentit la foudre;
La terre au loin mugit sous ses coups répétés,
Et l'éclair étincelle à traits précipités;
Les cieux grondent; les vents sifflent; l'urne céleste
Menace le vallon d'un déluge funeste,
Et, du haut des rochers, d'un cours impétueux,
Tombent avec fracas cent torrents écumeux :
Les oiseaux, que partout environne l'orage,
Voltigent, incertains, de feuillage en feuillage;
Et le pâtre éperdu, rassemblant son troupeau,
A travers les guérets regagne le hameau.

Moi-même qui me trouble en voyant la tempête
Comme un vautour affreux s'élancer sur ma tête,
Je monte la colline... un abri m'est offert;
C'est le château d'un sage aux malheureux ouvert :
Duhamel, c'est le tien. Je suis tes avenues :
Ebranlés par le poids de leurs têtes chenues,
Tes ormes, sous le choc de deux vents opposés,
Embarrassent mes pas de leurs rameaux brisés.
A ce désordre, au bruit, aux éclats du tonnerre,
On dirait que les cieux s'écroulent sur la terre.
Par l'orage effrayé j'en admire l'horreur;
Le philosophe observe et l'homme seul a peur.

AU ROI LOUIS XV[1]

Vous voilà donc bourgeois d'Auteuil,
Sire; et voilà notre village
Qui va jouir de l'avantage
Dont se vantent avec orgueil
Choisy, La Meute et l'Ermitage.
Vous y viendrez chercher l'ombrage,
Le doux lilas, le chèvrefeuil :
Tant mieux pour nous. Bon voisinage
Fut toujours d'un heureux présage.
Nous voudrions vous faire accueil,
Immortaliser notre hommage
Par quelque éclat; mais ce hameau
Qui vit les Muses rassemblées
Se promener dans les allées
Du jardin qu'habitait Boileau,
Auteuil, ne voit plus sa fontaine
Abreuver le sacré troupeau
Qui s'enivre dans l'Hippocrène :
Les Muses n'aiment plus notre eau.
Nous nous en consolons : les Grâces
Valent tout au moins les neuf Sœurs :
Elles tiendront ici leurs places.
Bientôt, amenant sur leurs traces
Une foule d'adorateurs,
Nos regards les verront paraître
Dans des chars légers et brillants,
Rire, folâtrer sous le hêtre;
Et, dans les beaux jours du printemps,
Former une danse champêtre.
Tel est l'agrément de ces lieux;
Sire, remplissez notre attente,
Venez-y; tout en ira mieux.
Il faut bien que du haut du trône
Louis descende quelquefois;
L'émail des prés, l'ombre des bois,
Les dons de Flore et de Pomone
Doivent lui plaire; et les bons rois
Ont bien souvent, dans le silence,
Caché sous le nom de bourgeois
Les grands titres de leur naissance.

---

1. « En 1764, le roi eut une petite maison de chasse à Auteuil, près du bois de Boulogne. »

A MON AMI

Tu plains mes jours troublés par tant d'orages,
Mes jours affreux, d'ombres environnés!
Va, les douleurs m'ont mis au rang des sages!
Et la raison suit les infortunés.

A tous les goûts d'une folle jeunesse
J'abandonnai l'essor de mes désirs :
A peine, hélas! j'en ai senti l'ivresse,
Qu'un prompt réveil a détruit mes plaisirs.

Brûlant d'amour et des feux du bel âge,
J'idolâtrai de trompeuses beautés,
J'aimais les fers d'un si doux esclavage;
En les brisant, je les ai regrettés.

J'offris alors aux filles de Mémoire
Un fugitif de sa chaîne échappé;
Mais je ne pus arracher à la gloire
Qu'un vain laurier que la foudre a frappé.

Enfin, j'ai vu de mes jeunes années,
L'astre pâlir au midi de son cours :
Depuis longtemps la main des destinées
Tourne à regret le fuseau de mes jours.

Gloire, plaisir, cet éclat de la vie,
Bientôt pour moi tout s'est évanoui.
Ce songe heureux dont l'erreur m'est ravie
Fut trop rapide; et j'en ai peu joui.

Mais l'amitié sait, par son éloquence,
Calmer des maux qu'elle aime à partager;
Et, chaque jour, ma pénible existence
Devient près d'elle un fardeau plus léger.

Jusqu'au tombeau, si son appui me reste,
Il est encor des plaisirs pour mon cœur;
Et ce débris d'un naufrage funeste
Pourra lui seul me conduire au bonheur.

Quand l'infortune ôte le droit de plaire,
Intéresser est le bien le plus doux;
Et l'amitié nous est encor plus chère
Lorsque l'amour s'envole loin de nous.

LETTRE AMOUREUSE D'HÉLOÏSE A ABAILARD

FRAGMENT

Tremble, cher Abailard! un Dieu parle à mon cœur;
De ce Dieu, ton rival, sois encor le vainqueur,
Vole près d'Héloïse et sois sûr qu'elle t'aime :
Abailard, dans mes bras, l'emporte sur Dieu même.
Oui, viens : ose te mettre entre le ciel et moi,
Dispute-lui mon cœur... et ce cœur est à toi. —
Qu'ai-je dit ? Non, cruel, fuis loin de ton amante,
Fuis, cède à l'Eternel Héloïse mourante;
Fuis, et mets entre nous l'immensité des mers :
Habitons les deux bouts de ce vaste univers.
Dans le sein de mon Dieu quand mon amour expire,
Je crains de respirer l'air qu'Abailard respire;
Je crains de voir ses pas sur la poudre tracés;
Tout me rappellerait des traits mal effacés.
Du crime au repentir un long chemin nous mène,
Du repentir au crime un penchant nous entraîne.
Ne viens point, cher amant, je ne vis plus pour toi;
Je te rends tes serments; ne pense plus à moi;
Adieu, plaisirs si chers à mon âme enivrée!
Adieu, douces erreurs d'une amante égarée!
Je vous quitte à jamais, et mon cœur s'y résout.
Adieu, cher Abailard, cher époux, adieu tout!

Mais quelle voix gémit dans mon âme éperdue ?
Ah! serait-ce... ? oui, c'est elle et mon heure est venue.
Une nuit... je veillais à côté d'un tombeau;
La torche funéraire, obscur et noir flambeau,
Poussait par intervalle un feu mourant et sombre.
A peine il s'éteignit, et disparut dans l'ombre,
Que, du creux d'un cercueil, des cris, de longs accents
Ont porté jusqu'à moi cette voix que j'entends :
« Arrête, chère sœur, arrête, me dit-elle;
Ma cendre attend la tienne, et ma tombe t'appelle.
Du repos qui te fuit c'est ici le séjour :
J'ai vécu comme toi victime de l'amour;
Comme toi j'ai brûlé d'un feu sans espérance.
C'est dans la profondeur d'un éternel silence
Que j'ai trouvé le terme à mes affreux tourments.
Ici l'on n'entend plus les soupirs des amants;
Ici finit l'amour, ses soupirs et ses plaintes :
La pitié crédule y perd aussi ses craintes...
Meurs, mais sans redouter la mort ni l'avenir.
Ce Dieu que l'on nous peint armé pour nous punir,
Loin d'allumer ici des flammes vengeresses,
Assoupit nos douleurs et pardonne aux faiblesses. »

O mon Dieu, s'il est vrai, si telle est ta bonté,
Précipite l'instant de ma tranquillité.
O grâce lumineuse! ô sagesse profonde!
Vertu, fille du ciel, oubli sacré du monde,
Vous qui me promettez des plaisirs éternels,
Emportez Héloïse au sein des immortels...
Je me meurs! Abailard, viens fermer ma paupière;
Je perdrai mon amour en perdant la lumière.
Dans ces derniers moments, viens du moins recueillir
Et mon dernier baiser et mon dernier soupir.
Et toi, quand le trépas aura flétri tes charmes,
Ces charmes séducteurs, la source de mes larmes,
Quand la mort de tes jours éteindra le flambeau,
Qu'on nous unisse encor dans la paix du tombeau.
Que la main des amours y grave notre histoire,
Et que le voyageur, pleurant notre mémoire,
Dise : « Ils s'aimèrent trop, ils furent malheureux :
Gémissons sur leur tombe, et n'aimons pas comme eux. »

LEMIERRE

1733-1793

Antoine-Marin Lemierre naquit le 12 janvier 1733 à Paris. Son père était un simple artisan. Le jeune Lemierre, cependant, grâce à des protecteurs charitables, fut placé chez les jésuites, au collège Louis-le-Grand, où il fit d'excellentes études; il eut des succès scolaires et remporta, notamment en rhétorique, le prix de poésie latine. Il ne tarda pas à remporter, mais en poésie française désormais, des succès plus éclatants. Entré comme aide-sacristain à l'église Saint-Paul, il fabriqua des sermons pour certains abbés, et se livrant, en même temps, à son penchant pour la poésie, il envoya des pièces aux concours académiques : deux fois lauréat de l'académie de Pau, quatre fois lauréat de l'Académie française, il fit connaître son nom. Après avoir été quelque temps professeur de rhétorique au collège d'Harcourt, il réussit à entrer, comme secrétaire, chez le fermier général Dupin, où il fréquentait beaucoup d'auteurs célèbres. Lemierre, à une époque où les poètes se hâtaient, dès leur jeune âge, de composer leur tragédie, ne devint auteur dramatique qu'après la trentaine. Il avait trente-cinq ans, en effet, lorsque, en 1758, il fit pour son début représenter *Hypermnestre*, dont le succès fut éclatant. Ses autres tragédies réussirent moins bien, du moins à leur première représentation, car deux d'entre elles : *Guillaume Tell*, jouée en 1768, et *la Veuve du Malabar*, jouée en 1770, se relevèrent de leur chute et de la façon la plus triomphale lorsqu'elles furent reprises — avec quelques nouveaux agréments dramatiques, il est vrai — *Guillaume Tell* en 1786 et *la Veuve du Malabar* en 1790. Il y a dans les pièces de Lemierre des situations fortes et des tirades éloquentes, mais cela est si peu soutenu et mêlé de tant d'artifice que rien n'en a survécu. Ses œuvres poétiques proprement dites comprennent des odes, des épîtres, des poésies diverses et deux grands poèmes : *la Peinture* et *les Fastes*, ce dernier étant plutôt une suite de tableaux qu'un poème rigoureusement ordonné. Le vers de Lemierre est trop souvent rude et sans harmonie; on l'en a d'ailleurs vivement critiqué et raillé; mais il lui arrive d'être animé d'un souffle vraiment poétique et il a alors tantôt des passages pleins de grâce ou d'élévation, tantôt des vers isolés d'une frappe solide et d'un métal sonore.

Quand la Révolution éclata, Lemierre en fut fort affecté. Il finit par tomber dans une sorte de stupeur morne; il mourut, pendant la Terreur, le 4 juillet 1793.

LE CLAIR DE LUNE[1]

Mais de Diane au ciel l'astre vient de paraître.
Qu'il luit paisiblement sur ce séjour champêtre!
Eloigne tes pavots, Morphée, et laisse-moi
Contempler ce bel astre, aussi calme que toi,
Cette voûte des cieux mélancolique et pure,
Ce demi-jour si doux levé sur la nature,
Ces sphères qui, roulant dans l'espace des cieux,
Semblent y ralentir leur cours silencieux;
Du disque de Phébé la lumière argentée,
En rayons tremblotants sous ces eaux répétée,
Ou qui jette en ces bois, à travers les rameaux,
Une clarté douteuse et des jours inégaux;
Des différents objets la couleur affaiblie,
Tout repose la vue et l'âme recueillie.
Reine des nuits, l'amant devant toi vient rêver,
Le sage réfléchir, le savant observer.
Il tarde au voyageur, dans une nuit obscure,
Que ton pâle flambeau se lève et le rassure.
Le ciel où tu me luis est le sacré vallon,
Et je sens que Diane est la sœur d'Apollon.
Heureux qui, s'élevant au principe des choses,
Eclaircira le voile étendu sur les causes,
Dira comment cet astre, en son cours inégal,
A la voûte des cieux si paisible fanal,
Qu'on voit si près de nous, dans l'ombre planétaire,
Paraître s'approcher par amour de la terre,
Soulève l'océan, produit du haut des airs
Par accès régulier cette fièvre des mers,
Et comment l'océan qui submergeait la plage,
Décroissant par degrés, laisse à nu le rivage!
Hélas! d'une ombre épaisse, aux yeux les plus perçants,
La nature a caché ses secrets agissants :
L'homme né pour l'erreur comme pour l'ignorance,
N'est jamais, pour bien voir, à la juste distance,
Trop près de lui, trop loin de la chaîne du tout,
Son orgueil cependant croit en tenir un bout;
Et, quoique environné du faux jour des problèmes,
Il prend pour vérités d'ingénieux systèmes,
Où son esprit, séduit par ses rêves divers,
Refait par impuissance et l'homme et l'univers.

1. *Les Fastes*, chant VII.

LES JARDINS [1]

J'aime la profondeur des antiques forêts,
La vieillesse robuste et les pompeux sommets
Des chênes dont, sans nous, la nature et les âges
Si haut sur notre tête ont cintré les feuillages.
On respire en ces bois sombres, majestueux,
Je ne sais quoi d'auguste et de religieux :
C'est sans doute l'aspect de ces lieux de mystère,
C'est leur profond silence et leur paix solitaire
Qui fit croire longtemps chez les peuples gaulois
Que les dieux ne parlaient que dans le fond des bois.
Mais l'homme est inégal à leur vaste étendue ;
Elle lasse ses pas, elle échappe à sa vue ;
Humble atome perdu sur un si grand terrain,
Même au milieu du parc dont il est souverain,
Voyageur seulement sur d'immenses surfaces,
L'homme n'est possesseur qu'en de petits espaces ;
Au-delà de ses sens jamais il ne jouit ;
S'il acquiert trop au loin, son domaine le fuit ;
Ainsi, fier par instinct, mais prudent par faiblesse,
Lui-même il circonscrit l'espace qu'il se laisse ;
Il vient, sur peu d'arpents qu'il aime à partager,
Dessiner un jardin, cultiver un verger ;
Il met à ces objets ses soins, ses complaisances,
Epie en la saison le réveil des semences ;
Et, parsemant de fleurs le clos qu'il a planté,
Il étend le terrain par la diversité.

Peut-être dans nos jours le goût de l'industrie
Pour la variété prend la bizarrerie.
Dans de vastes jardins l'Anglais offre aux regards
Ce que la terre ailleurs ne présente qu'épars,
Et, sur un sol étroit, en dépit de l'obstacle,
Le Français est jaloux de montrer ce spectacle.
Qui ne rirait de voir ce grotesque tableau
De cabarets sans vin, de rivières sans eau,
Un pont sur une ornière, un mont fait à la pelle,
Des moulins qui, dans l'air, ne battent que d'une aile,
Dans d'inutiles prés des vaches de carton,
Un clocher sans chapelle et des forts sans canon,
Des rochers de sapin et de neuves ruines,
Un gazon cultivé près d'un buisson d'épines,
Et des échantillons de champs d'orge et de blé,
Et, dans un coin de terre, un pays rassemblé ?

---

1. *Les Fastes*, chant IX.

Agréables jardins, et vous, vertes prairies,
Partagez mes regards, mes pas, mes rêveries :
Je ne suis ni ce fou qui, de bizarre humeur,
Reclus dans son bosquet, végète avec sa fleur,
Ni cet autre insensé ne respirant qu'en plaines,
Qui préfère à l'œillet l'odeur des marjolaines.
Je me plais au milieu d'un clos délicieux
Où la fleur, autrefois monotone à mes yeux,
S'est des couleurs du prisme aujourd'hui revêtue;
Où l'homme qui l'élève et qui la perpétue,
Enrichit la nature en suivant ses leçons,
Et surprend ses secrets pour varier ses dons.

De jour en jour la terre ajoute à ses largesses :
Flore a renouvelé les festons de ses tresses;
Le chèvrefeuil s'enlace autour des arbrisseaux,
Emaille le treillage et pend à des berceaux;
Où j'ai vu le lilas et l'anémone éclore,
L'œillet s'épanouit, la rose se colore.
Un humble et long rempart, formé de thym nouveau,
Sert agréablement de cadre à ce tableau;
Le myrte et l'oranger, sortis du sein des serres,
De leurs rameaux fleuris décorent les parterres,
Et, sur les murs cachés, les touffes de jasmins
Font disparaître aux yeux les bornes des jardins.

AU CARDINAL DU PERRON

Toi, dans le rang des cardinaux,
Moi, sans titre, au rang des profanes,
Du Perron, pourquoi de tes mânes
Viens-je interrompre le repos ?
Pardonne; j'ai l'âme un peu vaine
D'avoir vu ton grand nom mêlé
Dans ma famille Neustrienne;
Et puisqu'enfin j'ai cette aubaine,
J'aime assez qu'il en soit parlé.
Par un écart d'une autre espèce,
Je t'écris, sans trop savoir où;
J'étais vain, je paraîtrai fou,
J'aurai beau mettre sur l'adresse :
« Au flambeau de la chrétienté,
Au grand maître de la parole,
Au soutien de la papauté
Et du moderne Capitole »;
Les rayons de ton auréole
Etincellent trop loin de moi;
Ma missive vaine et frivole
Ne parviendra pas jusqu'à toi.

J'ai cependant une espérance.
Les âmes, dit-on, dans l'absence,
Sans messager, sans aucun tiers,
Des bouts même de l'univers
Peuvent être en correspondance [1].
Pourquoi dans un monde inconnu,
Dans cette sphère de silence
D'où rien encor n'est revenu,
N'aurais-tu pas l'intelligence
De l'hommage qui t'est rendu,
Et, de ta défunte éminence,
Ne serais-je pas entendu ?
Malgré la sévère science
Où tu surpasses tes rivaux,
Nous avons, plus que l'on ne pense,
De points communs dans nos travaux.
Oui, ton génie, auguste titre
Au-dessus du cardinalat,
Et qui te fit le digne arbitre
De plus d'un célèbre débat,
Ton éloquence au Consistoire
Pour obtenir de Paul jaloux
Le pardon d'un prince, entre nous,
Absous déjà par la victoire,
C'est par là que tu tiens aux goûts
Sur qui je veux fonder ma gloire.
Quand ton génie ultramontain
Avec Mornay lutte et s'exerce,
Nul ne tient plus ferme en sa main
La lance de la controverse;
Mais tu sus chercher d'autres prix ;
Et, de l'arène scholastique,
Par intervalles tu sortis
Pour respirer l'air poétique.
Trois lyres sur ton écusson,
Qu'on frappa sans doute au Parnasse,
Prouvent assez que dans ta race
On voyageait sur l'Hélicon.
Aussi, quoiqu'avec moins de grâce,
Moins de cadence que Bernis,
Tu pinças de tes doigts bénis
Le luth harmonieux d'Horace;
Tu sus du moins chérir son art
Même au pays de nos derviches,
Dédaignant le peuple cafard,
Ses mœurs et ses vertus postiches,
Et tu fis bien; parle sans fard,
Conviens que le controversiste,
Sous un ciel toujours assez triste,

Est resserré par le terrain,
Qu'il s'agite à la même place,
Et fait, dans un étroit espace,
Bien plus de pas que de chemin.
Le poète avec moins de peine
S'élance dans de vastes champs,
Et deux coursiers sont différents,
L'un au manège, l'autre en plaine.
Cet art des vers, qui, de ton temps
Débile encore et sans élans,
Se traînait jusque dans l'enfance,
Cet art qui, parmi tes travaux,
Te consolait de l'éminence,
Me sert d'étude et d'existence,
Et ne servait qu'à ton repos.
Mais ne crois pas mes sons frivoles,
Ni qu'ils se perdent dans les airs ;
Si j'aime à moduler des airs,
Sur ces airs je mets des paroles.
Le vrai poète né penseur
Au philosophe n'en doit guère ;
Eloquent abréviateur
Il jette par traits la lumière ;
Animé du feu qu'il reçut
Il devine ce qu'il ignore ;
Il prend son vol, il est au but,
Lorsque l'autre calcule encore.

L'ÉVENTAIL

A Madame de ***.

Dans le temps des chaleurs extrêmes,
Heureux d'amuser vos loisirs,
Je saurai près de vous appeler les Zéphirs ;
Les Amours y viendront d'eux-mêmes.

SUR LE *MERCURE DE FRANCE*

Savez-vous d'où vient qu'au *Mercure*,
Si souvent l'on ne trouve rien ?
C'est le carrosse de voiture,
Il faut qu'il parte vide ou plein.

DUCIS

1733-1816

Jean-François Ducis naquit le 23 août 1733, à Versailles, d'une mère française et d'un père savoisien, qui lui donnèrent une éducation religieuse dont il suivit tout le long de sa vie les enseignements. Il commença ses études dans une petite pension à Clamart et les acheva au collège de Versailles. A l'âge de dix-huit ans il devint secrétaire du maréchal de Belle-Isle qui l'emmena dans une de ses tournées d'inspection des places fortes; placé dans les bureaux quand le maréchal devint ministre de la Guerre, il ne put se soumettre aux exigences de son emploi d'expéditionnaire; il eut la bonne fortune d'être dispensé de tout travail et même de toute présence, tout en continuant de figurer sur l'état des appointements. Il avait le goût des lettres et le théâtre l'attirait; il admirait surtout Corneille auquel bientôt il ajouta Shakespeare dont il s'engoua, et qu'il entreprit de porter à la scène française en s'aidant des traductions qu'on avait déjà faites des œuvres de ce poète, car lui-même ne savait pas l'anglais. Il adapta ainsi les plus fameux ouvrages de l'œuvre shakespearienne : *Hamlet*, *Roméo et Juliette*, *le Roi Lear*, *Macbeth* et *Othello*. Il en rendait mal la complexité et la puissance, mais plutôt il les inclinait au goût ou, pour mieux dire, à la sentimentalité de son époque. Il emprunta aussi quelques sujets aux auteurs anciens; une seule de ses tragédies, *Abufar*, est entièrement de son invention. Comme poète dramatique, il est lent, incolore; et si l'on peut trouver de l'intérêt et de l'éclat à quelques scènes, aucun de ses ouvrages ne mérite en son entier de retenir l'attention. Il se croyait terrible, cependant, et il disait : « Il y a dans mon clavecin poétique des jeux de flûte et de tonnerre. » Par exemple, il ne s'expliquait pas à lui-même ce double génie et il ajoutait : « Comment cela va-t-il ensemble ? je n'en sais trop rien, mais cela est ainsi. » En réalité, il a mieux réussi quelques poésies fugitives dans lesquelles on peut voir la simplicité, la franchise et la bonté de son âme, la modestie de ses goûts, son amour de la nature et de la vie paisible. Il fut un vieillard charmant et bon. « Le bon Ducis », c'est sous ce nom qu'il a mérité de survivre. Ce sont quelques-unes des pièces qui le montrent sous cet agréable jour que l'on trouvera ci-après. Demeuré catholique, et, disait-il, républicain, il refusa, par fierté et par fidélité à lui-même, les hon-

neurs que lui offrait Bonaparte; au retour des Bourbons, il se sou-
vint qu'il avait été autrefois secrétaire de Monsieur, devenu
Louis XVIII, et il accepta de celui-ci la croix de la Légion d'honneur qu'il n'avait pas acceptée de la main de Napoléon. Il mourut,
âgé de quatre-vingt-trois ans, le 30 mars 1816.

LE VIEILLARD HEUREUX

Dans un clos peuplé d'arbres verts,
Libre et caché sous des couverts,
Je goûte, dans un calme extrême,
Et la nature, et les beaux vers,
Et l'amitié, ce bien suprême.
Loin de moi portant ses transports,
Il a volé sur d'autres bords,
Le dieu charmant par qui l'on aime;
Il ne m'a pas quitté de même
Le dieu charmant qui nous endort.
La fleur soporative et chère
A secoué sur ma paupière
Un sommeil plus doux et plus fort.
En voyant venir la vieillesse,
J'ai pris, pour mon maître en sagesse,
De Minerve le gros oiseau,
Vivant en paix sur son rameau,
Sans bruit, à l'écart et dans l'ombre.
Ermite aussi, pas aussi sombre,
Je vis en paix sous mon berceau,
Des humains fuyant le grand nombre,
Tout soin, tout honneur, tout fardeau,
Sans bâtir projet ni château,
Sans jamais rêver la vengeance.
L'oubli coule avec mon ruisseau,
Peu de besoins fait mon aisance :
Je suis sans peine à leur niveau;
Presque assez, c'est mon opulence.
J'ai du vin vieux dans mon caveau,
Dans mon bosquet, j'ai du silence,
La Parque m'offre ses ciseaux,
Et moi, je laisse à tes fuseaux
Dévider ma seconde enfance;
Et ces vers, venus dans mon clos,
Je vais les dire, à peine éclos,
A mon vieil ami qui s'avance.

A MON PETIT LOGIS

Petit séjour, commode et sain,
Où des arts et du luxe en vain
On chercherait quelque merveille;
Humble asile où j'ai sous la main
Mon La Fontaine et mon Corneille;
Où je vis, m'endors et m'éveille
Sans aucun soin du lendemain,
Sans aucun remords de la veille;
Retraite où j'habite avec moi
Seul, sans désirs et sans emploi,
Libre de crainte et d'espérance,
Enfin, après trois jours d'absence,
Je viens, j'accours, je t'aperçois!
O mon lit! ô ma maisonnette!
Chers témoins de ma paix secrète!
C'est vous, vous voilà! je vous vois!
Qu'avec plaisir je vous répète :
Il n'est point de petit chez soi!

A MON RUISSEAU

Ruisseau peu connu, dont l'eau coule
Dans un lit sauvage et couvert,
Oui, comme toi, je crains la foule,
Comme toi, j'aime le désert.

Ruisseau, sur ma peine passée
Fais couler l'oubli des douleurs,
Et ne laisse dans ma pensée
Que ta paix, tes flots et tes fleurs.

Le lis frais, l'humble marguerite,
Le rossignol chérit tes bords;
Déjà, sous l'ombrage, il médite
Son nid, sa flamme et ses accords.

Près de toi, l'âme recueillie
Ne sait plus s'il est des pervers;
Ton flot, pour la mélancolie,
Se plaît à murmurer des vers.

Quand pourrai-je, aux jours de l'automne,
En suivant le cours de ton eau,
Entendre le bois qui frissonne,
Et le cri plaintif du vanneau ?

Que j'aime cette église antique,
Ces murs que la mousse a couverts,
Et l'oraison mélancolique
Dont la cloche attendrit les airs!

Par une mère qui chemine
Ses sons lointains sont écoutés;
Sa petite Annette s'incline
Et dit : Amen! à ses côtés.

Jadis, chez des vierges austères,
J'ai vu quelques ruisseaux cloîtrés
Rouler leurs ondes solitaires
Dans des clos à Dieu consacrés.

Leurs flots si purs, avec mystère,
Serpentaient dans ces chastes lieux,
Où ces beaux anges de la terre
Foulaient des prés bénis des cieux.

Mon humble ruisseau, par ta fuite
(Nous vivons, hélas! peu d'instants!)
Fais souvent penser ton ermite,
Avec fruit, au fleuve du Temps.

ÉPITRE A BITAUBÉ

FRAGMENT

C'est par de doux objets que le cœur est charmé.
Ce charme, par Homère, en tous lieux fut semé.
A sa voix ont couru, sous leurs palais humides,
S'asseoir près de Thétis ses belles Néréides;
Les nymphes ont gardé les bois et les ruisseaux;
Pan en troubla quelqu'une au fond de leurs roseaux.
Il dit : « Naissez, Printemps! vous, Zéphirs, suivez Flore!
Vous, heures, entourez le doux char de l'Aurore!
Vous, nuages du ciel, cachez, cachez encor
Le lit de Jupiter sous vos pavillons d'or.
Jeune Hébé, sur des fleurs, lorsqu'à table il repose,
Verse-lui le nectar avec des doigts de rose. »
Ami, je n'aime plus tous ces combats sanglants;
Pour moi, ton Iliade a trop de mouvements :
Mon âme est douce et faible, à s'attendrir aisée.
J'appelle à mon secours ta charmante Odyssée.
Eh! que me font, dis-moi, ces foules de héros,
Et leurs casques, leurs chars entraînés par les flots,
Ce Xanthe débordé, Troie et tant de victimes;
Et ces murs, et ces camps pleins de gloire et de crimes,

Ces nocturnes combats où d'atroces fureurs
Conjuraient le soleil d'éclairer tant d'horreurs ?
« Mais, voyez, dira-t-on, accompagné d'Hélène,
Agamemnon vainqueur retournant à Mycène,
Rendant à Clytemnestre un époux glorieux,
Un époux roi des rois, un roi l'égal des dieux.
— Oui, mais qui, par sa femme assassiné lui-même... »
Mes amis, s'il se peut, contez-moi Polyphème,
Et le fidèle Eumée, et ce chien si touchant
Qui reconnut son maître et meurt en le léchant;
Pénélope et sa toile, et ses nuits dans les larmes;
Et, si l'on peut user ces récits pleins de charmes,
Contez-moi dans les bois Petit-Poucet errant,
Ou bien, si vous voulez, la Belle au bois dormant.
Ce sont là mes plaisirs, ce sont ceux de mon âge :
Homère est né conteur : il m'en plaît davantage.
Par Achille et Vénus, ce poète inspiré
Jamais de trop d'encens peut-il être honoré ?
A la pudeur jamais fit-il le moindre ombrage ?
Sous des rocs caverneux qui bordent le rivage,
Quand de Nausicaa les pieds nus et charmants
Dans un cristal qui fuit pressent ses vêtements,
Nul œil ne peut errer ni sur son sein d'albâtre,
Ni sur ses beaux genoux que Diane idolâtre.
Pudeur! oui, c'est pour toi que les Grâces exprès,
Pour tempérer l'orgueil ou l'état des attraits,
Ont filé le doux lin d'un voile humble et modeste
Qui vient les embellir de son charme céleste,
De son ombre, ou plutôt d'un autre enchantement.
Heureux, trois fois heureux le chaste et jeune amant
Qui s'éprend pour jamais d'une Vénus si pure,
Et sent lier son cœur des plis de sa ceinture!

MALFILÂTRE

1733-1767

Jacques-Charles-Louis de Clinchamp de Malfilâtre naquit le 8 octobre 1733, à Caen, d'une famille peu fortunée qui le fit cependant instruire chez les jésuites; Malfilâtre fit de brillantes études, et, sentant en lui la vocation poétique, il concourut aux palinods de Caen et de Rouen. Chaque année, à partir de 1754, il y remporta de doubles succès, dont le plus retentissant fut celui que lui valut, en 1758, son ode sur *le Soleil fixe au milieu des planètes*, que Marmontel loua vivement, qu'il inséra même dans le *Mercure* dont il avait alors la direction et qui, aujourd'hui encore, est considérée comme la meilleure composition de Malfilâtre. Le jeune lauréat accourut à Paris, persuadé sans doute que la gloire l'y attendait; il avait assez de talent pour y réussir tout comme un autre. Il n'y réussit pas, faute dit-on de qualités pratiques : aptitude à l'intrigue et éducation mondaine. De plus il était timide. Il parvint cependant — on ne sait trop comment — à devenir secrétaire du comte de Lauraguais, qui se piquait d'être auteur, et pour qui il travailla à une tragédie de *Clytemnestre*. Il travailla aussi pour le libraire Lacombe, pour qui il traduisit en vers des parties des *Géorgiques* de Virgile, que devaient relier des morceaux de prose. Les quelques ressources qu'il se procura de la sorte furent bientôt dissipées. Il n'était pas d'ailleurs bon ménager de ses deniers. Un peu par imprévoyance, un peu par bonté d'âme et pour obliger un de ses beaux-frères, il fut réduit à la pauvreté et même il s'endetta. Il se retira à Chaillot, logea dans une mansarde, et, abattu à la fois par le chagrin et par la maladie, il rendit l'âme le 6 mars 1767. Tout le monde connaît le vers de Gilbert :

La faim mit au tombeau Malfilâtre ignoré.

Le nom de Malfilâtre cependant a survécu, et l'on cite aujourd'hui encore, non seulement son ode lyrique sur *le Soleil fixe au milieu des planètes*, mais encore tels fragments de sa traduction de Virgile où l'on trouve des vers vraiment beaux. Il est aussi l'auteur de poésies fugitives et d'un poème en quatre chants : *Narcisse dans l'île de Vénus*.

LE SOLEIL FIXE AU MILIEU DES PLANÈTES

L'homme a dit : « Les cieux m'environnent,
Les cieux ne roulent que pour moi;
De ces astres qui me couronnent
La nature me fit le roi :
Pour moi seul le soleil se lève,
Pour moi seul le soleil achève
Son cercle éclatant dans les airs;
Et je vois, souverain tranquille,
Sur son poids la terre immobile
Au centre de cet univers [1]. »

Fier mortel, bannis ces fantômes,
Sur toi-même jette un coup d'œil.
Que sommes-nous, faibles atomes,
Pour porter si loin notre orgueil ?
Insensés! nous parlons en maîtres,
Nous qui dans l'océan des êtres
Nageons tristement confondus,
Nous dont l'existence légère,
Pareille à l'ombre passagère,
Commence, paraît, et n'est plus!

Mais quelles routes immortelles
Uranie entr'ouvre à mes yeux!
Déesse, est-ce toi qui m'appelles
Aux voûtes brillantes des cieux ?
Je te suis. Mon âme agrandie,
S'élançant d'une aile hardie,
De la terre a quitté les bords :
De ton flambeau la clarté pure
Me guide au temple où la nature
Cache ses augustes trésors.

Grand Dieu! quel sublime spectacle
Confond mes sens, glace ma voix!
Où suis-je ? Quel nouveau miracle
De l'Olympe a changé les lois ?
Au loin, dans l'étendue immense,
Je contemple seul en silence,
La marche du grand univers;
Et dans l'enceinte qu'elle embrasse,
Mon œil surpris voit sur la trace
Retourner les orbes divers [2].

1. Système de Ptolémée.
2. Système de Copernic.

Portés du couchant à l'aurore
Par un mouvement éternel,
Sur leur axe ils tournent encore
Dans les vastes plaines du ciel.
Quelle intelligence secrète
Règle en son cours chaque planète
Par d'imperceptibles ressorts ?
Le soleil est-il le génie
Qui fait avec tant d'harmonie
Circuler les célestes corps ?

Au milieu d'un vaste fluide
Que la main du Dieu créateur
Versa dans l'abîme du vide,
Cet astre unique est leur moteur.
Sur lui-même agité sans cesse,
Il emporte, il balance, il presse
L'éther et les orbes errants;
Sans cesse une force contraire
De cette ondoyante matière
Vers lui repousse les torrents.

Ainsi se forment les orbites
Que tracent ces globes connus :
Ainsi dans des bornes prescrites
Volent et Mercure et Vénus.
La terre suit : Mars, moins rapide,
D'un air sombre, s'avance et guide
Les pas tardifs de Jupiter;
Et son père, le vieux Saturne,
Roule à peine son char nocturne
Sur les bords glacés de l'éther.

Oui, notre sphère, épaisse masse,
Demande au soleil ses présents,
A travers sa dure surface
Il darde ses feux bienfaisants.
Le jour voit les heures légères
Présenter les deux hémisphères
Tour à tour à ses doux rayons;
Et sur les signes inclinée,
La terre, promenant l'année,
Produit des fleurs et des moissons.

Je te salue, âme du monde,
Sacré soleil, astre du feu,
De tous les biens source féconde,
Soleil, image de mon Dieu!
Aux globes qui, dans leur carrière,
Rendent hommage à ta lumière,

Annonce Dieu par ta splendeur :
Règne à jamais sur ses ouvrages,
Triomphe, entretiens tous les âges
De son éternelle grandeur.

ALLUSION

Du ciel, auguste souveraine,
C'est toi que je peins sous ces traits;
Le tourbillon qui nous entraîne,
Vierge, ne t'ébranla jamais.
Enveloppés des vapeurs sombres,
Toujours errants parmi les ombres,
Du jour nous cherchons la clarté.
Ton front seul, aurore nouvelle,
Ton front sans nuage étincelle
Des feux de la divinité.

FRAGMENT DES *ÉGLOGUES* DE VIRGILE

Exstinctum nymphæ.
(ECL., V.)

Les nymphes, de Daphnis pleuraient la mort cruelle.
Bois, vous fûtes témoins de leur douleur mortelle,
Quand sa mère, embrassant ses restes malheureux,
De son trépas récent accusait tous les dieux.
Nous vîmes la génisse et le coursier superbe,
Oublier les ruisseaux et la fraîcheur de l'herbe!
Et les tristes moutons, aux pieds de leur berger,
Touchés de sa douleur, semblaient la partager.
Dans les sables brûlants de l'Afrique déserte,
Le lion, cher Daphnis, a gémi de ta perte.
Daphnis sut, le premier, sur les coteaux voisins,
Atteler à des chars les tigres d'Arménie;
Il couvrit, le premier, dans les champs d'Ausonie,
Les thyrses de Bacchus de pampre et de raisins.
Cérès est des sillons l'ornement le plus digne,
Le taureau, roi des champs, est l'honneur des troupeaux.
La vigne orne l'ormeau, la grappe orne la vigne;
Et tu fus, ô Daphnis! la gloire des hameaux.

FRAGMENT DES *GÉORGIQUES* DE VIRGILE

Quid faciat.
(GÉORG., lib. I.)

Mécène, aux laboureurs mes préceptes utiles
Enseignent par quel art on rend les champs fertiles,
En quel temps sous le joug le taureau doit gémir,
Sous quel astre la vigne à l'ormeau veut s'unir,
Quels secours aux troupeaux prête la main de l'homme,
Et jusqu'où va l'instinct de l'abeille économe.
Astres brillants du monde! ô secourables dieux
Qui conduisez l'année errante dans les cieux,
Bacchus, et vous, Cérès, si les moissons dorées,
Si les vignes d'Argos, de pourpre colorées,
Pour nous ont remplacé, par vos heureux bienfaits,
Et l'eau des froids torrents, et le gland des forêts;
O vous, faunes légers, qu'adorent les campagnes,
Vous, nymphes, qui peuplez les bois et les montagnes,
Jetez sur mes essais des regards complaisants;
Accourez à ma voix; je chante vos présents.
Toi dont le fier trident fit sortir de la terre
Le superbe coursier, symbole de la guerre,
Grand dieu des mers; et toi dont les nombreux troupeaux
De Cée, en bondissant, dépouillent les coteaux,
Toi surtout, dieu pasteur, souverain d'Arcadie,
O Pan! si tu chéris ton heureuse patrie;
Minerve, si par toi ton peuple favori
Reçut les premiers arts et l'olivier chéri;
Jeune enfant, qui jadis, au genre humain sauvage,
Vins montrer la charrue et son utile usage;
Sylvain, dieu des forêts, solitaire Sylvain,
Dont un jeune cyprès orne toujours la main;
Je vous invoque tous, dieux, déesses propices,
Soit que les fruits vermeils naissent sous vos auspices,
Soit que du haut du ciel, arrosant les sillons,
Vous nourrissiez la terre et ses germes féconds.

FRAGMENT DES GÉORGIQUES DE VIRGILE

(Virgile, liv. I.)

Mécène, aux laboureurs tu as prescrit ces préceptes utiles.
Enseignant par quel art on rend les champs fertiles,
En quel temps soutre le jour le taureau doit gémir,
Sous quel astre la vigne à l'ormeau veut s'unir,
De quels secours ont tous besoin près la main de l'homme,
Et jusqu'où va l'instinct de l'abeille économe.

Astres brillants du monde, ô secourable dieux,
Qui conduisez l'année errante dans les cieux,
Bacchus, et vous, Cérès, et les moissons dorées,
Si les vignes d'Évan, de pampres colorés,
Pour nous ont remplacé par vos heureux bienfaits
Et l'eau des froids torrents et le gland des forêts ;
O vous, faunes légers, on adorait les campagnes ;
Vous, nymphes, qui peuplez les bois et les montagnes,
Jetez sur mes essais les regards complaisants ;
Accourez à ma voix ; je chante vos présents.

Toi, dont le fier trident fit sortir de la terre
Le superbe coursier, symbole de la guerre,
Grand dieu des mers ; et toi, qui tordant les rameaux couvrants
De Céos en bondissant, déposaient les dotaux,
Toi sacrée, dieu pasteur, souverain d'Arcadie,
O Pan ! si tu chéris ton heureuse patrie,
Minerve ! et par toi ton peuple instruit
Reçut les premiers arts et l'olivier chéri,
Jeune enfant, qui jadis, au soc le bon aimable,
Nous montrais la charrue et son utile usage,
Sylvain, dieu des forêts, viens-tu Sylvain,
Dont un jeune cyprès orne toujours la main ;
Je vous invoque tous, dieux, de ces propices,
Soit que du haut du ciel arrosant les sillons,
Vous nourrissiez la terre de ses germes féconds.

BARTHE

1734-1785

Nicolas-Thomas Barthe naquit en 1734, à Marseille, de parents enrichis dans le commerce. Il fit ses études chez les pères de l'Oratoire, au collège de Juilly; il avait une imagination ardente et le goût de la poésie; il étudia les grands poètes latins : Horace, Virgile, et surtout Ovide. Ses études terminées il entra dans le monde, fréquenta les salons littéraires et se fit connaître par quelques petites pièces de vers. Il obtint des prix de poésie à l'Académie de Marseille et aux Jeux floraux de Toulouse. Ces succès étaient cependant peu de chose au gré de son ambition : il avait la passion du travail, mais il était aussi avide de célébrité. En 1761, il réussit à faire représenter à la Comédie-Française une comédie, *l'Amateur*, qui eut du succès; en 1768, il fit jouer *les Fausses Infidélités*, agréable petit ouvrage en un acte; en 1772 enfin, il donna son œuvre la plus remarquée : *la Mère jalouse*. *L'Homme personnel ou l'Egoïste*, qu'il fit jouer ensuite (1778), fut accueilli froidement. Cet échec détourna Barthe du théâtre. Comme poète, il a surtout composé des *Epîtres*, en général trop longues et d'un intérêt trop peu soutenu pour qu'il nous ait été possible d'en citer une intégralement; nous donnons des fragments de deux d'entre elles, tout à fait différentes de ton, et dont la deuxième est adressée à Thomas qui fut l'un de ses bons amis. Barthe a composé aussi un *Art d'aimer*. Il avait résolu de traduire l'œuvre d'Ovide; mais il modifia ensuite son projet et fit seulement une imitation. Barthe avait beaucoup d'esprit et beaucoup d'entrain; c'était un joyeux et agréable convive. On aimait et on recherchait sa compagnie. Il était reçu dans les sociétés les plus brillantes. C'est en sortant d'un souper qu'il fut pris brusquement du mal qui l'emporta rapidement. Tous ses biographes ont cité la réponse qu'il fit à un ami, qui lui apporta alors un billet pour la première représentation de l'*Iphigénie en Tauride*, de Piccinni. Il souffrait beaucoup. Il sentait la mort venir. « Comment voulez-vous, cher ami, dit-il, que j'aille à l'opéra ? on va me porter à l'église. » Il expira peu après. C'était le 15 juin 1785.

ÉPITRE A MADAME DU BOCCAGE
SUR L'INFLUENCE DES FEMMES SUR LES MŒURS

FRAGMENT

Ainsi maître absolu des cœurs,
Le beau sexe, avec un sourire,
Commande tout ce qu'il désire;
Par des danses, des chants vainqueurs,
Par des caprices séducteurs,
Il sait régler, il sait proscrire,
Les modes, les goûts et les mœurs;
Pour des lois donne des erreurs,
N'aime, ne répand que les fleurs,
Communique un brillant délire,
Orne le frivole et le faux,
Reçoit l'encens des madrigaux,
Et soumet tout à son empire,
Les grands, les sages et les sots.

Mais je vois des maisons riantes
Temples de ces divinités;
Que leurs douces voix sont puissantes!
On vole aux ordres respectés
Que donnent ces têtes charmantes.
Le nombre, la pompe des chars,
L'art qui le cède à la peinture,
Une élégante architecture
Arrêtent mes premiers regards.
Plus loin, sur la toile docile,
Dans un salon voluptueux,
De Boucher le pinceau facile,
A, des amours, tracé les jeux;
De la moire l'onde incertaine,
Les riches tapis des Persans,
Les marbres et la porcelaine
Décorent ces appartements;
Et le cristal poli des glaces
Des belles répète les grâces
Et l'éclat de mille ornements.
Tout respire ici l'abondance,
La parure, le doux loisir.
Ah! sans doute, on ne voit qu'en France
Les dieux du goût et du plaisir
Amis du dieu de l'opulence.
L'espoir de la félicité,
A l'aspect de tant de merveilles,
A saisi mon cœur enchanté :
J'ouvre les yeux et les oreilles.

Observer l'effet d'un pompon
Et méconnaître un caractère;
Applaudir un joli sermon
Et réformer le ministère;
Rire d'un projet salutaire
Et s'occuper d'une chanson;
Immoler les mœurs aux manières,
Et le bon sens à des bons mots;
Dire gravement des misères
Et plaisanter sur des fléaux;
Siffler l'air simple d'un héros
Et chérir les têtes légères;
Se flétrir dans la volupté,
S'ennuyer d'un air de gaîté,
N'avoir de l'esprit qu'en saillie,
Paraître poli par fierté,
Perfide par galanterie,
Généreux sans humanité;
Sans être aimé se voir goûter;
Louer par fade idolâtrie,
Ou par désir d'être flatté;
Médire par oisiveté,
Quelquefois par méchanceté,
Plus souvent par coquetterie;
Quitter Cléon par fantaisie,
Aimer un duc par vanité,
Un jeune fat par jalousie :
Tel est ce monde tant fêté,
Telle est la bonne compagnie.
Quoi! faut-il chercher le bonheur
Sans cesse éloigné de nous-même,
Ignorer le plaisir extrême
De s'éclairer, d'avoir un cœur ?
Quoi! sur le théâtre bizarre
Du bruit, du luxe, de l'erreur,
Un sage aimable est-il si rare ?
Et l'art, le don de l'agrément,
Ce don futile, mais charmant,
Du Français, premier apanage,
Serait-il l'unique avantage
D'un sexe enchanteur et puissant ?

Non : Paris voit une mortelle,
Simple par goût, belle sans fard,
Fine sans air, vive sans art
Et toujours égale et nouvelle,
Comme Vénus elle sourit,
Comme l'Amour elle nous blesse :
De Minerve elle a tout l'esprit,
Hélas! et toute la sagesse!...

Chère aux savants, chère à Cypris,
Illustre et belle du Boccage,
L'honneur et l'amour de Paris,
Jouissez du plus beau partage,
Goûtez l'amour au sein des ris.

ÉPITRE A MONSIEUR THOMAS

AUTEUR DE L'ÉLOGE DE DUGUAY-TROUIN
SUR LE GÉNIE CONSIDÉRÉ PAR RAPPORT AUX BEAUX-ARTS

FRAGMENT

Sur ce globe sauvage arrêtons nos regards :
    Tout change à la voix du génie.
Il communique à tout la chaleur et la vie;
Il crée, en se jouant, les prodiges des arts.
        Des maisons vastes et mobiles
        Flottent sur l'abîme des eaux.
Les citoyens zélés, les dieux et les héros,
Respirent sur le marbre et sur l'airain dociles.
        L'effet magique des pinceaux
Me donne des erreurs et des plaisirs utiles.
Le bois harmonieux, une touchante voix,
Peignent des sentiments, ou tracent des images;
Et des sons, asservis à de brillantes lois,
Célèbrent les guerriers, et captivent les sages.

        Mille cris font retentir l'air.
Où vole en frémissant cette troupe rebelle ?
        Dans leurs yeux la rage étincelle.
Ils portent dans leurs mains et la flamme et le fer,
Un seul homme éloquent s'oppose à leur furie.
Un seul a pu calmer ces flots tumultueux.
O prodige ! Déjà tous les cœurs vertueux
        Aiment la paix et la patrie.
        Autour d'un théâtre pompeux
        Je vois une foule innombrable.
Voltaire, aux fiers accents de sa voix redoutable,
Fait sortir du tombeau d'illustres malheureux.
Tout un peuple, agité de crainte et d'espérance,
        Frémit dans un sombre silence.
Il craint de respirer : une agréable horreur
        Le fait palpiter de terreur.
        Souvent cette muette ivresse
S'exhale par des cris tout à coup élancés.
Des pleurs délicieux soulagent la tristesse
        Dont tous les cœurs sont oppressés.

Chacun quitte à regret cette scène sanglante.
Dans un effroi qu'il aime il reste enseveli,
Et conserve longtemps une image effrayante
    Des malheurs dont il a pâli.

    Chargés de chaînes éternelles,
Esclaves des besoins et des plaisirs des sens,
Combien d'hommes obscurs se délivrent du temps
    Par de pénibles bagatelles!
    Au sein des cours et des cités
    Quel soin charme un esprit sublime ?
Au milieu d'un vain bruit et des frivolités,
Il lit au cœur de l'homme, il sonde cet abîme.

   C'est là qu'on voit les mœurs, les préjugés, les lois,
    Le choc des plaisirs et des peines,
    Le flux des passions humaines,
Ce flux qui, salutaire et funeste à la fois,
    Nous conduit à de beaux rivages,
    Et nous entraîne quelquefois
Vers de sanglants écueils, entourés de naufrages.

    Fuyant le luxe et le chaos,
Revole-t-il au sein des champêtres asiles ?
    Actif, même dans le repos
    Ses sens deviennent plus agiles.
Son esprit plus fécond, touché de mille attraits,
S'étonne et s'attendrit du charme qui l'inspire.
Les ruisseaux des vallons, les grottes des forêts,
Les épis ondoyants sous l'aile du zéphire,
Les amours des oiseaux, leurs chants mélodieux,
    Les feux du jour, l'azur des cieux
    Reproduits dans une onde pure,
Tout l'émeut, tout lui parle : ah! c'était pour ses yeux
    Que l'Eternel fit la nature.

   Un gland qui, détaché, tombe au bord d'un ruisseau.
Qu'on foule avec mépris, ce gland frappe sa vue;
Il y voit tout un chêne, il le voit arbrisseau,
    Ou déjà caché dans la nue.
Ce chêne d'un bois sombre augmente les horreurs,
Ou, penché sur un fleuve, embellit son rivage,
    Oppose aux brûlantes chaleurs
    La voûte d'un épais feuillage,
    Ou, flétri par l'hiver sauvage,
Etend de longs rameaux, sans verdure et sans fleurs;
    Il prête un solitaire ombrage
Aux plaisirs des amants, aux repas des buveurs;
Abattu par le fer, déchiré par l'orage,
Il cède en longs éclats à des coups destructeurs,

Ou périt, sillonné par les traits du tonnerre;
        Aliment d'un feu salutaire,
Il ranime à la fois mon sang et mes esprits;
Il s'élève en colonne et soutient des lambris;
Il brave sur les eaux, jusque dans ses débris,
Les aquilons fougueux qu'il bravait sur la terre.
            Et le monde entier et ses lois,
            Que sont-ils sans l'être qui pense?
Que l'homme disparaisse, et tout change à la fois;
            Tout n'a qu'une vaine existence.
Son regard manque aux cieux, aux montagnes, aux bois;
            Les astres, loin de sa présence,
Se meuvent sourdement dans un morne silence;
Et l'auguste univers, sans témoin et sans voix,
            Est une solitude immense.

    O charme inexprimable! ô que j'aime à sentir
Les mutuels rapports, l'invisible harmonie
Qui soumet la nature à l'homme de génie!
De son cœur dans le mien il la fait retenir.

    Toutes les passions que nourrit la jeunesse,
Qui prouvent ma grandeur non moins que ma faiblesse,
            Il les imite et je les sens.
Il perce les replis de l'âme des tyrans,
            Peint les horreurs de l'esclavage,
Les tempêtes du cœur, les scènes de carnage,
De cent peuples armés les glaives menaçants,
Sous de nombreux fléaux les humains gémissants,
Et lui-même, effrayé, pâlit de son ouvrage.

RULHIÈRE

1734-1791

Claude-Carloman de Rulhière naquit le 12 juin 1734, à Bondy. Petit gentilhomme, fils d'un capitaine de gendarmerie, il fit ses études au collège Louis-le-Grand, puis il entra dans le corps des gendarmes de la garde où il servit dix ans. Il devint aide de camp du maréchal de Richelieu, puis, quittant l'armée pour la diplomatie, il suivit le marquis de Breteuil quand celui-ci fut envoyé comme ambassadeur à Saint-Pétersbourg. Il fut ensuite attaché au ministère des Affaires étrangères. Il convenait parfaitement aux fonctions diplomatiques : très circonspect, très fin, très perspicace et très habile, homme d'esprit et de savoir, homme du monde « et, dit Sainte-Beuve, du très grand monde », il avait toutes les qualités qu'elles requièrent. Il a composé plusieurs ouvrages historiques et un certain nombre d'œuvres poétiques, parmi lesquelles : des épîtres, des contes, des épigrammes, un poème en trois chants, *les Jeux de mains*, et un *Discours sur les disputes* qu'on trouvera ci-après. Ce morceau, écrit en 1769, reçut de beaux éloges de Voltaire, qui, le 26 avril de ladite année, écrivait à l'auteur : « J'aime les beaux vers à la folie ; ceux que vous avez eu la bonté de m'envoyer sont tels que ceux que l'on faisait, il y a cent ans, lorsque les Boileau, les Molière, les La Fontaine étaient au monde. J'ai osé, dans ma dernière maladie, écrire une lettre à Nicolas Despréaux ; vous avez fait mieux, vous écrivez comme lui. » La réputation littéraire de Rulhière s'étendait et s'affermissait sans même qu'il publiât ses ouvrages. On honorait aussi son caractère. On recherchait sa compagnie. Il était reçu avec faveur dans les salons et à la Cour même. En 1775, il fut fait chevalier de Saint-Louis ; en 1787, il entra à l'Académie française ; la Révolution le bouleversa. Il n'eut pas la douleur d'en voir tous les excès ; il mourut subitement le 30 janvier 1791.

DISCOURS SUR LES DISPUTES

Vingt têtes, vingt avis ; nouvel an, nouveau goût :
Autre ville, autres mœurs : tout change, on détruit tout.

Examine pour toi ce que ton voisin pense;
Le plus beau droit de l'homme est cette indépendance,
Mais ne dispute point; les desseins éternels,
Cachés au sein de Dieu, sont trop loin des mortels.
Le peu que nous savons d'une façon certaine,
Frivole comme nous, ne vaut pas tant de peine.
Le monde est plein d'erreurs; mais de là je conclus
Que prêcher la raison n'est qu'une erreur de plus.

En parcourant au loin la planète où nous sommes,
Que verrons-nous ? Les torts et les travers des hommes.
Ici c'est un synode, et là, c'est un divan.
Nous verrons le muphti, le derviche, l'iman,
Le bonze, le lama, le talapoin, le pope,
Les antiques rabbins, et les abbés d'Europe,
Nos moines, nos prélats, nos docteurs agrégés;
Etes-vous disputeurs, mes amis ? Voyagez.

Qu'un jeune ambitieux ait ravagé la terre,
Qu'un regard de Vénus ait allumé la guerre,
Qu'à Paris, au palais, l'honnête citoyen
Plaide pendant vingt ans pour un mur mitoyen;
Qu'au fond d'un diocèse un vieux prêtre gémisse
Quand un abbé de cour enlève un bénéfice,
Et que, dans le parterre, un poète envieux
Ait, en battant des mains, un feu noir dans les yeux;
Tel est le cœur humain; mais l'ardeur insensée
D'asservir ses voisins à sa propre pensée,
Comment la concevoir ? pourquoi, par quel moyen
Veux-tu que ton esprit soit la règle du mien ?

Je hais surtout, je hais tout censeur incommode,
Tous ces demi-savants gouvernés par la mode,
Ces gens qui, pleins de feu, peut-être pleins d'esprit,
Soutiendront contre vous ce que vous aurez dit;
Un peu musiciens, philosophes, poètes,
Et grands hommes d'Etat formés par les gazettes,
Sachant tout, lisant tout, prompts à parler de tout,
Et qui contrediraient Voltaire sur le goût,
Montesquieu sur les lois, de Brogli sur la guerre,
Ou la jeune d'Egmont sur le talent de plaire.

Voyez-les s'emporter sur les moindres sujets,
Sans cesse répliquant, sans répondre jamais :
« Je ne céderai pas au prix d'une couronne...
Je sens... Le sentiment ne consulte personne...
Et le roi serait là... Je verrais là le feu...
Messieurs, la vérité mise une fois en jeu,
Il ne m'importe point de plaire ou de déplaire... »

C'est bien dit; mais pourquoi cette morale austère ?
Hélas! c'est pour juger de quelques nouveaux airs,
Ou des deux Poinsinet lequel fait mieux les vers.

Auriez-vous par hasard connu feu Monsieur d'Aube,
Qu'une ardeur de dispute éveillait avant l'aube ?
Contiez-vous un combat de votre régiment,
Il savait mieux que vous où, contre qui, comment.
Vous seul en auriez eu toute la renommée,
N'importe; il vous citait ses lettres à l'armée;
Et, Richelieu présent, il aurait raconté
Ou Gênes défendu, ou Mahon emporté.
D'ailleurs homme de sens, homme d'un vrai mérite;
Mais son meilleur ami redoutait sa visite.
L'un, bientôt rebuté d'une vaine clameur,
Gardait, en l'écoutant, un silence d'humeur.
J'en ai vu, dans le feu d'une dispute aigrie,
Près de l'injurier, le quitter, de furie;
Et, rejetant la porte à son double battant,
Ouvrir à leur colère un champ libre en sortant;
Ses neveux, qu'à sa suite attachait l'espérance,
Avaient vu dérouter toute leur complaisance.
Un voisin asthmatique, en l'embrassant un soir,
Lui dit : « Mon médecin me défend de vous voir »;
Et parmi cent vertus, cette unique faiblesse
Dans un triste abandon réduisit sa vieillesse.
Au sortir d'un sermon, la fièvre le saisit,
Las d'avoir écouté sans avoir contredit;
Et tout près d'expirer, gardant son caractère,
Il faisait disputer le prêtre et le notaire.
Que la bonté divine, arbitre de son sort,
Lui donne le repos que nous rendit sa mort,
Si, du moins, il s'est tu devant ce grand arbitre!

Un jeune bachelier, bientôt docteur en titre,
Doit, suivant une affiche, un tel jour, en tel lieu,
Répondre à tout venant sur l'essence de Dieu.
Venez-y, venez voir, comme sur un théâtre,
Une dispute en règle, un choc opiniâtre,
L'enthymème serré, les dilemmes pressants,
Poignards à double lame et frappant en deux sens;
Et le grand syllogisme en forme régulière,
Et le sophisme vain de sa fausse lumière;
Des moines échauffés, vrai fléau des docteurs;
De pauvres Hibernois complaisants disputeurs,
Qui, fuyant leur pays pour les saintes promesses,
Viennent vivre à Paris d'arguments et de messes;
Et l'honnête public qui, même écoutant bien,
A la saine raison de n'y comprendre rien.
Voilà donc les leçons qu'on prend dans vos écoles!

Mais tous les arguments sont-ils faux ou frivoles ?
Socrate disputait jusque dans les festins,
Et, tout nu quelquefois, argumentait aux bains.
Etait-ce dans un sage une folle manie ?
La contrariété fait sortir le génie.
La veine d'un caillou recèle un feu qui dort;
Image de ces gens, froids au premier abord,
Et qui, dans la dispute, à chaque répartie,
Sont pleins d'une chaleur qu'on n'avait point sentie.

C'est un bien, j'y consens. Quant au mal, le voici :
Plus on a disputé, moins on s'est éclairci.
On ne redresse point l'esprit faux, ni l'œil louche.
Ce mot : « J'ai tort », ce mot nous déchire la bouche.
On s'aigrit, on s'irrite, et c'est battre le vent;
Chacun dans son avis demeure comme avant.
C'est mêler seulement aux opinions vaines
Le tumulte insensé des passions humaines,
Le vrai peut quelquefois n'être point de saison;
Et le plus grand des torts c'est d'avoir trop raison.

Autrefois la justice et la vérité nues
Chez les premiers humains furent longtemps connues;
Elles régnaient en sœurs, mais on sait que depuis
L'une a fui dans le ciel, et l'autre dans un puits.
La vaine opinion règne sur tous les âges.
Son temple est dans les airs, porté sur les nuages;
Une foule de dieux, de démons, de lutins,
Sont au pied de son trône; et, tenant dans leurs mains
Mille riens enfantés par un pouvoir magique,
Nous les montrent de loin sous des verres d'optique.
Autour d'eux nos vertus, nos biens, nos maux divers
En bulles de savon sont épars dans les airs;
Et le souffle des vents y promène sans cesse,
De climat en climat, le temple et la déesse.
Elle fuit et revient. Elle place un mortel
Hier sur un bûcher, demain sur un autel.
Le jeune Antinoüs eut autrefois des prêtres,
Nous rions maintenant des mœurs de nos ancêtres;
Et qui rit de nos mœurs ne fait que prévenir
Ce qu'en doivent penser les siècles à venir.
Une beauté frappante et dont l'éclat étonne,
Les Français la peindront sous les traits de Brionne,
Sans croire qu'autrefois un petit front serré,
Un front à cheveux d'or fut souvent adoré.
Ainsi l'opinion, changeante et vagabonde,
Soumet la beauté même, autre reine du monde.
Ainsi, dans l'univers, ses magiques effets
Des grands événements sont les ressorts secrets.
Comment donc espérer qu'un jour, aux pieds d'un sage,
Nous la voyions tomber du haut de son nuage,

Et que la Vérité, se montrant aussitôt,
Vienne au bord de son puits voir ce qu'on fait en haut ?

Il est pour les savants et pour les sages même
Une autre illusion : cet esprit de système
Qui bâtit en rêvant des mondes enchantés
Et fonde mille erreurs sur quelques vérités.
C'est par lui qu'égaré après de vaines ombres,
L'inventeur du calcul chercha Dieu dans les nombres ;
L'auteur du mécanisme attacha follement
La liberté de l'homme aux lois du mouvement ;
L'un, du soleil éteint veut composer la terre ;
« La terre, dit un autre, est un globe de verre. »
De là ces différends soutenus à grands cris ;
Et souvent sur un tas d'inutiles écrits
La dispute s'assied dans l'asile du sage.

La contrariété tient souvent au langage ;
On peut s'entendre moins, formant un même son,
Que si l'un parlait basque et l'autre bas-breton.
C'est là, qui le croirait ? un fléau redoutable ;
Et la pâle famine, et la peste effroyable
N'égalent point les maux et les troubles divers
Que les malentendus sèment dans l'univers.

Peindrai-je des dévots les discordes funestes ?
Les saints emportements de ces âmes célestes ?
Le fanatisme, au meurtre excitant les humains,
Des poisons, des poignards, des flambeaux dans les mains ?
Nos villages déserts, nos villes embrasées ?
Sous nos foyers détruits nos mères écrasées ?
Dans nos temples sanglants, abandonnés du ciel,
Les ministres rivaux égorgés sur l'autel ?
Tous les crimes unis, meurtre, inceste, pillage,
Les fureurs du plaisir se mêlant au carnage,
Sur des corps expirants d'infâmes ravisseurs
Dans leurs embrassements reconnaissant leurs sœurs ?
L'étranger dévorant le sein de ma patrie,
Et sous la piété déguisant sa furie ?
Les pères conduisant leurs enfants aux bourreaux,
Et les vaincus toujours traînés aux échafauds ?...
Dieu puissant, permettez que ces temps déplorables,
Un jour, par nos neveux, soient mis au rang des fables.

Mais je vois s'avancer un fâcheux disputeur ;
Son air d'humilité couvre mal sa hauteur ;
Et son austérité, pleine de l'Evangile,
Paraît offrir à Dieu le venin qu'il distille.
« Monsieur, tout ceci cache un dangereux poison ;
Personne, selon vous, n'a ni tort, ni raison ;

Et, sur la vérité n'ayant point de mesure,
Il faut suivre pour loi l'instinct de la nature!
— Monsieur, je n'ai pas dit un mot de tout cela...
— Oh! quoique vous ayez déguisé ce sens-là,
En vous interprétant la chose devient claire...
— Mais, en termes précis, j'ai dit tout le contraire.
Cherchons la vérité, mais d'un commun accord;
Qui discute a raison et qui dispute a tort.
Voilà ce que j'ai dit; et d'ailleurs, qu'à la guerre,
A la ville, à la cour, souvent il faut se taire...
— Mon cher Monsieur, ceci cache toujours deux sens,
Je distingue... — Monsieur, distinguez, j'y consens.
J'ai dit mon sentiment, je vous laisse les vôtres,
En demandant pour moi ce que j'accorde aux autres...
— Mon fils, nous vous avons défendu de penser;
Et, pour vous convertir, je cours vous dénoncer. »

Heureux! ô trop heureux qui, loin des fanatiques,
Des causeurs importuns et des jaloux critiques,
En paix, sur l'Hélicon, pourrait cueillir des fleurs!
Tels on voit dans les champs de sages laboureurs,
D'une ruche irritée évitant les blessures,
En dérober le miel à l'abri des piqûres.

ENVOI DU DISCOURS SUR LES DISPUTES
A MADAME ***

Un jour, on disputait sur ce qui plaît d'abord,
        Et qui plaît toujours davantage.
L'un dit : « C'est un air noble. — Oh non! vous avez tort.
        C'est un air fin. — Et moi j'aimerais fort
Un air de volupté joint avec un air sage. »
On citait, on nommait, on disputait encor
Quand on vous vit paraître, et parler, et sourire :
        « Messieurs, voilà ce que j'ai voulu dire ! »
S'écrièrent tous trois. Ils parurent d'accord,
        Sans cesser de se contredire.

ÉPIGRAMMES

I

CONTRE LA HARPE

ÉNIGME

J'ai sous un même nom trois attributs divers.
Je suis un instrument, un poète, une rue;
Rue étroite, je suis des pédants parcourue;
Instrument par mes sons je charme l'univers;
    Rimeur je l'endors par mes vers.

II

SUR UNE ODE DE DORAT [1]

    Je les ai lus avec plaisir,
      Ces vers, fruit de vos longues veilles;
Mais leur noble cadence est pénible à saisir,
Pour qui n'est pas doué d'assez longues oreilles.

III

CONTRE CHAMPCENETZ [2]

Etre haï, mais sans se faire craindre;
Etre puni, mais sans se faire plaindre,
Est un fort sot calcul; Champcenetz s'est mépris.
En jeux de mots grossiers parodier Racine,
Faire un pamphlet fort plat d'une scène divine,
Débiter pour dix sous un insipide écrit,
    C'est décrier la médisance,
C'est exercer sans art un métier sans profit;
    Il a bien assez d'imprudence,
      Mais il n'a pas assez d'esprit.
    Il prend, pour mieux s'en faire accroire,
Des lettres de cachet pour des titres de gloire;
Il croit qu'être honni, c'est être renommé;
Mais si l'on ne sait plaire, on a tort de médire;
C'est peu d'être méchant, il faut savoir écrire,
Et c'est pour de bons vers qu'il faut être enfermé.

---

1. L'*Ode au nouveau règne.*
2. A propos d'une parodie du *Songe d'Athalie,* composée par Rivarol
et Champcenetz contre Mme de Genlis.

IV

SUR LE DOCTEUR BARTHEZ [1]

Ce magistrat, docteur en médecine,
Et chancelier de la gent assassine,
Dans je ne sais lequel de ses fatras,
Prône toujours le moment du trépas.
Agoniser est un plaisir extrême,
Et rendre l'âme est la volupté même.
On reconnaît à l'œuvre l'ouvrier :
Un jour de deuil lui semble un jour de noce;
C'est bien avoir l'amour de son métier :
Vous êtes bien orfèvre, Monsieur Josse.

---

1. Barthez, dans son ouvrage : *Nouveaux éléments de la science de l'homme*, s'efforçait de donner un caractère d'analogie scientifique à la vieille comparaison que les poètes ont faite entre le sommeil et la mort. Sa conclusion est que l'homme doit goûter un certain plaisir à mourir.

DORAT

1734-1780

Claude-Joseph Dorat naquit le 31 décembre 1734, à Paris, d'une famille de robe. Son père était auditeur à la Cour des Comptes. A son tour il se destina au barreau, mais il fut bientôt las de la profession d'avocat; il entra alors dans l'armée et le voilà mousquetaire. Il ne le resta pas longtemps. Il dut céder aux craintes de sa tante, vieille dame janséniste, qui tremblait pour le salut de son neveu. Il était « sous sa tutelle austère », ainsi qu'il le dit dans une petite poésie : *Mes erreurs*, d'un caractère autobiographique; et il ajoute :

> Il fallut subir les décrets
> Et quitter l'école guerrière;

et encore :

> Force invincible, ô Providence!
> Que tes décrets sont absolus!
> Peut-être sans Jansénius
> J'eusse été maréchal de France!

Il se contenta d'être un écrivain. Il fut, par exemple, un écrivain fécond, et cette fécondité est à peu près son seul mérite. C'est par un petit recueil poétique intitulé *Fantaisies*, auquel il ne mit pas son nom, et qui parut sous la signature de « M. D ***, ci-devant mousquetaire », qu'il entra dans la carrière des lettres. Cet opuscule fut suivi d'une foule d'ouvrages en tous genres; l'inventaire de son œuvre comprend : six tragédies, sept comédies, plusieurs longs poèmes dont un en quatre chants sur *la Déclamation théâtrale*, où il traite de la comédie, de la tragédie, de l'opéra et de la danse, et des poésies de toutes sortes : héroïdes, contes, fables, idylles, élégies, satires, madrigaux, sans compter ses romans et ses lettres. Il a touché à tout avec une facilité qui a fourni à ses adversaires la matière de bien des épigrammes et qui ont fait dire au plus fameux d'entre eux :

> Dorat fait en une minute
> Un ouvrage toujours fêté
> Par l'ingrate Frivolité,
> Qui, l'instant d'après, le rebute.
> Dorat s'étonne de sa chute!
> Il vit le temps qu'il a coûté.

Nous avons extrait quelques pièces seulement de cette abondante production, dans laquelle on trouve réunis tous les caractères de la poésie du XVIIIᵉ siècle; nous citons une élégie : *les Ombres*, tirée du recueil des *Baisers*, une fable sentimentale : *la Force des larmes*, une fable morale : *le Renard et le Dogue*, et un fragment d'une satire dialoguée contre le critique Clément. Malgré tant de travaux, Dorat ne cessa de mener une vie de plaisirs; il était prodigue et imprévoyant; ses œuvres, dont il faisait faire de belles éditions, furent, dit-on, plus profitables à ses éditeurs et aux artistes qui en dessinaient les planches qu'à lui-même. Un jour vint où il se trouva dans une situation précaire. Il fonda alors une publication périodique : *le Journal des Dames;* il mourut, sans gloire, et dans la pauvreté, le 19 avril 1780.

LES OMBRES [1]

Crois-moi, jeune Thaïs, la mort n'est point à craindre.
Sa faux se brisera sur l'autel des Amours.
Va, nous brûlons d'un feu qu'elle ne peut éteindre.
Est-ce mourir, dis-moi, que de s'aimer toujours ?
Nos âmes survivront au terme de nos jours;
Pour s'élancer vers lui par des routes nouvelles,
Le dieu qui les forma leur prêtera des ailes...
De ce globe échappés nous verrons ces jardins
Ouverts dans l'Elysée aux vertueux humains.
Là, tout naît sans culture; en cet aimable asile
La terre d'elle-même épanche ses présents;
D'un soleil tempéré, la lumière tranquille,
A ce qu'il faut d'ardeur pour fixer le printemps.
Ce sont de toutes parts des sources jaillissantes,
Dont le cristal retombe et fuit sous les lauriers;
Zéphir murmure et joue à travers les rosiers,
Fait ondoyer des fleurs les moissons odorantes,
Disperse leurs parfums, et dans ce beau séjour
Souffle avec un air pur les chaleurs de l'amour.
Là, des tendres amants les ombres se poursuivent;
Ces amants ne sont plus, et leurs flammes revivent :
Là, se joue en tout temps la douce illusion;
Didon y tend les bras au fugitif Enée :
La sensible Sapho n'y quitte plus Phaon;
L'ombre de Lycoris, de pampres couronnée,
Danse, rit et folâtre autour d'Anacréon.
Racine y soupirant aux accords de sa lyre,
Le front ceint d'un cyprès de fleurs entremêlé,
De l'amour et des vers sent le même délire,
Et baigne encor de pleurs le sein de Champmeslé.
Alcibiade y suit la volage Glycère;

1. XIXᵉ Baiser.

César y va contant ses amoureux exploits;
L'ombre enfin de Henri, cette ombre auguste et chère,
De la nymphe d'Anet semble adorer les lois,
Dans ce bosquet riant et presque solitaire,
Où les ordres du ciel ont placé les bons rois.
Ces champs, à ton aspect, s'embelliront encore;
Le jour qui les éclaire en deviendra plus doux;
On n'aura jamais vu tant de myrtes éclore;
Le cercle des heureux s'ouvrira devant nous :
Nous leur demanderons le prix de la tendresse,
Amants, ainsi que nous, ils liront dans nos yeux;
Et, pleins du même amour, dont ils sentaient l'ivresse,
Le même sort nous garde une place auprès d'eux.

FABLES

I

LE RENARD ET LE DOGUE

Dans le royaume du lion,
Quand il meurt quelque bête opulente et célèbre,
Dom Renard est chargé, dit-on,
D'en faire l'oraison funèbre;
Fléchier ne parlait pas avec tant d'onction.
Mais, glissons sur le parallèle.
Un loup-cervier sanguinaire et glouton,
Ces jours-ci décéda — j'en ai su la nouvelle —
Pour s'être bourré de mouton.
Chaque jour qu'il vécut fut marqué par des crimes;
Sa tanière toujours regorgeait de victimes.
N'importe; il fut le Crésus du canton.
Ses cruautés dès lors deviennent légitimes,
Il a des droits à l'oraison.
Le panégyriste s'avance
Entre deux files de parents,
Et, montant sur une éminence,
Parle en ces mots à tous les assistants :
« Hélas! en ce jour funéraire,
Je viens renouveler les peines de mon cœur,
A l'orphelin rappeler un bon père,
A la veuve un consolateur.
Pleurons, pleurons dans cette enceinte auguste,
Le plus clément des loups et surtout le plus juste.
Répondez : eûtes-vous à vous plaindre de lui,
Brebis timide ou crédule génisse ?
Sobre par bienfaisance, et non par avarice,
D'un régime gênant il s'imposait l'ennui.

Combien de fois je l'ai vu, mes chers frères,
A jeun, défait, s'immolant pour autrui,
Et louvoyant le long de ces bruyères
Chercher des malheureux pour leur servir d'appui ?
Vous vous attendrissez! je vois couler vos larmes...
O mon plus cher ami! ces sanglots, ces regrets,
Pour tes mânes sacrés doivent avoir des charmes!
Jouis dans le tombeau du prix de tes bienfaits...
        Je me trouble, ma voix expire.
L'éloquence est muette où gémit la douleur;
O vous qui m'écoutez vous plaindrez l'orateur,
Et vos cœurs vous diront ce qu'il n'a pu vous dire!

— As-tu bientôt joué ta comédie ?
Lui crie un dogue, accroupi près de là.
Ce discours si pompeux je le savais déjà,
Syllabe pour syllabe. — Et comment, je te prie ?
— Insigne plagiaire, effronté courtisan,
        — Moi, c'est ainsi que je te nomme —
Je l'avais entendu prononcer par un homme
        Pour les obsèques d'un tyran. »

II

LA FORCE DES LARMES

Consommé dans l'art des Tibères,
D'un état malheureux le lâche usurpateur,
        Sur les enfants et sur les pères
        Exerçait cet art destructeur.
    Chaque parole est coupable ou suspecte.
Le silence est prescrit par la voix des bourreaux,
    Qu'en frémissant tout un peuple respecte.
Les pâles citoyens se taisent sur leurs maux;
        Mais par des signes énergiques,
        Des cœurs interprètes muets,
        Ils expriment leurs vœux secrets,
        Et les calamités publiques.
Ces signes éloquents sont bientôt interdits.
Alors un citoyen, appesanti par l'âge,
Arrive dans la place où des rois du pays,
        Le bronze éternise l'image,
    Et la retrace aux regards attendris :
Là, tombant à genoux aux pieds de la statue
    Du plus aimé de tous ces rois,
Il l'arrose de pleurs, au défaut de la voix.
Sublime expression... qui ne fut pas perdue!
        Le peuple interprète bientôt
Cette auguste douleur, ces profondes alarmes :
        Tous les yeux sont trempés de larmes;

Mille soupirs unis ne font plus qu'un sanglot.
On instruit le tyran, et lui-même il s'avance.
      Il veut, pour comble de tourments,
Priver ces malheureux de leurs gémissements!...
    Le désespoir leur rend l'indépendance :
Le peuple sent sa force et court à sa défense;
Tous les bras sont armés; le sang coule à grands flots;
La garde est égorgée, et le monstre en lambeaux.
      De l'espèce humaine avilie
      Imbéciles persécuteurs,
      Prenez les biens, ôtez la vie,
      Mais ne défendez point les pleurs.

PÉGASE [1]

    Si j'en crois ce qu'on dit, Pégase m'enfanta.
Je fis de mes talons jaillir une fontaine;
Bellérophon sur moi courut la prétentaine;
Pour battre la chimère au diable il m'emporta.
Je me nourris longtemps des gazons d'Hippocrène.
Comme un franc étourdi Pindare me monta.
(Votre Rousseau depuis imita ses caprices.)
Multipliant sous lui mes écarts vagabonds,
Sur la cime des rocs, au bord des précipices,
Je m'élançais alors et par sauts et par bonds.
Moschus, Anacréon, pleins d'adresse et de grâce,
Me remirent au pas : exhorté par les jeux,
En bon épicurien je vivais avec eux,
Et je paissais les fleurs qui parfumaient leur trace...
L'amante de Phaon venait chaque matin
M'offrir, en souriant, des roses dans sa main.
Sophocle m'exerça par ses courses hardies;
Euripide, moins fort, n'en eut pas moins d'ardeur;
Eschyle, échevelé, me remplit de terreur :
Nous paraissions tous deux poussés par les furies.
J'abandonnai la Grèce au bruit du nom romain.
Je fus légèrement ménagé par Horace;
Lucrèce indépendant m'inspira son audace,
Juvénal me soumit avec un bras d'airain;
Par Virgile aguerri, je bronchai sous le Stace,
Et je voyais de loin arriver mon déclin.
Longtemps on me crut mort : craignant la barbarie
J'avais paisiblement regagné l'écurie.
Le Dante, avec humeur, vint m'en tirer soudain.

---

1. Extrait du *Dialogue de Pégase et de Clément*, lequel fut composé
par Dorat pour « venger M. de Voltaire des outrages qu'on lui fait,
tous les mois, au nom des anciens et de la belle littérature ».

L'œil morne et ténébreux, conforme à son génie,
Regrettant les vallons de l'antique Ausonie,
En croupe je portai le spectre d'Ugolin.
Peintre de l'enjouement, honneur de l'Italie,
L'Arioste accourut avec un front serein;
J'adoptai l'Hippogriffe, enfant de sa folie,
Et bientôt je livrai mon dos et mon destin
Au chantre intéressant de la tendre Herminie.

    Tous ces cavaliers-là m'avaient mené grand train;
J'avais l'oreille basse et les ailes traînantes;
Il fallut réparer mes forces languissantes :
Mais sur les bords français je reparus enfin.
Malherbe parmi nous ennoblit mon allure;
De la palme lyrique il ombragea mon front.
Je jetai Chapelain au bas du double mont;
En embrassant Gombaud il roula sur Voiture.
Molière prit leur place et me fit détaler.
La Fontaine, indulgent et plein de bonhomie,
Guidé par la nature et par ma fantaisie,
Me suivit, sans mot dire, où je voulus aller.
La houssine à la main, Boileau, grave et sévère,
Châtia de mon vol l'aisance irrégulière :
Je ne pus avec lui faire un pas sans trembler.
Je l'estimais beaucoup, mais je ne l'aimais guère.
Corneille vint à moi : son fier et noble aspect,
Sans trop m'effaroucher, m'inspira du respect;
De son bras vigoureux je ressentis l'atteinte;
Il me fit pénétrer dans le palais des rois :
Tous mes crins se dressaient aux accents de sa voix,
Et, tant qu'il m'a conduit, j'ai méconnu la crainte.
Il me brusquait parfois; c'était assez son ton;
Il fallut nous quitter, et j'acquis, sous Racine,
Des mouvements plus doux, une bouche plus fine,
Dans des sentiers sanglants je suivis Crébillon :
Quoiqu'il fût violent, j'aimais son caractère.
Il dédaignait les lieux frayés par d'autres pas,
Et, malheureusement, j'étais déjà bien las,
Quand il fallut encor galoper sous Voltaire...
Je le vis autrefois, ferme dans l'étrier,
Courir bride abattue; et, malgré ma colère,
Il faut que j'en convienne, il est bon écuyer...

BOUFFLERS

1738-1815

Stanislas, marquis de Boufflers, plus connu sous le titre de chevalier de Boufflers, naquit le 31 mai 1738, à Nancy. Il eut pour parrain le roi Stanislas. Il grandit dans la galante et spirituelle cour de Lunéville dont sa mère, femme de beaucoup d'esprit et d'une grande beauté, était l'un des ornements. Destiné à l'Eglise, il fut mis au séminaire de Saint-Sulpice, où il ne resta d'ailleurs que deux ans. La trace la plus durable de son passage dans cette sévère maison est le conte alerte et voluptueux d'*Aline de Golconde* qu'il y composa et qui est l'un des morceaux les plus jolis qu'il ait écrits. Il n'était vraiment pas fait pour l'état ecclésiastique et l'armée lui convenait mieux. Afin, sans doute, de conserver un riche bénéfice dont le roi Stanislas l'avait pourvu, il se fit chevalier de Malte et il partit pour la guerre. Il prit part à plusieurs campagnes, il se conduisit vaillamment, parvint aux plus hauts grades et quitta l'armée en 1784. C'était un homme aimable, spirituel, malicieux, élégant, galant, qui faisait des vers légers : contes, épîtres, madrigaux, chansons, épigrammes, comme on savait les faire alors. En 1785, sa fortune étant compromise, Boufflers obtint le gouvernement du Sénégal; il remplit très exactement sa fonction, et se fit aimer des indigènes par son humanité; mais cet homme de société ne put supporter longtemps son exil. Il revint en France en 1788; peu après il fut admis à l'Académie française; l'année suivante, il fut élu député aux Etats généraux. Emigré après le 10 août, il rentra en France en 1800, et se rallia à Napoléon. Sous l'Empire, on le rencontrait dans les salons : c'était un vieillard un peu lourd, à la toilette peu soignée, en qui l'on eût eu de la peine à reconnaître le fringant officier d'autrefois. Il mourut à Paris le 18 janvier 1815. Outre ses poésies et ses contes, il a écrit, avec verve, un récit, agréablement tourné, d'un voyage qu'il fit en Suisse, et qui lui donna l'occasion d'aller saluer Voltaire pour qui, en d'agréables vers, il a composé aussi quelques éloges académiques, d'un style éloquent et soutenu, et un *Traité sur le libre arbitre* que, paraît-il, « personne ne lut »; il a laissé enfin une intéressante et spirituelle correspondance.

ÉPITRE A VOLTAIRE

Je fus dans mon printemps guidé par la folie,
Dupe de mes désirs et bourreau de mes sens,
        Mais s'il en était encor temps,
        Je voudrais bien changer de vie.
Soyez mon directeur; donnez-moi vos avis;
        Convertissez-moi, je vous prie :
        Vous en avez tant pervertis!
        Sur mes fautes je suis sincère,
Et j'aime presque autant les dire que les faire.
        Je demande grâce aux amours :
        Vingt beautés à la fois trahies
        Et toutes assez bien servies,
En beaux moments, hélas! ont changé mes beaux jours.
        J'aimais alors toutes les femmes :
        Toujours brûlé de feux nouveaux,
Je prétendais d'Hercule égaler les travaux,
        Et sans cesse, auprès de ces dames,
Etre l'heureux rival de cent heureux rivaux!
Je regrette aujourd'hui mes petits madrigaux,
Je regrette les airs que j'ai faits pour les belles,
        Je regrette vingt bons chevaux,
        Que, courant par monts et par vaux,
        J'ai, comme moi, crevés pour elles;
        Et je regrette encor bien plus
Ces utiles moments qu'en courant j'ai perdus.
        Les neuf Muses ne suivent guère
Ceux qui suivent l'Amour. Dans ce métier galant,
Le corps est bientôt vieux, l'esprit longtemps enfant;
Mon esprit et mon corps, chacun pour son affaire,
        Viennent chez vous, sans compliment;
L'esprit pour se former, le corps pour se refaire.
Je viens dans ce château voir mon oncle et mon père :
        Jadis les chevaliers errants
Sur terre après avoir longtemps cherché fortune,
        Allaient retrouver dans la lune
        Un petit flacon de bon sens :
Moi, je vous en demande une bouteille entière,
        Car Dieu mit en dépôt chez vous
L'esprit dont il priva tous les sots de la terre,
Et toute la raison qui manque à tous les fous.

LE CŒUR

        Le cœur est tout, disent les femmes;
Sans le cœur point d'amour, sans lui point de bonheur :

Le cœur seul est vaincu, le cœur seul est vainqueur.
> Mais qu'est-ce qu'entendent ces dames
> En nous parlant toujours du cœur ?

En y pensant beaucoup, je me suis mis en tête
Que du sens littéral elles font peu de cas,
Et qu'on est convenu de prendre un mot honnête
> Au lieu d'un mot qui ne l'est pas.

Sur le lien des cœurs en vain Platon raisonne,
Platon se perd tout seul, et n'égare personne;
Raisonner sur l'amour, c'est perdre la raison;
Et, dans cet art charmant, la meilleure leçon,
> C'est la nature qui la donne.
> A bon droit nous la bénissons,

Pour nous avoir formé des cœurs de deux façons;
> Car que deviendraient les familles
> Si les cœurs des jeunes garçons
> Etaient faits comme ceux des filles ?

Avec variété le monde les moula,
Afin que la nature en trouvât à sa guise :
Prince, manant, abbé, nonne, reine, marquise,
Celui qui crie « Sanctus! », celui qui crie « Allah! »
Le bonze, le rabbin, le carme, la sœur grise,
Tous reçurent un cœur; aucun ne s'en tint là.
> C'est peu d'avoir chacun le nôtre,
> Nous en cherchons partout un autre.

Nature, en fait de cœurs, se prête à tous les goûts;
> J'en ai vu de toutes les formes,
Grands, petits, minces, gros, médiocres, énormes;
Mesdames et Messieurs, comment les voulez-vous ?
On fait partout d'un cœur tout ce qu'on en veut faire,
On le prend, on le donne, on l'achète, on le vend;
Il s'élève, il s'abaisse, il s'ouvre, il se resserre;
> C'est un merveilleux instrument.
> J'en jouais bien dans ma jeunesse;
> Moins bien pourtant que ma maîtresse.
> O vous, qui cherchez le bonheur,
> Sachez tirer parti d'un cœur!

Un cœur est bon à tout; partout on s'en amuse,
> Mais à ce joli petit jeu,
> Au bout de quelque temps, il s'use,
Et chacune et chacun finissent, en tout lieu,
> Par en avoir trop ou trop peu.
> Ainsi, comme un franc hérétique,
Je médisais du Dieu de la terre et du ciel.
> En amour j'étais tout physique;
> C'est bien un point essentiel,
> Mais ce n'est pas le point unique.
> Il est mille façons d'aimer;
> Et ce qui prouve mon système,
> C'est que la bergère que j'aime
> En a mille de me charmer :

Si de ces mille ma bergère,
Par un mouvement généreux,
M'en cédait une pour lui plaire,
Nous y gagnerions tous les deux.

VERS SUR LA PAIX DOMESTIQUE

Un toit de jonc suffit à la divinité;
Son haleine attiédit l'air que l'on respire,
Et des plus durs frimas émousse l'âpreté;
Les esprits qu'elle éclaire et les cœurs qu'elle inspire,
Aussi d'accord entre eux que les tons d'une lyre,
Conservent l'harmonie en leur diversité;
Riche de tous les biens que le sage désire,
Prêtant un charme à tout, même à la pauvreté,
Du secret d'être heureux seule elle sait instruire.
Mortels, qui n'êtes point contents sous son empire,
Renoncez pour jamais à la félicité.

VERS FAITS EN POLOGNE
A MADAME LA PRINCESSE DE RADZIWILL

SUR UN CHARMANT JARDIN ANGLAIS QU'ELLE APPELAIT « L'ARCADIE »

Séjour chéri d'Hélène, où son riant génie
De la divinité remplit si bien l'emploi,
Où le marbre et les fleurs se rangent sous sa loi,
Où la nature à l'art par le goût est unie,
    Où, si j'en puis juger par moi,
Tout mortel au dehors voit régner l'harmonie,
    Et la sent au dedans de soi!

Quand les beaux yeux d'Hélène échauffent cette terre,
La rose a plus d'éclat, l'oiseau de plus doux chants;
Tout rit, tout s'embellit, tout apprend d'elle à plaire;
Moi-même j'y retrouve à la fois deux printemps,
Celui de la nature, et celui de mes ans.
Que le temps destructeur porte ailleurs ses ravages;
L'on ne craint rien ici de l'arrière-saison,
Et sur les pas d'Hélène on foule, en ces bocages,
Les plantes qui jadis rajeunirent Eson.

Ainsi vous faites luire, ô nymphe d'Arcadie,
Un rayon de bonheur sur le soir de ma vie;
Chez vous, loin des horreurs de ce siècle pervers,
Mon âme rajeunie en doux pensers abonde;

Chez vous l'esprit se sent libre comme les airs ;
Chez vous le cœur se sent aussi pur que votre onde ;
Auprès de vous on croit, dans ces murs toujours verts,
      Avoir enfin changé de monde,
Et voir l'échantillon d'un meilleur univers.

A UNE DAME NÉE SOUS LE SOLSTICE D'ÉTÉ

      On vous ébauchait en automne,
      On vous finit pendant l'été,
Vous pourriez ressembler à Cérès, à Pomone,
      Mais, à dire la vérité,
Vous tenez de plus près à Flore qu'à personne.
      Tout l'univers fit son devoir
      Au moment où vous êtes née ;
Le soleil s'arrêta pour vous mieux recevoir ;
      Et depuis, la terre étonnée
A trouvé que les jours les plus longs de l'année
      Sont encor trop courts pour vous voir.

ÉPITAPHE DE MONSIEUR DE BOUFFLERS

FAITE PAR LUI-MÊME

  Ci-gît un chevalier qui sans cesse courut,
Qui sur les grands chemins naquit, vécut, mourut,
      Pour prouver ce qu'a dit le sage :
      Que notre vie est un voyage.

DELILLE

1738-1813

Jacques Delille naquit à Aigueperse, en Auvergne, le 22 juin 1738. D'une naissance irrégulière, il fut aussitôt séparé de sa mère, femme de condition, de la descendance du chancelier de l'Hôpital et qui, écrit P.-F. Tissot, « fut réduite à la cruelle nécessité de ne pouvoir avouer ni sa faute ni son amour ». Il fut présenté au baptême et reconnu par Antoine Montanier, avocat au Parlement de Clermont-Ferrand, qui mourut d'ailleurs peu de temps après, ne lui laissant qu'une modeste rente viagère. Jacques Delille était vif et intelligent. Il reçut ses premières leçons d'un curé de village, puis fut envoyé à Paris où il fut admis comme boursier au collège de Lisieux. Après de brillants succès universitaires, il fut nommé maître de quartier au collège de Beauvais, puis professeur d'abord au collège d'Amiens, et ensuite au collège de La Marche à Paris. Il avait déjà composé quelques poésies fugitives et il travaillait à une traduction en vers des *Géorgiques*, entreprise que Louis Racine, consulté, commença par trouver téméraire, mais qu'il encouragea quand Delille lui eut lu une partie de son travail. L'ouvrage parut en 1770. Le succès en fut considérable, mais Delille n'en dut pas être surpris, car l'accueil que l'on avait fait à son poème dans les salons où il en avait lu et déclamé des fragments le lui avait fait pressentir. Il paraît qu'il lisait et déclamait fort bien. Il était aussi un causeur très agréable. Il avait du feu, de la gaieté, de l'esprit. On le recherchait. En 1774 il fut admis à l'Académie française. Dix années plus tard, le comte de Choiseul-Gouffier, nommé ambassadeur à Constantinople, et désirant emmener avec lui quelques artistes et gens de lettres, voulut que Delille fût du nombre, et on raconte qu'il l'enleva presque. En 1782 le poète avait publié *les Jardins, ou l'art d'embellir les paysages*, long poème où l'on trouve de jolis passages et dont le succès, dans les salons, sinon auprès de la critique, dépassa peut-être celui des *Géorgiques*. Delille fut nommé professeur de poésie latine au Collège de France, une simple chaire de collège étant hors de proportion avec sa renommée qui était européenne. Il passa à Paris le temps de la Révolution, et ne s'exila qu'après le 9 thermidor. Il était à Londres en 1800 et il y publia *l'Homme des champs*. L'année suivante il rentra en France et dès lors ne cessa pas de produire. Sa gouvernante, qu'il avait épousée, et qui était d'un naturel impérieux, avait pris sur lui beaucoup d'empire ; pour tout dire, elle le menait ; c'est à son ascendant et à sa vigilance que sont dues les dernières œuvres du poète. Sans parler des éditions modifiées de *l'Homme des champs* qui parurent en 1805, il faut citer, en 1802, *la Pitié ;* en 1804, la traduction de *l'Enéide ;* en 1805, la traduction du *Paradis perdu ;* en 1806, *l'Imagination ;* en 1809, *les Trois Règnes de la nature,* et, en 1812, *la Conversation.*

Frappé d'une attaque de paralysie pendant son séjour en Angleterre, il était devenu aveugle ; une attaque d'apoplexie mit fin à ses jours dans la nuit du 1er au 2 mai 1813. Son corps fut exposé pendant trois jours dans la grande salle du Collège de France, le visage fardé et le front ceint de laurier. Ses funérailles furent triomphales ; un peuple immense y assista.

Delille fut avant tout, et l'on peut dire presque uniquement, un descriptif ; il prit la nature pour thème ; il ne paraît pas avoir été ému par ses aspects. On l'a représenté, costumé en abbé, tournant le dos à la nature et se dirigeant vers le temple du mauvais goût. On sait qu'il abonde en périphrases qui font le tour du mot propre, avec une ingéniosité incontestable, quoique souvent ridicule. Cet homme, si habile à ne pas nommer les choses par leur nom, les voyait cependant telles qu'elles étaient. Quand sa vue eut commencé de faiblir, il regardait les objets à travers une forte loupe ; il en voyait nettement les contours, et il s'appliquait à les rendre ; mais son observation avait quelque chose de menu, de sec, de froid, de géométrique, qui, en dépit de quelques passages frais et bien venus, donne à son œuvre un caractère d'artifice et d'affectation.

VERSAILLES [1]

O Versaille ! ô regrets ! ô bosquets ravissants,
Chefs-d'œuvre d'un grand roi, de Le Nôtre, et des ans !
La hache est à vos pieds et votre heure est venue.
Ces arbres, dont l'orgueil s'élançait dans la nue,
Frappés dans leur racine, et balançant dans l'air
Leurs superbes sommets ébranlés par le fer,
Tombent et de leurs troncs jonchent au loin ces routes
Sur qui leurs bras pompeux s'arrondissent en voûtes.
Ils sont détruits, ces bois, dont le front glorieux
Ombrageait de Louis le front victorieux,
Ces bois où, célébrant de plus douces conquêtes,
Les arts voluptueux multipliaient les fêtes !
Amour, qu'est devenu cet asile enchanté
Qui vit de Montespan soupirer la fierté ?
Qu'est devenu l'ombrage où, si belle et si tendre,
A son amant surpris, et charmé de l'entendre,
La Vallière apprenait le secret de son cœur,
Et, sans se croire aimée, avouait son vainqueur ?

1. *Les Jardins,* chant II.

Tout périt, tout succombe ; au bruit de ce ravage,
Voyez-vous point s'enfuir les héros du bocage ?
Tout ce peuple d'oiseaux, fiers d'habiter ces bois,
Qui chantaient leurs amours dans l'asile des rois,
S'exilent à regret de leurs berceaux antiques.
Ces dieux, dont le ciseau peupla ces verts portiques,
D'un voile de verdure autrefois habillés,
Tout honteux aujourd'hui de se voir dépouillés,
Pleurent leur doux ombrage, et, redoutant la vue,
Vénus même une fois s'étonna d'être nue.
Croissez, hâtez votre ombre, et repeuplez ces champs,
Vous, jeunes arbrisseaux ; et vous, arbres mourants,
Consolez-vous ! Témoins de la faiblesse humaine,
Vous avez vu périr et Corneille et Turenne :
Vous comptez cent printemps, hélas ! et nos beaux jours
S'envolent les premiers, s'envolent pour toujours.

L'AUTOMNE [1]

Remarquez-les [2] surtout lorsque la pâle automne
Près de la voir flétrir, embellit sa couronne ;
Que de variété, que de pompe et d'éclat !
Le pourpre, l'orangé, l'opale, l'incarnat,
De leurs riches couleurs étalent l'abondance.
Hélas ! tout cet éclat marque leur décadence.
Tel est le sort commun. Bientôt les aquilons
Des dépouilles des bois vont joncher les vallons ;
De moment en moment la feuille sur la terre
En tombant interrompt le rêveur solitaire.
Mais ces ruines même ont pour moi des attraits,
Là, si mon cœur nourrit quelques profonds regrets,
Si quelque souvenir vient rouvrir ma blessure,
J'aime à mêler mon deuil au deuil de la nature ;
De ces bois desséchés, de ces rameaux flétris,
Seul, errant, je me plais à fouler les débris.
Ils sont passés, les jours d'ivresse et de folie ;
Viens, je me livre à toi, tendre mélancolie ;
Viens, non le front chargé des nuages affreux
Dont marche enveloppé le chagrin ténébreux,
Mais l'œil demi-voilé, mais telle qu'en automne,
A travers des vapeurs un jour plus doux rayonne !
Viens, le regard pensif, le front calme, les yeux
Tout prêts à s'humecter de pleurs délicieux.

1. *Les Jardins*, chant II.
2. Les arbres.

LA FONTAINE DE VAUCLUSE [1]

Quel cœur, sans être ému, trouverait Aréthuse,
Alphée ou le Lignon ; toi surtout, toi, Vaucluse,
Vaucluse, heureux séjour, que sans enchantement
Ne peut voir nul poète et surtout nul amant ?
Dans ce cercle de monts qui, recourbant leur chaîne,
Nourrissent de leurs eaux ta source souterraine,
Sous la roche voûtée, antre mystérieux,
Où ta nymphe, échappant aux regards curieux,
Dans un gouffre sans fond cache sa source obscure,
Combien j'aimais à voir ton eau, qui, toujours pure,
Tantôt dans son bassin renferme ses trésors,
Tantôt en bouillonnant s'élève, et de ses bords
Versant parmi des rocs ses vagues blanchissantes,
De cascade en cascade au loin rejaillissantes,
Tombe et roule à grand bruit ; puis, calmant son courroux,
Sur un lit plus égal répand des flots plus doux,
Et, sous un ciel d'azur, coule, arrose et féconde
Le plus riant vallon qu'éclaire l'œil du monde !
Mais ces eaux, ce beau ciel, ce vallon enchanteur,
Moins que Pétrarque et Laure intéressaient mon cœur.
« La voilà donc, disais-je, oui, voilà cette rive
Que Pétrarque charmait de sa lyre plaintive !
Ici Pétrarque, à Laure exprimant son amour,
Voyait naître trop tard, mourir trop tôt le jour.
Retrouverai-je encor sur ces rocs solitaires
De leurs chiffres unis les tendres caractères ? »
Une grotte écartée avait frappé mes yeux ;
« Grotte sombre, dis-moi si tu les vis heureux ! »
M'écriai-je. Un vieux tronc bordait-il le rivage ?
Laure avait reposé sous son antique ombrage ;
Je redemandais Laure à l'écho du vallon ;
Et l'écho n'avait point oublié ce doux nom,
Partout mes yeux cherchaient, voyaient Pétrarque et Laure,
Et, par eux, ces beaux lieux s'embellissaient encore.

LA NATURE [2]

Nature, ô séduisante et sublime déesse,
Que tes traits sont divers ! Tu fais naître dans moi
Ou les plus doux transports ou le plus saint effroi.
Tantôt dans nos vallons, jeune, fraîche et brillante,
Tu marches, et des plis de ta robe flottante

1. *Les Jardins*, chant III.
2. *L'Homme des champs*, chant IV.

Secouant la rosée et versant les couleurs,
Tes mains sèment les fruits, la verdure et les fleurs :
Les rayons d'un beau jour naissent de ton sourire;
De ton souffle léger s'exhale le zéphyre,
Et le doux bruit des eaux, le doux concert des bois,
Sont les accents divers de ta brillante voix :
Tantôt, dans les déserts, divinité terrible,
Sur des sommets glacés plaçant ton trône horrible,
Le front ceint de vieux pins s'entrechoquant dans l'air,
Des torrents écumeux battent tes flancs; l'éclair
Sort de tes yeux; ta voix est la foudre qui gronde,
Et du bruit des volcans épouvante le monde.

O qui pourra saisir dans leur variété
De tes riches aspects la changeante beauté ?
Qui peindra d'un ton vrai tes ouvrages sublimes,
Depuis les monts altiers jusqu'aux profonds abîmes,
Depuis les bois pompeux, dans les airs égarés,
Jusqu'à la violette, humble amante des prés ?

A LA LIMAGNE [1]

O champs de la Limagne! ô fortuné séjour!
Hélas! j'y revolais après vingt ans d'absence :
A peine le mont d'Or, levant son front immense,
Dans un lointain obscur apparut à mes yeux,
Tout mon cœur tressaillit, et la beauté des cieux,
Et les riches coteaux, et la plaine riante,
Mes yeux ne voyaient rien; mon âme impatiente,
De rapides coursiers accusant la lenteur,
Appelait, implorait, ce lieu cher à mon cœur;
Je le vis; je sentis une joie inconnue;
J'allais, j'errais; partout où je portais la vue
En foule s'élevaient des souvenirs charmants;
Voici l'arbre témoin de mes amusements;
C'est ici que Zéphyr, de sa jalouse haleine,
Effaçait mes palais dessinés sur l'arène;
C'est là que le caillou lancé dans le ruisseau,
Glissait, sautait, glissait et sautait de nouveau;
Un rien m'intéressait, mais avec quelle ivresse
J'embrassais, je baignais de larmes de tendresse
Le vieillard qui jadis guida mes pas tremblants,
La femme dont le lait nourrit mes premiers ans,
Et le sage pasteur qui forma mon enfance!
Soudain je m'écriais : « Témoins de ma naissance,
Témoins de mes beaux jours, de mes premiers désirs,
Beaux lieux, qu'avez-vous fait de mes premiers plaisirs ? »

1. *L'Homme des champs*, chant IV.

LE COIN DU FEU [1]

Suis-je seul ? je me plais encore au coin du feu.
De nourrir mon brasier mes mains se font un jeu;
J'agace mes tisons; mon adroit artifice
Reconstruit de mon feu le savant édifice.
J'éloigne, je rapproche, et du hêtre brûlant
Je corrige le feu trop rapide ou trop lent.
Chaque fois que j'ai pris mes pincettes fidèles,
Partent en pétillant des milliers d'étincelles :
J'aime à voir s'envoler leurs légers bataillons.
Que m'importent du Nord les fougueux tourbillons ?
La neige, les frimas qu'un froid piquant resserre,
En vain sifflent dans l'air, en vain battent la terre,
Quel plaisir, entouré d'un double paravent,
D'écouter la tempête et d'insulter au vent!
Qu'il est doux, à l'abri du toit qui me protège,
De voir à gros flocons s'amonceler la neige!
Leur vue à mon foyer prête un nouvel appas :
L'homme se plaît à voir les maux qu'il ne sent pas.
Mon cœur devient-il triste et ma tête pesante ?
Eh bien, pour ranimer ma gaîté languissante,
La fève de Moka, la feuille de Canton,
Vont verser leur nectar dans l'émail du Japon.
Dans l'airain échauffé déjà l'onde frissonne :
Bientôt le thé doré jaunit l'eau qui bouillonne,
Ou des grains du Levant je goûte le parfum.
Point d'ennuyeux causeur, de témoin importun :
Lui seul, de ma maison exacte sentinelle,
Mon chien, ami constant et compagnon fidèle,
Prend à mes pieds sa part de la douce chaleur.

Et toi, charme divin de l'esprit et du cœur,
Imagination! de tes douces chimères
Fais passer devant moi les figures légères!
A tes songes brillants que j'aime à me livrer!
Dans ce brasier ardent qui va le dévorer,
Par toi, ce chêne en feu nourrit ma rêverie;
Quelles mains l'ont planté? quel sol fut sa patrie ?
Sur les monts escarpés bravait-il l'Aquilon ?
Bordait-il le ruisseau? parait-il le vallon ?
Peut-être il embellit la colline que j'aime,
Peut-être sous son ombre ai-je rêvé moi-même.
Tout à coup je l'anime : à son front verdoyant,
Je rends de ses rameaux le panache ondoyant,
Ses guirlandes de fleurs, ses touffes de feuillage,
Et les tendres secrets que voila son ombrage.

1. *Les Trois Règnes de la nature*, chant I.

Tantôt environné d'auteurs que je chéris,
Je prends, quitte et reprends mes livres favoris;
A leur feu tout à coup ma verve se rallume;
Soudain sur le papier je laisse errer ma plume,
Et goûte, retiré dans mon heureux réduit,
L'étude, le repos, le silence, et la nuit.
Tantôt, prenant en main l'écran géographique,
D'Amérique en Asie, et d'Europe en Afrique,
Avec Cook et Forster, dans cet espace étroit,
Je cours plus d'une mer, franchis plus d'un détroit,
Chemine sur la terre et navigue sur l'onde,
Et fais dans mon fauteuil le voyage du monde.
Agréable pensée, objets délicieux,
Charmez toujours mon cœur, mon esprit et mes yeux!
Par vous tout s'embellit, et l'heureuse sagesse
Trompe l'ennui, l'exil, l'hiver et la vieillesse.

LE CAFÉ [1]

Il est une liqueur, au poète plus chère,
Qui manquait à Virgile, et qu'adorait Voltaire :
C'est toi, divin café, dont l'aimable liqueur
Sans altérer la tête épanouit le cœur.
Aussi, quand mon palais est émoussé par l'âge,
Avec plaisir encor je goûte ton breuvage.
Que j'aime à préparer ton nectar précieux!
Nul n'usurpe chez moi ce soin délicieux.
Sur le réchaud brûlant moi seul, tournant ta graine,
A l'or de ta couleur fais succéder l'ébène;
Moi seul contre la noix, qu'arment ses dents de fer,
Je fais, en le broyant, crier ton fruit amer;
Charmé de ton parfum, c'est moi seul qui, dans l'onde,
Infuse à mon foyer ta poussière féconde,
Qui, tour à tour calmant, excitant tes bouillons,
Suis d'un œil attentif tes légers tourbillons.
Enfin, de ta liqueur lentement reposée,
Dans le vase fumant la lie est déposée;
Ma coupe, ton nectar, le miel américain,
Que du suc des roseaux exprima l'Africain,
Tout est prêt : du Japon l'émail reçoit tes ondes,
Et seul tu réunis les tributs des deux mondes :
Viens donc, divin nectar, viens donc, inspire-moi.
Je ne veux qu'un désert, mon Antigone et toi.
A peine j'ai senti ta vapeur odorante,
Soudain de ton climat la chaleur pénétrante
Réveille tous mes sens; sans trouble, sans chaos,
Mes pensers plus nombreux accourent à grands flots.

1. *Les Trois Règnes de la nature*, chant VI.

Mon idée était triste, aride, dépouillée;
Elle rit, elle sort richement habillée,
Et je crois, du génie éprouvant le réveil,
Boire dans chaque goutte un rayon de soleil.

LA CONVERSATION [1]
A ROME ET A ATHÈNES

Dans les sociétés et les âges antiques,
Causer fut le premier des plaisirs domestiques;
    Et dans cette altière cité,
Mère du despotisme et de la liberté,
    Dont les bandes républicaines,
Aux bords de l'Eurotas, aux rives africaines,
A travers les débris de vingt trônes divers,
Allaient porter les lois, les drapeaux et les fers;
    Si du Forum les fougueuses cabales,
    Ou du sénat les discordes fatales,
    Ou les attentats des méchants
Les avaient exilés dans leurs maisons des champs,
    Ce qui restait d'illustres personnages,
    Ediles, consuls, dictateurs,
Magistrats renommés, ou fiers triomphateurs,
    Sitôt que dans leurs paysages
Les bosquets paternels reprenaient leurs ombrages,
De leur sainte union, resserrant les liens,
Chaque jour renouaient leurs graves entretiens.
Là, n'étaient point traités ces objets inutiles,
Ces petits intérêts, ces nouveautés futiles,
Qui, des grandes cités, composent les rumeurs :
De la mode du jour le caprice fantasque,
Ou les plis d'une toge, ou les plumes d'un casque.
    Les bonnes lois, les bonnes mœurs,
Le chemin du bonheur, la route de la gloire,
Les règles de la vie et de l'art oratoire,
    Les grands tableaux de la terre et des cieux;
Les droits des citoyens, la nature des dieux;
La constante amitié, la tranquille vieillesse,
    Cueillant en paix les fruits de la sagesse :
Voilà leurs entretiens. De frivoles esprits
Aux interlocuteurs ne donnaient point le prix.
A Tuscule, à Tibur, aussi bien que dans Rome,
De grands hommes toujours écoutaient un grand homme :
C'étaient les Cicéron, les Caton, les Brutus,
    Les grands talents et les grandes vertus.

---

1. *La Conversation*, Prologue.

Tous oubliaient, dans leurs riants domaines,
Et les ambitions et les pompes romaines;
Et dans le fond d'un bois, sous l'abri d'un berceau,
    Au bord paisible d'un ruisseau,
D'où leurs discours pesaient sur les destins du monde,
Entre eux se préparaient, dans une paix profonde,
    Ces grands édits et ces puissantes lois
Qui commandaient à Rome et maîtrisaient les rois.

    D'Athènes, plus galante et moins majestueuse,
        L'habitude voluptueuse,
Dans ce séjour des arts et de la liberté,
A qui Rome, à regret, cédait son cher Virgile,
        Donnait souvent à la beauté,
        Sur un auditoire docile,
        Une plus douce autorité.
La grâce commandait à la foule attentive;
        Et sa douceur persuasive,
Des plus mâles vertus et des plus hauts talents,
Quelquefois, j'en conviens, arrêtait les élans;
        Mais plus souvent, d'une austère sagesse
Son tact, plus délicat, corrigeait la rudesse,
Du génie, encore brut, polissait l'âpreté,
Des naturels hautains abaissait la fierté.
    Tous, à ses lois soumettant leur audace,
De leur brillant modèle ils admiraient la trace;
Inspirés par l'amour, par le goût applaudis,
Et discoureurs plus gais, novateurs moins hardis,
Ce qu'ils perdaient en force, ils le gagnaient en grâce.

    Ainsi, dans son salon, par les arts embelli,
        Encor brillante de jeunesse,
Aspasie assemblait ce que toute la Grèce
        Avait de grand et de poli.

    Sur ce terrain brillant de grâce et de richesse
        Tous les fruits avaient leur saison;
La gravité sévère y suivait la vieillesse,
Le calme l'âge mûr, l'audace la jeunesse.
        Instruits, par la comparaison,
        De ce qui plaît, de ce qui blesse,
Tous devaient l'un à l'autre une heureuse souplesse.
        Le riant épicurien
        Y déridait l'âpre stoïcien;
        Sous les yeux de l'enchanteresse,
Pleins de grâce, à la fois, et de sévérité,
Le bon sens n'eût osé se montrer sans finesse,
        L'illusion sans vérité,
        L'enthousiasme sans justesse;
    Le bon exemple y formait le bon ton;
La critique sévère avait sa politesse,

L'éloge sa délicatesse;
C'était la fleur de la raison
Et la moisson de la sagesse.
Là, dans les doux transports d'une amoureuse ivresse,
Le front paré de fleurs ou de lauriers,
Les fameux orateurs, l'élite des guerriers,
De leurs combats ou de leurs ambassades
Rapportant d'un grand nom l'illustre autorité,
Sans froid raisonnement, sans folles incartades,
Déployaient avec liberté
Leur vieille expérience, ou leur jeune gaîté.
Là, brillaient sans orgueil, mais non sans dignité,
Les Périclès et les Alcibiades,
Qui, parant leur autorité
Du suffrage de la beauté,
L'aimaient comme la gloire, et bien plus que la vie;
Et, pour un regard d'Aspasie,
Oubliaient la postérité.
Là, les yeux pétillants et d'amour et de verve,
Le divin Phidias venait à la beauté
Offrir avec timidité,
Son Jupiter et sa Minerve.
Là de Platon le maître respecté,
Par des accents pleins de noblesse,
Ramenant à l'espoir la triste humanité,
Faisait entendre à la faiblesse
Le dogme consolant de l'immortalité.
Aussi son amante ravie
Aspirant, pour lui plaire, à la célébrité,
Après l'avoir aimé toute sa vie,
Voulait suivre son vol vers la postérité.
Tous deux, en même temps, admirés dans la Grèce,
L'un à l'autre payaient un encens mérité;
Aspasie, en beaux vers, célébrait la sagesse,
Et Socrate amoureux encensait la beauté.
D'accord avec ses yeux, son cœur l'avait choisie;
Comme lui, ses concitoyens,
Fiers d'être admis à ses doux entretiens,
De la belle adoraient l'aimable fantaisie;
Et les plus beaux esprits, les plus fameux héros,
Ne tenaient pas contre un des mots
Ou des sourires d'Aspasie.
Mais toute chose a son danger.
A ces réunions charmantes
Où quelquefois accouraient se ranger
Des amants en crédit, d'illustres intrigantes,
L'intérêt de l'Etat n'était point étranger.
Là comme parmi nous, aux époques fameuses
De nos princes ligueurs, de nos belles frondeuses,
Dans un cercle affidé d'ambitieux amants,
Pour dominer par eux la fortune publique,

Oubliant du plaisir les vains amusements
Et l'humble autorité du pouvoir domestique,
Par d'adroites faveurs, des entretiens charmants,
La beauté préparait les grands événements ;
     Et, par une double tactique,
   Avec adresse employait tour à tour
      Et l'amour à la politique,
      Et la politique à l'amour.
     Ainsi, d'une voix éloquente,
     Dictant la paix ou les combats,
Aspasie entraînait la foule obéissante ;
Ou, des troubles publics prévenant les éclats,
     Composait sa triple couronne
Des myrtes de Vénus, du laurier de Bellone
     Et de l'olivier de Pallas.

LA HARPE

1739-1803

Jean-François La Harpe naquit à Paris, le 20 novembre 1739. On a prétendu que ses parents étaient inconnus et qu'il fut abandonné dans la rue de La Harpe à laquelle il aurait dû son nom; les sœurs de charité de la paroisse Saint-André-des-Arts, dont le couvent était précisément rue de La Harpe, l'auraient recueilli et élevé. Mais Sainte-Beuve a pu établir que La Harpe naquit de J.-F. Delharpe ou Delaharpe et de Marie-Louise Devienne, lesquels habitaient sur la paroisse de Saint-Nicolas-du-Chardonnet. Il eut une enfance misérable. A neuf ans, il fut nourri pendant six mois par les religieuses de la rue de La Harpe, fait qui est sans doute la cause de l'erreur commise, et, jusqu'à dix-neuf ans, il fut — c'est lui-même qui le dit — « élevé par charité ». A dix ans, il avait perdu son père, il perdit sa mère six années plus tard. Il fit ses études, comme boursier, au collège d'Harcourt et se consacra aux lettres. Poète, auteur dramatique, critique, il a tenu une grande place dans la littérature de son temps. Sa véritable vocation était la critique et nous en avons dit quelques mots dans notre Introduction. Comme auteur dramatique il a laissé onze tragédies, dont deux seulement : *Warwick* et *Philoctète*, la première et la dernière qu'il ait fait représenter, eurent quelque succès. Comme poète il a composé un certain nombre de pièces de vers, dont plusieurs furent honorées du laurier académique et qui montrent que La Harpe n'avait point en lui la flamme poétique. Il y a pourtant de la fermeté et de l'agrément dans tels morceaux, comme la *Réponse d'Horace à Voltaire*, dont nous citons un fragment, et une mélancolie qui n'est pas sans charme, dans telle petite pièce comme celle intitulée *les Regrets*, que nous citons aussi. La Harpe fut rédacteur au *Mercure*, et, comme tous les critiques de son temps, il fut une cible pour les faiseurs d'épigrammes. En 1786, il commença au Lycée son cours fameux sur la Littérature générale; en 1789, il se montra favorable aux idées de la Révolution; ayant été emprisonné, il devint fort antirévolutionnaire; après le 18 brumaire il remonta dans sa chaire au Lycée. Mais il était déjà malade. Il mourut le 11 février 1803.

LES REGRETS

Le sombre hiver va disparaître ;
Le printemps sourit à nos vœux ;
Mais le printemps ne semble naître
Que pour les cœurs qui sont heureux.

Le mien, que la douleur accable,
Voit tous les objets s'obscurcir,
Et quand la nature est aimable,
Je perds le pouvoir d'en jouir.

Je ne vois plus ce que j'adore,
Je n'ai plus de droit au plaisir.
Pour les autres, tout semble éclore ;
Et pour moi tout semble finir.

Les souvenirs errent en foule
Autour de mon cœur abattu,
Et chaque moment qui s'écoule
Me rappelle un plaisir perdu.

Que m'importe que le temps fuie ?
Heures, dont je crains la lenteur,
Vous pouvez emporter ma vie,
Vous n'annoncez plus mon bonheur.

Je n'ai plus la douce pensée
Qui s'offrait à moi le matin,
Et qui, vers le soir retracée,
M'entretenait du lendemain.

Mon œil voit reverdir la cime
Des arbres de ce beau vallon,
Et de l'oiseau qui se ranime
J'entends la première chanson.

Ah ! c'est vers ce temps que Thémire
A mes yeux parut autrefois ;
C'est là que je la vis sourire,
C'est là que j'entendis sa voix ;

Sa voix qui, sous le frais ombrage
Où je l'écoutais à genoux,
Rassemblait autour du bocage
Les oiseaux charmés et jaloux.

Les témoins, la crainte et l'envie
Combattaient souvent mes désirs ;

Mais sous l'œil de la jalousie
L'amour sent croître ses désirs.

Beaux soirs d'été, charmante veille,
Où je saisissais au hasard
Un baiser, un mot à l'oreille,
Un soupir, un geste, un regard.

Que de fois, dans cet art instruite,
Thémire, au milieu des jaloux,
Jeta, dans des discours sans suite,
Le mot, signal du rendez-vous !

Oh ! comment remplacer l'ivresse
Que l'amour répand dans ses jeux ?
Non, la gloire, autre enchanteresse
N'a point d'instants si précieux.

Du soin d'une vaine mémoire
Pourquoi voudrais-je me remplir ?
Pourquoi voudrais-je de la gloire
Quand je n'ai plus à qui l'offrir ?

Les arts, dont la pompe éclatante
A mes yeux vient se déployer,
Me rappellent à mon amante,
Loin de me la faire oublier.

A ce spectacle, où l'harmonie
A tous nos sens donne la loi,
Je dis : « Celle qui m'est ravie
Chantait mieux, et chantait pour moi. »

Dans le temple de Melpomène
Je songe qu'en nos jours heureux,
Nos cœurs retrouvaient sur la scène
Tout ce qu'ils sentaient encor mieux.

Souvent un trouble involontaire
Me dit que je ne suis plus loin
De cette retraite si chère
Qui nous recevait sans témoin.

Souvent elle ne put se rendre
Au lieu qui dut nous retenir.
Que ne puis-je encore l'attendre
Dût-elle encor ne pas venir !

Mon âme, aujourd'hui solitaire,
Sans objet comme sans désir,

S'égare et cherche à se distraire
Dans les songes de l'avenir.

Tel, quand la neige est sur la plaine,
L'oiseau, n'osant plus la raser,
Voltige d'une aile incertaine
Sans savoir où se reposer.

Je m'aperçois que, sans contrainte,
Mon cœur, pour tromper son ennui,
Se permet une longue plainte
Qui ne peut occuper que lui.

Mais qu'importe qu'on s'intéresse
Aux maux qu'on ne peut soulager ?
Je veux épancher ma tristesse
Et non la faire partager.

Que dis-je ? hélas! je me repose
Sur ces désolants souvenirs.
Ce sentiment est quelque chose;
C'est le dernier de mes plaisirs.

Un jour, quand la froide vieillesse
Viendra retrancher mes erreurs,
Peut-être que de la tendresse
Je regretterai les douceurs.

Alors, à cet âge où s'efface
L'illusion de nos beaux jours,
Je veux, dans ces vers que je trace,
Retrouver encor mes amours.

(1771.)

RÉPONSE D'HORACE A VOLTAIRE[1]

FRAGMENT

Ton génie a voulu, dans ses vastes ouvrages,
Embrasser tous les arts, dominer tous les âges.
Partout il jette au loin des rayons éclatants,
Que n'éteindra jamais le long oubli des temps.
Les morts, tu le sais bien, parlent sans flatterie;
Ils sont sans préjugés comme sans jalousie,
Et Voltaire vivant est jugé dans ces lieux
Comme il doit l'être un jour par nos derniers neveux.
Français, Grec ou Romain, ici chacun t'admire :

---

1. Voltaire avait composé, en 1772, une *Epître à Horace*.

A l'Elysée en pleurs Racine a lu *Zaïre;*
Corneille a cru revivre en écoutant *Brutus;*
Sophocle et Cicéron, embellis et vaincus,
Se retrouvent plus grands dans ton pinceau tragique,
Et ta *Jeanne* a charmé le chantre d'Angélique;
Plutarque, revoyant la liste de ses rois,
Cherche à qui comparer ton héros suédois.
Que tes vers ont flatté le bon goût de Virgile!
Souvent avec Homère il parle de ton style;
Ils disent qu'en effet, pour les vaincre tous deux,
Il ne t'a rien manqué que leur langue et leurs dieux.

J'ai moins écrit que toi, j'ai voulu moins de gloire.
J'arrivai moins brillant au temple de Mémoire.
J'aimai la volupté, les jeux et le loisir :
J'eus des moments d'étude et des jours de plaisir.
Né sous un ciel heureux j'en sentis l'influence;
J'abandonnai ma vie à la molle indolence,
Et mon goût pour les arts, mes faciles talents,
Variaient mon bonheur et servaient mes penchants.
Je reçus Apollon comme on reçoit à table
Un ami qui nous plaît, un convive agréable,
Non comme un maître dur qui se fait obéir;
Il vint charmer ma vie et non pas l'asservir.
Souvent à Tivoli, dans mon champêtre asile,
Où, sous le frais abri des bois de Lucrétile,
Quand j'attendais Glycère à la fin d'un beau jour,
Couché sur des carreaux disposés pour l'amour;
Tandis que la vapeur des parfums d'Arabie
Pénétrait et mes sens et mon âme amollie,
Qu'au loin, des instruments l'accord mélodieux
Portait à mon oreille un bruit voluptueux;
Alors, dans les transports d'un aimable délire,
Inspiré tout à coup je demandais ma lyre.
Je chantais l'espérance et les doux souvenirs,
Le doux refus qui trompe et nourrit les désirs,
La piquante gaîté, la naïve tendresse.
Je vis dans l'art des vers que nous apprit la Grèce,
Un langage enchanteur dans l'Olympe inventé
Fait pour parler aux dieux ou bien à la beauté.

Quelquefois, élevant ma voix et ma pensée,
Emule audacieux de Pindare et d'Alcée,
Je montai dans l'Olympe ouvert à mes accents,
Ou, choqué des travers et des vices du temps,
J'exerçai sur les sots ma gaîté satirique :
J'esquissai même un jour un code poétique.
Mais la gloire et les arts ne bornaient point mes vœux :
Le plaisir fut toujours le premier de mes dieux.

(1773.)

MASSON DE MORVILLIERS

1740(?)-1789

Nicolas Masson de Morvilliers naquit vers 1740 à Morvilliers, en Lorraine, à quelques lieues de Neufchâteau. C'est à Neufchâteau qu'il fit ses études; après avoir fait son droit, il se fit recevoir avocat au Parlement de Paris, mais il ne pratiqua guère et il renonça bientôt au barreau pour devenir secrétaire général du duc d'Harcourt, gouverneur de Normandie. Masson de Morvilliers avait plus de penchant pour la poésie que pour la chicane; très jeune il composait des poésies légères; une fois au service du duc d'Harcourt, ayant désormais son existence assurée, il put céder à son goût pour les lettres. Il était homme de société, il avait de l'esprit, de l'élégance, beaucoup de savoir. Il rima de petits contes, des épîtres, des madrigaux, des épigrammes. On trouvera ci-après quelques-unes de ces pièces. Un bon nombre furent insérées dans l'*Almanach des Muses*. La Harpe et Grimm en ont recueilli certaines dans leurs correspondances. Leur auteur mourut, dans la force de l'âge, le 29 septembre 1789.

L'EMBARRAS DU CHOIX

ODE ANACRÉONTIQUE

Mon cœur eût choisi Therpsicore;
A peine elle a quinze printemps,
Mais elle est si timide encore!
Il faut attendre trop longtemps.

Ce matin l'aimable Lucile
Semblait me faire un tendre aveu :
Par malheur elle est si facile!
Il faudrait soupirer un peu.

Lise séduit! Lise est toute âme,
Comment près d'elle être trompeur ?
Mais autant vaudrait une femme,
Et le ménage me fait peur.

Eglé me plaît, Eglé m'enchante!
Je suis bien avec son époux :
Pourquoi faut-il que, si touchante,
Son mari soit un peu jaloux ?

Orphise, oubliant ses années,
Va quêtant partout un vainqueur;
Mais je crains ces beautés fanées;
Leurs moindres goûts sont ceux du cœur.

Chaque jour la prude Emilie
M'agace et voudrait s'attacher;
Le bel esprit est sa folie,
Et moi je crains de m'afficher.

Daphné semble en tout mon affaire;
Un mois au moins j'aurai son cœur;
C'est toujours un beau rêve à faire,
Que de croire un mois au bonheur.

L'IVROGNE ET LE SAVETIER

Un vieil ivrogne ayant trop bu d'un coup,
Même de deux, tomba contre une borne;
Le choc fut rude : il resta sous le coup,
Presqu'assommé, l'œil hagard et l'air morne.
Un savetier de près le regardant,
Tâtait son pouls, et lui tirant la manche :
« Las! ce que c'est que de nous! cependant
Voilà l'état où je serai dimanche. »

L'AMOUR ET L'AMITIÉ

ODE ANACRÉONTIQUE

Dieu cruel! ne m'as-tu fait naître
Que pour me rendre malheureux ?
Un seul cœur borne trop mon être :
Pourquoi ne m'en pas donner deux ?
J'aurais consacré l'un au dieu de la tendresse,
J'aurais consacré l'autre au dieu de l'amitié :
Ainsi toujours heureux, et toujours dans l'ivresse,
Chacun d'eux de mes jours aurait eu la moitié.
« Ingrat, la plainte est inutile,
Me dit Jupiter en courroux;
Je t'en aurais accordé mille
Que ta Chloé les aurait tous. »

CHAMFORT

1741-1794

Sébastien-Roch-Nicolas naquit en 1741, dans un village près Clermont, en Auvergne. Il fit ses études, comme boursier, au collège des Grassins, à Paris, où il remporta les succès scolaires les plus brillants. Comme il était d'une naissance illégitime — il ne connut jamais son père — il se munit d'un nom qui lui permit de se faire plus facilement un chemin dans le monde, et il devint M. de Chamfort. Il était avenant, il avait de l'esprit; sous un air timide il cachait une nature ardente et un caractère indépendant. Il se jeta dans la carrière littéraire. Il entra comme rédacteur à la *Revue encyclopédique*, puis, le 31 janvier 1764, il fit représenter à la Comédie-Française une comédie en un acte : *la Jeune Indienne*, qui eut du succès. Il était lancé. Il ne s'arrêta point en chemin. En 1764 encore, l'Académie française couronna une assez mauvaise épître qu'il avait présentée au concours; d'autres lauriers s'ajoutèrent à celui-là : en 1769 c'est l'Académie française qui, de nouveau, le couronne, cette fois pour un *Eloge de Molière;* en 1774 c'est l'Académie de Marseille, pour un *Eloge de La Fontaine*. En 1776 il fait représenter une tragédie : *Mustapha et Zéangir*, qui est son ouvrage le plus considérable, et qui, bien que peu remarquable, lui valut l'attention de la cour et quelques faveurs. Quand cette pièce parut en librairie, en 1778, il la dédia à la reine. Cependant, en 1789, il défendit les idées de la Révolution; par la suite il en approuva les actes, et ne protesta que contre les excès de la Terreur. Il fut alors incarcéré, puis remis en liberté; décrété d'arrestation une deuxième fois, il tenta de se tuer; il se blessa cruellement, et mourut, après de grandes souffrances, le 13 avril 1794. Il avait une intelligence très vive, supérieure à son talent; il ne s'éleva point aussi haut qu'il l'ambitionnait. Quand il sentit se tarir sa veine, il s'aigrit, il devint sombre, et la conjuration de sa bile et de son esprit — car il en avait beaucoup et du plus tranchant — produisit ces maximes amères et ces saillies épigrammatiques dont un grand nombre sont justement célèbres. Il ne fut vraiment pas un poète; les deux pièces de lui que nous donnons, l'une plus vive adressée à Bernis, l'autre, ingénieuse et en forme d'apologue, à la gloire du *temps heureux* de la monarchie, ne sont pourtant pas sans agrément.

L'HEUREUX TEMPS

Temps heureux où régnaient Louis et Pompadour!
Temps heureux où chacun ne s'occupait en France
Que de vers, de romans, de musique, de danse,
Des prestiges des arts, des douceurs de l'amour!
Le seul soin qu'on connût était celui de plaire;
On dormait deux la nuit; on riait tout le jour;
Varier ses plaisirs était l'unique affaire.
          A midi, dès qu'on s'éveillait,
          Pour nouvelle on se demandait
Quel enfant de Thalie ou bien de Melpomène
D'un chef-d'œuvre nouveau devait orner la scène;
Quel tableau paraîtrait cette année au salon;
Quel marbre s'animait sous l'art de Bouchardon;
Ou quelle fille de Cythère,
Astre encore inconnu, levé sur l'horizon,
Commençait du plaisir l'attrayante carrière.
On courait applaudir Dumesnil ou Clairon,
Profiter des leçons que nous donnait Voltaire,
Voir peindre la nature à grands traits par Buffon.
Du profond Diderot l'éloquence hardie
Traçait le vaste plan de l'Encyclopédie;
Montesquieu nous donnait l'esprit de chaque loi;
Nos savants, mesurant la terre et les planètes,
Eclairant, calculant le retour des comètes,
Des peuples ignorants calmaient le vain effroi.
La renommée alors annonçait nos conquêtes;
Les dames couronnaient, au milieu de nos fêtes,
Les vainqueurs de Lawfeld et ceux de Fontenoy.
Sur le vaisseau public, les passagers, tranquilles,
Coulaient leurs jours gaiement dans un heureux repos,
Et, sans se tourmenter de secours inutiles,
Sans interroger l'air, et les vents et les flots,
          Sans vouloir diriger la flotte,
Ils laissaient la manœuvre aux mains des matelots,
          Et le gouvernail au pilote.

L'ABBÉ DE CHAULIEU ET LE CARDINAL DE BERNIS

Chaulieu, disciple d'Epicure,
Et des grâces heureux amant,
Quand tu chantais si tendrement
Ces vers, enfants de la nature,
Qui t'inspirait? le sentiment.

O toi qui veux suivre ses traces,
Abbé galant et délicat,
Dont les pinceaux donnent aux grâces
Cet air coquet de son état,
Qui t'inspire cette finesse,
Ces traits choisis, cet agrément,
Qui voilent le raisonnement
Et font badiner la tendresse ?
Tu me réponds : le sentiment.

Mais viens, sur la verte fougère,
Voir folâtrer cette bergère :
Quelle tendre simplicité!
Son amour lui sert de parure;
Il rend touchante sa beauté;
On la prendrait pour la nature
Sous les traits de la volupté.
Ne dis-tu pas : « Telle est la muse
De Chaulieu, cet aimable auteur » ?
Il me touche lorsqu'il m'amuse;
Son esprit ne parle qu'au cœur.
S'il tient en main sa tasse pleine,
Il est Bacchus, je suis Silène.
Lorsque sur les lèvres d'Iris
Il cueille ces baisers humides,
Dont les plaisirs vifs et perfides
Suspendent tous les sens surpris,
Et livrent les nymphes timides
Et leurs satyres enhardis,
Mon âme s'enivre avec elle
Des torrents de la volupté.
Je songe... Plus d'une beauté
Sait les nuits que je me rappelle.
S'il cesse d'être Anacréon
Pour s'instruire chez Epicure,
Il détruit la demeure obscure
Où l'erreur voyait l'Achéron.
A sa voix mon cœur se rassure
Et mes plaisirs bravent Pluton.
Plus froid, éblouis davantage,
Bernis ? je vois dans ton ouvrage
Autant d'éclat et moins d'appas;
Ton esprit obtient mon suffrage
Mais mon cœur ne le donne pas.
Ta muse est l'adroite coquette
Qui sait placer un agrément,
Faire jouer un diamant,
Femme adorable, un peu caillette,
Toujours en habit arrangé,
Possédant l'art de la toilette,
Et redoutant le négligé.

LÉONARD

1744-1793

Nicolas-Germain Léonard naquit le 16 mars 1744, à la Guadeloupe. Il quitta sans doute tout jeune encore son île natale, car il fit ses études en France, où on le trouve à l'âge de dix-huit ans, poète déjà, et couronné à ce titre par l'Académie de Rouen, pour une pièce sur les idées religieuses. Il composa ensuite des *Idylles morales*, dont il publia un recueil en 1766, puis, en 1772, un roman : *la Nouvelle Clémentine ou les Lettres d'Henriette de Berville*. C'était, un peu arrangé sans doute, le récit de ses propres infortunes sentimentales : il avait aimé une jeune fille, il en avait été aimé, il n'avait pas été agréé par la mère, parce qu'il était de trop petite naissance et de fortune trop modeste; la jeune fille n'avait pas voulu accepter d'autre époux; elle avait été mise au couvent et elle y était morte de chagrin. Le souvenir de cette douloureuse idylle attrista à jamais la muse de Léonard et lui fit trouver des accents d'une mélancolie harmonieuse, dont l'écho retentit, ainsi que nous avons eu l'occasion de le dire dans notre Introduction, dans l'âme de nos romantiques, et du plus grand élégiaque d'entre eux, Lamartine lui-même. Quand son roman parut, Léonard, grâce à la protection du marquis de Chauvelin, était depuis à peu près une année attaché à la légation de France auprès du prince-évêque de Liège : il y remplissait les fonctions de secrétaire, lorsque le chargé d'affaires, M. Sabatier de Cabre, était présent; et pendant les absences de celui-ci — ce qui arriva trois fois en dix ans — il le remplaçait. En 1775, il avait fait paraître une édition de ses *Idylles et poésies champêtres;* il en fit paraître une édition nouvelle, à La Haye, en 1782. A la fin de la même année, il quitta la légation de Liège et, sa santé étant mauvaise, il alla goûter le repos et chercher de nouvelles forces sous le ciel natal. Il a écrit une relation agréable de son voyage dans laquelle on trouve aussi de jolies peintures de la vie à la Guadeloupe. Son dessein était de s'y fixer. Il désirait y trouver un emploi. Venu en France pour solliciter, il obtint d'être nommé lieutenant de la sénéchaussée de la Pointe-à-Pitre. Sa santé était toujours assez fragile. Des congés de convalescence le ramenèrent en France à diverses reprises, mais il ne pouvait se distraire de sa langueur. En quelque lieu qu'il se trouvât il regrettait les lieux où il n'était pas. « Il semblait,

en vérité, dit Sainte-Beuve, que la patrie fut pour lui la Guadeloupe
quand il était en France, et la France quand il était à la Guadeloupe. »
Il quitta les Antilles, son pays, une dernière fois, lorsque, sous
la Révolution et par contrecoup, des troubles s'y produisirent,
au cours desquels Léonard manqua, dit-on, d'être assassiné. Il
arriva en France en octobre 1792. C'est alors que, non loin des
agitations de Paris, sous les ombrages de Romainville, il composa
les strophes touchantes qu'on trouvera ci-après, à la suite de trois
de ses idylles. Il se disposait à repartir, et il était déjà à Nantes,
lieu de son embarquement, lorsqu'il tomba malade; il mourut à l'hôpital de cette ville, le 26 janvier 1793, le jour même qu'il eût dû
s'embarquer. Outre ses *Idylles*, le roman de *la Nouvelle Clémentine*
et sa *Lettre sur un voyage aux Antilles*, il a laissé une imitation en
vers du *Temple de Gnide*, de Montesquieu; deux poèmes : l'un en
quatre chants sur *les Saisons*, l'autre sur *Héro et Léandre;* une tragédie : *Œdipe roi ou la Fatalité;* un roman pastoral : *Alexis;* un roman
épistolaire : *Lettres de deux amants habitants de Lyon*, et quelques
autres petits ouvrages.

LES REGRETS

Pourquoi ne me rendez-vous pas
    Les doux instants de ma jeunesse ?
Dieux puissants! ramenez la course enchanteresse
De ce temps qui s'enfuit dans la nuit du trépas!
    Mais quelle ambition frivole!
Ah! dieux! si mes désirs pouvaient être entendus,
Rendez-moi donc aussi le plaisir qui s'envole
    Et les amis que j'ai perdus!
Campagne d'Arpajon! solitude riante
Où l'Orge fait couler son onde transparente!
    Les vers que ma main a gravés
Sur tes saules chéris ne sont-ils plus encore ?
    Le temps les a-t-il enlevés
    Comme les jeux de mon aurore ?
O désert! confident des plus tendres amours!
Depuis que j'ai quitté ta retraite fleurie,
Que d'orages cruels ont tourmenté mes jours!

Ton ruisseau dont le bruit flattait ma rêverie,
Plus fidèle que moi, sur la même prairie,
    Suit constamment le même cours :
Ton bosquet porte encore une cime touffue
Et depuis dix printemps, ma couronne a vieilli,
Et dans les régions de l'éternel oubli
    Ma jeune amante est descendue.

Quand irai-je revoir ce fortuné vallon
    Qu'elle embellissait de ses charmes ?

Quand pourrai-je sur le gazon
Répandre mes dernières larmes ?
D'une tremblante main, j'écrirai dans ces lieux :
« C'est ici que je fus heureux! »
Amour, fortune, renommée,
Tes bienfaits ne me tentent plus;
La moitié de ma vie est déjà consumée,
Et les projets que j'ai conçus
Se sont exhalés en fumée.
De ces moissons de gloire et de félicité
Qu'un trompeur avenir présentait à ma vue,
Imprudent! qu'ai-je rapporté ?
L'empreinte de ma chaîne et mon obscurité :
L'illusion est disparue;
Je pleure maintenant ce qu'elle m'a coûté;
Je regrette ma liberté
Aux dieux de la faveur si follement vendue.
Ah! plutôt que d'errer sur des flots inconstants,
Que n'ai-je le destin du laboureur tranquille!
Dans sa cabane étroite, au déclin de ses ans,
Il repose entouré de ses nombreux enfants;
L'un garde les troupeaux; l'autre porte à la ville
Le lait de son étable, ou les fruits de ses champs,
Et de son épouse qui file
Il entend les folâtres chants.

Mais le temps même à qui tout cède
Dans les plus doux abris n'a pu fixer mes pas!
Aussi léger que lui, l'homme est toujours, hélas!
Mécontent de ce qu'il possède
Et jaloux de ce qu'il n'a pas.
Dans cette triste inquiétude,
On passe ainsi la vie à chercher le bonheur.
A quoi sert de changer de lieux et d'habitude
Quand on ne peut changer son cœur ?

L'ABSENCE

Des hameaux éloignés retiennent ma compagne.
Hélas! Dans ces forêts qui peut se plaire encor ?
Flore même à présent déserte la campagne
Et loin de nos bergers l'amour a pris l'essor.

Doris vers ce coteau précipitait sa fuite,
Lorsque de ses attraits je me suis séparé :
Doux zéphyr! si tu sors du séjour qu'elle habite,
Viens! que je sente au moins l'air qu'elle a respiré.

Quel arbre, en ce moment, lui prête son ombrage ?
Quel gazon s'embellit sous ses pieds caressants ?
Quelle onde fortunée a reçu son image ?
Quel bois mélodieux répète ses accents ?

Que ne suis-je la fleur qui lui sert de parure,
Ou le nœud de ruban qui lui presse le sein,
Ou sa robe légère, ou sa molle chaussure,
Ou l'oiseau qu'elle baise et nourrit de sa main !

Rossignols, qui volez où l'amour vous appelle,
Que vous êtes heureux ! que vos destins sont doux !
Que bientôt ma Doris me verrait auprès d'elle
Si j'avais le bonheur de voler comme vous !

Ah ! Doris, que me font ces tapis de verdure,
Ces gazons émaillés qui m'ont vu dans tes bras,
Ce printemps, ce beau ciel, et toute la nature,
Et tous les lieux enfin où je ne te vois pas ?

Mais toi, parmi les jeux et les bruyantes fêtes,
Ne va point oublier les plaisirs du hameau,
Les champêtres festons dont nous parions nos têtes,
Nos couplets ingénus, nos danses sous l'ormeau !

O ma chère Doris, que nos feux soient durables !
Il me faudrait mourir, si je perdais ta foi.
Ton séjour t'offrira des bergers plus aimables,
Mais tu n'en verras point de plus tendres que moi.

Que ton amant t'occupe au lever de l'aurore,
Et quand le jour t'éclaire, et quand il va finir ;
Dans tes songes légers, qu'il se retrace encore,
Et qu'il soit, au réveil, ton premier souvenir.

Si mes jaloux rivaux te parlaient de leur flamme,
Rappelle à ton esprit mes timides aveux :
Je rougis, je tremblai ; tu vis toute mon âme
Respirer sur ma bouche et passer dans mes yeux.

Et maintenant, grands dieux ! quelle est mon infortune !
De mes plus chers amis je méconnais la voix,
Tout ce qui me charmait m'afflige et m'importune ;
Je demande Doris à tout ce que je vois.

Tu reposais ici ; souvent dans ce bocage,
Penché sur tes genoux, je chantais mon amour :
Là, nos agneaux paissaient au même pâturage ;
Ici, nous nous quittions vers le déclin du jour.

Revenez, revenez, heures délicieuses,
Où Doris habitait ces tranquilles déserts,
L'écho répétera mes chansons amoureuses,
Et sur ma flûte encor je veux former des airs.

LES DEUX RUISSEAUX

Daphnis, privé de son amante,
Conta cette fable touchante
A ceux qui blâmaient ses douleurs :

Deux ruisseaux confondaient leur onde,
Et, sur un pré semé de fleurs,
Coulaient dans une paix profonde.
Dès leur source, aux mêmes déserts,
La même pente les rassemble,
Et leurs vœux sont d'aller ensemble
S'abîmer dans le sein des mers.
Faut-il que le destin barbare
S'oppose aux plus tendres amours ?
Ces ruisseaux trouvent dans leur cours
Un roc affreux qui les sépare,
L'un d'eux, dans son triste abandon,
Se déchaînait contre sa rive,
Et tous les échos du vallon
Répondaient à sa voix plaintive.
Un passant lui dit brusquement :
« Pourquoi, sur cette molle arène,
Ne pas murmurer doucement ?
Ton bruit m'importune et me gêne.
— N'entends-tu pas, dit le ruisseau,
A l'autre bord de ce coteau
Gémir la moitié de moi-même ?
Poursuis ta route, ô voyageur,
Et demande aux dieux que ton cœur
Ne perde jamais ce qu'il aime. »

AU BOIS DE ROMAINVILLE

Enfin je suis loin des orages!
Les dieux ont pitié de mon sort.
O mer, si jamais tu m'engages
A fuir les délices du port,

Que les tempêtes conjurées,
Que les flots et les ouragans
Me livrent encore aux brigands,
Désolateurs de nos contrées!

Quel fol espoir trompait mes vœux
Dans cette course vagabonde!
Le bonheur ne court pas le monde;
Il faut vivre où l'on est heureux.

Je reviens de mes longs voyages
Chargé d'ennuis et de regrets,
Fatigué de mes goûts volages,
Vide des biens que j'espérais.

Dieux des champs! Dieux de l'innocence!
Le temps me ramène à vos pieds;
J'ai revu le ciel de la France,
Et tous mes maux sont oubliés.

Je te salue, aimable rive
Que la Seine orne de ses eaux!
J'entends la sagesse tardive
Qui m'appelle sur tes coteaux.

Du séjour de son premier âge
Qu'il est doux de se rapprocher!
Telle est l'ivresse du nocher
Quand il échappe à son naufrage.

Ainsi le pigeon voyageur,
Demi-mort et traînant son aile,
Revient, blessé par le chasseur,
Au toit de son ami fidèle.

Je les verrai, ces cœurs choisis,
Ces modèles des mœurs antiques;
Je vais les retrouver assis
Auprès de leurs dieux domestiques.

Ils n'ont point changé de climats.
Tous les jours, dans leurs solitudes,
Le penchant ramenait leurs pas
Sur de paisibles habitudes.

Devais-je, au gré de mes désirs,
Quitter ces retraites profondes ?
Avec un luth et des loisirs
Qu'allais-je faire sur les ondes ?

Qu'ai-je vu sous de nouveaux cieux ?
La soif de l'or qui se déplace,
Les crimes souillant la surface
De quelques marais désastreux.

J'ai vu l'insolente anarchie,
Tenant un fer ensanglanté,
Oser parer sa tête impie
Des festons de la liberté;

J'ai vu marcher sous sa bannière
D'obscurs ramas d'aventuriers,
Vils rebuts qu'un autre hémisphère
Vomit au sein de nos foyers.

Tandis que ces lâches harpies
Distillaient sur moi leur venin,
Un monstre armé par les furies
Me perçait d'un glaive assassin.

Souvent les nymphes pastorales
Me l'avaient dit dans leur courroux :
« Aux régions des Cannibales
Que vas-tu chercher loin de nous ?...

« Veux-tu sur ces rives ingrates
Aller répéter nos concerts ?
Songe qu'Ovide, pour ses vers,
Etait sifflé chez les Sarmates.

« Pour la balance de Thémis,
Iras-tu, laissant ta houlette,
Au lieu d'un combat de musette,
Juger des plaideurs ennemis ?

« Tu seras en butte à l'envie,
A l'injustice des pervers.
Nul n'est prophète en sa patrie;
Celle du sage est l'univers. »

Lieux plus doux! terre fortunée!
O France, asile des beaux arts!
Je plains ceux que leur destinée
Emporte loin de tes regards.

Et malheur au mortel avare,
Transfuge insensé de tes bords,
Qui, sous une zone barbare,
Va pâlir sur de vains trésors!

Que sont des îles meurtrières
Près de l'éclat de tes jardins,
Et la noirceur des Africains
Près du teint frais de tes bergères ?

Le bruit des fouets persécuteurs,
Frappant des esclaves tremblantes,
Vaut-il la voix de ces amantes
Dansant sous des chapeaux de fleurs ?

Combien de fois dans ma pensée
J'ai dit, les yeux baignés de pleurs :
« Ne verrai-je plus les couleurs
Du dieu qui répand la rosée ? »

Les voilà ces jonquilles d'or,
Ces violettes parfumées!
Jacinthes que j'ai tant aimées,
Enfin je vous respire encor!

Quelle touchante mélodie!
C'est Philomèle que j'entends.
Que ses airs, oubliés longtemps,
Flattent mon oreille attendrie!

Dans tous les lieux où j'ai passé
La moindre tige m'intéresse :
Le beau songe de ma jeunesse
De toutes parts m'est retracé.

O campagnes toujours chéries!
Est-ce bien vous que je revois!
Déjà dans la paix de ces bois
Je retrouve mes rêveries.

C'est sous leur voûte que j'aimais :
Sur la mousse où je me repose,
L'espérance, aux ailes de rose,
Sourit aux vœux que je formais.

Aux sons de cette cornemuse
Qui retentit dans les vallons,
Je me rappelle les chansons
Qu'Amour inspirait à ma muse...

Souvenirs présents à mes yeux,
Vous me rendez ma jouissance!
Il n'est donc pas vrai, justes dieux,
Que le cœur s'use dans l'absence!

Fallait-il que l'ambition
De mon abri connût la route ?
Ah! je sais trop ce qu'il en coûte
D'embrasser son illusion.

J'ai vu le monde et ses misères :
Je suis las de les parcourir.
C'est dans ces ombres tutélaires,
C'est ici que je veux mourir!

Je graverai sur quelque hêtre :
« Adieu, fortune, adieu, projets!
Adieu, rocher qui m'as vu naître,
Je renonce à vous pour jamais. »

Que je puisse cacher ma vie
Sous les feuilles d'un arbrisseau
Comme le frêle vermisseau
Qu'enferme une tige fleurie!

Si l'enfant qui porte un bandeau
Voulait embellir mon asile,
O bocage de Romainville!
Couronne de fleurs ton berceau.

Et si, sans bruit et sans escorte,
L'amitié venait sur ses pas
Frapper doucement à ma porte,
Laisse-la voler dans mes bras.

Amours, Plaisirs, troupe céleste,
Ne pourrai-je vous attirer,
Et le dernier bien qui me reste
Est-il la douceur de pleurer ?

Mais, hélas! le temps qui m'entraîne
Va tout changer autour de moi :
Déjà mon cœur que rien n'enchaîne
Ne sent que tristesse et qu'effroi!...

Ils viendront ces jours de ténèbres
Où la vieillesse aux doigts pesants,
Couvrira de voiles funèbres
Les images de mon printemps.

Ce bois même avec tous ses charmes,
Je dois peut-être l'oublier;
Et le temps que j'ai beau prier
Me ravira jusqu'à mes larmes.

BOISARD

1744-1833

Jean-Jacques-François-Marie Boisard naquit le 4 juin 1744, à Caen. Il entra en 1773 dans la maison du comte de Provence. Comme poète il a surtout composé des fables. Les quatre premières qu'il fit paraître furent insérées au *Mercure de France*, en 1769; il en publia par la suite plusieurs recueils. En 1806, il les réunit dans une édition définitive sous le titre de *Mille et une fables*. Bien que Voltaire, Grimm et Diderot aient donné à ces compositions quelques éloges, elles ne s'élèvent guère pourtant au-dessus de la médiocrité. On a fait un mérite à Boisard de ne pas avoir imité La Fontaine; c'est un mérite assurément et aussi, pour Boisard, une bonne fortune; car il échappe ainsi à des comparaisons trop directes. De ses « mille et une fables » d'ailleurs, un bon nombre, dont la moralité n'est ni exprimée, ni perceptible, sont en réalité des contes. Les fables de Boisard sont souvent politiques ou sociales. De ce nombre est précisément celle qui a pour titre *l'Histoire*, la seule de lui que nous ayons reproduite. Boisard mourut à Caen, sa ville natale, le 10 octobre 1833.

L'HISTOIRE

FABLE

La capitale d'un empire
Que le glaive du Scythe achevait de détruire,
        Par mille édifices pompeux
Du sauvage vainqueur éblouissait la vue.
D'un prince qui régna dans ces murs malheureux
Il admirait surtout l'admirable statue.
        On lisait sur ce monument :
« A très puissant, très bon, très juste et très clément... »
Et le reste; en un mot l'étalage vulgaire
Des termes consacrés au style lapidaire.
Ces mots en lettres d'or frappent le conquérant;
        Ce témoignage si touchant

Qu'aux vertus de son roi rendait un peuple immense,
Emeut le roi barbare; il médite en silence
A ce genre d'honneurs qu'il ne connut jamais;
Longtemps de ce bon prince il contemple les traits;
Il se fait expliquer l'histoire de sa vie :
« Ce prince, dit l'histoire, horreur de ses sujets,
Naquit pour le malheur de sa triste patrie;
Devant son joug de fer il fit taire les lois;
Il fit le premier pas vers l'affreux despotisme;
Il étouffa l'honneur, ce brillant fanatisme,
          Qui sert si bien les rois;
Et son pouvoir, sorti de ses bornes certaines,
De quelque conquérant préparait les exploits,
Quand d'un peuple avili par ses lois inhumaines
Il disposait les bras à recevoir des chaînes. »
Tel était le portrait qu'à la postérité
          Transmettait l'équitable histoire.
Le Scythe confondu ne sait ce qu'il doit croire :
Pourquoi donc, si l'histoire a dit la vérité,
          Par un monument si notoire
          Le mensonge est-il attesté ?
Sa majesté sauvage était bien étonnée.
          « Seigneur, dit un des courtisans
Qui durant près d'un siècle à la cour des tyrans
          Traîna sa vie infortunée,
Seigneur, ce monument qui vous surprend si fort,
          Au destructeur de la patrie
          Fut érigé pendant sa vie...
          On fit l'histoire après sa mort. »

BONNARD

1744-1784

Bernard, chevalier de Bonnard, naquit le 22 octobre 1744, à Semur. Il reçut d'abord les leçons de l'instituteur de cette ville et compléta ses études au collège des jésuites de Dijon. Il était sérieux, de manières séduisantes, et sensible. Il s'éprit, à l'âge de quinze ans, d'une de ses cousines dont on le sépara et il garda de cet amour contrarié une douleur profonde. Aussi, et bien qu'il fût plus tard parmi les amis de Bertin, de Pezay et de Dorat, n'a-t-il point, en dépit de quelque affectation de libertinage, le visage ni le cœur d'un homme de plaisir. Sa muse sera surtout élégiaque, et il saura trouver, pour exprimer les peines de la passion déçue, des accents simples et touchants. Ses études achevées, il avait, selon le vœu de sa mère, commencé de faire son droit. Il y renonça quand elle mourut et entra dans l'armée. Il servit dans l'artillerie et fut un excellent officier. L'amitié de Buffon et du maréchal de Maillebois lui fit obtenir, en 1778, la fonction de gouverneur des enfants du duc de Chartres. Il y fut supplanté par Mme de Genlis qui semble bien avoir été sa seule ennemie. Il s'était marié en 1780. Après sa disgrâce, il se retira à Semur, en 1784; il y mourut la même année, en soignant son fils atteint de la petite vérole. Il avait été fait, l'année précédente, chevalier de Saint-Louis.

IMITATION LIBRE D'UN SONNET ITALIEN

ÉLÉGIE

Hélas! ils sont passés les jours de mon bonheur!
    Déjà le temps, d'une aile impitoyable,
        M'arrache à ce séjour aimable
Dont l'Adige entretient l'éternelle fraîcheur.
Je ne les verrai plus ces riants paysages,
        Ces coteaux couronnés d'ombrages,
Où du parfum des fleurs tout l'air est embaumé.
Zilia, digne objet des plus tendres hommages,
Toi seule embellissais à mes yeux ces rivages;

Toi seule leur prêtais ton charme accoutumé.
Ah! que me font à moi les champs et les bocages ?
Les beaux lieux ne sont beaux que par l'objet aimé.
    Exilé désormais, dans ma triste patrie,
Y cherchant, mais en vain, ma maîtresse chérie,
De douleur et d'amour je vivrai consumé.

    Dans nos tristes forêts, errant avant l'aurore,
Rempli de ton image et pleurant mon malheur,
On m'entendra nommer la beauté que j'adore.
            Dans le calme des nuits encore
            J'y parlerai de ma douleur.
Je rendrai le zéphyr confident de ma peine;
        Je lui dirai : « Messager des amants,
Va, porte mes soupirs, mes pleurs, mes vœux constants,
        A la beauté dont je chéris la chaîne.
        Dis-lui... » Mais si, de sa légère haleine,
Zéphyr avait déjà dissipé tes serments!
Si, parjure à ta foi... Mais non! qu'osé-je dire ?
J'en crois mon cœur, le tien, nos transports, mon délire;
J'en crois mille serments que tu fis aux amours.
Ici, de toute part, ta main sut les écrire :
        Garants du bonheur de mes jours,
Caractères sacrés, je veux encor vous lire.
Ah! je revois nos noms, nos chiffres enlacés!
A plaisir, de sa main, l'Amour les a tracés;
Et vous qui nous prêtiez vos ombres tutélaires,
        Arbres chéris des dieux, croissez;
De nos plus doux secrets restez dépositaires.
Qu'honorés des amants, de ces lieux solitaires,
Nos noms gardés par vous n'y soient point effacés!
        S'il y venait un profane, un impie...
        Agitez-vous et repoussez
        Les attentats d'une main ennemie.
        Arbres chéris, je vous confie
Tout ce qui reste, hélas! de mes plaisirs passés!

VERS

FAITS ET ÉCRITS A LA GRANDE CHARTREUSE,
SUR LE LIVRE DES VOYAGEURS

    Sages contemplatifs, mortels aimés des cieux,
Est-il vrai que vos cœurs paisiblement pieux,
Aux passions fermés, en bravent la bourrasque ?
Le bonheur que l'on cherche est-il donc en ces lieux,
Et ce monde vanté n'en est-il que le masque ?
Je ne sais; mais, malgré des jeûnes rigoureux,
Des devoirs répétés, un éternel silence,
Si vous avez trouvé dans ce désert affreux

La paix de l'âme et l'espérance,
Loin du monde et du bruit vous êtes seuls heureux.

A MONSIEUR BERTIN [1]

Quand on joint aux feux du printemps
Cette fleur d'esprit si brillante,
Et cette gaîté pétillante
Qui vaut seule tous les talents;
Lorsque l'on fait des vers charmants,
Qu'on connaît son siècle et l'usage,
Et surtout quand on a vingt ans,
On a raison d'être volage;
Et, ma foi! soit dit entre nous,
Avec vos grâces et votre âge,
Je le serais tout comme vous,
Et, si je pouvais, davantage.
Mais, hélas! regrets superflus!
Il ne me convient presque plus
De voler de belles en belles;
Le Temps, avec ses doigts crochus,
Commence à me rogner les ailes.
Par mes vingt-neuf ans averti
Qu'il faut tâcher d'être fidèle,
Je prends sagement mon parti;
Et même j'y mets tout le zèle,
Qu'en sa religion nouvelle,
Apporte un nouveau converti.
Je cherche quelque honnête femme,
Dont l'esprit sache m'attirer,
A qui je puisse croire une âme,
Qui me laisse un peu soupirer
Avant de se rendre à ma flamme,
Et veuille longtemps m'adorer.
Ah! si je puis la rencontrer,
La beauté que mon cœur appelle
(Pardonnez mon jaloux travers
Et ma crainte assez naturelle)
Je ne vous mène point chez elle,
Et ne lui montre point vos vers.

1. En réponse à quelques vers que Bertin lui avait adressés et où il lui disait notamment :

Toujours volage et toujours tendre,
Chantez et trompez tour à tour,
Un sexe qui sait vous le rendre.
La raison ne vaut pas l'amour;
S'il faut finir par elle un jour,
Du moins faites-la bien attendre.

ROUCHER

1745-1794

Jean-Antoine Roucher naquit le 22 février 1745, à Montpellier. Il y fit ses études chez les jésuites, puis il vint à Paris dans le dessein de suivre les cours de la Sorbonne, car il était destiné à l'état ecclésiastique et il avait même reçu la tonsure. Mais à Paris, son goût pour la poésie l'engagea dans une autre voie. Il renonça à l'Eglise et composa des vers. Il fit insérer une assez grande quantité de poésies fugitives dans l'*Almanach des Muses*. Un poème de circonstance, qu'il avait composé pour le mariage du dauphin, lui valut la protection de Turgot, qui le nomma receveur des gabelles à Montfort-l'Amaury. C'était un emploi modeste, mais peu absorbant, et qui avait le double avantage d'assurer l'existence du poète et de ne pas trop le distraire de ses travaux poétiques. En 1775 il se maria. Ce mariage fut heureux. Roucher était d'ailleurs d'un naturel excellent et fidèle dans ses affections. Il se lia avec les philosophes et fut en particulier l'ami de Jean-Jacques Rousseau. En 1789, il se montra d'abord favorable au mouvement de la Révolution, mais quand il vit à quels excès elle aboutissait, il se détourna d'elle. En 1791 il fonda un club des amis de l'ordre. Sous la Terreur, il fut incarcéré deux fois ; relâché après sa première arrestation, grâce aux démarches de son ami Guyot-Desherbiers, l'oncle maternel d'Alfred de Musset, il fut arrêté de nouveau le 4 octobre 1793 ; il périt sur l'échafaud le 25 juillet 1794 (7 thermidor an II), le même jour qu'André Chénier. L'œuvre principale de Roucher est le poème des *Mois*, qu'il fit paraître en 1779. C'est une œuvre inégale, assez mal composée, que déparent par endroits trop de déclamation, trop de préciosité ou trop d'obscurité, mais dans laquelle on trouve des passages pleins d'éclat ou de grâce. Nous en avons extrait quelques-uns. Roucher avait commencé un autre long poème, consacré à Gustave Wasa, et qu'il n'a pas achevé. Il a fait, enfin, une traduction de l'ouvrage de Smith : *Recherches sur la nature et les causes de la richesse des nations*.

LE TOMBEAU DE ROUSSEAU [1]

Où repose un grand homme, un dieu vient habiter.
Tu me l'as fait sentir, j'ose t'en attester,
Ile des peupliers, toi, qui m'as vu descendre
Te demandant Rousseau dont tu gardes la cendre.
Oh! comme à ton aspect s'émurent tous mes sens!
Quelle douleur muette étouffa mes accents!
Combien je vénérai, combien me parut sainte
L'ombre des verts rameaux qui bordent ton enceinte!
Cette île était un temple; et de mes tristes yeux,
Tandis que s'échappaient des pleurs religieux,
Rousseau, je crus, penché sur ton urne paisible,
Sentir de la vertu la présence invisible.
Je crus ouïr ta voix; du fond de ton cercueil,
Ta voix, de l'amitié, m'offrait le doux accueil.

A la tombe champêtre, accourez donc sans nombre;
Vous, enfants qu'il aima, ne craignez point son ombre;
Approchez, folâtrez sous ces arbres naissants :
Il va sourire encor à vos jeux innocents.
Et vous, que le génie élève au ministère
De flétrir l'imposture et d'éclairer la terre,
Sages, jurez ici qu'armés contre l'erreur,
Vous mourrez s'il le faut, martyrs de la fureur;
De ce beau dévouement Rousseau fut le modèle :
A sa noble devise il expira fidèle.
Je vous appelle aussi, peuples, et vous, bons rois,
Dont il a révélé les devoirs et les droits;
Les tyrans sont connus : ils tremblent sur le trône,
Donc à son monument appendez la couronne,
Qu'au sauveur d'un Romain décernaient les Romains;
Rousseau du despotisme a sauvé les humains.

Mais de ses ennemis le flot bruyant approche,
Eh bien! Tous à la fois vomissant le reproche,
Profanez de la mort le silence éternel;
J'attendais la justice à ce jour solennel.
A-t-il pour s'agrandir armé la calomnie?
A des soins intrigants ravalé son génie?
Il ne mendia point la gloire; il la conquit.
Qui le dira jaloux? Qu'a-t-il fait? Qu'a-t-il dit?
Qui de vous l'a surpris, des modernes Orphées,
En secret dégradant et minant les trophées?
D'un vieillard qui le hait, du Sophocle français,
Au fond de sa retraite il entend le succès;

1. LES MOIS : *Janvier.*

Il l'entend, et ses yeux en ont pleuré de joie.
Voilà cette grande âme! Et l'on veut que je croie
Qu'ingrate, elle payait de haine un bienfaiteur!
Taisez-vous. Si, peu fait au métier de flatteur,
Il refuse aux bienfaits d'ouvrir sa solitude,
Le refus des bienfaits n'est point l'ingratitude;
Non, non : c'est la vertu, qui, s'armant de fierté,
Contre l'or corrupteur défend la liberté.
Ce fut la liberté qui fit son éloquence.

Mais, ce qui de Rousseau dira mieux l'innocence,
C'est la profonde paix qui couronne sa fin :
Méchant, serait-il mort avec ce front serein,
Sans trouble résignant ses jours à la nature,
« Laissez-moi voir encor cette belle verdure,
Dit-il; sur moi jamais un si beau jour n'a lui;
Je vois Dieu; je l'entends; ce Dieu m'appelle à lui. »
Il expire; et trois jours sur cette cendre éteinte,
De la gloire du juste a rayonné l'empreinte.

O toi, dont l'indulgence encourageait mes chants,
Qui te disaient la paix et le bonheur des champs;
Grand homme dont j'allais admirer la vieillesse
Malheureuse en silence et fière avec simplesse!
Ah! si, dans le repos où t'a placé la mort,
Tu peux être sensible à mon pieux transport;
S'il peut te souvenir quelle amour pure et tendre
M'attachait aux conseils que tu me fis entendre,
Garantis-moi des mœurs d'un siècle criminel.
Entends surtout la voix de mon cœur paternel.
Que ma fille, naguère arrivée à la vie,
Ait un jour les vertus dont tu paras Sophie;
Qu'elle trouve un Emile, et que, tous deux s'aimant,
De mes cheveux blanchis tous deux soient l'ornement.

LA SUISSE[1]

Helvétiques tribus, sur vos roches fameuses,
D'où tombent cent torrents en ondes écumeuses,
Heureux qui maintenant, comme vous, à longs traits,
Goûte l'air frais et pur de vos vieilles forêts!
Ah! tandis que sur nous le Cancer règne encore,
Que sous un ciel d'airain, le soleil nous dévore,
Tandis que haletant, l'homme, ainsi que les fleurs,
Baisse un front accablé sous le faix des chaleurs,
Monts, chantés par Haller, recevez un poète!

1. LES MOIS : *Juillet.*

Errant parmi ces rocs, imposante retraite,
Au front du Grindelval je m'élève, et je voi,
Dieux! quel pompeux spectacle étalé devant moi!
Sous mes yeux enchantés, la nature rassemble
Tout ce qu'elle a d'horreurs et de beautés ensemble;
Dans un lointain qui fuit un monde entier s'étend.

Eh! comment embrasser ce mélange éclatant
De verdure, de fleurs, de moissons ondoyantes,
De paisibles ruisseaux, de cascades bruyantes,
De fontaines, de lacs, de fleuves, de torrents,
D'hommes et de troupeaux sur les plaines errants,
De forêts de sapins au lugubre feuillage,
De terrains éboulés, de rocs minés par l'âge
Pendants sur des vallons que le printemps fleurit,
De coteaux escarpés où l'automne sourit,
D'abîmes ténébreux, de cimes éclairées,
De neiges couronnant de brûlantes contrées,
Et de glaciers enfin, vaste et solide mer,
Où règne sur son trône un éternel hiver ?

Là pressant à ses pieds les nuages humides,
Il hérisse les monts de hautes pyramides,
Dont le bleuâtre éclat, au soleil s'enflammant,
Change ces pics glacés en murs de diamant,
Là, viennent expirer tous les feux du solstice.
En vain l'astre du jour, embrassant l'Ecrevisse,
D'un déluge de flamme assiège ces déserts :
La masse inébranlable insulte au roi des airs.
Mais trop souvent la neige arrachée à leur cime
Roule en bloc bondissant, court d'abîme en abîme,
Gronde comme un tonnerre, et, grossissant toujours
A travers les rochers fracassés dans son cours,
Tombe dans les vallons, s'y brise, et des campagnes
Remonte en brume épaisse au sommet des montagnes.

LE TRIOMPHE DE BACCHUS [1]

Battez, bruyants tambours, battez de rive en rive,
Il paraît, c'est lui-même; il avance, il arrive :
Oui, c'est lui. Je le vois sur les monts d'alentour :
Battez, et de Bacchus annoncez le retour.

Eveillez-vous, buveurs : hâtez-vous; le temps presse,
Hâtez-vous; du sommeil secouez la paresse.
Aux scènes de plaisir qui renaissent pour vous,
Moi, prêtre de Bacchus, je vous invite tous.

1. LES MOIS : *Octobre*.

Marchons ; mais écartons de nos fêtes mystiques
Ces Lycurgues nouveaux, ces Thraces fanatiques,
D'une sainte liqueur profanes ennemis ;
Ecartons-les. Vous seuls, ô mes riants amis,
Vous, dignes d'assister à nos sacrés mystères,
Sortez à flots nombreux de vos toits solitaires :
Courons, et, de l'Ister au Tage répandus,
Assiégeons les raisins aux coteaux suspendus.
Redoublons du Français la brillante allégresse ;
Faisons pour un moment oublier à la Grèce
Le poids honteux des fers dont gémit sa beauté ;
Que le grave Espagnol déride sa fierté,
A sa longue paresse arrachons l'Ausonie,
Echauffons, égayons la froide Pannonie,
Et que de flots de vin tous les Suisses trempés
Dansent sur le sommet de leurs rocs escarpés.

Dieux, quel riant tableau ! Mille bandes légères,
Les folâtres pasteurs, les joyeuses bergères,
Les mères, les époux, les vieillards, les enfants
Remplissent les chemins de leurs cris triomphants.
Déjà s'offre aux regards de cette agile armée
Le rempart épineux dont la vigne est fermée ;
Avide des trésors dont elle s'enrichit,
Déjà d'un pied léger, chacun d'eux le franchit.
Nul cep n'est épargné. Partout je vois la grappe
Tomber sous les tranchants du couteau qui la frappe ;
Je vois deux vendangeurs, de pampre couronnés,
Et du jus des raisins goutte à goutte baignés,
Au pied de la colline où la vigne commence
Descendre sous le faix d'une corbeille immense ;
Je les vois dans les flancs de vingt tonneaux fumeux,
Faire couler des ceps les esprits écumeux,
Et, sur un char, pareil à ceux qui dans la Grèce
De l'antique Thespis promenaient l'allégresse,
Ranger, en célébrant les louanges du vin,
Ces tonneaux où s'apprête un breuvage divin.

LA CHASSE AU CERF [1]

Voyez-vous le soleil vers le froid Sagittaire ?
Il éclaire pour vous la forêt solitaire,
Et des jours de la chasse annonce le retour.

Le cor, pour éveiller les châteaux d'alentour,
Frappe et remplit les airs de bruyantes fanfares ;
L'ardent coursier hennit, et vingt meutes barbares,

1. Les Mois : *Novembre.*

Près de porter la guerre au monarque des bois,
En rapides abois font éclater leurs voix :
Ennemis affamés que les veneurs devancent,
Les chiens vers la forêt en tumulte s'avancent,
Et bientôt, sur leurs pas, l'impétueux coursier,
Tout fier d'un conducteur brillant d'or et d'acier,
Non loin de la retraite où l'ennemi repose,
Arrive. L'assaillant en ordre se dispose.
Tous ces flots de chasseurs prudemment partagés
Se forment en deux corps sur les ailes rangés.
Les chiens au milieu d'eux se placent en silence.
Tout se tait : le cor sonne; on s'écrie, on s'élance,
Et soudain comme un trait, meute, coursiers, chasseurs,
Du rempart des taillis ont franchi l'épaisseur.

        Eveillé dans son fort au bruit de la tempête,
La terreur dans les yeux, le cerf dresse la tête,
Voit la troupe sur lui fondant comme un éclair;
Il déserte son gîte; il court, vole et fend l'air,
Et sa course déjà, de l'aquilon rivale,
Entre l'armée et lui laisse un vaste intervalle.
Mais les chiens plus ardents, vers la terre inclinés,
Dévorant les esprits de son corps émanés,
Demeurent sans repos attachés à sa trace;
Ils courent. L'animal, ô nouvelle disgrâce!
L'animal est surpris en un fort écarté.
Moins confiant alors en son agilité,
Par la feinte et la ruse il défend sa faiblesse;
Sur lui-même trois fois il tourne avec souplesse,
Ou cherche un jeune cerf, de sa vieillesse ami,
Et l'expose en sa place à l'œil de l'ennemi.

        Mais la brûlante odeur des esprits qu'il envoie,
Conductrice des chiens, les ramène à sa voie.
C'est alors qu'il bondit et veut franchir les airs;
Sa trace est reconnue. Enfin, dans ces déserts
Contre tant d'ennemis ne trouvant plus d'asile,
Le roi de la forêt à jamais s'en exile :
Il ne reverra plus ce spacieux séjour
Où vingt jeunes rivaux, vaincus en un seul jour,
Laissaient à ses plaisirs une vaste carrière;
Il franchit, n'osant plus regarder en arrière,
Il franchit les fossés, les palis et les ponts,
Et les murs et les champs, et les bois et les monts.
Tout fumant de sueur, vers un fleuve il arrive,
Et la meute avec lui déjà touche la rive.
Le premier, dans les flots il s'élance à leurs yeux;
Avec des hurlements les chiens plus furieux,
Trempés dans leur écume, affamés de carnage,
Se plongent dans le fleuve, et l'ouvrent à la nage.

Cependant un nocher devance leur abord,
Et, tandis que sa nef les porte à l'autre bord,
L'infortuné, poussant une pénible haleine
Et glacé par le froid de la liquide plaine,
Vogue, franchit le fleuve, et, de l'onde sorti,
Fuit encor, de chasseurs et de chiens investi.
Sa force enfin trompant son courage, il s'arrête.
Il tombe, le cor sonne, et sa mort qui s'apprête
L'enflamme de fureur. L'animal aux abois
Se montre digne encor de l'empire des bois;
Il combat de la tête, il couvre de blessures
L'aboyant ennemi dont il sent les morsures.
Mais il résiste en vain. Hélas! trop convaincu
Que, faible, languissant, de fatigue vaincu,
Il ne peut inspirer que de vaines alarmes,
Pour fléchir son vainqueur, il a recours aux larmes.
Ses larmes ne sauraient adoucir son vainqueur.
Il détourne les yeux, se cache; et le piqueur,
Impitoyable et sourd aux longs soupirs qu'il traîne,
Le perçant d'un poignard, ensanglante l'arène.
Il expire; et les cors célèbrent son trépas.

A MA FEMME, A MES AMIS, A MES ENFANTS [1]

Ne vous étonnez pas, objets sacrés et doux,
Si quelque air de tristesse obscurcit mon visage;
Quand un savant crayon dessinait cette image,
J'attendais l'échafaud, et je pensais à vous.

1. Vers que Roucher, au moment qu'on vint le chercher pour le
conduire au supplice, écrivit au-dessous de son portrait qu'avait
fait un de ses amis.

BARTHÉLEMY IMBERT

1747-1790

Barthélemy Imbert naquit en 1747, à Nîmes. Ses études terminées, il vint à Paris et s'adonna à la littérature. Un poème sur *le Jugement de Pâris*, qu'il publia à vingt ans, eut un succès qui devint funeste à son auteur. Celui-ci, dès lors, encouragé à écrire, écrivit abondamment, rapidement, avec une facilité qui lui permit de s'essayer dans tous les genres, sans se montrer excellent dans aucun. Il a composé des épigrammes, des fables, des imitations en vers de fabliaux, des nouvelles en vers, des poèmes mythologiques, des comédies, des parodies et même des tragédies. Tant de travaux ne l'enrichirent pas. Il mourut, presque misérable, le 23 août 1790. Ce petit poète, comme il y en eut tant au XVIIIe siècle, a les petits mérites qui sont communs à la plupart d'entre eux : de l'aisance dans la forme, de l'ingéniosité et de l'esprit dans l'invention, mais il y manque la flamme poétique. On trouvera ci-après deux fables et un conte de lui.

FABLES

I

LA TÊTE ET LES PIEDS

Las d'aller, d'un pas de coureur,
De promenade en promenade,
Les pieds contre la tête avaient pris de l'humeur,
Et lui faisaient mainte incartade.
« C'est une chose affreuse, en vérité,
Disaient-ils; quoi! toujours obéir à la tête!
Le jour, la nuit, l'hiver, l'été,
Dès qu'elle parle il faut que l'on s'apprête
A trotter, à courir, deci, delà, partout!
A moindre signe il faut être debout!

Se voir emprisonné, souvent à la torture,
Dans un étui malsain, cachot où l'on endure
   Sans cesse ou le froid ou le chaud;
   Tandis que madame, là-haut,
   Fait l'agréable, se balance,
   Contrôle à son gré les passants,
Regarde à droite, à gauche, et d'un air d'importance
   Parle de pluie et de beau temps!
— Je vous trouve plaisants! quel est donc ce murmure ?
   Dit, sans daigner les regarder,
La tête qui s'échauffe; eh! mais si la nature
M'a placée au-dessus, c'est pour vous commander.
— Fort bien, reprit l'un d'eux; mais, du moins, je te prie,
Il faudrait être sage; et Dieu sait! tous les jours,
   Si nous souffrons de ton étourderie!
Mais que cela soit dit une fois pour toujours :
Si vous avez le droit d'ordonner à votre aise,
Chacun de nous, la belle, a celui de broncher;
Et tout en cheminant, un jour, ne vous déplaise,
   Peut vous briser contre un rocher. »

   Ceci de soi-même s'explique
   En y rêvant. Qu'en pensez-vous ?
   Lecteur, cette fable, entre nous,
   Ressemble assez à l'état despotique.

II

L'HOMME ET L'ESPALIER

   Un maladroit particulier
   Avait, dans son enclos fertile,
Des arbres qu'il voulait unir en espalier.
Mais sitôt qu'il trouvait une branche indocile
Il la coupait sur l'heure, au lieu de la plier.
   Enfin, sa serpe indiscrète,
   Coupe tant soir et matin,
Qu'il voit bientôt mourir ses arbres qu'il regrette,
Et qui pouvaient sans peine embellir son jardin.

   Tous ces rameaux que du tronc il sépare,
   Que l'étourdi vient arracher,
Avec nos passions, lecteur, je les compare :
Il faut les diriger, et non les retrancher.

LE VOLEUR SCRUPULEUX

CONTE

Plus scrupuleux qu'on ne l'est d'ordinaire
Dans son métier, un honnête voleur
Le vendredi cessait son ministère,
Et, dans ses vols, toujours plein de douceur,
Il ne gardait que moitié pour salaire.
Un homme, un jour, suivait le grand chemin;
Il court à lui : « Votre bourse, bonhomme ? »
L'homme obéit; le voleur tend la main,
Voit sept écus, et toujours plus humain,
En prenant trois, lui rend la même somme.
« Mon Dieu! dit-il, il faudrait trente sous
Pour l'autre écu; mon cher, les avez-vous ?
— Eh non! gardez! répond le pauvre hère.
— Chut, attendez, reprit l'autre. J'avais...
Oui les voilà; tenez, j'ai votre affaire;
Le bien d'autrui ne me tente jamais. »

GINGUENÉ

1748-1816

Pierre-Louis Ginguené naquit le 25 avril 1748, à Rennes. Il fit ses études dans sa ville natale, au collège des jésuites, où il eut pour condisciple Evariste Parny. Il débuta dans la littérature par des poésies légères que l'*Almanach des Muses* inséra ; en 1778 il fit paraître *la Satire des Satires*, et en 1779 un conte : *la Confession de Zulmé*, qu'il avait écrit quelques années auparavant, dont il avait laissé prendre copie, et que plusieurs auteurs, Masson de Pezay entre autres, s'étaient attribué ; cette pièce avait été remarquée et elle suffit à donner de la renommée à son auteur. Nous savons que l'on s'engouait pour ces menus ouvrages, sans y mettre trop de discernement. Ginguené, d'ailleurs, eut soin de l'écrire lui-même, dans l'avertissement qu'il mit en tête de l'édition de ses *Poésies diverses* qui parut en 1814 : « Une pièce fugitive un peu passable était alors une espèce d'événement public. » *La Confession de Zulmé* valut à Ginguené un emploi dans les bureaux de Necker. En 1789, il se montra favorable aux idées de la Révolution, mais il fut toujours partisan de la modération, et il collabora, dans cet esprit, à *la Feuille villageoise*, au *Moniteur universel*, ensuite à *la Décade philosophique*. Emprisonné sous la Terreur, le 9 thermidor le sauva. Il devint alors directeur de l'Instruction publique, puis membre de l'Institut, puis, en 1798, ambassadeur de la République française à Turin. Il le resta peu de temps. Chateaubriand raconte à ce propos, dans ses *Mémoires d'outre-tombe* : « Il [Ginguené] écrivait de Turin à M. de Talleyrand qu'il avait *vaincu un préjugé :* il avait fait recevoir sa femme *en pet-en-l'air* à la cour. » Talleyrand ne tarda pas à rappeler ce représentant si peu cérémonieux. Ensuite, et jusqu'en 1802, Ginguené fit partie du Tribunat. Après quoi il revint aux lettres et consacra les dernières années de sa vie à de sérieux travaux. Chateaubriand, après avoir raillé le rôle public de Ginguené, ajoute : « il a fini ses jours en littérateur distingué comme critique, et, ce qu'il y a de mieux, écrivain indépendant dans *la Décade* » ; et Chateaubriand conclut : « la nature l'avait mis à la place d'où la société l'avait mal à propos tiré ». Il était foncièrement honnête homme et bon homme : on ne l'appelait que le bon Ginguené. Il a laissé plusieurs ouvrages dont le principal est son *Histoire littéraire de l'Italie*, et collaboré à l'*Histoire littéraire de la France*. Le recueil de ses œuvres poétiques contient des fables, des épîtres, des épigrammes, deux poèmes assez longs : *Léopold* et *Adonis*, des poésies diverses; un grand nombre de pièces de vers de lui se trouvent dans les recueils collectifs de son temps : *Almanach des Muses, Nouvel Almanach des Muses, Journal des Muses, les Quatre Saisons du Parnasse*, etc. Nous donnons, outre une de ses fables, et une des pièces qu'il adressa à son Emilie, la gracieuse et mélancolique pièce du *Retour à Saint-Maur*, l'une des plus jolies qu'il ait composées. Ginguené mourut à Paris le 16 novembre 1816.

RETOUR A SAINT-MAUR

Je vous revois, aimables lieux,
Paisible et solitaire asile,
Où loin du fracas de la ville
Tous les jours sont délicieux.

Mon cœur sent à votre présence
Tout ce qu'éprouve un tendre ami,
Quand il revoit l'objet chéri
Dont il avait pleuré l'absence.

Déjà le souffle du printemps
A fait rajeunir la nature :
Les bois reprennent leur parure,
Les prés, leurs tapis odorants.

Je reconnais ces doux ombrages
Où je bravais les feux du jour.
Pour le silence et pour l'amour
Le ciel fit naître ces feuillages.

Déjà sur les jeunes rameaux
J'entends gémir la tourterelle,
Exemple d'un amour fidèle
Rare, même chez les oiseaux.

Déjà Philomèle plaintive
Veille pour le plaisir des bois,
Et des sons touchants de sa voix,
Entretient la nuit attentive.

Voici les rivages fleuris
Où, dans sa course tortueuse,
La Marne, moins impétueuse,
Se joue, encor loin de Paris.

Malgré le penchant qui l'attire,
Elle évite par cent détours
Le lieu funeste où pour toujours
Elle doit perdre son empire.

Fuyant à regret de ses bords,
Bientôt les nymphes éperdues
Verront sous des lois inconnues
Couler leurs humides trésors.

La Seine en son urne fatale
Reçoit le tribut de ses eaux,
Et sourit parmi les roseaux
Des vains efforts de sa rivale.

Fière de paraître à nos yeux
Dans tout l'éclat de sa richesse,
Elle court au sein de Lutèce
Rouler ses flots victorieux.

Vain orgueil! fragile victoire!
Bientôt tributaire à son tour,
Elle doit perdre sans retour,
Son nom, son empire et sa gloire.

Elle soumet aux flots amers
Cette onde longtemps invincible,
Et, comme une goutte insensible,
Se fond dans l'abîme des mers.

Fidèle et redoutable image
Du sort qui menace les grands,
Tu fais pâlir les conquérants
Mais tu n'étonnes point le sage.

Ses jours coulent, comme un ruisseau,
Qui, par des routes vagabondes,
Porte nonchalamment ses ondes
Au lieu marqué pour son tombeau.

Saint-Maur, dans tes vertes prairies,
Ainsi vont s'égarer mes jours,
Ainsi j'en charmerai le cours
Par d'innocentes rêveries.

Et dans l'instant trop redouté,
Dernier bienfait de la nature,
J'irai me perdre sans murmure
Dans les flots de l'éternité.

TIBULLE

Je l'ai relu, belle Emilie,
Ce chantre aimable des amours,
Dont la charmante et volage Délie
Embellit et troubla les jours.
Jours heureux, mais, hélas! trop courts.
Moissonné dans la fleur de l'âge,
Ce poète voluptueux
Passa du sein des ris au ténébreux rivage;
Et le cyprès funèbre étendit son ombrage
Sur les berceaux de myrtes amoureux
Où si souvent il fit un doux usage
De ce peu de moments que lui laissaient les dieux.

Vénus en pleurs et ses Grâces fidèles
Vinrent semer des fleurs autour de son tombeau.
Le tendre Amour était près d'elles,
Sans arc, sans carquois, sans flambeau :
Des larmes s'échappaient à travers son bandeau.
« J'ai perdu, disait-il, l'honneur de mon empire;
Qui jamais comme lui chantera mes faveurs,
Et mes plaisirs, et mes rigueurs,
Et ce voluptueux délire
Que je répandais dans les cœurs ?
Mais en dépit de la Parque sévère,
Je saurai conserver ces écrits enchanteurs
Que je dictai sous les yeux de ma mère,
Et qu'ont avoués les neuf Sœurs.
Vainqueur du temps et de l'envie,
Ils sauveront de l'injure des ans
Et le nom de Tibulle et celui de Délie,
Et serviront dans tous les temps
De soutien à ma gloire et de code aux amants. »

Ainsi parla le fils de la déesse;
Et, depuis ce moment, par son heureux secours,
De Tibulle et de sa maîtresse
Les noms chéris sont inscrits pour toujours
Dans les annales du Permesse,
Et dans les fastes de l'Amour.

Vous qui, d'une immortelle gloire,
Voulez mériter les honneurs,
Belles, ne fermez point vos cœurs
Aux favoris des filles de Mémoire.
Seuls ils peuvent de vos attraits
Eterniser le fragile avantage.

Le Temps flétrit en vain la fraîcheur de vos traits :
                Leurs chants en réparent l'outrage;
        Et la Beauté qui reçut leur hommage
                Comme eux ne périra jamais.

LE VIEUX ROSSIGNOL

FABLE

Un rossignol bien vieux et dont la voix cassée,
                La plume rare, hérissée,
                Lui disaient assez chaque jour :
                « Ta saison d'aimer est passée »,
                Voyant le printemps de retour,
Chantait toute la nuit une chanson d'amour.
        Un jeune oiseau lui dit : « Oh! la bonne folie!
Ce chant n'est plus pour toi; chante-nous, je te prie,
La verdure, les fleurs; nature a tant d'objets
Qui peuvent te fournir d'agréables sujets!
Mais l'amour! à ton âge! avec si peu d'haleine!
                Sur tes pieds te tenant à peine!
                En vérité, mon cher doyen,
On va rire de toi, tu le mérites bien.

        — On rira si l'on veut, dit le vieux solitaire.
Moi je chante et je pleure; et je veux, ou me taire,
Ou par ces tendres chants soulager ma douleur.
Ici tout m'entretient dans ma douce tristesse :
Dans ce bois ma première et ma seule maîtresse
                Répondit au vœu de mon cœur;
Sans doute, d'autres soins ont occupé ma vie;
                Mais au printemps, je viens toujours
Offrir ce chant plaintif à mon unique amie.
Tout change, tout périt, tout vieillit, tout s'oublie;
Mais qui peut oublier les premières amours ? »

BERQUIN

1750-1791

Arnauld Berquin naquit en 1750 à Bordeaux et mourut à Paris le 21 décembre 1791, quelques jours après avoir été proposé parmi les candidats au poste de précepteur du dauphin. Son caractère, ses œuvres et sa vie le désignaient parfaitement pour cette fonction. Il s'était donné pour mission de travailler à l'éducation des enfants et c'est par les ouvrages qu'il a écrits pour eux, en s'inspirant, sans tout y prendre, des ouvrages du même genre qui existaient déjà en Angleterre et en Allemagne, que son nom garde encore quelque notoriété. Ce n'est pas à ce titre, cependant, qu'il a une place dans notre recueil, mais comme poète idyllique. Il a imité, en effet, d'une certaine manière, un certain nombre d'idylles, la plupart prises de Gessner, entre autres les deux que nous citons ci-après. Nous avons dit, d'ailleurs, dans notre Introduction, la vogue que les œuvres de Gessner eurent en France et avec quel élan les poètes s'en emparèrent.

IDYLLES

I

L'OISEAU

Milon, dans un bosquet, avait pris un oiseau.
Du creux de ses deux mains il lui forme une cage;
Et courant, tout joyeux, rejoindre son troupeau,
   Il pose à terre son chapeau,
 Et par dessous met le chantre volage.
« Je vais chercher, dit-il, quelques branches d'osier,
   Attends-moi là. Dans moins d'une heure,
  Je te promets, mon petit prisonnier,
   Une plus riante demeure.
   Quel plaisir d'offrir à Cloris
   Ce nouveau gage de tendresse!
Il faut que deux baisers au moins en soient le prix.

Qu'elle m'en donne un seul! avec un peu d'adresse,
Ne suis-je pas bien sûr d'en voler cinq ou six ?
        O! si déjà la cage était finie! »
            Il dit, part, s'éloigne à grand pas,
Court au lac, trouve un saule, et rentre en la prairie
            Un faisceau d'osier sous le bras.
Mais de quelle douleur son âme est accablée!
Un vent perfide avait retourné le chapeau;
            Et sur les ailes de l'oiseau,
    Tous les baisers avaient pris la volée.

                        II

            LA CHANSON DE LA NUIT

        L'amour connaît-il le repos ?
Au temps où le sommeil, d'une urne bienfaisante,
Verse à tous les mortels l'oubli de leurs travaux,
Daphnis veillait au seuil du toit de son amante.
        Et sur la plaine, et dans les airs,
Régnait profondément un amoureux silence.
Phœbé, discret témoin, l'écho des champs déserts,
        Etaient seuls dans sa confidence.
    A demi-voix, Daphnis chanta ces vers :

  « La nuit livre au repos la nature épuisée.
O Phillis! du sommeil goûte en paix les douceurs,
Telle qu'au sein d'un lys dont la fraîche rosée,
Quand nul zéphyr encor ne balance les fleurs.

  « Vous, songes des hameaux, des plus douces images,
Bercez légèrement son esprit satisfait,
N'offrez à ses regards que de verts pâturages,
Et de jeunes brebis plus blanches que leur lait.

  « Sous un berceau de myrte, au sein d'une onde pure,
Qu'elle croie agiter ses membres frémissants,
Tandis que mille oiseaux, cachés dans la verdure,
En un joyeux concert unissent leurs accents.

  « Qu'un de vous à ses pieds daigne enfin me conduire.
Elle ignore les maux qu'Amour me fait souffrir,
Ah! sur sa bouche alors puisse naître un sourire,
Et de son cœur ému s'échapper un soupir! »

    Ainsi chanta Daphnis. Puis, d'une main légère,
        En longs festons, au toit de la bergère,
        Il suspendit la rose et le jasmin.
Bientôt, de sa cabane, il reprit le chemin.

Les doux songes de l'espérance,
Des heures de la nuit trompèrent la longueur.
Le jour allait briller, joyeux il le devance,
Vole au toit de Phillis, la cherche, à sa présence
Voit son front s'animer d'une vive rougeur.
Il voulut lui parler, n'en eut point le courage;
Mais il vit que des yeux la belle le suivit
    Jusques au détour du bocage;
Elle avait entendu la chanson de la nuit.

GILBERT

1751-1780

Nicolas-Joseph-Florent Gilbert naquit le 15 décembre 1751 à
Fontenay-le-Château, près de Remiremont en Lorraine. Ses parents
étaient cultivateurs. Malgré la modestie de leur condition, ils lui firent
donner une éducation soignée au collège de Dole. Ils en furent
récompensés par les lauriers qu'il y remporta. Ses études terminées,
il composa ses premières poésies et vint à Paris pour y chercher la
gloire. Il le cria dans la pièce intitulée *le Poète malheureux*, qu'il
envoya, en 1772, au concours de l'Académie française :

> Savez-vous quel trésor eût satisfait mon cœur ?
> La gloire !

Mais l'Académie demeura sourde à cet appel et ne jeta pas sur le
poète le rayon qu'il attendait d'elle. Son ode sur *le Jugement dernier*,
qu'il envoya au concours l'année suivante, ne fut pas couronnée non
plus. Elle n'est pourtant pas sans valeur et elle montre un effort
vers le lyrisme. Le poète, déçu, s'emporta, et composa deux satires :
le Dix-huitième siècle et *Mon apologie*, où ne manquent ni la verve,
ni les traits piquants, ni les vers bien venus, et qui sont parmi ses
œuvres les meilleures. La première de ces satires est dédiée à Fréron
aux côtés de qui Gilbert luttait contre les Encyclopédistes, c'est-à-
dire contre le courant du siècle. Il avait aussi d'autres amis, l'abbé
de Crillon entre autres, et l'archevêque de Paris, M. de Beaumont,
qui lui fit accorder une pension par le roi. Cette pension était modeste,
il est vrai, mais elle était suffisante pour assurer l'existence du poète,
qui, s'il n'était pas riche, n'était pas non plus misérable et qui ne
mourut pas de faim, comme l'a rapporté une légende qu'Alfred de
Vigny, dans son *Stello*, a, plus que tout autre, contribué à accréditer.
Gilbert succomba aux suites d'une chute de cheval; transporté chez
lui, et de là à l'hôpital, où il dut subir l'opération du trépan, il fut
pris d'une sorte de fièvre cérébrale qui lui brouilla l'esprit; c'est alors,
dans un moment de lucidité, quelques jours seulement avant de
mourir, qu'il composa cette *Ode imitée de plusieurs psaumes* qui est la
plus belle, la plus touchante, et, de beaucoup, la plus connue de ses
productions. Il succomba le 12 novembre 1780, n'ayant pas encore

trente ans. Il est l'auteur de quelques odes sans relief, de quelques
poésies fugitives d'une grande fadeur et de quelques ouvrages de
prose.

LE JUGEMENT DERNIER

« Quels biens vous ont produits vos sauvages vertus.
Justes ? Vous avez dit : « Dieu nous protège en père »;
Et partout opprimés, vous rampez, abattus
Sous les pieds du méchant dont l'audace prospère.
  Implorez ce Dieu défenseur;
En faveur de ses fils qu'il arme sa vengeance.
Est-il aveugle et sourd ? Est-il d'intelligence
  Avec l'impie et l'oppresseur ?

« — Méchants, suspendez vos blasphèmes.
Est-ce pour le braver qu'il nous donne la voix ?
Il nous frappe, il est vrai; mais sans juger ses lois,
Soumis, nous attendons qu'il vous frappe vous-mêmes.
  Ce soleil, témoin de nos pleurs,
Amène à pas pressés le jour de sa justice.
  Dieu nous paiera de nos douleurs,
Dieu viendra nous venger des triomphes du vice.

« — Qu'il vienne donc, ce Dieu, s'il a jamais été!
Depuis que du malheur les vertus sont sujettes,
L'infortuné l'appelle et n'est point écouté.
Il dort au fond du ciel sur ses foudres muettes.
  Et c'est là ce Dieu généreux ?
Et vous pouvez encore espérer qu'il s'éveille ?
Allez, imitez-nous, et, tandis qu'il sommeille,
  Soyez coupables, mais heureux. »

  Quel bruit s'est levé ? La trompette sonnante
    A retenti de tous côtés;
Et, sur son char de feu, la foudre dévorante
    Parcourt les airs épouvantés.
Ces astres teints de sang, et cette horrible guerre,
    Des vents, échappés de leurs fers,
Hélas! annoncent-ils aux enfants de la terre
    Le dernier jour de l'univers ?

  L'océan révolté loin de son lit s'élance,
    Et, de ses flots séditieux,
Court, en grondant, battre les cieux,
Tout prêts à le couvrir de leur ruine immense.
C'en est fait! L'Éternel, trop longtemps méprisé,
    Sort de la nuit profonde
Où, loin des yeux de l'homme, il s'était reposé;

Il a paru; c'est lui, son pied frappe le monde
      Et le monde est brisé.

   Tremblez, humains! Voici de ce juge suprême
      Le redoutable tribunal.
Ici perdent leur prix l'or et le diadème,
      Ici l'homme à l'homme est égal;
Ici la vérité tient ce livre terrible
      Où sont écrits vos attentats;
Et la religion, mère autrefois sensible,
S'arme d'un cœur d'airain contre ses fils ingrats.
      Sortez de la nuit éternelle,
    Rassemblez-vous, âmes des morts;
     Et, reprenant vos mêmes corps,
Paraissez devant Dieu; c'est Dieu qui vous appelle.
      Arrachés de leur froid repos,
Les morts, du sein de l'ombre, avec terreur s'élancent,
Et près de l'Eternel en désordre s'avancent
Pâles et secouant la cendre des tombeaux.

   O Sion! oh! combien ton enceinte immortelle
Renferme en ce moment de peuples éperdus!
Le musulman, le juif, le chrétien, l'infidèle,
Devant le même Dieu s'assemblent confondus.
Quel tumulte effrayant! que de cris lamentables!
Ciel! qui pourrait compter le nombre des coupables?
      Ici, près de l'ingrat,
Se cachent l'imposteur, l'avare, l'homicide
      Et ce guerrier perfide
Qui vendit sa patrie en un jour de combat.

   Ces juges trafiquaient du sang de l'Innocence
      Avec ses fiers persécuteurs;
      Sous le vain nom de bienfaiteurs,
Ces grands semaient ensemble et les dons et l'offense.
Où fuir? Où se cacher? L'œil vengeur vous poursuit
Vous, brigands, jadis rois, ici sans diadème.
Les antres, les rochers, l'univers est détruit:
      Tout est plein de l'Etre Suprême.

      Coupables, approchez:
De la chaîne des ans les jours de la clémence
      Sont enfin retranchés.
Insultez, insultez aux pleurs de l'innocence:
      Son Dieu dort-il? répondez-nous.
Vous pleurez! Vains regrets! ces pleurs font notre joie.
A l'ange de la mort Dieu vous a promis tous,
      Et l'enfer demande sa proie.

   Mais d'où vient que je nage en des flots de clarté?
    Ciel! malgré moi, s'égarant sur ma lyre,

Mes doigts harmonieux peignent la volupté!
　　　Fuyez! pécheurs, respectez mon délire.
　　　　Je vois les élus du Seigneur
Marcher d'un front riant au fond du sanctuaire.
Des enfants doivent-ils connaître la terreur
　　　　Lorsqu'ils approchent de leur père ?
Quoi! de tant de mortels qu'ont nourris tes bontés,
Ce petit nombre, ô ciel, rangea ses volontés
　　　　Sous le joug de tes lois augustes!
Des vieillards, des enfants, quelques infortunés!
A peine mon regard voit, entre mille justes,
　　　　S'élever deux fronts couronnés.

　　Que sont-ils devenus ces peuples de coupables
　　　　Dont Sion vit ses champs couverts ?
Le Tout-Puissant parlait; ses accents redoutables
　　　　Les ont plongés dans les Enfers.
Là tombent condamnés et la sœur et le frère,
Le père avec le fils, la fille avec la mère,
Les amis, les amants, et la femme et l'époux,
Le roi près du flatteur, l'esclave avec le maître,
Légions de méchants, honteux de se connaître,
Et livrés pour jamais au céleste courroux.

　　　Le Juste enfin remporte la victoire,
Et de ses longs combats, au sein de l'Eternel,
　　Il se repose environné de gloire.
Ses plaisirs sont au comble et n'ont rien de mortel;
　　　Il voit, il sent, il connaît, il respire,
Le Dieu qu'il a servi, dont il aima l'empire;
　　　Il en est plein, il chante ses bienfaits.
L'Eternel a brisé son tonnerre inutile;
Et d'ailes et de faux dépouillé désormais,
Sur les mondes détruits le Temps dort immobile.

ODE IMITÉE DE PLUSIEURS PSAUMES

ET COMPOSÉE PAR L'AUTEUR HUIT JOURS AVANT SA MORT

J'ai révélé mon cœur au Dieu de l'innocence;
　　　Il a vu mes pleurs pénitents.
Il guérit mes remords, il m'arme de constance;
　　　Les malheureux sont ses enfants.

Mes ennemis, riant, ont dit dans leur colère :
　　　« Qu'il meure et sa gloire avec lui! »
Mais à mon cœur calmé le Seigneur dit en père :
　　　« Leur haine sera ton appui.

« A tes plus chers amis ils ont prêté leur rage :
　　　　Tout trompe ta simplicité;
Celui que tu nourris court vendre ton image
　　　　Noire de sa méchanceté.

« Mais Dieu t'entend gémir, Dieu vers qui te ramène
　　　　Un vrai remords né des douleurs;
Dieu qui pardonne enfin à la nature humaine
　　　　D'être faible dans les malheurs.

« J'éveillerai pour toi la pitié, la justice
　　　　De l'incorruptible avenir;
Eux-mêmes épureront, par leur long artifice,
　　　　Ton honneur qu'ils pensent ternir. »

Soyez béni, mon Dieu! vous qui daignez me rendre
　　　　L'innocence et son noble orgueil;
Vous qui, pour protéger le repos de ma cendre,
　　　　Veillerez près de mon cercueil!

Au banquet de la vie, infortuné convive,
　　　　J'apparus un jour, et je meurs.
Je meurs; et, sur ma tombe où lentement j'arrive,
　　　　Nul ne viendra verser des pleurs.

Salut, champs que j'aimais! et vous, douce verdure!
　　　　Et vous, riant exil des bois!
Ciel, pavillon de l'homme, admirable nature,
　　　　Salut pour la dernière fois!

Ah! puissent voir longtemps votre beauté sacrée
　　　　Tant d'amis sourds à mes adieux!
Qu'ils meurent pleins de jours! que leur mort soit pleurée!
　　　　Qu'un ami leur ferme les yeux!

LE DIX-HUITIÈME SIÈCLE

SATIRE

FRAGMENT

　　Fille de la Peinture, et sœur de l'Harmonie,
Jadis la Poésie, en ses pompeux accords,
Osant même au néant prêter une âme, un corps,
Egayait la raison de riantes images;
Cachait de la vertu les préceptes sauvages
Sous le voile enchanteur d'aimables fictions;
Audacieuse et sage en ses expressions,

Pour cadencer un vers qui dans l'âme s'imprime,
Sans appauvrir l'idée, enrichissait la rime;
S'ouvrait par notre oreille un chemin vers nos cœurs,
Et nous divertissait, pour nous rendre meilleurs.
Maudit soit à jamais le pointilleux sophiste
Qui le premier nous dit en prose d'algébriste :
« Vains rimeurs, écoutez mes ordres absolus;
Pour plaire à ma raison, pensez, ne peignez plus! »
Dès lors la poésie a vu sa décadence;
Infidèle à la rime, au sens, à la cadence,
Le compas à la main, elle va dissertant;
Apollon sans pinceaux n'est plus qu'un lourd pédant.
C'était peu que, changée en bizarre furie,
Melpomène étalât sur la scène flétrie
Des romans fort touchants, car à peine l'auteur
Pour emporter les morts laisse vivre un acteur;
Que, soigneux d'évoquer des revenants affables,
Prodigue de combats, de marches admirables,
Tout poète moderne, avec pompe assommant,
Fît d'une tragédie un opéra charmant :
La muse de Sophocle, en robe doctorale,
Sur des tréteaux sanglants professe la morale.
Là, souvent un sauvage, orateur apprêté,
Aussi bien qu'Arouet, parle d'humanité;
Là, des Turcs amoureux, soupirant des maximes,
Débitent galamment Sénèque mis en rimes;
Alzire au désespoir, mais pleine de raison,
En invoquant la mort, commente le *Phédon;*
Pour expirer en forme, un roi, par bienséance,
Doit exhaler son âme avec une sentence;
Et chaque personnage au théâtre produit,
Héros toujours soufflé par l'auteur qui le suit,
Fût-il Scythe ou Chinois, dans un traité sans titre,
Interroge par signe, ou répond par chapitre.

Thalie a de sa sœur partagé les revers :
Peindre les mœurs du temps est l'objet de ses vers;
Mais, lasse d'un emploi que le goût lui confie,
Apôtre larmoyant de la philosophie,
Elle fuit la gaieté qui doit suivre ses pas,
Et d'un masque tragique enlaidit ses appas.
Tantôt c'est un rimeur, dont la muse étourdie,
Dans un conte, ennobli du nom de comédie,
Passe, en dépit du goût, du touchant au bouffon,
Et marie une farce avec un long sermon;
Tantôt un possédé, dont le démon terrible
Pleure éternellement dans un drame risible.
Que dis-je ? oser blâmer un drame, un drame enfin!
La comédie est belle, et le drame est divin.
Pour moi, j'y goûte fort, car j'aime la nature,
Ces héros villageois, beaux esprits sous la bure;

Et j'approuve l'auteur de ces drames diserts,
Qui ne s'abaisse point jusqu'à parler en vers :
Un vers coûte à polir, et le travail nous pèse;
Mais en prose du moins on est sot à son aise.
Partout le même ton; chaque muse en ses chants,
Aux dépens du vrai goût, fait la guerre aux méchants :
Le plus lourd chansonnier de l'Opéra-Comique
Prête à son Apollon un air philosophique,
Et des vers sont charmants, pourvu qu'ils soient moraux.

    Mais, de la poésie, usurpant les pinceaux,
L'éloquence aujourd'hui, prodigue en métaphores,
Avec un air penseur enfle des riens sonores.
Que d'orateurs guindés, dans un discours savant,
Se tourmentent sans fin pour enfanter du vent!
Dans un livre où Thomas rêve, comme en extase,
Je cherche un peu de sens et vois beaucoup d'emphase.
Un plaisant, des dévots Zoïle envenimé,
Qui nous vend par essais le mensonge imprimé,
Des oppresseurs fameux développant les trames,
Met, pour mieux l'ennoblir, l'histoire en épigrammes.
Chaque genre varie au gré des écrivains,
Et ne connaît de lois que leurs caprices vains.

    Sans doute le respect des antiques modèles
Eût au vrai ramené les muses infidèles;
Eux seuls de la nature imitateurs constants,
Toujours lus avec fruit, sont beaux dans tous les temps;
Heureux qui jeune encore a senti leur mérite!
Même en les surpassant, il faut qu'on les imite :
Mais les sages du jour, ou de fiers novateurs,
De leur goût dépravé partisans corrupteurs,
Ne pouvant les atteindre, ont dégradé leurs maîtres;
Et flatteurs des pédants flétris par nos ancêtres,
O de la sympathie inévitable effet!
Ils vengent les Cotins des affronts du sifflet.

    Voltaire en soit loué! chacun sait au Parnasse
Que Malherbe est un sot, et Quinault un Horace.
Dans un long commentaire il prouve longuement
Que Corneille parfois pourrait plaire un moment.
J'ai vu l'enfant gâté de nos penseurs sublimes,
La Harpe, dans Rousseau trouver de belles rimes.
Si l'on en croit Mercier, Racine a de l'esprit;
Mais Perrault, plus profond, Diderot nous l'apprit,
Perrault, tout plat qu'il est, pétille de génie :
Il eût pu travailler à l'*Encyclopédie*.
Boileau, correct auteur de libelles amers,
« Boileau, dit Marmontel, tourne assez bien un vers. »
Et tous ces demi-dieux que l'Europe en délire
A depuis cent hivers l'indulgence de lire

Vont dans un juste oubli retomber désormais,
Comme de vains auteurs qui ne pensent jamais.

Quelques vengeurs pourtant, armés d'un noble zèle,
Ont de ces morts fameux épousé la querelle :
De là, sur l'Hélicon deux partis opposés
Règnent, et, l'un par l'autre à l'envi déprisés,
Tour à tour s'adressant des volumes d'injures,
Pour le trône des arts combattent par brochures.
Mais, plus forts par le nombre et vantés en tous lieux,
Les corrupteurs du goût en paraissent les dieux :
Si Clément les proscrit, La Harpe les protège :
Eux seuls peuvent prétendre au rare privilège
D'aller au Louvre, en corps, commenter l'alphabet;
Grammairiens-jurés, immortels par brevet :
Honneurs, richesse, emplois, ils ont tout en partage,
Hors la saine raison, que leur bonheur outrage;
Et le public esclave obéit à leurs lois.

Mille cercles savants s'assemblent à leur voix :
C'est dans ces tribunaux galants et domestiques,
Que parmi vingt beautés, bourgeoises empiriques,
Distribuant la gloire et pesant les écrits,
Ces fiers inquisiteurs jugent les beaux esprits.
O malheureux l'auteur dont la plume élégante
Se montre encor du goût sage et fidèle amante;
Qui, rempli d'une noble et constante fierté,
Dédaigne un nom fameux par l'intrigue acheté,
Et, n'ayant pour prôneur que ses muets ouvrages,
Veut par ses talents seuls enlever les suffrages!
La faim mit au tombeau Malfilâtre ignoré;
S'il n'eût été qu'un sot, il aurait prospéré.
Trop fortuné celui qui peut avec adresse
Flatter tous les partis que gagne sa souplesse;
De peur d'être blâmé, ne blâme jamais rien;
Dit Voltaire un Virgile, et même un peu chrétien;
Et toujours en l'honneur des tyrans du Parnasse
De madrigaux en prose allonge une préface!
Mais trois fois plus heureux le jeune homme prudent
Qui, de ces novateurs enthousiaste ardent,
Abjure la raison, pour eux la sacrifie;
Soldat sous les drapeaux de la philosophie!
D'abord, comme un prodige, on le prône partout :
Il nous vante! en effet, c'est un homme de goût;
Son chef-d'œuvre est toujours l'écrit qui doit éclore;
On récite déjà les vers qu'il fait encore.
Qu'il est beau de le voir, de dîners en dîners,
Officieux lecteur de ses vers nouveau-nés,
Promener chez les grands sa muse bien nourrie!
Paraît-il, on l'embrasse; il parle, on se récrie :
Fût-il un Durosoy, tout Paris l'applaudit;

C'est un auteur divin, car nos dames l'ont dit.
La marquise, le duc, pour lui tout est libraire;
De riches pensions on l'accable; et Voltaire
Du titre de génie a soin de l'honorer
Par lettres, qu'au *Mercure* il fait enregistrer.

Ainsi, de nos tyrans la ligue protectrice
D'une gloire précoce enfle un rimeur novice :
L'auteur le plus fécond, sans leur appui vanté,
Travaille dans l'oubli pour la postérité;
Mais par eux, sans rien faire, un pédant nous impose;
Turpin n'est que Turpin, Suard est quelque chose.

O combien d'écrivains languiraient inconnus,
Qui, du Pinde français illustres parvenus,
En servant ce parti, conquirent nos hommages!
L'encens de tout un peuple enfume leurs images :
Eux-mêmes, avec candeur se disant immortels,
De leurs mains tour à tour se dressent des autels.
Sous peine d'être un sot, nul plaisant téméraire
Ne rit de nos amis, et surtout de Voltaire.
On aurait beau montrer ses vers tournés sans art,
D'une moitié de rime habillés au hasard,
Seuls, et jetés par ligne exactement pareille,
De leur chute uniforme importunant l'oreille,
Ou, bouffis de grands mots qui se choquent entre eux,
L'un sur l'autre appuyés, se traînant deux à deux;
Et sa prose frivole, en pointes aiguisée,
Pour braver l'harmonie, incessamment brisée :
Sa prose, sans mentir, et ses vers sont parfaits;
Le *Mercure* trente ans l'a juré par extraits :
Qui pourrait en douter ? Moi. Cependant j'avoue
Que d'un rare savoir à bon droit on le loue;
Que ses chefs-d'œuvre faux, trompeuses nouveautés,
Etonnent quelquefois par d'antiques beautés;
Que par ses défauts même il sait encor séduire :
Talent qui peut absoudre un siècle qui l'admire.
Mais qu'on m'ose prôner des sophistes pesants,
Apostats effrontés du goût et du bon sens :
Saint-Lambert, noble auteur dont la muse pédante
Fait des vers fort vantés par Voltaire qu'il vante,
Qui, du nom de poème ornant de plats sermons,
En quatre points mortels a rimé les *Saisons*,
Et ce vain Beaumarchais qui, trois fois avec gloire,
Mit le mémoire en drame et le drame en mémoire;
Et ce lourd Diderot, docteur en style dur,
Qui passe pour sublime, à force d'être obscur;
Et ce froid d'Alembert, chancelier du Parnasse,
Qui se croit un grand homme et fit une préface;
Et tant d'autres encor dont le public épris
Connaît beaucoup les noms et fort peu les écrits :

Alors, certes, alors ma colère s'allume,
Et la vérité court se placer sous ma plume.

Ah! du moins, par pitié, s'ils cessaient d'imprimer,
Dans le secret, contents de proser, de rimer!
Mais, de l'humanité maudits missionnaires,
Pour leurs tristes lecteurs ces prêcheurs n'en ont guères.
La Harpe est-il bien mort ? Tremblons; de son tombeau
On dit qu'il sort, armé d'un *Gustave* nouveau :
Thomas est en travail d'un gros poème épique;
Marmontel enjolive un roman poétique;
Et même Durosoy, fameux par des chansons,
Met l'histoire de France en opéras-bouffons :
Tant d'écrits sont forgés par ces auteurs manœuvres,
Qu'aucun n'est riche assez pour acheter ses œuvres.

Pour moi, qui, démasquant nos sages dangereux,
Peignis de leurs erreurs les effets désastreux,
L'athéisme en crédit, la licence honorée,
Et le lévite enfin brisant l'arche sacrée;
Qui retraçai des arts les malheurs éclatants,
Les brigues, le pouvoir des novateurs du temps,
Et leur fureur d'écrire et leur honteuse gloire,
Et de mon siècle entier la déplorable histoire;
Sans rien craindre, je parle avec sincérité;
Je chéris mon repos moins que la vérité.
Oh! si ces faibles vers, satire de notre âge,
Que Beaumont de malice absout par son suffrage,
Obtiennent de mon roi les regards protecteurs,
Sa vertu cessera de haïr les flatteurs
Avant que par l'effroi ma muse désarmée
Pardonne aux novateurs leur folle renommée :
Que leurs noms soient placés parmi les noms flétris;
Je veux qu'on les méprise autant que leurs écrits.

BERTIN

1752-1790

Antoine de Bertin naquit le 10 octobre 1752, à l'île Bourbon. A l'âge de neuf ans il fut enlevé à ce beau pays où il menait une libre et heureuse existence et, suivant sa propre expression, « transplanté dans Paris ». Il y fit ses études qu'il commença à la pension Colin, à Picpus, et qu'il acheva au collège du Plessis. Il fut un élève très distingué. Il entra ensuite dans l'armée : lieutenant, puis capitaine au régiment de Franche-Comté, il devint, en 1777, écuyer du comte d'Artois. Mais il était aussi poète. Disciple d'abord de Dorat, il finit par imiter Parny, qui était son compatriote et son ami. Il était de ces bons compagnons que Parny réunissait dans sa résidence de la Caserne et qui passaient gaiement les heures dans les chansons et les plaisirs de la table. Il collabora, dès sa vingtième année, à l'*Almanach des Muses;* en 1777, il fit paraître son *Voyage en Bourgogne,* qui est une des imitations assez nombreuses du voyage, mieux conté, de Chapelle et Bachaumont; en 1783 il publia *les Amours,* où il célèbre, sous les noms d'Eucharis et de Catilie, deux jeunes femmes qu'il aima. Il y a de la grâce, de la volupté, du libertinage parfois, dans ce recueil, mais on y sent aussi frémir une âme jalouse et retentit l'écho des douleurs de l'amour. Après Parny, et quoique inférieur à Parny, il mérite d'être cité comme un des élégiaques intéressants du XVIIIᵉ siècle. Un caractère de sa nature poétique c'est le sentiment de la nature. Il se manifeste par bien des traits dispersés dans son œuvre. On en trouvera l'agréable et touchante expression dans ses *Adieux à une terre qu'on était sur le point de vendre.* Il eut pour maîtres, dit-on, Ovide, Virgile, Tibulle et Properce, et lui-même fut surnommé le Properce français; mais il recevait directement les leçons de la nature sous les ombrages de Feuillancourt, entre Saint-Germain et Marly, où il allait, parfois, délaissant et la ville et la cour et les artifices rustiques de Trianon, promener seul sa rêverie. Sa fin eut quelque chose de tragique. Il se rendit à Saint-Domingue en 1789 pour y épouser une jeune créole qu'il avait connue pendant un séjour qu'elle avait fait à Paris. Le mariage devait être célébré au mois de juin 1790; il le fut, en effet, mais, dans la chambre du poète, qui, quelques jours auparavant, s'était senti malade, et qui s'évanouit sitôt après avoir prononcé le « oui » qui l'engageait. Il fut pendant une semaine dans

un état très grave, agité par la fièvre, secoué par des convulsions;
après un nouvel évanouissement il revint à lui dans un état
d'imbécillité qui dura dix-sept jours, au bout desquels il mourut.

PORTRAIT D'EUCHARIS [1]

Regardez Eucharis, vous qui craignez d'aimer,
Et vous voudrez mourir du feu qui me dévore;
Vous dont le cœur éteint ne peut plus s'enflammer,
Regardez Eucharis, vous aimerez encore.
    Il faut brûler, quand de ses flots mouvants
La plume ombrage, en dais, sa tête enorgueillie;
    Il faut brûler, quand l'haleine des vents
Disperse ses cheveux sur sa gorge embellie.
Un air de négligence, un air de volupté,
Le sourire ingénu, la pudeur rougissante,
Les diamants, les fleurs, l'hermine éblouissante,
Et la pourpre et l'azur, tout sied à sa beauté.
Que j'aime à la presser, quand sa taille légère
Emprunte du sérail les magiques atours,
Ou qu'à mes sens ravis sa tunique étrangère
D'un sein voluptueux dessine les contours!
L'Amour même a poli sa main enchanteresse,
Ses bras semblent formés pour enlacer les dieux :
    Soit qu'elle ferme ou qu'elle ouvre les yeux,
    Il faut mourir de langueur ou d'ivresse.
    Il faut mourir, lorsqu'au milieu de nous,
Eucharis vers le soir, nouvelle Terpsichore,
Danse, ou, prenant sa harpe entre ses beaux genoux,
Mêle à ce doux concert sa voix plus douce encore.
Que de légèreté dans ses doigts délicats!
Tout l'instrument frémit sous ses deux mains errantes;
Et le voile incertain des cordes transparentes,
Même en les dérobant, embellit ses appas.
Tel brille un astre pur dans le mobile ombrage;
Telle est Diane aux bains, ou telle on peint Cypris
    Dans Amathonte à ses peuples chéris
    Se laissant voir à travers un nuage.
        O vous qui disputez le prix,
    Le prix divin des talents et des charmes,
        Je n'ai qu'à montrer Eucharis,
    Vous rougirez, et vous rendrez les armes.
On parle de Théone; on vante tour à tour
Euphrosine et Zulmé, ces deux sœurs de l'Amour.
Aglaure, Issé, Corine et Glicère et Julie,
Et mille autres Beautés, ornements de la Cour;
Eucharis est plus belle et cent fois plus jolie.

1. *Les Amours*, liv. I, élégie VIII.

Lorsqu'elle parut l'autre soir,
Dans le temple de Melpomène,
On lui battit des mains, on la prit pour la Reine,
Et tout Paris charmé se leva pour la voir.
L'aimer, lui plaire enfin est mon unique envie;
A posséder son cœur je borne tous mes vœux :
Et qui voudrait donner un seul de ses cheveux
Pour tous les trésors de l'Asie ?

A MONSIEUR LE COMTE DE P*** [1]

Tout s'anime dans la nature,
Doux Avril, tu descends des airs :
Vénus détache sa ceinture;
Les fleurs émaillent la verdure,
Et l'oiseau reprend ses concerts.
Quittez le brouillard de la ville
Et ses embarras indiscrets;
Paisible habitant du Marais,
Courez dans ce vallon fertile
Qu'ont embelli Flore et Cérès,
De la campagne renaissante
Respirer les douces odeurs,
Et sur l'épine blanchissante
Cueillir ses premières faveurs.
Aux champs le printemps vous appelle;
Ah! profitez de ses beaux jours.
Heureux favori des Amours,
C'est pour vous qu'il se renouvelle :
Pour moi la peine est éternelle,
Et l'hiver durera toujours.

ADIEU A UNE TERRE
QU'ON ÉTAIT SUR LE POINT DE VENDRE [2]

L'aimable et doux printemps ouvre aujourd'hui les cieux.
O mes champs, avec vous je veux encor renaître!
Champs toujours plus aimés, jardins délicieux,
Vénérables ormeaux qu'ont plantés mes aïeux,
Pour la dernière fois recevez votre maître.
Prodiguez-moi vos fruits, vos parfums et vos fleurs :
Cachez-moi tout entier dans votre enceinte sombre;
O bois hospitaliers, mes rêveuses douleurs
N'ont pas longtemps, hélas! à jouir de votre ombre.

1. *Les Amours*, liv. II, élégie VIII.
2. *Les Amours*, liv. II, élégie XX.

Témoins de mes plaisirs dans des temps plus heureux,
Vous passerez bientôt en des mains étrangères :
Beaux lieux il faut vous perdre; un destin rigoureux
Me condamne à céder des retraites si chères.
Que sert d'avoir vingt fois, dans mes travaux constants,
Le fer en main, conduit une vigne indocile,
Retourné mes guérets, et d'un rameau fertile
Enrichi ces pommiers, la gloire du printemps ?
Un autre, en se jouant, de leur branche pendante
Détachera ces fruits qu'attendaient mes paniers,
De ces riches moissons remplira ses greniers,
Et rougira ses pieds d'une grappe abondante.
Je ne vous verrai plus, ô rivages fleuris,
Je ne vous verrai plus, mes pénates chéris,
Source pure, antre frais, lieux pour moi pleins de charmes,
Vous qui me consoliez du fracas de Paris,
Du service des cours, du tumulte des armes!
Oui, dès demain, peut-être, avant la fin du jour,
Il le faudra quitter ce fortuné séjour,
En retournant vers vous des yeux mouillés de larmes.
D'un pied profane et dur un ingrat successeur
Foulera ces gazons, lits chers à ma tendresse,
Et, mutilant l'écorce où croissait mon ardeur,
Effacera ces noms qu'un soir, ô ma maîtresse,
Les sens encor troublés de plaisir et d'ivresse,
Tu m'aidas à graver de ta tremblante main.
Qui sait même, qui sait si le fer inhumain,
Retentissant au loin dans la forêt profonde,
N'abattra point ces pins, ces ormes vieillissants,
Ces chênes, dont nos pieds outragent les présents,
Immortels bienfaiteurs de l'enfance du monde ?
Crédule, j'espérais sous leur abri sacré
Qu'un jour, las des erreurs dont je fus enivré,
Tout entier à l'objet dont mon âme est ravie,
Tranquille, à ses genoux j'achèverais ma vie,
Riche de ses attraits, fier de ses seuls regards,
Tantôt comblé des soins de sa main caressante,
Tantôt prêtant l'oreille à sa voix séduisante,
Et cultivant l'amour, la nature et les arts.
La fortune a détruit ma plus chère espérance.
A mes dieux protecteurs il me faut recourir :
Je n'ai plus, désormais étranger dans la France,
De retraite où chanter, ni d'asile où mourir.
O tristesse, ô regrets, ô jours de mon enfance!
Hélas! un sort plus doux m'était alors promis.
Né dans ces beaux climats et sous les cieux amis,
Qu'au sein des mers de l'Inde embrasse le tropique,
Elevé dans l'orgueil du luxe asiatique,
La pourpre, le satin, ces cotons précieux
Que lave aux bords du Gange un peuple industrieux,
Cet émail si brillant que la Chine colore,

Ces tapis dont la Perse est plus jalouse encore,
Sous mes pieds étendus, insultés dans mes jeux,
De leur richesse à peine avaient frappé mes yeux.
Je croissais, jeune roi de ces rives fécondes ;
Le roseau savoureux, fragile amant des ondes,
Le manguier parfumé, le dattier nourrissant,
L'arbre heureux où mûrit le café rougissant,
Des cocotiers enfin la race antique et fière,
Montrant au-dessus d'eux sa tête tout entière,
Comme autant de sujets attentifs à mes goûts,
Me portaient à l'envi les tributs les plus doux.
Pour moi d'épais troupeaux blanchissaient les campagnes ;
Mille chevreaux erraient suspendus aux montagnes,
Et l'océan, au loin se perdant sous les cieux,
Semblait offrir encor, pour amuser mes yeux,
Dans leurs cours différents cent barques passagères
Qu'emportaient ou la rame ou les voiles légères.
Que fallait-il de plus ? Dociles à ma voix,
Cent esclaves choisis entouraient ma jeunesse ;
Et mon père, éprouvé par trente ans de sagesse,
Au créole orgueilleux dictant de justes lois,
Chargé de maintenir l'autorité des rois,
Semblait dans ces beaux lieux égaler leur richesse.
Tout s'est évanoui. Trésors, gloire, splendeur,
Tout a fui, tel qu'un songe à l'aspect de l'aurore,
Ou qu'un brouillard léger qui dans l'air s'évapore.
A cet éclat d'un jour succède un long malheur.
Mais les dieux attendris, pour charmer ma douleur,
Ont daigné me laisser le cœur de Catilie.
Ah ! je sens à ce nom qu'il existe un bonheur.
Ce nom seul, de ma peine adoucit la rigueur,
Il répare mes maux, il m'attache à la vie :
Je suis aimé ! Mon sort est trop digne d'envie,
Et la paix doit rentrer dans mon cœur éperdu.
Cessez, tristes regrets ! cessez, plainte importune !
Revivez, luth heureux trop longtemps suspendu !
J'ai vu périr mes biens, mes honneurs, ma fortune ;
Mais son amour me reste, et je n'ai rien perdu.

CUBIÈRES DE PALMÉZEAUX

1752-1820

Michel de Cubières naquit le 27 décembre 1752, à Roquemaure (Gard). Destiné à l'état ecclésiastique en qualité de cadet, il fut renvoyé du séminaire pour avoir fait insérer des vers érotiques dans l'*Almanach des Muses*. Il entra, comme écuyer, dans la maison de la comtesse d'Artois, mais il vendit bientôt sa charge. Il voulait s'adonner entièrement à la littérature. Il s'y mit avec une ardeur incroyable. Il écrivit avec hâte des romans, des pièces de théâtre, des poésies. Il prit d'abord le surnom de Palmézeaux, puis, en témoignage de son admiration pour le poète Dorat, le surnom de Dorat, et il devint ainsi Cubières de Palmézeaux et Dorat-Cubières. Il prit même plus tard un troisième surnom : ayant adopté, après 1789, les idées révolutionnaires, qui lui inspirèrent de nombreuses pièces de vers, et de fort mauvaises, il célébra les exploits de Carrier et la conduite de Marat, et, empruntant le nom de celui-ci afin de l'honorer, il devint Marat-Cubières. Il fut secrétaire de la Commune de Paris. Cependant on a dit qu'il n'était point un méchant homme et que c'est probablement par terreur qu'il se fit terroriste. S'il en est ainsi, il faut convenir qu'il poussa vraiment la précaution un peu trop loin. Il rentra ensuite dans la vie privée. Sous la Restauration cependant, et malgré son passé révolutionnaire, il obtint un emploi dans l'administration des postes. Il écrivait encore, toujours avec aussi peu de bonheur, et il mourut le 18 août 1820 ayant noirci beaucoup de papier, mais n'ayant pas, parmi tant de compositions, souvent bizarres et plates, laissé une seule œuvre que la postérité puisse retenir. Nous citons de cet écrivain trop abondant deux courtes pièces : une petite ode anacréontique, et des vers adressés *Au cyprès planté sur la tombe de Thémire*, vers dans le goût macabre d'alors et qui font partie de la série de poèmes adressés à Thémire, lesquels forment trois livres sous le titre général de : *les Thémiréides*, au tome Ier des *Opuscules poétiques*.

AU CYPRÈS

PLANTÉ SUR LA TOMBE DE THÉMIRE

Arbre qui vas verdir et croître désormais
        Sur cette terre maternelle
Où la loi de la mort, immuable, éternelle,
Vient de plonger, hélas! Thémire pour jamais,
        Cyprès que j'ai planté moi-même,
Que ton sort est heureux, sans être mérité!
Tu vas devoir ta force, ainsi que ta beauté,
A celle que j'aimais, qui n'est plus, et que j'aime!
        Je t'arroserai tous les jours
De l'onde du ruisseau qui, dans cette vallée,
        Coule en formant mille détours;
Je t'ornerai des fleurs dont elle est émaillée;
        Ce sont là les simples atours
        Qu'aimait à porter ma maîtresse,
Ainsi je mêlerai, pour nourrir ma tristesse,
Des symboles de mort avec ceux des amours.
        Par moi tu deviendras célèbre :
        Quand je passerai près de toi,
Les bergers me verront, saisi d'un saint effroi,
        Saluer ta tige funèbre.
Je n'ai pas un long temps à te rendre ces soins;
Un long temps les bergers n'en seront pas témoins,
Arbre que j'ai planté. La déesse cruelle
Qui vient de me ravir mon amante fidèle,
Sous tes pieds à mon tour me creuse un monument;
Je me sens défaillir, malgré les feux de l'âge,
        Et bientôt ton triste feuillage
        Couvrira l'amante et l'amant.
A l'aspect de la mort le sage même tremble;
Mais Thémire n'est plus. Tout mon désir, hélas!
Est qu'un même cercueil à l'instant nous rassemble,
Et que, toujours unis, même après le trépas,
Nos jeunes ossements puissent vieillir ensemble.

LES GRACES RETROUVÉES

ODE ANACRÉONTIQUE

        J'étais assis dans un bocage,
        Aimable et paisible séjour;
        D'un vieux ormeau l'épais ombrage
        Me dérobait aux feux du jour.

Dans ce séjour aimé de Flore,
S'offre à moi le fils de Vénus;
Ses yeux étaient baignés encore
Des pleurs qu'il avait répandus.

« Quel triste sujet vous altère ?
Lui dis-je : D'où naissent vos pleurs ? »
Aussitôt le dieu de Cythère
Me répond : « Apprends mes malheurs.

« A Cythère il n'est plus de Grâces,
Elles ont déserté ces lieux;
Je crois en vain suivre leurs traces,
Rien ne les présente à mes yeux.

« J'ignore leur nouvel asile;
Ne pourrais-tu me l'enseigner ?
Cherchons-les aux bois, à la ville;
Sans elles je ne puis régner. »

Voici quelle fut la réponse
Que je fis au maître des cœurs :
« Aimable enfant, je vous annonce
Que vous retrouverez vos sœurs.

« C'est non loin de cette retraite [1]
Qu'elles ont adressé leurs pas;
Le nom de l'une est Antoinette,
Les autres ne la quittent pas. »

1. « Ces vers ont été faits dans le parc de Versailles. »

PARNY

1753-1814

Evariste-Désiré de Forges de Parny naquit le 6 février 1753, à l'île
Bourbon. A neuf ans il fut envoyé en France et mis au collège de
Rennes où il fit ses études. Il était d'une nature vive et enthousiaste.
Il s'enthousiasma pour la religion en lisant la Bible et il voulut être
trappiste. Bientôt le vent tourna; il voulut être soldat. Il vint à
Versailles, y retrouva Antoine Bertin, son compatriote, son ami et
doublement son confrère comme officier et comme poète. Nous avons
parlé, dans notre Introduction, de la jeune et joyeuse société qu'ils
réunissaient autour d'eux à la Caserne et à Feuillancourt. En 1773,
Parny rappelé par sa famille dut se rendre à l'île Bourbon. Il y eut une
liaison amoureuse avec une jeune femme qu'il ne lui fut pas permis
d'épouser et qu'il a chantée sous le nom d'Eléonore dans le recueil où,
sous le titre un peu déplaisant de *Poésies érotiques*, il a célébré ses
amours, recueil dont les premiers livres parurent en 1778, après son
retour en France. Plus tard, soit en France même, soit pendant un
nouveau séjour à l'île Bourbon, il eut la douleur d'apprendre le
mariage de cette Eléonore qu'il aimait toujours. Cette douleur lui a
inspiré des élégies qui, dans l'édition des *Poésies érotiques* de 1784,
formèrent le quatrième livre de ce recueil, et le plus beau. Parny
fut le plus original et le plus touchant des élégiaques de son temps;
sur ce point encore, nous nous référons à notre Introduction. En
1787 il publia un choix de *Chansons madécasses* ou soi-disant telles,
qui avaient, du moins, le mérite d'être pittoresques. La Révolution,
par le remboursement des assignats et par la réduction des rentes,
le ruina complètement. Il ne récrimina point. Il chercha un emploi pour
vivre; il en obtint un en 1795 dans les bureaux du ministère de
l'Instruction publique et il le remplit avec la plus grande exactitude
et la plus grande application. Mais il ne délaissa point les muses; elles
l'inspirèrent d'ailleurs assez mal; la plus importante et la plus fameuse
de ses compositions de cette époque est son poème héroï-comique de
la Guerre des dieux, dont, en dépit de quelques tableaux pleins de
fraîcheur, Dussault, ainsi que le rappelle Sainte-Beuve, a pu dire
qu'il « figurera dans l'histoire de la Révolution encore plus qu'il ne
marquera dans celle de la littérature ». Cet ouvrage eut un tel succès
que Parny récidiva et qu'en 1805 il fit paraître, sous le titre de

le *Portefeuille volé*, des poésies badines qui sont des parodies du *Paradis perdu* de Milton. On y trouve aussi une série de pièces galantes réunies sous le titre : *les Déguisements de Vénus*. En 1802 il s'était marié; en 1803 il était entré à l'Académie française. Sa santé, qui avait toujours été délicate, devint de plus en plus chancelante. A partir de 1810 elle le condamna à garder la maison; en 1813 il obtint de l'Empereur une pension de trois mille francs. Il n'en profita pas longtemps. Celui que Lebrun avait appelé un « demi Tibulle » et Voltaire « Tibulle », sans restriction, mourut en pleine gloire, le 5 décembre 1814.

VERS GRAVÉS SUR UN ORANGER

Oranger, dont la voûte épaisse
Servit à cacher nos amours,
Reçois et conserve toujours
Ces vers, enfants de ma tendresse;
Et dis à ceux qu'un doux loisir
Amènera dans ce bocage,
Que si l'on mourait de plaisir,
Je serais mort sous ton ombrage.

PROJET DE SOLITUDE

Fuyons ces tristes lieux, ô maîtresse adorée!
Nous perdons en espoir la moitié de nos jours,
Et la crainte importune y trouble nos amours.
Non loin de ce rivage est une île ignorée,
Interdite aux vaisseaux, et d'écueils entourée.
Un zéphyr éternel y rafraîchit les airs.
Libre et nouvelle encor, la prodigue nature
Embellit de ses dons ce point de l'univers :
Des ruisseaux argentés roulent sur la verdure,
Et vont en serpentant se perdre au sein des mers;
Une main favorable y reproduit sans cesse
L'ananas parfumé des plus douces odeurs;
Et l'oranger touffu, courbé sous sa richesse,
Se couvre en même temps et de fruits et de fleurs.
Que nous faut-il de plus ? Cette île fortunée
Semble par la nature aux amants destinée.
L'océan la resserre, et deux fois en un jour
De cet asile étroit on achève le tour.
Là, je ne craindrai plus un père inexorable;
C'est là, qu'en liberté tu pourras être aimable,
Et couronner l'amant qui t'a donné son cœur.
Vous coulerez alors, mes paisibles journées,
Par les nœuds du plaisir l'une à l'autre enchaînées :

Laissez-moi peu de gloire et beaucoup de bonheur.
Viens; la nuit est obscure et le ciel sans nuage;
D'un éternel adieu saluons ce rivage,
Où par toi seule encor mes pas sont retenus.
Je vois à l'horizon l'étoile de Vénus :
Vénus dirigera notre course incertaine.
Eole exprès pour nous vient d'enchaîner les vents;
Sur les flots aplanis Zéphire souffle à peine;
Viens; l'Amour jusqu'au bord conduira deux amants.

A MES AMIS

Rions, chantons, ô mes amis,
Occupons-nous à ne rien faire,
Laissons murmurer le vulgaire.
Le plaisir est toujours permis.
Que notre existence légère
S'évanouisse dans les jeux.
Vivons pour nous, soyons heureux,
N'importe de quelle manière.
Un jour il faudra nous courber
Sous la main du temps qui nous presse;
Mais jouissons dans la jeunesse,
Et dérobons à la vieillesse
Tout ce qu'on peut lui dérober.

ÉLÉGIES

I

D'un long sommeil j'ai goûté la douceur,
Sous un ciel pur, qu'elle embellit encore,
A mon réveil j'ai vu briller l'aurore;
Le dieu du jour la suit avec lenteur.
Moment heureux! la nature est tranquille;
Zéphyre dort sur la fleur immobile;
L'air plus serein a repris sa fraîcheur,
Et le silence habite mon asile.
Mais quoi! le calme est aussi dans mon cœur!
Je ne vois plus la triste et chère image
Qui s'offrait seule à ce cœur tourmenté;
Et la raison, par sa douce clarté,
De mes ennuis dissipe le nuage.
Toi, que ma voix implorait chaque jour,
Tranquillité, si longtemps attendue,
Des cieux enfin te voilà descendue,

Pour remplacer l'impitoyable amour.
J'allais périr; au milieu de l'orage
Un sûr abri me sauve du naufrage;
De l'aquilon j'ai trompé la fureur;
Et je contemple, assis sur le rivage,
Des flots grondants la vaste profondeur.
Fatal objet, dont j'adorai les charmes,
A ton oubli je vais m'accoutumer.
Je t'obéis enfin; sois sans alarmes;
Je sens pour toi mon âme se fermer.
Je pleure encor; mais j'ai cessé d'aimer.
Et mon bonheur fait seul couler mes larmes.

II

J'ai cherché dans l'absence un remède à mes maux;
J'ai fui les lieux charmants qu'embellit l'infidèle,
Caché dans ces forêts dont l'ombre est éternelle,
J'ai trouvé le silence, et jamais le repos.
Par les sombres détours d'une route inconnue
J'arrive sur ces monts qui divisent la nue :
De quel étonnement tous mes sens sont frappés!
Quel calme! quels objets! quelle immense étendue!
La mer paraît sans borne à mes regards trompés,
Et dans l'azur des cieux est au loin confondue.
Le zéphyr en ce lieu tempère les chaleurs,
De l'aquilon parfois on y sent les rigueurs,
Et tandis que l'hiver habite ces montagnes,
Plus bas l'été brûlant dessèche les campagnes.

Le volcan dans sa course a dévoré ces champs;
La pierre calcinée atteste son passage :
L'arbre y croît avec peine, et l'oiseau par ses chants
N'a jamais égayé ce lieu triste et sauvage.
Tout se tait, tout est mort; mourez, honteux soupirs,
        Mourez, importuns souvenirs
        Qui me retracez l'infidèle;
        Mourez, tumultueux désirs,
        Ou soyez volages comme elle.
        Ces bois ne peuvent me cacher;
        Ici même, avec tous ses charmes,
        L'ingrate encor me vient chercher;
        Et son nom fait couler des larmes
        Que le temps aurait dû sécher.
O dieux! ô rendez-moi ma raison égarée;
Arrachez de mon cœur cette image adorée;
Eteignez cet amour qu'elle vient rallumer,
Et qui remplit encor mon âme tout entière,
        Ah! l'on devrait cesser d'aimer
        Au moment qu'on cesse de plaire.

Tandis qu'avec mes pleurs la plainte et les regrets
   Coulent de mon âme attendrie,
  J'avance, et de nouveaux objets
   Interrompent ma rêverie.
Je vois naître à mes pieds ces ruisseaux différents
Qui, changés tout à coup en rapides torrents,
Traversent à grand bruit les ravines profondes,
Roulent avec leurs flots le ravage et l'horreur,
Fondent sur le rivage, et vont avec fureur
Dans l'océan troublé précipiter leurs ondes.
Je vois des rocs noircis, dont le front orgueilleux
   S'élève et va frapper les cieux.
   Le temps a gravé sur leurs cimes
   L'empreinte de la vétusté.
   Mon œil rapidement porté
De torrents en torrents, d'abîmes en abîmes,
    S'arrête épouvanté.
O nature! qu'ici je ressens ton empire!
J'aime de ce désert la sauvage âpreté;
De tes travaux hardis j'aime la majesté;
Oui, ton horreur me plaît, je frissonne et j'admire.

  Dans ce séjour tranquille, aux regards des humains
Que ne puis-je cacher le reste de ma vie!
Que ne puis-je du moins y laisser mes chagrins!
Je venais oublier l'ingrate qui m'oublie,
Et ma bouche indiscrète a prononcé son nom;
Je l'ai redit cent fois, et l'écho solitaire
De ma voix douloureuse a prolongé le son;
   Ma main l'a gravé sur la pierre;
   Au mien il est entrelacé.
Un jour, le voyageur sous la mousse légère,
   De ces noms connus à Cythère
   Verra quelque reste effacé.
Soudain il s'écriera : « Son amour fut extrême;
Il chanta sa maîtresse au fond de ces déserts.
Pleurons sur ses malheurs et relisons les vers
   Qu'il soupira dans ce lieu même. »

      III

   Par cet air de sérénité,
   Par cet enjouement affecté
  D'autres seront trompés peut-être,
  Mais mon cœur vous devine mieux;
  Et vous n'abusez point des yeux
  Accoutumés à vous connaître.
  L'esprit vole à votre secours,
  Et malgré vos soins, son adresse
  Ne peut égayer vos discours;

Vous souriez, mais c'est toujours
Le sourire de la tristesse.
Vous cachez en vain vos douleurs,
Vos soupirs se font un passage;
Les roses de votre visage
Ont perdu leurs vives couleurs;
Déjà vous négligez vos charmes;
Ma voix fait naître vos alarmes;
Vous abrégez nos entretiens;
Et vos yeux, noyés dans les larmes,
Evitent constamment les miens;
Ainsi donc mes peines cruelles
Vont s'augmenter de vos chagrins!
Malgré les dieux et les humains,
Je le vois, nos cœurs sont fidèles.
Objet du plus parfait amour,
Unique charme de ma vie,
O maîtresse toujours chérie
Faut-il te perdre sans retour ?
Ah! faut-il que ton inconstance
Ne te donne que des tourments ?
Si du plus tendre des amants
La prière a quelque puissance,
Trahis mieux tes premiers serments;
Que ton cœur me plaigne et m'oublie,
Permets à de nouveaux plaisirs
D'effacer les vains souvenirs
Qui causent ta mélancolie.
J'ai bien assez de mes malheurs.
J'ai pu supporter tes rigueurs,
Ton inconstance, tes froideurs,
Et tout le poids de ma tristesse;
Mais je succombe et ma tendresse
Ne peut soutenir tes douleurs.

IV

Que le bonheur arrive lentement!
Que le bonheur s'éloigne avec vitesse!
Durant le cours de ma triste jeunesse,
Si j'ai vécu, ce ne fut qu'un moment.
Je suis puni de ce moment d'ivresse.
L'espoir qui trompe a toujours sa douceur,
Et dans nos maux du moins il nous console;
Mais loin de moi l'illusion s'envole,
Et l'espérance est morte dans mon cœur.
Ce cœur hélas! que le chagrin dévore,
Ce cœur malade et surchargé d'ennui
Dans le passé veut ressaisir encore
De son bonheur la fugitive aurore,

Et tous les biens qu'il n'a plus aujourd'hui;
Mais du présent l'image trop fidèle
Me suit toujours dans ces rêves trompeurs,
Et sans pitié la vérité cruelle
Vient m'avertir de répandre des pleurs.
J'ai tout perdu : délire, jouissance,
Transports brûlants, paisible volupté,
Douces erreurs, consolante espérance,
J'ai tout perdu; l'amour seul est resté.

V

Calme des sens, paisible Indifférence,
Léger sommeil d'un cœur tranquillisé,
Descends du ciel; éprouve ta puissance
Sur un amant trop longtemps abusé.
Mène avec toi l'heureuse Insouciance,
Les Plaisirs purs qu'autrefois j'ai connus,
Et le Repos que je ne trouve plus;
Mène surtout l'Amitié consolante
Qui s'enfuyait à l'aspect des Amours,
Et des Beaux-Arts la famille brillante,
Et la Raison que je craignais toujours.
Des passions j'ai trop senti l'ivresse;
Porte la paix dans le fond de mon cœur :
Ton air serein ressemble à la sagesse,
Et ton repos est presque le bonheur.
Il est donc vrai : l'amour n'est qu'un délire!
Le mien fut long; mais enfin je respire,
Je vais renaître; et mes chagrins passés,
Mon fol amour, les pleurs que j'ai versés,
Seront pour moi comme un songe pénible
Et douloureux à nos sens éperdus,
Mais qui, suivi d'un réveil plus paisible,
Nous laisse à peine un souvenir confus.

A MONSIEUR DE F***

Je croyais qu'avec l'infidèle
Tous mes liens étaient rompus;
Mon cœur ne m'en reparlait plus;
De loin je la trouvais moins belle.
Doux espoir trop tôt dissipé!
Elle a souri, je l'aime encore,
L'inconstante! elle m'a trompé,
Elle me trompe, et je l'adore.
Epargne-toi de vains discours.
Va, j'entrevois mieux que personne

Le mensonge de ses amours,
Et des plaisirs qu'elle me donne;
Ma raison l'accuse toujours,
Et toujours mon cœur lui pardonne.
Ce cœur qu'elle a trop méconnu,
Ce cœur pour elle prévenu,
Doute encor de son inconstance.
Hier, après deux mois d'absence,
Elle reparut dans ces lieux;
J'ai mal évité sa présence,
Je l'ai vue : ô moment heureux!
Sur ses lèvres, et dans ses yeux,
J'ai cru lire son innocence.
Tu ris de ma crédulité.
Mais du soin de ma liberté
En vain ton amitié s'occupe :
Le dieu, qui la fit pour charmer,
M'avait fait pour toujours l'aimer,
Et pour être toujours sa dupe.

VERS

SUR LA MORT D'UNE JEUNE FILLE

Son âge échappait à l'enfance;
Riante comme l'innocence,
Elle avait les traits de l'Amour.
Quelques mois, quelques jours encore,
Dans ce cœur pur et sans détour
Le sentiment allait éclore.
Mais le ciel avait au trépas
Condamné ses jeunes appas.
Au ciel elle a rendu sa vie,
Et doucement s'est endormie
Sans murmurer contre ses lois.
Ainsi le sourire s'efface;
Ainsi meurt, sans laisser de trace,
Le chant d'un oiseau dans les bois.

RIVAROL

1753-1801

Antoine Rivarol naquit le 23 juin 1753 à Bagnols, en Languedoc, où son père, qui était d'origine piémontaise, se trouvait établi comme aubergiste. Mais il prétendait descendre d'une famille noble d'Italie; il se donnait le titre de comte et devint M. de Rivarol. Il ne prit pas l'état ecclésiastique auquel on le destinait. Il avait du goût pour les lettres, et il vint à Paris, vers sa vingtième année, pour y faire sa carrière d'auteur et y mener l'existence d'un gentilhomme. Il avait d'ailleurs, d'un parfait gentilhomme, et l'allure et le ton; il avait en outre de l'esprit, il en avait infiniment et du plus fin et du plus aigu. A Paris il fut introduit dans le monde des philosophes et il fut admis dans quelques-uns des salons les plus en vue. Il se fit connaître en littérature par une critique très vive du poème des *Jardins*, de Delille. C'était en 1782. Deux ans plus tard il publia son *Discours sur l'universalité de la langue française*, que l'Académie de Berlin avait couronné, et qui est son œuvre la plus remarquable. L'année suivante, en 1785 par conséquent, il fit paraître sa traduction de *l'Enfer*, de Dante, qu'il avait entreprise par une sorte de gageure avec Voltaire. Il s'amusa aussi à revêtir de la forme parodique certaines satires, dont une contre Beaumarchais, qu'on trouvera ci-après, suivie des jolis vers qu'il adressa à Mlle de La Plâtrière et de quelques-unes de ses épigrammes. Des épigrammes on peut dire qu'il en a fait beaucoup, mais la plupart sont en prose. Il composa d'ailleurs fort peu de vers et c'est comme homme d'esprit plutôt que comme poète qu'il a une place dans ce recueil. Parmi ses satires il faut citer surtout *le Petit Almanach de nos grands hommes*, qu'il composa en collaboration avec Champcenetz et qui parut en 1788. Cet opuscule suscita des représailles, comme il fallait s'y attendre, et dès la même année, un recueil des ripostes qui furent faites aux deux auteurs fut publié sous le titre de : *Recueil d'épigrammes, chansons et pièces fugitives contre l'auteur de l'Almanach de nos grands hommes*. Sous la Révolution, il fut parmi les journalistes qui défendirent, avec le plus d'éloquence et de vivacité, la cause de la monarchie; il collabora aux *Actes des Apôtres* et au *Journal politique*. Emigré en 1792, il résida successivement à Bruxelles, à Londres, à Hambourg, à Berlin. Il essaya vainement sous le Directoire de rentrer en France; après le 18 brumaire il l'espéra, mais il tomba malade à Berlin où il mourut le 11 avril 1801.

RÉCIT DU PORTIER

DU SIEUR PIERRE-AUGUSTIN CARON DE BEAUMARCHAIS [1]

A peine Beaumarchais, débarrassant la scène,
Avait de *Figaro* terminé la centaine,
Qu'il volait à *Tarare*, et pourtant ce vainqueur
Dans l'orgueil du triomphe était morne et rêveur ;
Je ne sais quel chagrin, le couvrant de son ombre,
Lui donnait sur son char un maintien bas et sombre,
Ses *vertueux amis* [2], sottement affligés,
Copiaient son allure, autour de lui rangés.
Sa main sur S** [abatier] [3] laissait flotter les rênes ;
Il filait un discours [4] tout rempli de ses peines.
Les Se**[ffer], les G**[udin], qu'on voyait autrefois,
Fanatiques ardents, obéir à sa voix,
L'œil louche maintenant et l'oreille baissée,
Semblaient se conformer à sa triste pensée.
Un effroyable écrit, sorti du sein des eaux [5],
Des Per**[riers] tout à coup a troublé le repos ;
Et, du fond du Marais, une voix formidable [6]
Se mêle éloquemment à l'écrit redoutable.
Jusqu'au fond de nos cœurs notre sang est glacé ;
Des badauds attentifs le crin s'est hérissé.
Cependant sur le dos d'un avocat terrible [7]
S'élève avec fracas un mémoire invincible :
Le volume s'approche et vomit à nos yeux,
Parmi de noirs flots d'encre, un monstre furieux [8].
Son front large est couvert de cornes flétrissantes,
Tout son corps est armé de phrases menaçantes,
Indomptable Allemand, banquier impétueux,

1. Parodie du récit de Théramène faite contre Beaumarchais sur sa détention à Saint-Lazare. Nous la donnons d'après l'édition originale parue en 1787 ; nous complétons les noms propres selon les indications manuscrites sur l'exemplaire de la Bibliothèque nationale, auquel nous empruntons les notes ci-dessous placées entre guillemets. Il y a quelques différences entre ce texte et ceux publiés au tome III des *Œuvres* de Rivarol et au tome XV de la *Correspondance* de Grimm (Edition Maurice Tourneux).

2. « *Ses vertueux amis ;* cette apostrophe est celle du sieur de Beaum... ; elle est devenue injure et proverbe. »

3. « Beaumarchais s'appuyait sur l'abbé S*** à la répétition de *Tarare.* » Il s'agit de l'abbé Sabatier de Castres, conseiller de grand'-chambre.

4. « Expression qu'on trouve au mémoire contre Kormann : filer des phrases et tricoter des mots. »

5. « Premier écrit sur les eaux de Paris. »

6. « Réplique du comte de Mirabeau. »

7. « M. Bergasse. » Nicolas Bergasse (1750-1832).

8. « Le sieur Kormann, avouant la conduite de sa femme. »

Son style se recourbe en replis tortueux ;
Ses longs raisonnements font trembler le complice ;
Sa main, avec horreur, va démasquer le vice.
Le Châtelet s'émeut, Paris est infecté,
Et tout le Parlement recule épouvanté.
On fuit, et sans s'armer d'un courage inutile,
Dans les cafés voisins chacun cherche un asile.
Pierre-Augustin, lui seul, protecteur de Nas***[sau] [1]
Harangue sa caballe et saisit ses pinceaux,
Pousse au monstre un pamphlet *vibré* [2] d'une main sûre [3]
Et que, dans quatre nuits, trama son imposture.
De dégoût et d'horreur le monstre pâlissant,
Autour de Beau***[marchais] se roule en mugissant ;
Il bâille et lui présente une gueule enflammée,
Qui le couvre à la fin de boue et de fumée.
La peur nous saisit tous. Pour la première fois
On vit pleurer Cu***[bière] et rougir S***[ainte-Foix] [4].
En calembours forcés le traître se consume ;
Ils n'attendent plus rien de sa pesante plume ;
On dit qu'on a vu même en ce désordre affreux,
Le***[noir] qui d'espions garnissait tous les lieux.
Soudain vers l'Opéra l'effroi nous précipite ;
On nous fuit, nous entrons : mon maître mis en fuite
Voit voler en lambeaux *Tarare* fracassé [5],
Dans sa loge lui-même il tombe embarrassé.
Excusez ma longueur. Cette scène cruelle
Sera pour moi d'ennuis une source éternelle.

. . . .

J'ai vu, messieurs, j'ai vu ce maître si chéri,
Traîné par un exempt que sa main a nourri [6],
Il veut le conjurer, mais l'exempt est de glace ;
Ils montent dans un char qui s'offre sur la place.
De nos cris glapissants le quartier retentit.
Le fiacre impétueux, enfin, se ralentit ;
Il s'arrête non loin de cet hôtel antique
Où de Vincent de Paul est la froide relique [7].

1. « Voyez comment Beaum... menace le prince de N*** de son amitié. »

2. « Dans la préface sérieuse de *Figaro*, l'auteur dit qu'au seul nom de Conti on sent *vibrer* le vieux mot *patrie*. A quoi un puriste a répondu qu'au nom de Beaum..., on entend vibrer les fouets de Saint-Lazare. »

3. « Aveu de Beaumarchais. »

4. « Le premier rit toujours et il est douteux que le second ait rougi. »

5. « A la dernière répétition de *Tarare*, Beaum... troublé par un concert de sifflets a pris la parole et a dit effrontément que le cinquième acte de son opéra n'était pas fait, d'un opéra qu'il lit depuis trois ou quatre ans, de maison en maison, comme ouvrage classique, pour qui on a fait deux cent mille francs de dépenses, et dont on achevait la dernière répétition. La musique a donc précédé la parole ? »

6. « L'exempt qui l'a arrêté dînait tous les jours chez lui. »

7. « Saint-Lazare. »

J'y cours en soupirant, et la garde me suit.
D'un peuple d'étourneaux la foule nous conduit;
Le faubourg en est plein; cent bouches dégoûtantes
Content de Beau**[marchais] les détresses sanglantes.

J'arrive, je l'appelle, et, me tendant la main,
Il ouvre le guichet qu'il referme soudain.
« Le Roi, dit-il alors, me jette à Saint-Lazare;
Prenez soin, entre nous, du malheureux *Tarare*.
Cher ami, si le prince, un jour plus indulgent,
Veut bien de cet affront me payer en argent,
Pour me faire oublier quelques jours d'abstinence,
Dis-lui qu'il me délivre une bonne ordonnance [1],
Qu'il me rende... »
          A ces mots, le héros contristé,
Sans couleur et sans voix, dans sa cage est rentré :
Triste objet où des rois triomphe la justice,
Mais qu'on aurait pas dû traiter comme un novice.

A MANETTE [2]

Vous dont l'innocence repose
Sur d'inébranlables pavots,
Pour qui tout livre est lettre close,
Et qui de tous les miens ne lirez pas deux mots;
Qui, loin de distinguer les vers d'avec la prose,
Ne vous informez pas si les biens ou les maux
Ont l'encre et le papier pour cause;
S'il est d'autres lauriers ou bien d'autres pavots
Que ceux qu'un jardinier arrose;
Et qui ne soupçonnez de plumes qu'aux oiseaux;
Vous qui m'offrez souvent l'aide de vos ciseaux
Dans les difficultés que l'étude m'oppose,
Ou quelques bouts de fil pour coudre mes propos;
Ah! conservez-moi bien tous ces jolis zéros
Dont votre tête se compose.
Si jamais quelqu'un vous instruit,
Tout mon bonheur sera détruit
Sans que vous y gagniez grand'chose.
Ayez toujours pour moi du goût comme un bon fruit
Et de l'esprit comme une rose.

RÉPONSE AUX VERS PRÉCÉDENTS

Cette morale peu sévère
Séduira plus d'un jeune cœur;

1. « En effets. »
2. Mlle Sulpice de La Plâtrière.

Il est commode et doux de n'employer pour plaire
 Que ses attraits et sa fraîcheur :
Mais un amant que l'esprit indispose,
 Peut-il être constant ? Oh! non;
Celui qui, pour aimer, ne cherche qu'une rose,
 N'est sûrement qu'un papillon.

ÉPIGRAMMES

I

SUR FLORIAN

 Génie actif et guerrier sage,
Il se bat peu, mais il écrit;
Il doit la croix à son esprit
Et le fauteuil à son courage.

II

SUR MIRABEAU
QUI VENAIT D'ÉCRIRE CONTRE LES AGIOTEURS

Puisse ton homélie, ô pesant Mirabeau,
Assommer les fripons qui gâtent nos affaires!
Un voleur converti doit se faire bourreau
Et prêcher sur l'échelle en pendant ses confrères.

III

CONTRE RULHIÈRE

Quel est ce bel esprit que trente ans de paresse
Ont conduit lourdement aux honneurs du fauteuil ?
Quel est ce chevalier que trente ans de bassesse
Ont placé dignement à la cour d'un Breteuil ?
Quel est des protestants cet infidèle apôtre
Qui ménage Louvois et flétrit Pellisson ?
C'est un valet, dit l'un, c'est un fourbe, dit l'autre,
Et le nom de Rulhière arrive à l'unisson.

IV

SUR L'ACADÉMIE

Si tu prétends avoir un jour ta niche
Dans ce beau temple où sont quarante élus,
Et d'un portrait guindé vers la corniche
Charmer les sots, quand tu ne seras plus,
Pas n'est besoin d'un chef-d'œuvre bien ample :
Il faut fêter le sacristain du temple.
Puis ce monsieur t'ouvrira le guichet,
Puis de lauriers tu feras grande chère,
Puis immortel seras comme Porchère,
Maury, Cotin, et La Harpe, et Danchet.

FLORIAN

1755-1794

Jean-Pierre-Claris de Florian naquit le 6 mars 1755, au château de Florian, non loin d'Anduze, dans les Cévennes. C'est là qu'il passa son enfance. Il eut l'occasion, à l'âge de dix ans, de se rendre à Ferney, où se trouvait un de ses oncles; celui-ci présenta son jeune neveu à Voltaire qui le trouva tout à fait avenant et intelligent et qui le surnomma *Florianet*. Ce surnom a une grâce un peu rustique qui convient parfaitement au futur auteur des *Fables*. Amené par la suite à Paris par une de ses tantes, Florian entra à quinze ans, en qualité de page, dans la maison du duc de Penthièvre. Il passa ensuite dans l'armée et servit d'abord dans l'artillerie, puis dans les dragons où il parvint au grade de capitaine. Ayant obtenu un congé de réforme, il s'établit définitivement à Paris et céda enfin à son penchant pour les belles-lettres. Son talent est par-dessus tout facile, agréable et aimable. Il y a dans ses ouvrages de la fraîcheur, de la gaieté, du sentiment et de la douceur. Trop de douceur, a-t-on dit; on ne manque jamais, quand on parle de lui, de rappeler le propos de M. de Thiard qui remarquait que dans les bergeries de M. de Florian il manque un loup. En 1783, il publia son roman de *Galatée*, imité de Cervantes, et qui eut une grande vogue. Se tournant, un peu plus tard, vers Tacite, il fit paraître, en 1786, un *Numa Pompilius*, en vers, œuvre un peu compassée et maniérée, que suivit en 1787 l'idylle pastorale d'*Estelle et Némorin;* le succès de cet ouvrage fut grand et rappela celui de *Galatée*. Florian était comblé. Avec la gloire littéraire, les honneurs se précipitaient sur lui. Il énuméra lui-même, le 31 mai 1788, dans une lettre à Boissy d'Anglas, les coups répétés de sa fortune : « J'ai obtenu en trois semaines, écrivait-il, le brevet de lieutenant-colonel, la croix de Saint-Louis, mon fauteuil académique, et une abbaye à six lieues de Paris pour une tante à moi, religieuse à Arles. » En 1791 il publia un roman espagnol : *Gonzalve de Cordoue*, d'un joli style, qu'il fit précéder d'un intéressant *Précis historique sur les Maures*. En 1792 il fit paraître enfin le recueil de ses *Fables*, son œuvre la meilleure, celle qui a rendu son nom populaire et à laquelle nous avons emprunté les pièces qui suivent. L'année suivante, Florian dut quitter Paris pour obéir au décret qui en interdisait le séjour aux personnes nobles. Il s'établit à Sceaux. On vint l'y arrêter. Libéré après le 9 thermidor il s'y installa de nouveau, mais il ne jouit guère de sa retraite. Depuis sa captivité, sa santé était compromise : il mourut, à l'âge de trente-neuf ans, le 13 septembre 1794. Aux œuvres de lui que nous avons mentionnées, il faut ajouter un médiocre poème composé dans les derniers temps de sa vie, dont le héros est *Guillaume Tell*; une traduction maladroitement abrégée et peu fidèle de *Don Quichotte*; d'agréables pages de souvenirs réunies sous le titre de : *la Jeunesse de Florian, ou Mémoires d'un jeune Espagnol*; et, enfin, son théâtre, composé d'Arlequinades, qu'il fit pour le Théâtre-Italien; ces quelques pièces sont un des meilleurs fruits de la veine de Florian; on y goûte les plus agréables qualités de son génie, gracieux, sentimental et enjoué.

A UN LIS

IMITÉ DE L'ANGLAIS

O lis, combien j'aime ta fleur!
Simple et modeste avec noblesse,
Elle convient à la jeunesse,
Elle couronne la pudeur.

Quand le zéphyr vient avec l'ombre
Ranimer l'arbrisseau mourant,
Je vois ton calice odorant
Se fermer devant la nuit sombre.

Jusqu'au matin n'osant s'ouvrir,
Ta chaste fleur ainsi resserre
Les larmes, les sucs de la terre,
Qui doucement vont te nourrir.

Dès que l'orient se colore,
Brillants de leurs attraits nouveaux,
Tes boutons plus frais et plus beaux
S'épanouissent à l'aurore.

Comme toi baigné dans les pleurs,
La nuit je languis solitaire;
Mais, hélas! jamais la lumière
Ne vient suspendre mes douleurs.

FABLES

I

L'AVEUGLE ET LE PARALYTIQUE

Aidons-nous mutuellement,
La charge des malheurs en sera plus légère ;
  Le bien que l'on fait à son frère
Pour le mal que l'on souffre est un soulagement.
Confucius l'a dit ; suivons tous sa doctrine :
Pour la persuader aux peuples de la Chine,
  Il leur contait le trait suivant :

  Dans une ville de l'Asie
  Il existait deux malheureux,
L'un perclus, l'autre aveugle, et pauvres tous les deux.
Ils demandaient au ciel de terminer leur vie ;
  Mais leurs cris étaient superflus,
Ils ne pouvaient mourir. Notre paralytique,
Couché sur un grabat dans la place publique,
Souffrait sans être plaint ; il en souffrait bien plus.
  L'aveugle, à qui tout pouvait nuire,
  Etait sans guide, sans soutien,
  Sans avoir même un pauvre chien
  Pour l'aimer et pour le conduire.
  Un certain jour il arriva
Que l'aveugle, à tâtons, au détour d'une rue,
  Près du malade se trouva :
Il entendit ses cris ; son âme en fut émue.
  Il n'est tel que les malheureux
  Pour se plaindre les uns les autres.
« J'ai mes maux, lui dit-il, et vous avez les vôtres,
Unissons-les, mon frère ; ils seront moins affreux.
— Hélas ! dit le perclus, vous ignorez, mon frère,
  Que je ne puis faire un seul pas ;
  Vous-même vous n'y voyez pas :
A quoi nous servirait d'unir notre misère ?
— A quoi ? répond l'aveugle ; écoutez : à nous deux
Nous possédons le bien à chacun nécessaire ;
  J'ai des jambes et vous des yeux :
Moi, je vais vous porter : vous, vous serez mon guide ;
Vos yeux dirigeront mes pas mal assurés ;
Mes jambes, à leur tour, iront où vous voudrez.
Ainsi, sans que jamais notre amitié décide
Qui de nous deux remplit le plus utile emploi,
Je marcherai pour vous, vous y verrez pour moi. »

II

LE CHATEAU DE CARTES

Un bon mari, sa femme et deux jolis enfants
Coulaient en paix leurs jours dans le simple ermitage
Où, paisibles comme eux, vécurent leurs parents.
Ces époux, partageant les doux soins du ménage,
Cultivaient leur jardin, recueillaient leurs moissons;
Et le soir, dans l'été, soupant dans le feuillage,
　　　　Dans l'hiver devant leurs tisons,
Ils prêchaient à leurs fils la vertu, la sagesse,
Leur parlaient du bonheur qu'ils procurent toujours;
Le père par un conte égayait ses discours,
　　　　La mère par une caresse.
L'aîné de ces enfants, né grave, studieux,
　　　　Lisait et méditait sans cesse;
Le cadet, vif, léger, mais plein de gentillesse,
Sautait, riait toujours, ne se plaisait qu'aux jeux.
Un soir, selon l'usage, à côté de leur père,
Assis près d'une table où s'appuyait la mère,
L'aîné lisait Rollin : le cadet, peu soigneux
D'apprendre les hauts faits des Romains ou des Parthes,
Employait tout son art, toutes ses facultés,
A joindre, à soutenir par les quatre côtés
　　　　Un fragile château de cartes.
Il n'en respirait pas d'attention, de peur.
　　　　Tout à coup voici le lecteur
Qui s'interrompt : « Papa, dit-il, daigne m'instruire
Pourquoi certains guerriers sont nommés conquérants,
　　　　Et d'autres, fondateurs d'empire :
　　　　Ces deux noms sont-ils différents ? »
Le père méditait une réponse sage,
Lorsque son fils cadet, transporté de plaisir,
Après tant de travail, d'avoir pu parvenir
　　　　A placer son second étage,
S'écrie : « Il est fini! » Son frère, murmurant,
Se fâche, et d'un seul coup, détruit son long ouvrage;
　　　　Et voilà le cadet pleurant.
　　　　« Mon fils, répond alors le père,
　　　　Le fondateur c'est votre frère,
　　　　Et vous êtes le conquérant. »

III

L'HERMINE, LE CASTOR ET LE SANGLIER

Une hermine, un castor, un jeune sanglier,
Cadets de la famille, et partant sans fortune,

Dans l'espoir d'en acquérir une,
Quittèrent leur forêt, leur étang, leur hallier.
Après un long voyage, après mainte aventure,
   Ils arrivent dans un pays
   Où s'offrent à leurs yeux ravis
   Tous les trésors de la nature,
Des prés, des eaux, des bois, des vergers pleins de fruits.
Nos pèlerins, voyant cette terre chérie,
   Eprouvent les mêmes transports
Qu'Enée et ses Troyens en découvrant les bords
   Du royaume de Lavinie.
Mais ce riche pays était de toutes parts
   Entouré d'un marais de bourbe,
   Où des serpents et des lézards
   Se jouait l'effroyable tourbe.
Il fallait le passer, et nos trois voyageurs
S'arrêtent sur le bord, étonnés et rêveurs.
L'hermine, la première, avance un peu la patte :
   Elle la retire aussitôt;
   En arrière elle fait un saut
En disant : « Mes amis, fuyons en grande hâte;
Ce lieu, tout beau qu'il est, ne peut nous convenir;
Pour arriver là-bas il faudrait se salir,
   Et moi je suis si délicate
   Qu'une tache me fait mourir.
— Ma sœur, dit le castor, un peu de patience;
On peut sans se tacher quelquefois réussir :
Il faut alors du temps et de l'intelligence;
Nous avons tout cela; pour moi, qui suis maçon,
Je vais en quinze jours vous bâtir un beau pont,
Sur lequel nous pourrons, sans craindre les morsures
De ces vilains serpents, sans gâter nos fourrures,
Arriver au milieu de ce charmant vallon.
   — Quinze jours! ce terme est bien long,
Répond le sanglier; moi, j'y serai plus vite,
Vous allez voir comment. » En prononçant ces mots,
   Le voilà qui se précipite
Au plus fort du bourbier, s'y plonge jusqu'au dos,
A travers les serpents, les lézards, les crapauds,
Marche, pousse à son but, arrive plein de boue.
   Et là, tandis qu'il se secoue,
Jetant à ses amis un regard de dédain :
« Apprenez, leur dit-il, comme on fait son chemin. »

IV

LE RENARD QUI PRÊCHE

Un vieux renard cassé, goutteux, apoplectique,
   Mais instruit, éloquent, disert,

Et sachant très bien sa logique,
    Se mit à prêcher au désert.
Son style était fleuri, sa morale excellente.
Il prouvait en trois points que la simplicité,
    Les bonnes mœurs, la probité,
Donnent à peu de frais cette félicité
    Qu'un monde imposteur nous présente,
Et nous fait payer cher sans la donner jamais.
Notre prédicateur n'avait aucun succès;
Personne ne venait, hors cinq ou six marmottes,
    Ou bien quelques biches dévotes
Qui vivaient loin du bruit, sans entour, sans faveur,
Et ne pouvaient pas mettre en crédit l'orateur.
Il prit le bon parti de changer de matière,
Prêcha contre les ours, les tigres, les lions,
    Contre leurs appétits gloutons,
    Leur soif, leur rage sanguinaire.
Tout le monde accourut alors à ses sermons :
Cerfs, gazelles, chevreuils, y trouvaient mille charmes;
L'auditoire sortait toujours baigné de larmes;
Et le nom du renard devint bientôt fameux.
    Un lion, roi de la contrée,
Bonhomme au demeurant, et vieillard fort pieux,
    De l'entendre fut curieux.
Le renard fut charmé de faire son entrée
A la cour : il arrive, il prêche, et cette fois,
Se surpassant lui-même, il tonne, il épouvante
    Les féroces tyrans des bois,
Peint la faible innocence à leur aspect tremblante,
Implorant chaque jour la justice trop lente
    Du maître et du juge des rois.
Les courtisans, surpris de tant de hardiesse,
    Se regardaient sans dire rien,
    Car le roi trouvait cela bien.
La nouveauté parfois fait aimer la rudesse.
Au sortir du sermon, le monarque, enchanté,
Fit venir le renard : « Vous avez su me plaire,
Lui dit-il, vous m'avez montré la vérité;
Je vous dois un juste salaire;
Que me demandez-vous pour prix de vos leçons ? »
Le renard répondit : « Sire, quelques dindons. »

V

LE LABOUREUR DE CASTILLE

Le plus aimé des rois est toujours le plus fort.
    En vain la fortune l'accable;
En vain mille ennemis ligués avec le sort,
Savent lui présager sa perte inévitable :

L'amour de ses sujets, colonne inébranlable,
        Rend inutile leur effort.

Le petit-fils d'un roi, grand par son malheur même,
Philippe, sans argent, sans troupes, sans crédit,
            Chassé par l'Anglais de Madrid,
            Croyait perdu son diadème.
Il fuyait presque seul, déplorant son malheur :
Tout à coup à ses yeux s'offre un vieux laboureur,
Homme franc, simple et droit, aimant plus que sa vie
Ses enfants et son roi, sa femme et sa patrie;
Parlant peu de vertu, la pratiquant beaucoup,
Riche, et pourtant aimé, cité dans les Castilles
            Comme l'exemple des familles.
            Son habit, filé par ses filles,
            Etait ceint d'une peau de loup.
Sous un large chapeau, sa tête bien à l'aise
Faisait voir des yeux vifs et des traits basanés,
            Et ses moustaches, de son nez,
            Descendaient jusque sur sa fraise.
Douze fils le suivaient, tous grands, beaux, vigoureux;
Un mulet chargé d'or était au milieu d'eux.
            Cet homme, dans cet équipage,
Devant le roi s'arrête, et lui dit : « Où vas-tu ?
            Un revers t'a-t-il abattu ?
Vainement l'archiduc a sur toi l'avantage;
C'est toi qui régneras, car c'est toi qu'on chérit.
            Qu'importe qu'on t'ait pris Madrid ?
Notre amour t'est resté, nos corps sont tes murailles.
Nous périrons pour toi sur les champs de l'honneur.
            Le hasard gagne les batailles;
Mais il faut des vertus pour gagner notre cœur.
Tu l'as, tu régneras. Notre argent, notre vie,
Tout est à toi, prends tout. Grâces à quarante ans
            De travail et d'économie,
Je peux t'offrir cet or. Voici mes douze enfants,
Voilà douze soldats : malgré mes cheveux blancs,
Je ferai le treizième, et, la guerre finie,
Lorsque tes généraux, tes officiers, tes grands,
Viendront te demander, pour prix de leur service,
            Des biens, des honneurs, des rubans,
Nous ne demanderons que repos et justice :
C'est tout ce qu'il nous faut. Nous autres pauvres gens,
Nous fournissons au roi du sang et des richesses;
            Mais, loin de briguer ses largesses,
            Moins il donne, et plus nous l'aimons.
Quand tu seras heureux nous fuirons ta présence,
            Nous te bénirons en silence :
            On t'a vaincu, nous te cherchons. »
Il dit, tombe à genoux. D'une main paternelle
Philippe le relève en poussant des sanglots;

Il presse dans ses bras ce sujet si fidèle,
Veut parler, et les pleurs interrompent ses mots.
        Bientôt, selon la prophétie
    Du bon vieillard, Philippe fut vainqueur,
        Et sur le trône d'Ibérie
        N'oublia point le laboureur.

VI

LE VOYAGE

    Partir avant le jour, à tâtons, sans voir goutte,
Sans songer seulement à demander sa route;
Aller de chute en chute, et, se traînant ainsi,
Faire un tiers du chemin jusqu'à près de midi;
Voir sur sa tête alors s'amasser les nuages,
Dans un sable mouvant précipiter ses pas,
Courir, en essuyant orages sur orages,
Vers un but incertain où l'on n'arrive pas;
Détrempé vers le soir, chercher une retraite,
Arriver haletant, se coucher, s'endormir :
On appelle cela naître, vivre et mourir.
        La volonté de Dieu soit faite!

VII

LE POISSON VOLANT

    Certain poisson volant, mécontent de son sort,
        Disait à sa vieille grand'mère :
        « Je ne sais comment je dois faire
        Pour me préserver de la mort.
De nos aigles marins je redoute la serre
        Quand je m'élève dans les airs,
        Et les requins me font la guerre
        Quand je me plonge au fond des mers. »
La vieille lui répond : « Mon enfant, dans ce monde,
        Lorsqu'on n'est pas aigle ou requin,
Il faut tout doucement suivre un petit chemin,
En nageant près de l'air et volant près de l'onde. »

COLLIN D'HARLEVILLE

1755-1806

Jean-François Collin naquit le 30 mai 1755, à Maintenon (Eure-et-Loir), de Martin Collin qui fut avocat, puis agriculteur. Il prit le nom d'Harleville d'une terre que son père possédait au village de ce nom, près de Maintenon. Le jeune Collin commença ses études à Lisieux et les acheva à Paris. Ses études terminées il entra chez un procureur, selon le vœu de sa famille ; la carrière du barreau ne lui plaisait guère ; aussi y renonça-t-il au bout de peu d'années, et, se destinant à la littérature, il débuta par des poésies légères que le *Mercure* accueillit. On y trouve des qualités de facilité et de grâce, si communes alors, mais rien qui les élève au-dessus de la moyenne des œuvres poétiques contemporaines. D'ailleurs, Collin d'Harleville écrivit surtout pour le théâtre, et sa renommée est celle d'un auteur comique. Parmi tant de pièces alertes et spirituelles qu'il fit représenter et qui furent applaudies, il suffit de rappeler les principales, celles qu'aujourd'hui encore on relit : *les Châteaux en Espagne, Monsieur de Crac en son petit castel,* et *le Vieux Célibataire.* Il fut membre de l'Académie française et il mourut le 20 février 1806.

STANCES A LA MÉLANCOLIE

Aliment et poison d'une âme trop sensible,
Toi, sans qui le bonheur me serait impossible,
Tendre mélancolie, ah ! viens me consoler :
Viens calmer les tourments de ma sombre retraite
   Et mêle une douceur secrète
   A ces pleurs que je sens couler.

Loin de moi, vains plaisirs que le monde idolâtre !
Ces rires insensés, cette gaîté folâtre
Semblent braver ma peine et ne font que l'aigrir.
J'aime mieux mes soupirs, ma tristesse, mes larmes :
   Ma langueur a pour moi des charmes.
   Je souffre... et ne veux point guérir.

Fidèles au malheur comme à la solitude,
Nourrissez de mon cœur la longue inquiétude,
Souvenirs qui touchez, même en nous déchirant;
    Que je dise à ma dernière heure :
    « On me plaint, on m'aime, on me pleure »,
    Que je sourie en expirant.

LA CAMPAGNE ET LES VERS

FRAGMENT

Bords fleuris, beaux vallons où commença ma vie,
Vous la consacrer toute eût borné mon envie :
Au moins je la partage entre la ville et vous.
Je ne m'en défends pas : votre aspect m'est plus doux;
Mais pourrais-je oublier que c'est au sein des villes
Que j'appris à bénir les champêtres asiles ?
Je vous trouvai plus beaux, décrits en si beaux vers :
Quand j'ai revu Paris, vous m'en êtes plus chers.
Là, doublement heureux, je sais avec délice
Marier librement l'étude et l'exercice;
Et, lorsque j'ai taillé mes jeunes arbrisseaux,
Arrosé mon parterre, élagué mes berceaux...,
Oh! si d'un seul regard tu daignais me sourire,
Dieu des vers! que j'aurais de plaisir à décrire
Les prés, les eaux, les bois, ces troupeaux, cet essaim,
Tout ce que la campagne enferme dans son sein!
Simple, et laissant bien loin bel esprit et manière,
J'aurais naïvement, comme le bon Vanière [1],
Dit les soins, les trésors sans cesse renaissants,
Ces nombreux animaux à l'homme obéissants,
Son vigilant gardien, ses compagnons d'ouvrage :
J'aurais voulu tout peindre; oui, j'eusse eu le courage
De nommer, dans mes vers, tous les fruits du verger,
Et jusqu'aux moindres dons du fécond potager;
Le naturel l'emporte, et brave un froid usage.
Surtout, pour animer ce vaste paysage,
Je ne me serais point interdit la douceur
D'en présenter l'heureux, le digne possesseur;
La plus belle contrée est un désert sans l'homme.

Toi qu'invoque mon cœur, si ma voix ne te nomme,
Vénérable vieillard, digne de l'âge d'or,
Au déclin de tes ans, joyeux, robuste encor,

---

1. « Qui n'a lu et relu ce *Prædium rusticum*, peinture si fidèle et si
naïve des beautés et de la vie des champs ? Je regrette de n'avoir pas
cité Rapin, chantre si brillant des Jardins. » (Note de l'auteur.)

Vrai sage, on t'aurait vu, tel que je te contemple,
De la simplicité donnant à tous l'exemple,
Parcourant tes guérets, rappelant tes troupeaux,
Réglant tout d'un coup d'œil ; et, les jours de repos,
De ton père à ton fils répétant les louanges,
Les instruisant dans l'art des moissons, des vendanges,
Béni dans ta famille et partout respecté !...
En ce tableau vivant et plein de vérité,
On eût, j'ose le croire, appris à te connaître,
O campagne ! et mon vers t'eût fait aimer, peut-être.

AUGUSTIN DE PIIS

1755-1832

Pierre-Antoine-Augustin de Piis naquit le 17 septembre 1755, à Paris. Il commença ses études au collège Louis-le-Grand et les termina au collège d'Harcourt. Il dut, à cause de sa faible santé, renoncer à la carrière militaire à laquelle il était destiné. Il céda alors à son inclination pour les lettres, dans lesquelles il débuta sous les auspices de Sainte-Foix et de l'abbé de Lattaignant. Il travailla d'abord avec succès pour la Comédie-Italienne; plus tard, il contribua à la fondation du Vaudeville où il eut des succès nouveaux. Il composa aussi de nombreuses chansons et fit partie du Caveau, des dîners du Vaudeville, des dîners de Momus. Il composa encore des contes, en général concis et spirituels; des épigrammes, des madrigaux et des épîtres dont une : *Aux détracteurs de la poésie badine*, dans laquelle il proteste contre la « noire mélancolie » qui, venue d'Angleterre et d'Allemagne, envahissait alors les lettres françaises; nous citons cette pièce à ce titre. De Piis, lui, n'était point porté à la mélancolie. C'était un joyeux compagnon, ami des plaisirs. Sous la Révolution, il entra dans les fonctions publiques : après avoir occupé successivement plusieurs postes, il devint, peu après le 18 brumaire, secrétaire général de la préfecture de police et conserva cet emploi jusqu'à la chute de l'Empire. Il en retrouva un autre, toujours à la préfecture de police, sous la première Restauration; il le perdit au retour de Napoléon, mais après les Cent-Jours il y fut nommé successivement archiviste puis, de nouveau, secrétaire général. Il avait été, avant la Révolution, secrétaire interprète du comte d'Artois; après avoir servi la Révolution, l'Empire et la Monarchie restaurée, il retrouva auprès du comte d'Artois, mais cette fois à titre simplement honorifique, son emploi primitif. Il vécut assez pour voir tomber la dynastie légitime et voir monter sur le trône, avec Louis-Philippe, la branche des d'Orléans. Il mourut, en effet, le 22 mai 1832. Aux œuvres de lui, que nous avons indiquées ci-dessus, il faut ajouter un poème en quatre chants : *l'Harmonie imitative de la langue française*, qu'il publia en 1785.

AUX DÉTRACTEURS DE LA POÉSIE BADINE

Singes du triste Young, écrivains taciturnes
Qu'enfanta le succès de ses rêves nocturnes,
Habitez, j'y consens, au milieu des tombeaux;
Des cadavres rongés contemplez les lambeaux;
A la sombre lueur d'une lampe tremblante
Que vos cœurs par degrés s'ouvrent à l'épouvante;
Chacun a ses plaisirs; mais ne prétendez pas
Dresser sur le Parnasse un autel au trépas,
Et, dans les noirs transports d'un zèle funéraire,
Étouffer les neuf Sœurs sous un drap mortuaire.
Oh! si mes faibles vers, fruits d'un noble courroux,
Pouvaient par le Cocyte arriver jusqu'à vous,
Je vous entendrais tous, du fond de vos ténèbres,
Élever contre moi vos murmures funèbres,
Et, choisissant Young pour votre inquisiteur,
Dénoncer mon épître à ce lugubre auteur.
J'en rirais : en effet, quand un arrêt bizarre
Me contraindrait moi-même à descendre au Ténare,
J'irais avec audace au pied du tribunal
Où se lamente encor ce génie infernal,
Et là je lui dirais : « Frappe, Young, mais écoute.
Des cœurs qu'on veut instruire il faut prendre la route
Tu suis un autre plan; dans ton livre inhumain
Se promène la mort une faux à la main,
Et tu sais, des démons crayonnant la demeure,
De ton lecteur transi sonner la dernière heure :
Mais aucun des mortels n'aime la vérité
Sous le crêpe effarant de la sévérité. »

Mère du désespoir, fille de la folie,
Recule loin de moi, noire mélancolie!
Recule loin de moi! je n'oublierai jamais
Que tu conduis au crime et que je suis Français.
Quand nous réfléchissons sur le malheur des hommes,
Nous nous lassons bientôt d'être ce que nous sommes :
Caton nous paraît grand : craignons de le vanter;
Qui l'admire d'abord finit par l'imiter.

Si quelques vers badins rappellent à la vie,
On s'étonne, on s'alarme, on appelle l'envie,
Qui, de Vénus en pleurs profanant les bosquets,
Noircit ses plants de myrte et les change en cyprès.
Disciples ennuyeux d'un prêtre atrabilaire,
Accusez donc ensemble et Virgile et Voltaire!
Dites, si vous l'osez, que leurs chants doucereux
Distillent dans les cœurs un venin dangereux!
Ou plutôt rougissez, véritables harpies,
De souiller leurs talents de vos griffes impies!

Oui, je hais ces auteurs dont le style énervé
Nous offre à chaque page un tableau dépravé,
Et qui, de la nature industrieux complices,
Viennent à tout propos nous souffler les délices!
Copistes de Grécourt, leurs coupables accents
Endorment la pudeur pour réveiller les sens :
Mais j'aime la morale utile et familière
Que tu dictais, Thalie, et qu'écrivait Molière;
Pour épurer nos mœurs le sel de la gaîté
Vaut mieux que le précepte où règne l'âcreté :
Sganarelle en tremblant nous donne du courage;
Tartuffe à la vertu m'attache davantage.
Ce n'est pas qu'aux pinceaux du triste Crébillon
Je préfère au hasard un léger vermillon;
J'admire ces mortels chéris de Melpomène
Que le vent de la gloire entraîna sur la scène,
Mais ailleurs qu'au théâtre on ne peut, selon moi,
Combiner sagement la tristesse et l'effroi :
En vain le philosophe a recours à ses armes;
Je redoute un avis qui me coûte des larmes.
O partisans d'Young! malgré votre courroux,
Non, je n'irai jamais allumer, comme vous,
Le flambeau tremblotant de ma verve timide
Au sinistre flambeau d'une pâle Euménide,
Et, du riant Permesse insensé déserteur,
Aux bords du Styx impur m'abreuver de terreur!
Adieu! de Fénelon je prends l'aimable lyre :
Commençant par me plaire, il finit par m'instruire.
Bercé par Calypso, l'amour charme mes yeux;
Mais, bravé par Mentor, c'est le dernier des dieux.

L'AMOUR FIXÉ

A MADEMOISELLE DE MARCILLI,
QUI AVAIT DANS SON JARDIN UN CUPIDON
DONT ON AVAIT BRISÉ UNE AILE

L'Amour, ce petit dieu mutin,
Dont la douceur est si cruelle,
Quittant Paphos un beau matin,
De quelque Lucrèce nouvelle
Cherchait à vaincre le dédain;
Il vit la sévère Isabelle
Et s'abattit dans son jardin.
« Hélas! dit-il, si le destin
M'avait donné d'être fidèle,
Ici je voudrais avec elle
Fouler la fougère et le thym.

— Reste en ces lieux, reprit la belle,
Et de ton sort, je prendrai soin. »
L'Amour s'arracha vite une aile,
Et dit : « Je n'irai pas plus loin. »

ÉPIGRAMMES

I

SUR LA CRITIQUE

Ce que la grêle est aux moissons,
La critique l'est aux ouvrages ;
Mais le soleil par ses rayons
Et le public par ses suffrages
Relèvent des plus grands revers :
L'un les épis, l'autre les vers.

II

FEUILLE ET FEUILLETON

« Vous conviendrez, maître Martin [1],
Qu'il est bien temps que je vous rosse,
Puisque dans votre *Feuille* atroce
Vous me bernez soir et matin.
— Nenni, monsieur le métromane,
Ce n'est que dans mon feuilleton.
— En ce cas-là cent coups de canne,
Au lieu de cent coups de bâton. »

III

LE CHATIMENT PROPORTIONNÉ A L'INJURE
OU LA RÉPÉTITION DE LA LEÇON PRÉCÉDENTE

Ne vous opposez point à mon juste courroux ;
Que je rosse à plaisir ce censeur maigre et roux,
Porteur, à soixante ans, d'un masque de satyre,
Lequel m'a cloué vif dans sa plate satire.
« Hé ! mais, vous vous trompez ; il n'a sur vous, Cliton,
Lancé qu'une épigramme à peu près clandestine.
— En ce cas-là je prendrai ma houssine
Au lieu de prendre mon bâton. »

1. Probablement Fréron.

IV

LE *SIC VOS NON VOBIS* DES ANTIQUAIRES

Ah! que de sots courbés, dans le champ de l'histoire,
Pour une date, hélas, le retournent en vain!
« N'ébranlez donc pas tant le temple de Mémoire,
Dit Clio qui les mène une verge à la main. »
Le troupeau muselé grogne, fouille et déterre.
En voulez-vous des faits, des dates ? En voilà.
Mais un littérateur vient à passer par là;
Il ramasse les fruits, les cueille et les digère.

FABRE D'ÉGLANTINE

1755-1794

Philippe-François-Nazaire Fabre naquit le 28 décembre 1755, à Limoux. Après ses études, il entra dans l'ordre des Frères de la doctrine chrétienne et fut professeur à Toulouse; en 1775 il obtint aux Jeux floraux une églantine d'or, et se para du nom de cette fleur. Ayant quitté l'habit religieux, il devint acteur, puis auteur dramatique, et fit représenter un certain nombre de pièces, principalement des comédies dont la plus connue, sinon la principale, car elle ne paraît pas supérieure aux autres, est le *Philinte de Molière ou l'Egoïste*, par laquelle il prétendit donner une suite au *Misanthrope*. Il adopta les principes de la Révolution, fut membre de la Commune de Paris, puis député à la Convention; il fut traduit devant le tribunal révolutionnaire en même temps que Danton et Camille Desmoulins et il fut décapité, avec eux, le 5 avril 1794. En dehors de son théâtre il a laissé des œuvres poétiques où l'on trouve un poème en quatre chants intitulé *Chalon-sur-Saône;* un autre sur *le Triomphe de Grétry;* un troisième sur *l'Histoire naturelle et son étude dans le cours des saisons*, quelques odes et quelques satires, assez longues; un « poème-sirvente » : *le Berger Martin;* des contes, des romances et des chansons. Il n'y a, dans tout cela, rien de bien remarquable. Nous n'y avons pris qu'un morceau; c'est une chanson, et la plus connue de celles de cet auteur; nous la donnons avec la *Suite* qu'il y ajouta plus tard et qu'on ne cite généralement pas avec la première partie.

L'HOSPITALITÉ

ROMANCE

Il pleut, il pleut, bergère,
Presse tes blancs moutons;
Allons sous ma chaumière,
Bergère, vite, allons :
J'entends sur le feuillage
L'eau qui tombe à grand bruit;

Voici, voici l'orage;
Voilà l'éclair qui luit.

Entends-tu le tonnerre ?
Il roule en approchant;
Prends un abri, bergère,
A ma droite en marchant;
Je vois notre cabane...
Et, tiens, voici venir
Ma mère et ma sœur Anne
Qui vont l'étable ouvrir.

Bonsoir, bonsoir, ma mère;
Ma sœur Anne, bonsoir;
J'amène ma bergère,
Près de vous pour ce soir.
Va te sécher, ma mie,
Auprès de nos tisons;
Sœur, fais-lui compagnie,
Entrez, petits moutons.

Soignons bien, ô ma mère!
Son tant joli troupeau;
Donnez plus de litière
A son petit agneau.
C'est fait : allons près d'elle.
Eh bien, donc, te voilà ?
En corset, qu'elle est belle!
Ma mère, voyez-la!

Soupons : prends cette chaise;
Tu seras près de moi;
Ce flambeau de mélèze
Brûlera devant toi.
Goûte de ce laitage;
Mais, tu ne manges pas ?
Tu te sens de l'orage;
Il a lassé tes pas.

Eh bien! voilà ta couche,
Dors-y jusques au jour;
Laisse-moi sur ta bouche
Prendre un baiser d'amour.
Ne rougis pas, bergère;
Ma mère et moi, demain,
Nous irons chez ton père
Lui demander ta main.

(Maestricht,   1780.)

SUITE

« A peine encor, le couchant brille,
         Un peu là-bas;
La nuit s'avance, et notre fille
         Ne revient pas;
Femme, dis-moi; dis-moi, Marie,
         Quel accident
Serait échu dans la prairie
         A notre enfant ?

— Hélas! mon Dieu! que puis-je dire ?
         Je n'en sais rien;
Avoir des enfants, quel martyre!
         Nous voilà bien!
Regarde, quelle nuit obscure!...
         Paix, je l'entends :
Non, c'est le noyer qui murmure
         Au gré du vent.

— Chez Paul Jérôme, au grand pacage,
         Je suis surpris
Si Rose n'a, pendant l'orage,
         Pris un abri :
Femme, elle est là, je le parie;
         Eh! vraiment, oui;
Elle sera, cette étourdie,
         Chez son ami.

— Pierre, vas-y; vas-y, mon homme;
         Mène ton chien.
Donne le bonsoir à Jérôme
         Et puis reviens :
Emporte ce bâton d'épine;
         Mais, à propos,
Il a tant plu vers la ravine,
         Prends tes sabots.

Allons, Sultan, va, suis ton maître.
         Qu'il est content!
Pierre, je reste à la fenêtre
         En t'attendant.
— Non, couche-toi; dors, mon amie,
         Pour mon merci.
— Adieu, mon homme. — Adieu, Marie,
         Sois sans souci.

— Pan! pan! — Hein! qui trouble mon somme ?
         Qui peut venir ?

Qui frappe là ? — C'est moi, Jérôme,
    Venez m'ouvrir.
Ma bien-aimée, hélas, ma Rose,
    Est-elle ici ?
— Eh ! c'est vous, Pierre ? elle repose,
    Oui, mon ami.

La bonne nuit ! près de ma mère,
    Là, suivez-moi.
Tiens, Rose, tiens, voici ton père,
    Tout en émoi.
— C'est vous, mon père ? Ah ! c'est la pluie !
    Pardon ! pardon !
— Rose ! ma Rose !... va, j'oublie
    Ton abandon. »

LE BAILLY

1756-1832

Antoine-François Le Bailly naquit le 1er avril 1756, à Caen. Il fit, à Caen même, ses études de droit. Il y exerça ensuite la profession d'avocat, puis il vint à Paris où il débuta dans la littérature par quelques poésies insérées dans les recueils périodiques. Il composa surtout des fables dont il publia un premier volume en 1784. Il collabora à la *Bibliothèque des théâtres* et fit représenter une comédie à la foire Saint-Laurent. Sa situation, cependant, était modeste; sous la Révolution, il dut demander et il obtint un emploi administratif; il fit partie, à des titres divers, des administrations de finances jusqu'à sa mort qui arriva le 13 janvier 1832. Son œuvre principale consiste en ses quatre livres de fables : elles ont les qualités de bonhomie, d'élégance et d'esprit qui conviennent à ce genre littéraire; nous en citons deux dont l'une : *la Vénus de Zeuxis*, eut, en son temps, un grand succès. Le Bailly est aussi l'auteur de quelques livrets d'opéra.

FABLES

I

LE CHAMEAU ET LE BOSSU [1]

Au son du fifre et du tambour,
Dans les murs de Lutèce on promenait un jour
    Un chameau du plus haut parage.
Il était fraîchement arrivé de Tunis,
Et mille curieux, en cercle réunis,
Pour mieux le contempler lui fermaient le passage.
Un riche, moins jaloux de compter des amis
Que de voir à ses pieds ramper un monde esclave,
    Dans le chameau louait un air soumis.
    Un magistrat aimait son maintien grave,

1. Livre IV, fable VII.

Tandis qu'un avare enchanté
Ne cessait d'applaudir à sa sobriété.
Un bossu vint qui dit ensuite :
« Messieurs, trêve à ces vains propos!
Vous ne prenez point garde à son plus grand mérite.
Voyez s'élever sur son dos
Cette gracieuse éminence :
Qu'il semble léger sous ce poids,
Et combien sa personne en reçoit à la fois
Et de noblesse et d'élégance! »

En riant du bossu nous faisons comme lui :
A son orgueil, en rien, le nôtre ne déroge;
Et l'homme, tous les jours, dans l'éloge d'autrui,
Sans y penser fait son éloge.

II

LA VÉNUS DE ZEUXIS [1]

Aux yeux de la Grèce charmée,
Zeuxis, de son brillant pinceau,
Venait de faire éclore un chef-d'œuvre nouveau.
« Rien n'égale ta renommée,
Lui dit-on; désormais il faut peindre Vénus;
Mais peins sa grâce enchanteresse,
Son aimable sourire et ses traits ingénus;
Rends enfin le tableau digne de la déesse.
— J'y consens, dit-il : je suis prêt;
Mais vous, amenez-moi vos filles les plus belles;
Que des traits de chacune d'elles
Je saisisse le plus parfait :
Puis-je mieux de Vénus composer le portrait ? »
On lui présenta cinq modèles :
La voluptueuse Zélis,
Aglaure à la taille légère,
Et la vive Témire, et la tendre Glicère,
Enfin la modeste Anaïs.
Le peintre à leur aspect est transporté d'ivresse;
Il voit dans ces beautés l'élite de la Grèce.
« Oui, j'en jure par les appas
Dont vous éblouissez ma vue;
Oui, dit-il, à Vénus vous ne le cédez pas.
Mais quoi! dans mon tableau Vénus doit être nue;
Comment l'offrir aux yeux dignes d'elle et de vous,
Si vous ne quittez pas ces vêtements jaloux ?
— Les quitter, non, jamais! » — C'est toute leur réponse.
J'en excepte pourtant Zélis.

1. Livre VII, fable XV. Voir Pline, liv. XXXV, chap. 10.

Son cœur dément tout bas ce que leur bouche annonce.
Etre peinte en Vénus et peinte par Zeuxis !
Quel triomphe ! On dira : Zélis n'a point d'égale ;
    Elle a servi de modèle aux beaux-arts ;
    Vénus en elle a trouvé sa rivale.
    Au même instant à ses pieds sont épars
Et voile, et bracelet, et tunique et ceinture.
    Zélis enfin n'offre plus aux regards
    Que les trésors de la simple nature.
    Bientôt l'exemple est imité,
    Par Thémire, Aglaure et Glicère.
    Une secrète vanité
Leur dit : Comme Zélis vous avez droit de plaire.
    Laquelle en effet préférer ?
Zeuxis est en extase ; il a beau comparer
    Mille appas que son œil dévore.
Incertain sur le choix il ne sait qu'admirer ;
    Et ce qu'il admire, il l'adore.
Cependant Anaïs restait les yeux baissés.
    « Plairiez-vous moins que Zélis ou qu'Aglaure ? »
Lui dit-il tendrement ; oh ! non ! Vous rougissez ?
Imitez-les plutôt. — Moi, que je les imite !
Ah ! dût-on m'adjuger la pomme de Pâris,
Je la refuserais, offerte au même prix ! »
    A ces mots elle prend la fuite.

    Mais la toile va s'animer.
    Chaque modèle est à sa place.
    L'artiste vient de s'enflammer,
Et déjà même, au dessin qu'il en trace,
De Cythérée on devine la grâce.
Son pinceau délicat ose enfin l'exprimer :
    O prodige ! Vénus respire ;
    Elle sourit, et semble dire :
« Venez, heureux mortels, j'enseigne l'art d'aimer. »

    Zeuxis avait à peine achevé son ouvrage ;
On l'expose soudain aux yeux des amateurs.
    Quel concert d'éloges flatteurs !
Chacun avec transport lui donne son suffrage ;
    Ses rivaux n'en sont point jaloux ;
    L'un d'eux même, l'un d'eux s'écrie :
« O Vénus, digne objet de notre idolâtrie,
Je te vois, je t'adore et tombe à tes genoux ! »
    Loin de partager ce délire,
Zeuxis sur son tableau jette un œil inquiet,
L'en détourne, y revient, et se tait, et soupire.
Un connaisseur lui dit : « Pourquoi cet air distrait ?
    Quand la Grèce entière l'admire,
Voudrais-tu, seul, juger ton ouvrage imparfait ?
— Oui, répond-il. — Erreur, détaillons chaque trait :

Pouvais-tu rendre mieux la jambe de Thémire,
Et la taille d'Aglaure, et le sein de Zélis ?
    Je vois Glicère me sourire ;
     Non, je me trompe, c'est Cypris.
— Cher ami, c'est en vain que tu flattes Zeuxis :
Ce qui manque à Vénus manquait à mes modèles ;
    Ce charme pur, ce fard des belles...
     — Quoi donc ? — La pudeur d'Anaïs. »

PONS DE VERDUN

1759-1844

Robert Pons naquit le 17 février 1759 à Verdun, d'où son nom de Pons de Verdun. Il composa un certain nombre de poésies légères : épigrammes et petits contes, où il y a de la facilité et de l'esprit. Ces menus ouvrages étaient sans doute ses délassements. Pons de Verdun fut, en effet, un homme politique et un magistrat plutôt qu'un poëte. D'abord avocat, il devint, en 1792, député à la Convention pour le département de la Meuse. Il y montra beaucoup d'activité et rédigea de nombreux rapports au nom de la commission de législation dont il faisait partie. On lui a reproché l'acharnement avec lequel il avait poursuivi la condamnation des jeunes filles qui, lorsque les Prussiens entrèrent à Verdun, en 1792, leur avaient offert des fleurs et que dans son ode : *les Vierges de Verdun*, Victor Hugo a chantées. Pons de Verdun vota aussi la mort du roi, sans appel et sans sursis. Membre du Conseil des Cinq Cents il applaudit au coup d'Etat de brumaire et il entra dans la magistrature; à la chute de l'Empire, il était avocat général à la Cour de cassation; en 1816 il fut banni comme régicide, mais, en 1819, après de pressantes démarches d'Andrieux et l'intervention de M. Decazes, il fut autorisé à rentrer en France. Il y vécut, éloigné de la vie publique, et mourut le 7 mai 1844.

A MADEMOISELLE ***

Il est une heure dans la vie
Trop prompte, hélas! à s'écouler,
Et de regrets toujours suivie,
Car on ne peut la rappeler :
L'entendez-vous, jeune Sylvie ?
La voilà qui sonne pour vous.
Le temps qui vous voit si jolie,
Pose sa faux à vos genoux :
Tandis que ce vieillard jaloux
Près de vous s'arrête et s'oublie,
L'Amour est là qui vous supplie

De saisir un instant si doux
Pour le donner à la folie.
Croyez-moi, suivez ses avis ;
L'Amour, ma chère, est un grand maître :
De ne les avoir pas suivis
Vous vous repentiriez peut-être.
Quand d'un six suivi d'un zéro
Le temps marquera votre tête,
Avec ce fâcheux numéro
Vous n'aurez plus de jours de fête :
Vous chercherez les agréments
Dont votre jeunesse est ornée ;
Vous ne verrez plus les amants
Dont vous êtes environnée.
Sitôt que de votre printemps
Toutes les fleurs seront fanées,
Vous accuserez le destin,
Et vous vous écrirez en vain :
« Ah ! que le soir de mes années
Est différent de leur matin ! »
Mais vous ne voulez rien entendre ;
L'amour a beau vous caresser,
Vous ne songez qu'à repousser
La main qu'il est prêt à vous tendre.
« Ne crois pas régner sur mon cœur,
Lui dites-vous avec colère ;
L'amitié seule peut me plaire,
Et ses jeux n'ont rien de trompeur. »
Il vous répond avec douceur :
« Sylvie, on peut aimer la sœur
Sans se brouiller avec le frère. »

L'ÉCHO SINGULIER

Ces jours passés, chez Madame Arabelle,
Damis vantait un écho merveilleux.
« Bah ! lui répond certain marquis joyeux,
Un tel écho n'est qu'une bagatelle.
— Mais savez-vous, marquis, pour en parler,
Qu'il redit tout jusqu'à neuf fois ? — Tarare !
C'est dans mon parc, c'est là qu'il faut aller,
Lorsque l'on veut entendre un écho rare.
— Plus rare ? — Oh ! oui ! — Parbleu, nous l'entendrons ;
Car dès demain, sans faute, nous irons...
— A demain, soit, j'y compte ; point d'excuse. »
Le marquis sort méditant quelque ruse,
Rentre à l'hôtel et demande Sancho,
Son vieux laquais : « Tu passes pour habile ;
S'il le fallait ferais-tu bien l'écho ?

— Oui dà, monsieur, car rien n'est plus facile.
Dites-moi : *ho!* je vais répéter : *ho!*
— Ecoute donc l'arrêt que je te donne :
Demain matin nous irons au château.
Dans un bosquet, près de la pièce d'eau,
Va te cacher sans rien dire à personne.
Là, par degrés, affaiblissant ta voix,
Comme un écho répète au moins vingt fois
Ce que viendront te crier l'un et l'autre.
— Monsieur sera servi sur les deux toits;
J'entends cela mieux que ma pâtenôtre. »
Le lendemain, placé dans un bosquet,
L'oreille en l'air, Sancho faisait le guet.
Voici venir toute la coterie;
Chacun disait : « C'est une raillerie
Qu'un tel écho. — Vous l'entendrez. — Chansons!
— Quand je serai près de cette clairière
J'aurai bientôt dissipé vos soupçons.
— Nous y voici. — Madame, commençons;
Interrogez mon écho la première,
Mais songez bien qu'il faut enfler vos sons,
Et les enfler d'une bonne manière.
— A vous, marquis; pour cette épreuve-là
Les grosses voix sont toujours les meilleures. »
Lors le marquis de crier : « Es-tu là ? »
L'écho répond : « J'y suis depuis deux heures. »

L'IVROGNE PRUDENT

Sans-Peur, dans une taverne,
Ayant bu trop de vin pur,
De nuit gagnant sa caserne,
Donna du front contre un mur :
« Oh! oh! celui-ci me berne;
Nous allons avoir beau jeu!
Ami, tu sauras sous peu
Comme un dragon se gouverne!
Cornes de bouc! » Et soudain,
Ne respirant que vengeance,
Sans-Peur fait, le sabre en main,
Des prodiges de vaillance;
Mais au dernier coup poussé
Son acier se rompt en quatre :
« Cessons, dit-il, de nous battre :
Le poltron est cuirassé. »

LE BIBLIOMANE

C'est elle... dieux, que je suis aise !
Oui... c'est... la bonne édition ;
Voilà bien, pages neuf et seize,
Les deux fautes d'impression
Qui ne sont pas dans la mauvaise.

LA MÉDECINE

Dieux ! que la médecine est belle !
Jugez-en par deux aperçus :
Les bobos sont au-dessous d'elle
Et les maux graves au-dessus.

DEMOUSTIER

1760-1801

Charles-Albert de Moustier naquit le 11 mars 1760, à Villers-Cotte-rêts. Il fit ses études au collège de Lisieux, à Paris, puis il fut avocat. Il le fut sans enthousiasme et le demeura peu de temps. Sa vocation le portait vers la littérature. Sans doute trouvera-t-on ce goût tout naturel chez un jeune homme qui avait le double honneur d'appartenir, par son père, à la famille de Racine, et, par sa mère, à celle de La Fontaine. Il écrivit donc. Son premier ouvrage, dont il publia les deux premières parties, à l'âge de vingt-six ans, et qui est, de toute son œuvre, le seul que l'on relise parfois encore, est le recueil, mêlé de prose et de vers, qu'il a intitulé : *Lettres à Emilie*. Ce sont, sans ordre et sans plan préconçu, de courtes notes et de courtes dissertations, sur les dieux et les déesses, célébrées parfois en vers vifs et gracieux et agrémentées de madrigaux à l'adresse d'Emilie. La troisième et la quatrième partie parurent en 1788; les deux suivantes, qui sont aussi les dernières, ne parurent qu'en 1798. Demoustier composa d'autres ouvrages : des poèmes comme *la Liberté du cloître*, un *Cours de morale en prose et en vers*, et surtout des pièces de théâtre — opéras, opéras-comiques, comédies — sans naturel, sans vérité, pauvres d'invention, mais, suivant le goût du moment, pleines de « sensibilité ». Sa vie est assez peu connue; il semble avoir surtout vécu à la campagne, loin du bruit, en compagnie de sa mère. Il était favorable aux idées de la Révolution dont, pourtant, il n'approuva pas les excès. Il mourut le 2 mars 1801. C'est à son œuvre principale, les *Lettres à Emilie*, que nous avons emprunté les morceaux cités ci-après.

A DIANE [1]

La beauté d'un front sévère
Ne peut pas toujours s'armer.
L'on est faite pour aimer
Lorsqu'on est faite pour plaire.

1. *Lettres à Emilie*, première partie, lettre IX.

Avec les tendres propos
Que la vanité méprise
Aux dépens de son repos
Le cœur se familiarise.

Diane, avec mille appas,
Tu dédaignes la tendresse!
Hélas! quand on n'aime pas
A quoi sert d'être déesse ?

L'ASSEMBLÉE DES MUSES [1]

Par un discours semé de fleurs
Calliope ouvrit l'assemblée.
Melpomène, triste et voilée,
Des héros plaignit les malheurs,
De l'amour déplora les charmes;
Et, pour ses aimables douleurs,
Fit éclore dans tous les cœurs
Le plaisir du sein des alarmes.
Thalie, avec un air malin,
Des traits aigus de la satire
Cribla le pauvre genre humain;
Mais, en le piquant le fit rire.
Polymnie ensuite étala
Les faits, les vertus, la mémoire
Des Turennes de ce temps-là.
Clio, sur l'aile de la gloire,
Portant ces héros vers les cieux,
Les fit voler au rang des dieux.
Uranie ouvrit ses tablettes,
Et lut intelligiblement
Le système du mouvement
Des tourbillons et des planètes.
Enfin la champêtre Erato
Chanta les amours du hameau
Sur l'air plaintif de la romance.
Euterpe de son flageolet
L'accompagna; puis en cadence
Terpsichore, par un ballet
Termina gaiement la séance.

1. Première partie, lettre XIV.

A ÉMILIE [1]

Autrefois dans ces prés fleuris [2]
J'écrivais à celle que j'aime.
J'y reviens, mon cœur est le même,
Je vous aime et je vous écris.

Je reprends ces métamorphoses
Dont le récit m'était si doux!
J'abandonne Thémis pour vous
Et les épines pour les roses [3].

Ne cherchez point, dans ce récit,
L'esprit, le brillant, l'éloquence.
Je sens bien plus que je ne pense;
Quand j'ai dit : « J'aime », j'ai tout dit.

Aimer est toute ma science;
Je n'appris, en suivant mon goût,
Qu'amitié, qu'amour et constance;
On ne peut pas apprendre tout.

Vous qui, par un art adorable,
Unissez la grâce au savoir :
Hélas! consolez-vous d'avoir
Un ami plus aimant qu'aimable.

L'esprit fait tort au sentiment.
Si j'avais l'esprit, Emilie,
Je ne serais que votre amant,
Vous ne seriez pas mon amie.

Si je devais à la nature
La beauté, l'éclat, la fraîcheur,
Je passerais comme une fleur;
Ce ne serait plus ma figure
Et ce sera toujours mon cœur.

MINERVE ET VÉNUS [4]

A ÉMILIE

Minerve, au divin comité
Plaide avec la reine des belles;

1. Dédicace de la deuxième partie des *Lettres*.
2. Cette pièce est datée du château de Lassagny, 1er septembre 1787.
3. Allusion à un ouvrage de jurisprudence que l'auteur essayait alors.
4. Deuxième partie, lettre XVIII.

Car la sagesse et la beauté
Sont rarement d'accord entre elles.

Comme elles sont femmes, je crois
Pouvoir me passer de vous dire
Qu'il s'agit entre elles des droits
Et des bornes de leur empire.

Minerve présente à la fois
Sept Sages que la Grèce encense;
Et Vénus met pour contrepoids
Les trois Grâces dans la balance.

Ce nombre étant fort inégal,
L'Amour, dit-on, craint pour sa mère.
Qu'il vous présente au tribunal,
Et je réponds de son affaire.

Près d'un si séduisant minois,
Vénus va, dans son apanage,
Avoir mille Grâces pour trois;
Minerve n'aura plus un Sage.

SILÈNE [1]

Son caractère était la bonhomie.
Il buvait sec, mais il avait le vin
Joyeux et tendre; il eût, le verre en main,
Fait rire en chœur toute une académie.
Auprès de lui, jamais le noir chagrin
N'osa rider le front de la Folie.
Si la Bacchante, avec un ris malin,
Dans un repas le barbouillait de lie,
Il se prêtait à la plaisanterie,
Et se vengeait par un tendre larcin
Qu'il n'allait pas raconter à sa mie.
Nymphes, bergers, dryades et sylvains,
De ses chansons répétaient les refrains,
L'environnaient de leur bruyante orgie,
Et promenaient le meilleur des humains
Sur le meilleur des coursiers d'Arcadie.

VERS DE SAPHO [2]

Je vais boire l'onde glacée
Qui doit effacer pour toujours

1. Troisième partie, lettre XXXIX.
2. Troisième partie, lettre XLIV.

De mon cœur et de ma pensée
Le souvenir de mes amours.

Enfin, je braverai les armes
Du cruel enfant de Vénus.
Je ne verserai plus de larmes...
Mais, hélas! je n'aimerai plus.

Je n'aimerai plus!... Quoi! sa vue
Ne me fera plus tressaillir ?
Je l'entendrai sans être émue
Et sans frissonner de plaisir ?

Quoi! mon cœur ne pourra plus même
Se figurer qu'il me sourit,
Qu'il est là, qu'il me dit : je t'aime,
Que je pleure, qu'il s'attendrit ?

Je ne pourrai plus sur la rive,
Les jours entiers l'attendre en vain ?
Le soir m'en retourner pensive,
Et me dire : il viendra demain ?

Adieu donc, espoir, rêverie,
Illusion, dont la douceur
M'aidait à supporter la vie
Et le veuvage de mon cœur!

Et toi, malgré les injustices
Qu'à ce cœur tu fis essuyer,
Perfide, de mes sacrifices,
Le plus dur, c'est de t'oublier.

ANDRÉ CHÉNIER

1762-1794

André-Marie Chénier naquit le 30 octobre 1762 à Galata, faubourg de Constantinople, d'une mère grecque et d'un père languedocien; il mourut à Paris, sur l'échafaud révolutionnaire, le 25 juillet 1794 (7 thermidor, an II). André Chénier fut amené en France dès son jeune âge, il commença ses études à Carcassonne et il les continua au collège de Navarre, à Paris. De très bonne heure il se révéla poète. Après avoir essayé de la carrière militaire, dont il se lassa rapidement et dans laquelle il ne persévéra pas plus de six mois, il revint à Paris, se remit à l'étude, composa des vers, partagea la société d'amis très distingués et qui avaient comme lui l'amour des lettres et le goût des arts. Etant tombé malade, vers sa vingt-deuxième année, il passa le temps de sa convalescence en Suisse et en Italie, après quoi il accompagna à Londres le comte de La Luzerne, ambassadeur de France en Angleterre. Fixé ensuite définitivement à Paris, il fut tout à son démon poétique et à sa passion de la justice. Ses protestations contre les violences de la Révolution le firent jeter à la prison de Saint-Lazare d'où il ne sortit que pour marcher à la mort. Cette dernière partie de sa belle et courte existence a été bien souvent racontée. Nous avons rassemblé dans les pages qui suivent quelques pièces, trop peu nombreuses à notre gré, de cet admirable poète; pour le surplus, nous renverrons à ce que nous avons dit de ses œuvres dans notre Introduction.

BUCOLIQUES

I

LE MALADE

« Apollon, dieu sauveur, dieu des savants mystères,
Dieu de la vie, et dieu des plantes salutaires,
Dieu vainqueur de Python, dieu jeune et triomphant,
Prends pitié de mon fils, de mon unique enfant!

Prends pitié de sa mère aux larmes condamnée,
Qui ne vit que pour lui, qui meurt abandonnée,
Qui n'a pas dû rester pour voir mourir son fils!
Dieu jeune, viens aider sa jeunesse! Assoupis,
Assoupis dans son sein cette fièvre brûlante
Qui dévore la fleur de sa vie innocente!
Apollon! si jamais, échappé du tombeau,
Il retourne au Ménale avoir soin du troupeau,
Ces mains, ces vieilles mains orneront ta statue
De ma coupe d'onyx à tes pieds suspendue;
Et, chaque été nouveau, d'un jeune taureau blanc
La hache à ton autel fera couler le sang.
Eh bien, mon fils, es-tu toujours impitoyable ?
Ton funeste silence est-il inexorable ?
Enfant, tu veux mourir ? Tu veux, dans ses vieux ans,
Laisser ta mère seule avec ses cheveux blancs ?
Tu veux que ce soit moi qui ferme ta paupière ?
Que j'unisse ta cendre à celle de ton père ?
C'est toi qui me devais ces soins religieux,
Et ma tombe attendait tes pleurs et tes adieux.
Parle, parle, mon fils! quel chagrin te consume ?
Les maux qu'on dissimule en ont plus d'amertume.
Ne lèveras-tu point ces yeux appesantis ?

« — Ma mère, adieu; je meurs, et tu n'as plus de fils.
Non, tu n'as plus de fils, ma mère bien-aimée.
Je te perds. Une plaie ardente, envenimée,
Me ronge; avec effort je respire, et je crois
Chaque fois respirer pour la dernière fois.
Je ne parlerai pas. Adieu; ce lit me blesse,
Ce tapis qui me couvre accable ma faiblesse;
Tout me pèse et me lasse. Aide-moi. Je me meurs.
Tourne-moi sur le flanc. Ah! j'expire! O douleurs!

«—Tiens, mon unique enfant, mon fils, prends ce breuvage
Sa chaleur te rendra ta force et ton courage.
La mauve, le dictame ont, avec les pavots,
Mêlé leurs sucs puissants qui donnent le repos;
Sur le vase bouillant, attendrie à mes larmes,
Une Thessalienne a composé des charmes.
Ton corps débile a vu trois retours du soleil,
Sans connaître Cérès, ni tes yeux le sommeil.
Prends, mon fils, laisse-toi fléchir à ma prière;
C'est ta mère, ta vieille inconsolable mère
Qui pleure, qui jadis te guidait pas à pas,
T'asseyait sur son sein, te portait dans ses bras,
Que tu disais aimer, qui t'apprit à le dire,
Qui chantait, et souvent te forçait à sourire
Lorsque tes jeunes dents, par de vives douleurs,
De tes yeux enfantins faisaient couler des pleurs.

Tiens, presse de ta lèvre, hélas, pâle et glacée,
Par qui cette mamelle était jadis pressée;
Que ce suc te nourrisse et vienne à ton secours,
Comme autrefois mon lait nourrit tes premiers jours!

« — O coteaux d'Erymanthe! ô vallons! ô bocage!
O vent sonore et frais qui troublais le feuillage,
Et faisais frémir l'onde, et sur leur jeune sein
Agitais les replis de leur robe de lin!
De légères beautés troupe agile et dansante...
Tu sais, tu sais, ma mère ? aux bords de l'Erymanthe...
Là, ni loups ravisseurs, ni serpents, ni poisons...
O visage divin! ô fêtes! ô chansons!
Des pas entrelacés, des fleurs, une onde pure,
Aucun lieu n'est si beau dans toute la nature,
Dieux! ces bras et ces flancs, ces cheveux, ces pieds nus
Si blancs, si délicats!... Je ne te verrai plus!
Oh! portez, portez-moi sur les bords d'Erymanthe,
Que je la voie encor, cette vierge dansante!
Oh! que je voie au loin la fumée à longs flots
S'élever de ce toit au bord de cet enclos...
Assise à tes côtés, ses discours, sa tendresse,
Sa voix, trop heureux père! enchante ta vieillesse,
Dieux! par-dessus la haie élevée en remparts,
Je la vois, à pas lents, en longs cheveux épars,
Seule, sur un tombeau, pensive, inanimée,
S'arrêter et pleurer sa mère bien-aimée.
Oh! que tes yeux sont doux! que ton visage est beau!
Viendras-tu point aussi pleurer sur mon tombeau ?
Viendras-tu point aussi, la plus belle des belles,
Dire sur mon tombeau : « Les Parques sont cruelles! »

« — Ah! mon fils, c'est l'amour, c'est l'amour insensé
Qui t'a jusqu'à ce point cruellement blessé ?
Ah! mon malheureux fils! Oui, faibles que nous sommes,
C'est toujours cet amour qui tourmente les hommes.
S'ils pleurent en secret, qui lira dans leur cœur
Verra que c'est toujours cet amour en fureur.
Mais, mon fils, mais dis-moi, quelle belle dansante,
Quelle vierge as-tu vue au bord de l'Erymanthe ?
N'es-tu pas riche et beau ? du moins quand la douleur
N'avait point de ta joue éteint la jeune fleur!
Parle. Est-ce cette Eglé, fille du roi des ondes,
Ou cette jeune Irène aux longues tresses blondes ?
Ou ne sera-ce point cette fière beauté
Dont j'entends le beau nom chaque jour répété,
Dont j'apprends que partout les belles sont jalouses ?
Qu'aux temples, aux festins, les mères, les épouses,
Ne sauraient voir, dit-on, sans peine et sans effroi ?
Cette belle Daphné ?... — Dieux! ma mère, tais-toi,

Tais-toi, dieux! qu'as-tu dit ? Elle est fière, inflexible;
Comme les immortels, elle est belle et terrible!
Mille amants l'ont aimée; ils l'ont aimée en vain.
Comme eux j'aurais trouvé quelque refus hautain.
Non, garde que jamais elle soit informée...
Mais, ô mort! ô tourments! ô mère bien-aimée!
Tu vois dans quels ennuis dépérissent mes jours.
Ma mère bien-aimée, ah! viens à mon secours.
Je meurs; va la trouver : que tes traits, que ton âge,
De sa mère à ses yeux offrent la sainte image.
Tiens, prends cette corbeille et nos fruits les plus beaux;
Prends notre Amour d'ivoire, honneur de ces hameaux,
Prends la coupe d'onyx à Corinthe ravie,
Prends mes jeunes chevreaux, prends mon cœur, prends
                                   [ma vie,
Jette tout à ses pieds; apprends-lui qui je suis;
Dis-lui que je me meurs, que tu n'as plus de fils.
Tombe aux pieds du vieillard, gémis, implore, presse;
Adjure cieux et mers, dieu, temple, autel, déesse.
Pars; et si tu reviens sans les avoir fléchis,
Adieu, ma mère, adieu, tu n'auras plus de fils.

    « — J'aurai toujours un fils, va, la belle Espérance
Me dit... » Elle s'incline, et dans un doux silence,
Elle couvre ce front, terni par les douleurs,
De baisers maternels entremêlés de pleurs.
Puis elle sort en hâte, inquiète et tremblante;
Sa démarche est de crainte et d'âge chancelante.
Elle arrive; et bientôt revenant sur ses pas,
Haletante, de loin : « Mon cher fils, tu vivras,
Tu vivras. » Elle vient s'asseoir près de la couche.
Le vieillard la suivait, le sourire à la bouche.
La jeune belle aussi, rouge et le front baissé,
Vient, jette sur le lit un coup d'œil. L'insensé
Tremble; sous ses tapis il veut cacher sa tête.
« Ami, depuis trois jours tu n'es d'aucune fête,
Dit-elle; que fais-tu ? Pourquoi veux-tu mourir ?
Tu souffres. On me dit que je peux te guérir;
Vis, et formons ensemble une seule famille :
Que mon père ait un fils et ta mère une fille! »

II

LA JEUNE TARENTINE

    Pleurez, doux alcyons! ô vous, oiseaux sacrés,
Oiseaux chers à Thétis, doux alcyons, pleurez!
Elle a vécu, Myrto, la jeune Tarentine!
Un vaisseau la portait aux bords de Camarine :

Là, l'hymen, les chansons, les flûtes, lentement
Devaient la reconduire au seuil de son amant.
Une clef vigilante a, pour cette journée,
Dans le cèdre enfermé sa robe d'hyménée,
Et l'or dont au festin ses bras seraient parés,
Et pour ses blonds cheveux les parfums préparés.
Mais, seule sur la proue, invoquant les étoiles,
Le vent impétueux qui soufflait dans les voiles
L'enveloppe : étonnée et loin des matelots,
Elle crie, elle tombe, elle est au sein des flots.

Elle est au sein des flots, la jeune Tarentine !
Son beau corps a roulé sous la vague marine.
Thétis, les yeux en pleurs, dans le creux d'un rocher,
Aux monstres dévorants eut soin de le cacher.
Par ses ordres bientôt les belles Néréides
L'élèvent au-dessus des demeures humides,
Le portent au rivage, et dans ce monument
L'ont au cap du Zéphir déposé mollement ;
Puis de loin, à grands cris appelant leurs compagnes,
Et les nymphes des bois, des sources, des montagnes,
Toutes, frappant leur sein et traînant un long deuil,
Répétèrent, hélas ! autour de son cercueil :

« Hélas ! chez ton amant tu n'es point ramenée ;
Tu n'as point revêtu ta robe d'hyménée ;
L'or autour de tes bras n'a point serré de nœuds ;
Les doux parfums n'ont point coulé sur tes cheveux. »

III

LA JEUNE LOCRIENNE

« Fuis, ne me livre point. Pars avant son retour.
Lève-toi ; pars, adieu ; qu'il n'entre et que ta vue
Ne cause un grand malheur, et je serais perdue !
Tiens, regarde, adieu, pars : ne vois-tu pas le jour ? »

Nous aimions sa naïve et riante folie,
Quand, soudain, se levant, un sage d'Italie,
Maigre, pâle, pensif, qui n'avait point parlé,
Pieds nus, la barbe noire, un sectateur zélé
Du muet de Samos qu'admire Métaponte,
Dit : « Locriens perdus, n'avez-vous pas de honte ?
Des mœurs saintes jadis furent votre trésor.
Vos vierges, aujourd'hui, riches de pourpre et d'or,
Ouvrent leur jeune bouche à des chants adultères.
Hélas ! qu'avez-vous fait des maximes austères
De ce berger sacré que Minerve autrefois
Daignait former en songe à vous donner des lois ? »

Disant ces mots, il part... Elle était interdite,
Son œil noir s'est mouillé d'une larme subite;
Nous l'avons consolée, et ses ris ingénus,
Ses chansons, sa gaîté, sont bientôt revenus.
Un jeune Thurien, aussi beau qu'elle est belle
(Son nom m'est inconnu), sortit presque avec elle :
Je crois qu'il la suivit et lui fit oublier
Le grave Pythagore et son grave écolier.

ÉLÉGIES

I

Jeune fille, ton cœur avec nous veut se taire.
Tu fuis, tu ne ris plus; rien ne saurait te plaire.
La soie à tes travaux offre en vain des couleurs;
L'aiguille sous tes doigts n'anime plus des fleurs.
Tu n'aimes qu'à rêver, muette, seule, errante,
Et la rose pâlit sur ta bouche expirante.
Ah! mon œil est savant et depuis plus d'un jour;
Et ce n'est pas à moi qu'on peut cacher l'amour.
Les belles font aimer; elles aiment. Les belles
Nous charment tous. Heureux qui peut être aimé d'elles!
Sois tendre, même faible; on doit l'être un moment;
Fidèle, si tu peux. Mais conte-moi comment,
Quel jeune homme aux yeux bleus, empressé, sans audace,
Aux cheveux noirs, au front plein de charme et de grâce...
Tu rougis ? On dirait que je t'ai dit son nom.
Je le connais pourtant. Autour de ta maison
C'est lui qui va, qui vient; et laissant ton ouvrage,
Tu vas, sans te montrer, épier son passage.
Il fuit vite; et ton œil, sur sa trace accouru,
Le suit encor longtemps quand il a disparu.
Certe, en ce bois voisin où trois fêtes brillantes
Font courir au printemps nos nymphes triomphantes,
Nul n'a sa noble aisance et son habile main
A soumettre un coursier aux volontés du frein.

II

AU CHEVALIER DE FONDAT

Abel, doux confident de mes jeunes mystères,
Vois, Mai nous a rendu nos courses solitaires.
Viens à l'ombre écouter mes nouvelles amours;
Viens. Tout aime au printemps, et moi j'aime toujours.
Tant que du sombre hiver dura le froid empire,
Tu sais si l'aquilon s'unit avec ma lyre :

Ma muse aux durs glaçons ne livre point ses pas;
Délicate, elle tremble à l'aspect des frimas,
Et près d'un pur foyer, cachée en sa retraite,
Entend les vents mugir, et sa voix est muette.
Mais sitôt que Procné ramène les oiseaux,
Dès qu'au riant murmure et des bois et des eaux
Les champs ont revêtu leur robe d'hyménée,
A ses caprices vains sans crainte abandonnée,
Elle renaît; sa voix a retrouvé des sons;
Et comme la cigale, amante des buissons,
De rameaux en rameaux, tour à tour reposée,
D'un peu de fleur nourrie et d'un peu de rosée,
S'égaye, et, des beaux jours prophète harmonieux,
Aux chants du laboureur mêle son chant joyeux;
Ainsi, courant partout sous les nouveaux ombrages,
Je vais chantant Zéphyr, les nymphes, les bocages,
Et les fleurs du printemps et leurs riches couleurs,
Et mes belles amours plus belles que les fleurs.

III

O jours de mon printemps, jours couronnés de rose,
A votre fuite en vain un long regret s'oppose.
Beaux jours, quoique souvent obscurcis de mes pleurs,
Vous dont j'ai su jouir même au sein des douleurs,
Sur ma tête bientôt vos fleurs seront fanées.
Hélas! bientôt le flux des rapides années
Vous aura loin de moi fait voler sans retour.
Oh! si du moins alors je pouvais à mon tour,
Champêtre possesseur, dans mon humble chaumière
Offrir à mes amis une ombre hospitalière;
Voir mes Lares charmés, pour les bien recevoir;
A de joyeux banquets la nuit les faire asseoir;
Et là nous souvenir, au milieu de nos fêtes,
Combien chez eux longtemps, dans leurs belles retraites,
Soit sur ces bords heureux, opulents avec choix,
Où Montigny s'enfonce en ses antiques bois,
Soit où la Marne lente, en un long cercle d'îles,
Ombrage de bosquets l'herbe et les prés fertiles,
J'ai su, pauvre et content, savourer à longs traits
Les muses, les plaisirs, et l'étude et la paix!
Qui ne sait être pauvre est né pour l'esclavage.
Qu'il serve donc les grands, les flatte, les ménage;
Qu'il plie, en approchant de ces superbes fronts,
Sa tête à la prière, et son âme aux affronts,
Pour qu'il puisse, enrichi de ces affronts utiles,
Enrichir à son tour quelques têtes serviles.
De ses honteux trésors je ne suis point jaloux.
Une pauvreté libre est un trésor si doux!

Il est si doux, si beau de s'être fait soi-même ;
De devoir tout à soi, tout aux beaux-arts qu'on aime ;
Vraie abeille en ses dons, en ses soins, en ses mœurs,
D'avoir su se bâtir, des dépouilles des fleurs,
Sa cellule de cire, industrieux asile
Où l'on coule une vie innocente et facile ;
De ne point vendre aux grands ses hymnes avilis ;
De n'offrir qu'aux talents de vertus ennoblis
Et qu'à l'amitié douce et qu'aux douces faiblesses,
D'un encens libre et pur les honnêtes caresses !
Ainsi l'on dort tranquille, et, dans son saint loisir,
Devant son propre cœur on n'a point à rougir.
Si le sort ennemi m'assiège et me désole,
On pleure ; mais bientôt la tristesse s'envole,
Et les arts, dans un cœur de leur amour rempli,
Versent de tous les maux l'indifférent oubli.

   Les délices des arts ont nourri mon enfance.
Tantôt, quand d'un ruisseau, suivi dès sa naissance,
La Nymphe aux pieds d'argent a sous de longs berceaux
Fait serpenter ensemble et mes pas et ses eaux,
Ma main donne au papier, sans travail, sans étude,
Des vers fils de l'amour et de la solitude.
Tantôt de mon pinceau les timides essais
Avec d'autres couleurs cherchent d'autres succès.
Ma toile avec Sapho s'attendrit et soupire ;
Elle rit et s'égaie aux danses du satyre ;
Ou l'aveugle Ossian y vient pleurer ses yeux,
Et pense voir et voit ses antiques aïeux
Qui, dans l'air appelés à ses hymnes sauvages,
Arrêtent près de lui leurs palais de nuages.
Beaux-arts, ô de la vie aimables enchanteurs,
Des plus sombres ennuis riants consolateurs,
Amis sûrs dans la peine et constantes maîtresses,
Dont l'or n'achète point l'amour ni les caresses,
Beaux-arts, dieux bienfaisants, vous que vos favoris
Par un indigne usage ont tant de fois flétris,
Je n'ai point partagé leur honte trop commune.
Sur le front des époux de l'aveugle Fortune
Je n'ai point fait ramper vos lauriers trop jaloux ;
J'ai respecté les dons que j'ai reçus de vous.
Je ne vais point, à prix de mensonges serviles,
Vous marchander au loin des récompenses viles,
Et partout, de mes vers ambitieux lecteur,
Faire trouver charmant mon luth adulateur.
Abel, mon jeune Abel, et Trudaine et son frère,
Ces vieilles amitiés de l'enfance première,
Quand tous quatre, muets, sous un maître inhumain,
Jadis, au châtiment nous présentions la main ;
Et mon frère et Lebrun, les Muses elles-mêmes ;
De Pange, fugitif de ces neuf Sœurs qu'il aime :

Voilà le cercle entier qui, le soir, quelquefois,
A des vers non sans peine obtenus de ma voix,
Prête une oreille amie et cependant sévère.
Puissé-je ainsi toujours dans cette troupe chère
Me revoir, chaque fois que mes avides yeux
Auront porté longtemps mes pas de lieux en lieux,
Amant des nouveautés compagnes de voyage,
Courant partout, partout cherchant à mon passage
Quelque ange aux yeux divins qui veuille me charmer,
Qui m'écoute ou qui m'aime, ou qui se laisse aimer !

                            IV

    O nécessité dure ! ô pesant esclavage !
O sort ! je dois donc voir, et dans mon plus bel âge,
Flotter mes jours, tissus de désirs et de pleurs,
Dans ce flux et reflux d'espoir et de douleurs !

    Souvent, las d'être esclave et de boire la lie
De ce calice amer que l'on nomme la vie,
Las du mépris des sots qui suit la pauvreté,
Je regarde la tombe, asile souhaité ;
Je souris à la mort volontaire et prochaine ;
Je me prie, en pleurant, d'oser rompre ma chaîne ;
Le fer libérateur qui percerait mon sein
Déjà frappe mes yeux et frémit sous ma main ;
Et puis mon cœur s'écoute et s'ouvre à la faiblesse :
Mes parents, mes amis, l'avenir, ma jeunesse,
Mes écrits imparfaits... car, à ses propres yeux,
L'homme sait se cacher d'un voile spécieux.
A quelque noir destin qu'elle soit asservie,
D'une étreinte invincible il embrasse la vie,
Et va chercher bien loin, plutôt que de mourir,
Quelque prétexte ami de vivre et de souffrir.
Il a souffert, il souffre : aveugle d'espérance,
Il se traîne au tombeau de souffrance en souffrance,
Et la mort, de nos maux ce remède si doux,
Lui semble un nouveau mal, le plus cruel de tous.

                HYMNE A LA JUSTICE

    France, ô belle contrée, ô terre généreuse,
Que les dieux complaisants formaient pour être heureuse,
Tu ne sens point du nord les glaçantes horreurs,
Le midi de ses feux t'épargne les fureurs.
Tes arbres innocents n'ont point d'ombres mortelles ;
Ni des poisons épars dans tes herbes nouvelles

Ne trompent une main crédule ; ni tes bois
Des tigres frémissants ne redoutent la voix ;
Ni les vastes serpents ne traînent sur tes plantes
En longs cercles hideux leurs écailles sonnantes.

Les chênes, les sapins et les ormes épais
En utiles rameaux ombragent tes sommets,
Et de Beaune et d'Aï les rives fortunées,
Et la riche Aquitaine, et les hauts Pyrénées,
Sous leurs bruyants pressoirs font couler en ruisseaux
Des vins délicieux mûris sur leurs coteaux.
La Provence odorante et de Zéphire aimée
Respire sur les mers une haleine embaumée,
Au bord des flots couvrant, délicieux trésor,
L'orange et le citron de leur tunique d'or ;
Et plus loin, au penchant des collines pierreuses,
Forme la grasse olive aux liqueurs savonneuses,
Et ces réseaux légers, diaphanes habits,
Où la fraîche grenade enferme ses rubis.
Sur tes rochers touffus la chèvre se hérisse,
Tes prés enflent de lait la féconde génisse,
Et tu vois tes brebis, sur le jeune gazon,
Epaissir le tissu de leur blanche toison.
Dans les fertiles champs voisins de la Touraine,
Dans ceux où l'Océan boit l'urne de la Seine,
S'élèvent pour le frein des coursiers belliqueux.
Ajoutez cet amas de fleuves tortueux :
L'indomptable Garonne aux vagues insensées,
Le Rhône impétueux, fils des Alpes glacées,
La Seine au flot royal, et la Loire dans son sein
Incertaine, et la Saône, et mille autres enfin
Qui nourrissent partout, sur tes nobles rivages,
Fleurs, moissons et vergers, et bois et pâturages,
Rampent au pied des murs d'opulentes cités,
Sous les arches de pierre, à grand bruit emportés.

Dirai-je ces travaux, source de l'abondance,
Ces ports où des deux mers l'active bienfaisance
Amène les tributs du rivage lointain
Que visite Phébus le soir ou le matin ?
Dirai-je ces canaux, ces montagnes percées,
De bassins en bassins ces ondes amassées
Pour joindre au pied des monts l'une et l'autre Téthys ?
Et ces vastes chemins en tous lieux départis,
Où l'étranger, à l'aise achevant son voyage,
Pense au nom des Trudaine et bénit leur ouvrage ?

Ton peuple industrieux est né pour les combats.
Le glaive, le mousquet n'accablent point ses bras.
Il s'élance aux assauts, et son fer intrépide
Chassa l'impie Anglais, usurpateur avide.

Le ciel les fit humains, hospitaliers et bons,
Amis des doux plaisirs, des festins, des chansons;
Mais, faibles, opprimés, la tristesse inquiète
Glace ces chants joyeux sur leur bouche muette,
Pour les jeux, pour la danse appesantit leurs pas,
Renverse devant eux les tables des repas,
Flétrit de longs soucis, empreinte douloureuse,
Et leur front et leur âme. Ô France! trop heureuse
Si tu voyais tes biens, si tu profitais mieux
Des dons que tu reçus de la bonté des cieux!

Vois le superbe Anglais, l'Anglais dont le courage
Ne s'est soumis qu'aux lois d'un sénat libre et sage,
Qui t'épie, et, dans l'Inde éclipsant ta splendeur,
Sur tes fautes sans nombre élève sa grandeur.
Il triomphe, il t'insulte. Oh! combien tes collines
Tressailliraient de voir réparer tes ruines,
Et pour la liberté donneraient sans regrets,
Et leur vin, et leur huile, et leurs belles forêts!
J'ai vu dans tes hameaux la plaintive misère,
La mendicité blême et la douleur amère.
Je t'ai vu dans tes biens, indigent laboureur,
D'un fisc avare et dur maudissant la rigueur,
Versant aux pieds des grands des larmes inutiles,
Tout trempé de sueurs pour toi-même infertiles,
Découragé de vivre, et plein d'un juste effroi
De mettre au jour des fils malheureux comme toi.
Tu vois sous les soldats les villes gémissantes;
Corvée, impôts rongeurs, tributs, taxes pesantes,
Le sel, fils de la terre, ou même l'eau des mers,
Sources d'oppression et de fléaux divers;
Mille brigands, couverts du nom sacré du prince,
S'unir à déchirer une triste province,
Et courir à l'envi, de son sang altérés,
Se partager entre eux ses membres déchirés!
O sainte égalité! dissipe nos ténèbres,
Renverse les verrous, les bastilles funèbres!
Le riche indifférent, dans un char promené,
De ces gouffres secrets partout environné,
Rit avec les bourreaux, s'il n'est bourreau lui-même,
Près de ces noirs réduits de la misère extrême,
D'une maîtresse impure achète les transports,
Chante sur des tombeaux, et boit parmi les morts.

Malesherbes, Turgot, ô vous en qui la France
Vit luire, hélas! en vain, sa dernière espérance,
Ministres dont le cœur a connu la pitié,
Ministres dont le nom ne s'est point oublié;
Ah! si de telles mains, justement souveraines,
Toujours de cet empire avaient tenu les rênes!

L'équité clairvoyante aurait régné sur nous,
Le faible aurait osé respirer près de vous.
L'oppresseur, évitant d'armer de justes plaintes,
Sinon quelque pudeur, aurait eu quelques craintes.
Le délateur impie, opprimé par la faim,
Serait mort dans l'opprobre, et tant d'hommes enfin,
A l'insu de nos lois, à l'insu du vulgaire,
Foudroyés sous les coups d'un pouvoir arbitraire,
De cris non entendus, de funèbres sanglots,
Ne feraient point gémir les voûtes des cachots.

Non, je ne veux plus vivre en ce séjour servile ;
J'irai, j'irai bien loin me chercher un asile,
Un asile à ma vie en son paisible cours,
Une tombe à ma cendre à la fin de mes jours,
Où d'un grand au cœur dur, l'opulence homicide
Du sang d'un peuple entier ne sera point avide,
Et ne me dira point, avec un rire affreux,
Qu'ils se plaignent sans cesse et qu'ils sont trop heureux ;
Où, loin des ravisseurs, la main cultivatrice
Recueillera les dons d'une terre propice ;
Où mon cœur, respirant sous un ciel étranger,
Ne verra plus des maux qu'il ne peut soulager ;
Où mes yeux, éloignés des publiques misères,
Ne verront plus partout les larmes de mes frères,
Et la pâle indigence à la mourante voix,
Et les crimes puissants qui font trembler les lois.

Toi donc, Equité sainte, ô toi, vierge adorée,
De nos tristes climats pour longtemps ignorée,
Daigne du haut des cieux goûter le libre encens
D'une lyre au cœur chaste, aux transports innocents,
Qui ne saura jamais, par des vœux mercenaires,
Flatter, à prix d'argent, des faveurs arbitraires ;
Mais qui rendra toujours, par amour et par choix,
Un noble et pur hommage aux appuis de tes lois.
De vœux pour les humains tous ses chants retentissent :
La vérité l'enflamme ; et ses cordes frémissent,
Quand l'air qui l'environne auprès d'elle a porté
Le doux nom des vertus et de la liberté.

ODES

I

A FANNY

Fanny, l'heureux mortel qui près de toi respire
Sait, à te voir parler, et rougir, et sourire,

De quels hôtes divins le ciel est habité.
La grâce, la candeur, la naïve innocence
       Ont, depuis ton enfance,
De tout ce qui peut plaire enrichi ta beauté.

  Sur tes traits où ton âme imprime sa noblesse,
Elles ont su mêler aux roses de jeunesse
Ces roses de pudeur, charmes plus séduisants,
Et remplir tes regards, tes lèvres, ton langage,
       De ce miel dont le sage
Cherche lui-même en vain à défendre ses sens.

  Oh! que n'ai-je moi seul tout l'éclat et la gloire
Que donnent les talents, la beauté, la victoire,
Pour fixer sur moi seul ta pensée et tes yeux!
Que, loin de moi, ton cœur soit plein de ma présence,
       Comme, dans ton absence,
Ton aspect bien-aimé m'est présent en tous lieux!

  Je pense : Elle était là. Tous disaient : « Qu'elle est belle! »
Tels furent ses regards, sa démarche fut telle,
Et tels ses vêtements, sa voix et ses discours.
Sur ce gazon assise, et dominant la plaine,
       Des méandres de Seine,
Rêveuse, elle suivait les obliques détours.

  Ainsi dans les forêts j'erre avec ton image;
Ainsi le jeune faon, dans son désert sauvage
D'un plomb volant percé, précipite ses pas.
Il emporte en fuyant sa mortelle blessure;
       Couché près d'une eau pure,
Palpitant, hors d'haleine, il attend le trépas.

II

VERSAILLES

    O Versaille, ô bois, ô portiques,
    Marbres vivants, berceaux antiques,
Par les dieux et les rois Elysée embelli,
    A ton aspect, dans ma pensée,
Comme sur l'herbe aride une fraîche rosée,
    Coule un peu de calme et d'oubli.

    Paris me semble un autre empire,
    Dès que chez toi je vois sourire
Mes pénates secrets couronnés de rameaux,
    D'où souvent les monts et les plaines
Vont dirigeant mes pas aux campagnes prochaines,
    Sous de triples cintres d'ormeaux.

Les chars, les royales merveilles,
Des gardes les nocturnes veilles,
Tout a fui; des grandeurs tu n'es plus le séjour :
Mais le sommeil, la solitude,
Dieux jadis inconnus, et les arts, et l'étude,
Composent aujourd'hui ta cour.

Ah! malheureux! à ma jeunesse
Une oisive et morne paresse
Ne laisse plus goûter les studieux loisirs.
Mon âme, d'ennui consumée,
S'endort dans les langueurs. Louange et renommée
N'inquiètent plus mes désirs.

L'abandon, l'obscurité, l'ombre,
Une paix taciturne et sombre,
Voilà tous mes souhaits : cache mes tristes jours,
Et nourris, s'il faut que je vive,
De mon pâle flambeau la clarté fugitive,
Aux douces chimères d'amours.

L'âme n'est point encore flétrie,
La vie encor n'est point tarie,
Quand un regard nous trouble et le cœur et la voix.
Qui cherche les pas d'une belle,
Qui peut ou s'égayer ou gémir auprès d'elle,
De ses jours peut porter le poids.

J'aime, je vis. Heureux rivage!
Tu conserves sa noble image,
Son nom, qu'à tes forêts j'ose apprendre le soir,
Quand, l'âme doucement émue,
J'y reviens méditer l'instant où je l'ai vue,
Et l'instant où je dois la voir.

Pour elle seule encore abonde
Cette source, jadis féconde,
Qui coulait de ma bouche en sons harmonieux.
Sur mes lèvres tes bosquets sombres
Forment pour elle encor ces poétiques nombres,
Langage d'amour et des dieux.

Ah! témoin des succès du crime,
Si l'homme juste et magnanime
Pouvait ouvrir son cœur à la félicité,
Versailles, tes routes fleuries,
Ton silence, fertile en belles rêveries,
N'auraient que joie et volupté.

Mais souvent tes vallons tranquilles,
Tes sommets verts, tes frais asiles,

Tout à coup à mes yeux s'enveloppent de deuil.
   J'y vois errer l'ombre livide
D'un peuple d'innocents qu'un tribunal perfide
   Précipite dans le cercueil.

III

LA JEUNE CAPTIVE

« L'épi naissant mûrit de la faux respecté;
Sans crainte du pressoir, le pampre tout l'été
   Boit les doux présents de l'aurore;
Et moi, comme lui belle, et jeune comme lui,
Quoi que l'heure présente ait de trouble et d'ennui,
   Je ne veux point mourir encore.

« Qu'un stoïque aux yeux secs vole embrasser la mort,
Moi je pleure et j'espère; au noir souffle du Nord
   Je plie et relève ma tête.
S'il est des jours amers, il en est de si doux!
Hélas! quel miel jamais n'a laissé de dégoûts?
   Quelle mer n'a point de tempête?

« L'illusion féconde habite dans mon sein.
D'une prison sur moi les murs pèsent en vain,
   J'ai les ailes de l'espérance;
Echappée aux réseaux de l'oiseleur cruel,
Plus vive, plus heureuse, aux campagnes du ciel,
   Philomèle chante et s'élance.

« Est-ce à moi de mourir? Tranquille je m'endors,
Et tranquille je veille, et ma veille au remords
   Ni mon sommeil ne sont en proie.
Ma bienvenue au jour me rit dans tous les yeux;
Sur des fronts abattus, mon aspect dans ces lieux
   Ranime presque de la joie.

« Mon beau voyage encore est si loin de sa fin!
Je pars, et des ormeaux qui bordent le chemin
   J'ai passé les premiers à peine.
Au banquet de la vie à peine commencé,
Un instant seulement mes lèvres ont pressé
   La coupe en mes mains encor pleine.

« Je ne suis qu'au printemps, je veux voir la moisson;
Et comme le soleil, de saison en saison,
   Je veux achever mon année.
Brillante sur ma tige et l'honneur du jardin,
Je n'ai vu luire encor que les feux du matin,
   Je veux achever ma journée.

« O mort! tu peux attendre; éloigne, éloigne-toi;
Va consoler les cœurs que la honte, l'effroi,
          Le pâle désespoir dévore.
Pour moi Palès encore a des asiles verts,
Les Amours des baisers, les Muses des concerts!
          Je ne veux point mourir encore! »

     Ainsi, triste et captif, ma lyre toutefois
S'éveillait, écoutant ces plaintes, cette voix,
          Ces vœux d'une jeune captive:
Et secouant le faix de mes jours languissants,
Aux douces lois des vers je pliais les accents
          De sa bouche aimable et naïve.

     Ces chants, de ma prison témoins harmonieux,
Feront à quelque amant des loisirs studieux
          Chercher quelle fut cette belle:
La grâce décorait son front et ses discours,
Et, comme elle, craindront de voir finir leurs jours
          Ceux qui les passeront près d'elle.

IAMBES

Comme un dernier rayon, comme un dernier zéphire
          Animent la fin d'un beau jour,
Au pied de l'échafaud j'essaye encor ma lyre.
          Peut-être est-ce bientôt mon tour.
Peut-être avant que l'heure en cercle promenée
          Ait posé sur l'émail brillant,
Dans les soixante pas où sa route est bornée,
          Son pied sonore et vigilant,
Le sommeil du tombeau pressera ma paupière.
          Avant que de ses deux moitiés
Ce vers que je commence ait atteint la dernière,
          Peut-être en ces murs effrayés
Le messager de mort, noir recruteur des ombres,
          Escorté d'infâmes soldats,
Ebranlant de mon nom ces longs corridors sombres
          Où seul, dans la foule à grands pas
J'erre, aiguisant ces dards persécuteurs du crime,
          Du juste trop faibles soutiens,
Sur ma lèvre soudain va suspendre la rime;
          Et, chargeant mon bras de liens,
Me traîner, amassant en foule à mon passage
          Mes tristes compagnons reclus,
Qui me connaissaient tous avant l'affreux message,
          Mais qui ne me connaissent plus.
Eh bien! j'ai trop vécu. Quelle franchise auguste,
          De mâle constance et d'honneur

Quels exemples sacrés doux à l'âme du juste,
      Pour lui quelle ombre de bonheur,
Quelle Thémis terrible aux têtes criminelles,
      Quels pleurs d'une noble pitié,
Des antiques bienfaits quels souvenirs fidèles,
      Quels beaux échanges d'amitié,
Font digne de regrets l'habitacle des hommes ?
      La peur blême et louche est leur dieu,
La bassesse, la honte... Ah! lâches que nous sommes!
      Tous, oui, tous. Adieu, terre, adieu!
Vienne, vienne la mort! que la mort me délivre!...
      Ainsi donc, mon cœur abattu
Cède au poids de ses maux ! — Non, non, puissé-je vivre!
      Ma vie importe à là vertu.
Car l'honnête homme enfin, victime de l'outrage,
      Dans les cachots, près du cercueil,
Relève plus altiers son front et son langage,
      Brillant d'un généreux orgueil.
S'il est écrit aux cieux que jamais une épée
      N'étincellera dans mes mains,
Dans l'encre et l'amertume une autre arme trempée
      Peut encor servir les humains.
Justice, vérité, si ma main, si ma bouche,
      Si mes pensers les plus secrets
Ne froncèrent jamais votre sourcil farouche,
      Et si les infâmes progrès,
Si la risée atroce, ou, plus atroce injure,
      L'encens de hideux scélérats,
Ont pénétré vos cœurs d'une large blessure,
      Sauvez-moi. Conservez un bras
Qui lance votre foudre, un amant qui vous venge.
      Mourir sans vider mon carquois!
Sans percer, sans fouler, sans pétrir dans leur fange
      Ces bourreaux barbouilleurs de lois!
Ces vers cadavéreux de la France asservie,
      Egorgée! O mon cher trésor,
O ma plume, fiel, bile, horreur, dieux de ma vie!
      Par vous seuls je respire encor,
Comme la poix brûlante agitée en ses veines
      Ressuscite un flambeau mourant.
Je souffre; mais je vis. Par vous, loin de mes peines,
      D'espérance un vaste torrent
Me transporte. Sans vous, comme un poison livide,
      L'invisible dent du chagrin,
Mes amis opprimés, du menteur homicide
      Les succès, le sceptre d'airain,
Des bons, proscrits par lui, la mort ou la ruine,
      L'opprobre de subir sa loi,
Tout eût tari ma vie, ou contre ma poitrine
      Dirigé mon poignard. Mais quoi!
Nul ne resterait donc pour attendrir l'histoire

Sur tant de justes massacrés !
Pour consoler leurs fils, leurs veuves, leur mémoire !
Pour que des brigands abhorrés
Frémissent aux portraits noirs de leur ressemblance !
Pour descendre jusqu'aux enfers
Nouer le triple fouet, le fouet de la vengeance
Déjà levé sur ces pervers !
Pour cracher sur leurs noms, pour chanter leur supplice !
Allons, étouffe tes clameurs ;
Souffre, ô cœur gros de haine, affamé de justice.
Toi, vertu, pleure si je meurs.

DESORGUES

1763-1808

Théodore Desorgues naquit le 9 novembre 1763, à Aix-en-Provence. On ne sait pas grand-chose de sa jeunesse, sinon qu'il étudia la médecine. Mais il ne suivit pas cette carrière. Il se consacra à la littérature. C'était un homme plein de verve et d'entrain, et bossu, comme Esope, par-devant et par-derrière. Il débarqua à Paris, un matin, la bourse légère, s'installa au quatrième étage d'une vieille maison du faubourg Saint-Jacques, meubla son galetas de magots de la Chine, d'une table, de quelques rayons de bois blanc, de quatre chaises dépareillées et d'un hamac dans lequel il couchait en toute saison ; et il se mit à écrire. Il publia plusieurs poèmes, des poésies lyriques, dont la plupart, comme l'*Hymne à l'Etre suprême*, qu'on trouvera ci-après, sont d'inspiration révolutionnaire ; et plusieurs ouvrages qu'il laissa manuscrits, parmi lesquels une tragédie intitulée *Lucrèce Borgia* et une traduction en vers des *Satires de Juvénal*. Il s'attira quelques épigrammes de Lebrun qu'il avait attaqué à propos d'un de ses poèmes. Il riposta d'ailleurs, mais il n'était pas de force à lutter contre le redoutable épigrammatiste. Quérard appelle Desorgues « le poète désordre », et celui-ci, en effet, manifesta certains désordres d'esprit. A la suite d'une chanson qu'il fit contre Napoléon, il fut enfermé à Charenton ; c'est là qu'il mourut le 5 juin 1808.

HYMNE A L'ÊTRE SUPRÊME

Père de l'univers, suprême intelligence,
Bienfaiteur ignoré des aveugles mortels,
Tu révélas ton être à la reconnaissance,
    Qui seule éleva tes autels.

Ton temple est sur les monts, dans les airs, sur les ondes,
Tu n'as point de passé, tu n'as point d'avenir,
Et sans les occuper tu remplis tous les mondes,
    Qui ne peuvent te contenir.

Tout émane de toi, grande et première cause,
Tout s'épure aux rayons de ta divinité ;

Sur ton culte immortel la morale repose,
    Et sur les mœurs la liberté.

Pour venger leur outrage et ta gloire offensée,
L'auguste liberté, ce fléau des pervers,
Sortit au même instant de ta vaste pensée,
    Avec le plan de l'univers.

Dieu puissant! elle seule a vengé ton injure;
De son culte elle-même, instruisant les mortels,
Leva le voile épais qui couvrait la nature
    Et vint absoudre tes autels.

O toi! qui du néant, ainsi qu'une étincelle,
Fis jaillir dans les airs l'astre éclatant du jour,
Fais plus : verse en nos cœurs ta sagesse immortelle,
    Embrase-nous de ton amour.

De la haine des rois anime la Patrie,
Chasse les vains désirs, l'injuste orgueil des rangs,
Le luxe corrupteur, la basse flatterie,
    Plus fatale que les tyrans.

Dissipe nos erreurs, rends-nous bons, rends-nous justes,
Règne, règne, au-delà du tout illimité;
Enchaîne la nature à tes décrets augustes,
    Laisse à l'homme la liberté.

                      (1794.)

ÉPIGRAMMES

I

SUR BAOUR

Baour, dont le nom seul provoque la satire,
Baour se rit de moi : remercions les dieux;
    Les sots seraient trop malheureux
    S'ils n'avaient pas le don de rire.

II

CONTRE LEBRUN

    Oui, le fléau le plus funeste
D'une lyre banale obtiendrait les accords;
    Si la peste avait des trésors,
Lebrun serait soudain le chantre de la peste.

GABRIEL LEGOUVÉ

1764-1812

Gabriel-Marie-Jean-Baptiste Legouvé naquit le 23 juin 1764, à Paris. Il fit de bonnes études et montra un vif penchant pour les belles-lettres. Ayant hérité de son père une belle fortune, il ne chercha pas d'autre carrière que la littérature. C'est à la poésie principalement qu'il se consacra. Il a composé beaucoup de vers; ses pièces sont en général longues et sérieuses, et de plus d'une il se dégage un assez lourd parfum d'ennui. Il a cette correction uniforme et sans saillies qui est la pire des qualités. On trouve dans sa poésie quelques-uns des traits caractéristiques de son temps, comme le goût du funèbre et le culte de la mélancolie. C'est d'une pièce sur *la Mélancolie* précisément que nous avons pris une partie des vers qu'on lira ci-après. C'est vers la fin du siècle, en 1798 probablement, que Legouvé la composa. Quelque temps après, en 1801, il faisait paraître son poème le plus célèbre : *le Mérite des femmes*, poème de bien médiocre valeur, que l'on a cessé de lire, bien que l'on en cite encore souvent le dernier vers, et dont nous reproduisons précisément la conclusion. Legouvé a composé aussi quelques ouvrages dramatiques, et l'on dirait mieux mélodramatiques, parmi lesquels une tragédie pastorale : *la Mort d'Abel*, en grande partie inspirée de Gessner. Admis à l'Institut le 8 octobre 1798, chargé, en 1807, de la direction du *Mercure de France*, il mourut le 1er septembre 1812.

LE MÉRITE DES FEMMES

FRAGMENT

Eh bien! vous, de ce sexe éternels ennemis,
Qu'opposez-vous aux traits que je vous ai soumis ?
Vous me peignez soudain la joueuse, l'avare,
L'altière au cœur d'airain, la folle au cœur bizarre,
La mégère livrée à des soupçons jaloux,
Et l'éternel fléau d'un amant, d'un époux :
Vous sied-il d'avancer ces reproches étranges ?
Pour oser les blâmer, sommes-nous donc des anges ?

Et, non moins imparfaits, ne partageons-nous pas
Leurs travers, leurs défauts, sans avoir leurs appas ?
Vous ne m'écoutez point ; et, d'un ton plus austère,
Vous m'offrez Eryphile et sa fourbe adultère,
Les fureurs dont Médée épouvanta Colchos,
Le crime qui souilla les femmes de Lemnos,
Messaline ordonnant d'horribles saturnales ;
Et, de l'antiquité passant à nos annales,
Vous mettez sous mes yeux l'affreuse Médicis
Au meurtre des Français encourageant son fils ;
Qui ne hait comme vous ces femmes sanguinaires ?
Mais juge-t-on jamais les rois sur les Tibères ?
Et la femme perverse, à d'équitables yeux,
Doit-elle rendre enfin tout son sexe odieux ?
Mille étoiles au loin rayonnent sur nos têtes :
Il en est dont le cours amène des tempêtes ;
Mais, quoique leur aspect présage des malheurs,
Trouvons-nous moins d'éclat à leurs brillantes sœurs
Qui viennent, de la nuit perçant les voiles sombres,
Consoler nos regards du vaste deuil des ombres ?
Des fleurs ornent nos champs : mais pour les trahisons
Si plus d'une à la haine offre de noirs poisons,
En admirons-nous moins celles qui sur leur tige
D'innocentes couleurs étalent le prestige,
Et font à l'odorat, comme les yeux charmé,
Respirer le plaisir dans leur souffle embaumé ?
Les femmes, dût s'en plaindre une maligne envie,
Sont ces fleurs, ornements du désert de la vie ;
Reviens de ton erreur, toi qui veux les flétrir :
Sache les respecter autant que les chérir ;
Et, si la voix du sang n'est point une chimère,
Tombe aux pieds de ce sexe à qui tu dois ta mère.

LA MÉLANCOLIE

FRAGMENTS

La joie a ses plaisirs ; mais la mélancolie,
Amante du silence et dans soi recueillie,
Dédaigne tous ces jeux, tout ce bruyant bonheur
Où s'étourdit l'esprit, où se glace le cœur.
L'homme sensible et tendre à la vive allégresse
Préfère la langueur d'une douce tristesse ;
Il la demande aux arts : suivons-le dans ces lieux
Que la peinture orna de ses dons précieux ;
Il quitte ces tableaux où le pinceau déploie
D'une fête, d'un bal la splendeur et la joie,
Pour chercher ceux où l'art, attristant sa couleur,

D'un amant, d'un proscrit a tracé le malheur.
De la toile attendrie, où ces scènes sont peintes,
Son âme dans l'extase entend sortir des plaintes,
Et son regard avide y demeure attaché.

Au théâtre, surtout, il veut être touché.
Voyez-vous, pour entendre Emilie, Orosmane,
Phèdre en proie à l'amour qu'elle-même condamne,
Comme un peuple nombreux dans le cirque est pressé ?
Chacun chérit les traits dont il se sent blessé;
Chacun aime à verser sur de feintes alarmes,
Sur des désastres faux, de véritables larmes;
Et loin du cirque même, en son cœur, en ses yeux,
Garde et nourrit longtemps ses pleurs délicieux.

Quel est, en le lisant, le livre qu'on admire ?
L'ouvrage où l'écrivain s'attendrit et soupire.
L'Iliade, d'Hector peignant le dernier jour;
Les vers où de Didon tonne et gémit l'amour;
Les plaintes de Tancrède et les feux d'Herminie;
Héloïse, Werther, Paul et sa Virginie,
Ces tableaux douloureux, ces récits enchanteurs
Que l'on croirait tracés par les Grâces en pleurs.
Ignorant, éclairé, tout mortel les dévore;
La nuit même il les lit; et quelquefois l'aurore,
En rouvrant le palais de l'orient vermeil,
Le voit le livre en main oublier le sommeil :
Dans le recueillement son âme est absorbée,
Et sur la page humide une larme est tombée.
Douce larme du cœur, trouble du sentiment,
Qui naît dans l'abandon d'un long enchantement,
Heureux qui te connaît! malheureux qui t'ignore!

Arrêtons-nous aux champs qu'un riche émail colore :
Du pourpre des raisins et de l'or des guérets
L'aspect riant, d'abord, a pour nous des attraits;
Mais que nous préférons l'épaisseur d'un bois sombre!
C'est là qu'on est heureux! là, le soleil et l'ombre,
Qui, formant dans leur lutte un demi-jour charmant,
Ménagent la clarté propice au sentiment;
Mille arbres qui, penchant leur tête échevelée,
Tantôt dans le lointain allongent une allée,
D'un dédale tantôt font serpenter les plis,
Dessinent des bosquets, ou groupent des taillis;
Enfin le doux zéphire, qui, muet dans la plaine,
Gémit dans les rameaux qu'agite son haleine,
Tout dispose à penser, invite à s'attendrir;
Sous ces dômes touffus le cœur aime à s'ouvrir;
Et, conduit par leur calme aux tendres rêveries,
Se plaît à réveiller ses blessures chéries.

Sous ces bois inspirants coule-t-il un ruisseau;
L'émotion augmente à ce doux bruit de l'eau
Qui, dans son cours plaintif qu'on écoute avec charmes,
Semble à la fois rouler des soupirs et des larmes;
Et qu'un saule pleureur, par un penchant heureux,
Dans ses flots murmurants trempe ses longs cheveux,
Nous ressentons alors dans notre âme amollie
Toute la volupté de la mélancolie.
Cette onde gémissante et ce bel arbre en pleurs
Nous semblent deux amis touchés de nos malheurs :
Nous leur disons nos maux, nos souvenirs, nos craintes;
Nous croyons leur tristesse attentive à nos plaintes;
Et, remplis des regrets qu'ils expriment tous deux,
Nous trouvons un bonheur à gémir avec eux.

Ecoutons : des oiseaux commence le ramage.
De ces chantres ailés un seul a notre hommage;
C'est Philomèle, au loin lamentant ses regrets.
Oh! que sa voix plaintive enchante les forêts!
Que j'aime à m'arrêter sous l'ombre harmonieuse
Où se traîne en soupirs sa chanson douloureuse!
De l'oreille et du cœur je suis ses doux accents.
Rêveur, et tout entier à ses sons ravissants,
Je ne m'aperçois pas si, planant sur ma tête,
Des nuages affreux assemblent la tempête,
Si le tonnerre gronde, ou si le jour qui fuit
Cède le firmament aux voiles de la nuit;
Je ne vois que les maux que cet oiseau déplore;
Il cesse de chanter, et je l'écoute encore :
Tant la mélancolie est un doux sentiment!...

Voilà donc tes bienfaits, tendre mélancolie!
Par toi de l'univers la scène est embellie;
Tu sais donner un prix aux larmes, aux soupirs;
Et nos afflictions sont presque des plaisirs.
Ah! si l'art à nos yeux veut tracer ton image,
Il doit peindre une vierge assise sous l'ombrage,
Qui, rêveuse, et livrée à de vagues regrets,
Nourrit, au bruit des flots, un chagrin plein d'attraits,
Laisse voir, en ouvrant ses paupières timides,
Des pleurs voluptueux dans ses regards humides,
Et se plaît aux soupirs qui soulèvent son sein,
Un cyprès devant elle, et *Werther* à la main.

MARIE-JOSEPH CHÉNIER

1764-1811

Marie-Joseph Chénier, frère puîné d'André Chénier, naquit le 28 août 1764, à Constantinople. En 1781, il entra dans l'armée; mais il se consacra bientôt à la littérature. Le théâtre surtout l'attirait; il fut donc avant tout un poète tragique, et en cette qualité il se montra l'admirateur et le continuateur de Voltaire. Ses tragédies sont nombreuses : *Edgard ou le page supposé*, puis *Azémire*, qui furent accueillies par des sifflets; *Charles IX ou la Saint-Barthélemy*, qui triompha à la fin de 1789 et qui devint *Charles IX ou l'Ecole des rois;* puis avec des fortunes diverses : en 1791, *Henri VIII*, *Jean Colas;* en 1792, *Caïus Gracchus;* en 1793, *Fénelon;* en 1794, *Timoléon;* en 1804, *Cyrus;* et en outre *Philippe II*, *Brutus et Cassius*, *Tibère, Œdipe Roi, Œdipe à Colone*, qui ne furent pas représentées. Marie-Joseph Chénier composa aussi des satires assez vigoureuses, des épigrammes, dont certaines sont ingénieuses et piquantes, des épîtres dont l'une des plus goûtées fut l'*Epître à Voltaire*, et dont l'une des mieux tournées est la vive *Petite épître à Jacques Delille;* nous reproduisons, de la première, un fragment où l'on trouvera les beaux vers souvent cités sur l'immortalité toujours jeune d'Homère et nous donnons le texte intégral de la deuxième. Nous y joignons une partie du véhément *Discours sur la Calomnie*, par lequel Marie-Joseph Chénier riposte en frémissant à ceux qui l'ont voulu rendre responsable de la mort de son frère. Il composa encore des élégies, au premier rang desquelles on met celle, assez longue, qu'il a intitulée *la Promenade*, et dont nous donnons une partie; il est enfin l'auteur d'hymnes révolutionnaires, dont le plus ardent, le plus populaire et le plus beau est ce *Chant du départ* dont tout le monde sait les strophes par cœur et que nous n'avons pas cru cependant devoir nous dispenser de citer. Marie-Joseph Chénier a donc été un poète fécond. Il est loin d'être un grand poète. Cheminant dans l'ornière de Voltaire, il fut un de ceux qui prolongèrent, sous l'Empire, la littérature dramatique et poétique du XVIIIe siècle. Si sa mémoire semble avoir encore quelque éclat, il le doit au rayonnement de la gloire dont son frère André a illustré le nom de Chénier. Comme homme politique Marie-Joseph Chénier fut député à la Convention où il vota la mort de Louis XVI; plus tard, membre du Tribunat, il fit partie de l'opposition à la politique de Bonaparte; plus tard encore, se trouvant dans une situation précaire, il obtint de Napoléon une pension de huit mille francs et fut chargé de la continuation de *l'Histoire de France*. Il passa ses dernières années dans l'étude et mourut le 10 janvier 1811.

LE CHANT DU DÉPART

UN REPRÉSENTANT DU PEUPLE

La victoire en chantant nous ouvre la barrière,
      La liberté guide nos pas,
Et du Nord au Midi la trompette guerrière
      A sonné l'heure des combats !
      Tremblez ennemis de la France,
      Rois ivres de sang et d'orgueil ;
      Le peuple souverain s'avance,
      Tyrans, descendez au cercueil !

      La République nous appelle,
      Sachons vaincre ou sachons périr !
      Un Français doit vivre pour elle,
      Pour elle un Français doit mourir !

UNE MÈRE DE FAMILLE

De nos yeux maternels ne craignez point les larmes,
      Loin de nous de lâches douleurs ;
Nous devons triompher quand vous prenez les armes,
      C'est aux rois à verser des pleurs.
      Nous vous avons donné la vie,
      Guerriers, elle n'est plus à vous ;
      Tous vos jours sont à la patrie,
      Elle est votre mère avant nous.

DEUX VIEILLARDS

Que le fer paternel arme la main des braves ;
      Songez à nous au champ de Mars ;
Consacrez dans le sang des rois et des esclaves
      Le fer béni par vos vieillards,
      Et, rapportant sous la chaumière
      Des blessures et des vertus,
      Venez fermer notre paupière
      Quand les tyrans ne seront plus.

UN ENFANT

De Bara, de Viala, le sort nous fait envie :
    Ils sont morts, mais ils ont vaincu;
Le lâche, accablé d'ans, n'a point connu la vie :
    Qui meurt pour le peuple a vécu.
    Vous êtes vaillants, nous le sommes,
    Guidez-nous contre les tyrans;
    Les républicains sont des hommes,
    Les esclaves sont des enfants.

UNE ÉPOUSE

Partez, vaillants époux, les combats sont vos fêtes,
    Partez, modèle des guerriers;
Nous cueillerons des fleurs pour en ceindre vos têtes,
    Nos mains tresseront vos lauriers.
    Et si le temple de Mémoire
    S'ouvrait à vos mânes vainqueurs,
    Nos voix chanteront votre gloire,
    Nos flancs porteront vos vengeurs.

UNE JEUNE FILLE

Et nous, sœurs des héros, nous qui de l'hyménée
    Ignorons les aimables nœuds,
Si pour s'unir un jour à notre destinée,
    Les citoyens forment des vœux,
    Qu'ils reviennent dans nos murailles,
    Beaux de gloire et de liberté,
    Et que leur sang, dans les batailles,
    Ait coulé pour l'égalité.

TROIS GUERRIERS

Sur le fer, devant Dieu, nous jurons à nos pères,
    A nos épouses, à nos sœurs,
A nos représentants, à nos fils, à nos mères,
    D'anéantir les oppresseurs!
    En tous lieux, dans la nuit profonde,
    Plongeant l'infâme royauté,
    Les Français donneront au monde
    Et la paix et la liberté [1]!

                    (1794.)

1. Après chaque strophe des chœurs de guerriers, de mères de
famille, de vieillards, d'enfants, d'épouses, de jeunes filles, puis un
chœur général, reprennent successivement le refrain :
    La République nous appelle...

DISCOURS SUR LA CALOMNIE

FRAGMENT

Allons, plats écoliers, maîtres dans l'art de nuire,
Divisant pour régner, isolant pour détruire,
Suivez encor d'Hébert les sanglantes leçons :
Sur les bancs du sénat placez les noirs soupçons;
Qu'au milieu des journaux la loi naisse flétrie;
Dans les pouvoirs du peuple insultez la patrie;
Qu'un débat scandaleux s'élève, à votre voix,
Entre le créateur et l'organe des lois.
Empoisonnez de fiel la coupe domestique;
Étouffez les accents de la franchise antique;
Courez dans tous les cœurs attiédir l'amitié;
Séchez dans tous les yeux les pleurs de la pitié;
Opposez aux vivants l'éloquence des tombes;
Prêchez l'humanité, mais parlez d'hécatombes;
Plus coupables encor, tels que de noirs corbeaux,
Osez des morts fameux déchirer les lambeaux;
Auprès de leurs rayons rassemblez vos ténèbres,
Brisez vos faibles dents sur leurs pierres funèbres.
Ah! de ces demi-dieux si les noms révérés
Par la gloire et le temps n'étaient pas consacrés,
Leur immortalité deviendrait votre ouvrage;
La calomnie honore, en croyant qu'elle outrage.

Narcisse et Tigellin, bourreaux législateurs,
De ces menteurs gagés se font les protecteurs :
De toute renommée envieux adversaires,
Et d'un parti cruel plus cruels émissaires,
Odieux proconsuls, régnant par des complots,
Des fleuves consternés ils ont rougi les flots.
J'ai vu fuir, à leur nom, les épouses tremblantes;
Le Moniteur fidèle, en ses pages sanglantes,
Par le souvenir même inspire la terreur,
Et dénonce à Clio leur stupide fureur.
J'entends crier encor le sang de leurs victimes;
Je lis en traits d'airain la liste de leurs crimes;
Et c'est eux qu'aujourd'hui l'on voudrait excuser!
Qu'ai-je dit ? On les vante! et l'on m'ose accuser!
Moi, jouet si longtemps de leur lâche insolence,
Proscrit pour mes discours, proscrit pour mon silence,
Seul, attendant la mort quand leur coupable voix
Demandait à grands cris du sang et non des lois!
Ceux que la France a vus ivres de tyrannie,
Ceux-là même dans l'ombre armant la calomnie,
Me reprochent le sort d'un frère infortuné,
Qu'avec la calomnie ils ont assassiné!

L'injustice agrandit une âme libre et fière.
Ces reptiles hideux, sifflant dans la poussière,
En vain sèment le trouble entre son ombre et moi :
Scélérats! contre vous elle invoque la loi.
Hélas! pour arracher la victime aux supplices,
De mes pleurs chaque jour fatiguant vos complices,
J'ai courbé devant eux mon front humilié;
Mais ils vous ressemblaient; ils étaient sans pitié.
Si le jour où tomba leur puissance arbitraire,
Des fers et de la mort je n'ai sauvé qu'un frère [1],
Qu'au fond des noirs cachots Dumont [2] avait plongé,
Et qui deux jours plus tard périssait égorgé,
Auprès d'André Chénier avant que de descendre
J'élèverai la tombe où manquera sa cendre,
Mais où vivront du moins et son doux souvenir,
Et sa gloire, et ses vers dictés pour l'avenir.
Là, quand de thermidor la septième journée
Sous les feux du Lion ramènera l'année,
O mon frère, je veux, relisant tes écrits,
Chanter l'hymne funèbre à tes mânes proscrits.
Là, souvent tu verras près de ton mausolée
Tes frères gémissants, ta mère désolée,
Quelques amis des arts, un peu d'ombre et des fleurs;
Et ton jeune laurier grandira sous mes pleurs...

(1797.)

PETITE ÉPITRE A JACQUES DELILLE

Marchand de vers, jadis poète,
Abbé, valet, vieille coquette,
Vous arrivez : Paris accourt.
Eh! vite, une triple toilette :
Il faut unir à la cornette
La livrée et le manteau court.
Vous mîtes du rouge à Virgile;
Mettez des mouches à Milton :
Vantez-nous bien, du même style,
Et les émigrés et Caton;
Surpassez les nouveaux apôtres
En théologales vertus;
Bravez les tyrans abattus
Et soyez aux gages des autres.
Vous ne nous direz plus adieu;
Nous rendons les clefs de saint Pierre;

1. Il s'agit de Sauveur Chénier, d'un an plus âgé qu'André, et qui,
ayant été, lui aussi, emprisonné, fut remis en liberté.
2. André Dumont, envoyé en mission dans le département de la
Somme par la Convention.

Mais, puisque vous protégez Dieu,
N'outragez pas feu Robespierre.
Ce grand pontife aux indévots
Rendit quelques mauvais offices;
Il eût été votre héros
S'il eût donné des bénéfices.

    Virgile, en de riants vallons,
A célébré l'agriculture;
Vous, l'abbé, c'est dans les salons,
Que vous observiez la nature;
Soyez encor l'homme des champs,
Suivant la cour, suivant la ville.
Votre muse, au pipeau servile,
Immortalise dans ses chants
Les lacs pompeux d'Ermenonville,
Et les fiers jets d'eau de Marly,
Les déserts bâtis par Monville,
Et les hameaux de Chantilly.
Des princes un peu subalternes,
Des grands seigneurs un peu modernes
Ont aujourd'hui les vieux châteaux;
N'importe : le ciel vous fit naître
Trop bas pour aimer vos égaux,
Trop vain pour vous passer de maître.

    Les rossignols en liberté
Aiment à confier leur tête
Aux rameaux du chêne indompté
Que ne peut courber la tempête;
Pour déployer leur noble voix,
Ils veulent le frais des bocages,
L'azur des cieux, l'ombre des bois :
Les serins chantent dans les cages.

ÉPITRE A VOLTAIRE

FRAGMENT

    Tu livras les méchants au fouet de la satire.
Et qu'importe en effet qu'un rimeur en délire
Publie incognito quelque innocent écrit ?
Qu'Armande et Philaminte, en leurs bureaux d'esprit,
Vantent nos Trissotins, parés de fleurs postiches ?
A quoi bon faire encor la guerre aux hémistiches ?
Il faut la déclarer au vil adulateur
Qui répand dans les cours son venin délateur;
Au Zoïle imprudent qui blesse un vrai mérite;
A l'esclave oppresseur, à l'infâme hypocrite;

Sans cesse il faut armer contre leur souvenir,
Un inflexible vers, que lira l'avenir.

Voilà donc le parti qui veut par des outrages
A la publique estime arracher tes ouvrages!
Qui prétend sans appel condamner à l'oubli
Un siècle où la raison vit son règne établi!
Vain espoir! tout s'éteint, les conquérants périssent;
Sur le front des héros les lauriers se flétrissent;
Des antiques cités les débris sont épars;
Sur des remparts détruits s'élèvent des remparts;
L'un par l'autre abattus les empires s'écroulent;
Les peuples entraînés, tels que les flots qui roulent,
Disparaissent du monde, et les peuples nouveaux
Iront presser les rangs dans l'ombre des tombeaux.
Mais la pensée humaine est l'âme tout entière.
La mort ne détruit pas ce qui n'est point matière.
Le pouvoir absolu s'efforcerait en vain
D'anéantir l'esprit né d'un souffle divin :
Du front de Jupiter c'est Minerve élancée.
Survivant au pouvoir, l'immortelle pensée,
Reine de tous les lieux et de tous les instants,
Traverse l'avenir sur les ailes du temps.
Brisant des potentats la couronne éphémère,
Trois mille ans ont passé sur la cendre d'Homère,
Et depuis trois mille ans Homère respecté
Est jeune encor de gloire et d'immortalité;
Nos Verrès, que du peuple enrichit l'indigence,
Entendent Cicéron provoquer leur sentence;
Tacite, en traits de flamme, accuse nos Séjans,
Et son nom prononcé fait pâlir les tyrans;
Le tien des imposteurs restera l'épouvante.
Tu servis la raison; la raison triomphante
D'une ligue envieuse étouffera les cris,
Et dans les cœurs bien nés gravera tes écrits.
Lus, admirés sans cesse, et toujours plus célèbres,
Du sombre fanatisme écartant les ténèbres,
Ils luiront d'âge en âge à la postérité,
Comme on voit ces flambeaux dont l'heureuse clarté
Dominant sur les mers durant les nuits d'orage
Aux yeux des voyageurs fait briller le rivage,
Et, signalant de loin les bancs et les rochers,
Dirige au sein du port les habiles nochers.

LA PROMENADE

FRAGMENTS

Roule avec majesté tes ondes fugitives,
Seine; j'aime à rêver sur tes paisibles rives,
En fuyant comme toi la reine des cités.
Ah! lorsque la nature, à mes yeux attristés,
Le front orné de fleurs, brille, en vain renaissante,
Lorsque du renouveau l'haleine caressante
Rafraîchit l'univers, de jeunesse paré,
Sans ranimer mon front pâle et décoloré,
Du moins, auprès de toi que je retrouve encore
Ce calme inspirateur que le poète implore,
Et la mélancolie errante aux bords des eaux!
Jadis, il m'en souvient, du fond de leurs roseaux,
Tes nymphes répétaient le chant plaintif et tendre
Qu'aux échos de Passy ma voix faisait entendre.
Jours heureux! temps lointain, mais jamais oublié
Où les arts consolants, et la tendre amitié,
Et tout ce dont le charme intéresse à la vie,
Egayaient mes destins, ignorés de l'envie!

. . . .

Le troupeau se rassemble à la voix des bergers;
J'entends frémir du soir les insectes légers;
Des nocturnes zéphyrs je sens la douce haleine;
Le soleil, de ses feux, ne rougit plus la plaine,
Et cet astre plus doux qui luit au haut des cieux
Argente mollement les flots silencieux.
Mais une voix qui sort du vallon solitaire
Me dit : « Viens, tes amis ne sont plus sur la terre;
Viens; tu veux rester libre, et le peuple est vaincu. »
Il est vrai : jeune encor j'ai déjà trop vécu.
L'espérance lointaine et les vastes pensées
Embellissaient mes nuits tranquillement bercées;
A mon esprit déçu, facile à prévenir,
Des mensonges riants coloraient l'avenir.
Flatteuse illusion, tu m'es bientôt ravie!
Vous m'avez délaissé, doux rêves de la vie!
Plaisirs, gloire, bonheur, patrie et liberté,
Vous fuyez loin d'un cœur vide et désenchanté!
Les travaux, les chagrins, ont doublé mes années;
Ma vie est sans couleur, et mes pâles journées
M'offrent de longs ennuis l'enchaînement certain,
Lugubres comme un soir qui n'eut pas de matin.
Je vois le but, j'y touche, et j'ai soif de l'atteindre.
Le feu qui me brûlait a besoin de s'éteindre;

Ce qui m'en reste encor n'est qu'un morne flambeau,
Eclairant à mes yeux le chemin du tombeau.
Que je repose en paix sous le gazon rustique,
Sur les bords du ruisseau pur et mélancolique!
Vous, amis des humains et des chants et des vers,
Par un doux souvenir peuplez ces lieux déserts;
Suspendez aux tilleuls qui forment ces bocages
Mes derniers vêtements mouillés de tant d'orages;
Là, quelquefois encor daignez vous rassembler;
Là, prononcez l'adieu; que je sente couler
Sur le sol enfermant mes cendres endormies
Des mots partis du cœur et des larmes amies!

ÉPIGRAMMES

I

SUR l'*Homme des Champs*, DE JACQUES DELILLE

Ce n'est donc plus l'abbé Virgile :
C'est un abbé sec, compassé,
Pincé, passé, cassé, glacé,
Brillant mais d'un éclat fragile.
Sous son maigre et joli pinceau
La nature est vaine et coquette;
L'habile arrangeur de palette
N'a vu, pour son petit tableau,
Les champs qu'à travers sa lorgnette
Et par les vitres du château.

II

LA CONFESSION DE LA HARPE

« Rassurez-vous, mon Armide est de glace,
Disait La Harpe à son cher directeur;
Clorinde est plate, Herminie est sans grâce;
Mes vers dévots ont quelque pesanteur.
Un saint ennui du plaisir prend la place :
Car ce n'est point par un orgueil d'auteur,
C'est en chrétien que je traduis Le Tasse,
Pour mes péchés et pour ceux du lecteur. »

III

SUR REWBEL
L'UN DES CINQ PREMIERS MEMBRES DU DIRECTOIRE

« Rewbel, directeur! le pauvre homme!
Devait-on s'attendre à cela ?
— Pourquoi non ? Sous Caligula
Il eût été consul à Rome. »

IV

SUR M. CH. MAURICE DE TALLEYRAND DE PÉRIGORD, ANCIEN ÉVÊQUE D'AUTUN, AUJOURD'HUI PRINCE DE BÉNÉVENT

Roquette dans son temps, Périgord dans le nôtre,
Furent tous deux prélats d'Autun.
Tartuffe est le portrait de l'un;
Ah! si Molière eût connu l'autre!

TABLE DES MATIÈRES

GF — TEXTE INTÉGRAL — GF

1798 — 1966. — IMPRIMERIE-RELIURE MAME
N° d'édition 5552. — 2ᵉ trimestre 1966. PRINTED IN FRANCE.